Vreemd lichaam

Van dezelfde auteur

Coma
Experiment
Brein
Epidemie
Infuus
Doodsangst
Sfinx
Manipulatie
Narcose
Embryo
Overdosis
Terminaal
Fataal
Risico
Besmet
Diagnose
Crisis
Kloon
Kritiek

Robin Cook

Vreemd lichaam

A.W. Bruna Uitgevers B.V., Utrecht

Oorspronkelijke titel
Foreign Body

Vertaling
Anda Witsenburg
Omslagbeeld
Image Select, Andersen Ross
Omslagontwerp
De Weijer Design BNO bv

ISBN 978 90 229 9495 5
NUR 332

Dit boek is gedrukt op papier dat het keurmerk van de Forest Stewardship Council (FSC) mag dragen. Bij dit papier is het zeker dat de productie niet tot bosvernietiging heeft geleid. Een flink deel van de grondstof is afkomstig uit bossen en plantages die worden beheerd volgens de regels van FSC. Van het andere deel van de grondstof is vastgesteld dat hiervoor geen houtkap in de laatste resten waardevol bos heeft plaatsgevonden. Daarom mag dit papier het FSC Mixed Sources label dragen. Voor dit boek is het FSC-gecertificeerde Munkenprint gebruikt. Dit papier is 100% chloor- en zwavelvrij gebleekt en wordt geleverd door Arctic Paper Munkedals AB, Zweden.

Dit boek is opgedragen aan Samarth Gautam,
in de hoop dat zijn generatie en de voorgaande
in respectvolle harmonie zullen samenleven.
Ik wens je een goed leven, kleine jongen!

‘Iemand die denkt dat hij vrij is, is vrij, en iemand die denkt dat hij gebonden is, is gebonden. In dit geval klopt het gezegde, “Denken maakt dat het zo is.”’

- Ashtavakra Gita, 1:11

Proloog

15 oktober 2007
maandag 19.00 uur
Delhi, India

Alleen mensen die al heel lang in Delhi woonden en daardoor een speciale antenne hadden ontwikkeld voor het verloop van het verkeer in de stad wisten dat het spitsuur over zijn hoogtepunt heen was en nu weer afnam. Voor iemand die niet gewend was aan de oorverdovende herrie leek de kakofonie aan claxons, sirenes en gierende remmen onverminderd door te gaan. Het gedrang was nog steeds onvoorstelbaar. Bont beschilderde vrachtauto's; bussen waar zich net zoveel passagiers aan of op vastklemden als erin zaten; auto's, variërend van enorme Mercedessen tot kleine Maruti's, massa's zwart met gele taxi's, gemotoriseerde riksja's, allerlei soorten bromfietsen en scooters, vaak met een heel gezin erop, en zwermen oude, zwarte fietsen. Duizenden voetgangers krioelden tussen het zich met horten en stoten voortbewegende verkeer, terwijl horden vuile kinderen in lompen hun smerige handjes door open ramen naar binnen staken in de hoop op een paar muntjes. Koeien, honden en groepjes wilde apen zwierven door de straten. En alles werd omhuld door een nevelige, benauwde lucht vol stof en smog.
Voor Basant Chandra was het de gebruikelijke, frustrerende avondrit naar huis door de stad waar hij al zevenenveertig jaar woonde. In een stad met een inwonertal van meer dan veertien miljoen moest het verkeer op de koop toe worden genomen en net als iedereen had Basant geleerd ermee te leven. Omdat hij zich ontspannen en tevreden voelde na een bezoek aan zijn favoriete callgirl, Kaumudi, was hij vanavond zelfs nog verdraagzamer dan gewoonlijk.
Over het algemeen was Basant een luie, driftige en gewelddadige man die erg ontevreden was over zijn lot. Hij was opgegroeid in een Kshatriyafamilie uit een hogere kaste en vond dat zijn ouders hem beneden zijn stand hadden laten trouwen met een Vaishya-vrouw, ondanks dat zijn

vader daardoor een managementpositie gekregen had in het farmaceutische bedrijf van zijn schoonouders, terwijl hijzelf een bijzonder goed betaalde baan kreeg aangeboden als salesmanager in plaats van zijn vorige baan waar hij vrachtwagens van het merk Tata verkocht. Maar de grootste slag voor Basants trots waren zijn kinderen, vijf meisjes van tweeentwintig, zestien, twaalf, negen en zes. Er was een jongen geweest, maar zijn vrouw had in de vijfde maand een miskraam gekregen, waarvan Basant haar openlijk de schuld gaf. Volgens hem had zij het met opzet gedaan door te lang en te hard door te werken als internist in een algemeen ziekenhuis. Hij kon het zich nog als de dag van gisteren herinneren. Hij had haar wel kunnen vermoorden.

Basant sloeg gefrustreerd op zijn stuur toen hij de parkeerplaats voor zijn ouderlijk huis opreed, waar hij en zijn gezin woonden. Het was een vuil betonnen gebouw van drie verdiepingen dat ooit in een ver verleden wit was geschilderd. Het had een plat dak en metalen kozijnen. Op de begane grond was een klein kantoor waar zijn vrouw, Meeta, af en toe haar weinige privépatiënten ontving. De rest van de begane grond werd bewoond door zijn bejaarde ouders. Basant en zijn gezin woonden op de eerste verdieping en zijn jongere broer, Tapasbrati, en diens gezin op de tweede.

Terwijl Basant kritisch naar zijn huis zat te kijken, dat bepaald niet de stijl had van een huis waarin hij in deze fase van zijn leven had verwacht te zullen wonen, merkte hij dat er pal achter hem een auto stopte. Toen hij in de achteruitkijkspiegel keek moest hij zijn ogen dichtknijpen vanwege de felle koplampen. Het enige wat hij kon zien in het felle licht was een Mercedeslogo.

'Wat krijgen we verdomme nou?' riep Basant woedend. Niemand mocht achter hem parkeren.

Hij opende het portier en stapte uit met de bedoeling terug te lopen en de bestuurder van de Mercedes eens even te laten weten wat hij ervan vond. Maar dat was niet nodig. De bestuurder en zijn twee passagiers waren al uitgestapt en kwamen dreigend dichterbij.

'Basant Chandra?' vroeg de man die vooropliep. Hij was niet groot maar door zijn donkere huid, stekelhaar en ruige motorjack van zwart leer over een strak wit T-shirt waaronder een krachtig, atletisch lichaam zichtbaar was, hing er een duidelijk aura van onheilspellende autoriteit om hem heen. De reusachtige bestuurder was bijna net zo angstaanjagend.

Basant ging in een reflex een stap achteruit terwijl er alarmbellen begonnen te rinkelen in zijn hoofd. Dit was geen toeval. 'Dit is privéterrein,' zei Basant terwijl hij overtuigend probeerde over te komen, wat niet erg lukte.
'Dat is de vraag niet,' zei de man in het motorjack. 'De vraag is: ben jij dat misselijk stuk vreten dat Basant Chandra heet?'
Basant slikte met enige moeite. De alarmbellen rinkelden nu op volle sterkte. Misschien had hij die hoer niet zo hard moeten aanpakken. Hij keek van de sikh-chauffeur naar de tweede passagier, die inmiddels een pistool uit zijn jaszak had gehaald. 'Ik ben Basant Chandra,' wist hij uit te brengen. Hij herkende zijn piepende stemgeluid zelf bijna niet. 'Wat is het probleem?'
'Jij bent het probleem,' zei de man in het motorjack. Hij wees over zijn schouder. 'Stap in. We zijn ingehuurd om je iets duidelijk te maken. We gaan een stukje rijden.'
'Dat... dat... dat kan niet. Mijn gezin wacht op me.'
'O, natuurlijk!' zei de kennelijke leider van het stel met een cynisch lachje. 'Dat is precies waar we het eens over moeten hebben. Stap in voor Subrata er genoeg van heeft en je neerschiet.'
Basant trilde nu zichtbaar. Hij keek wanhopig van het ene dreigende gezicht naar het andere, en toen naar het pistool in Subrata's hand.
'Zal ik hem neerschieten, Sachin?' vroeg Subrata terwijl hij zijn automatisch pistool met geluiddemper hief.
'Zie je wat ik bedoel?' vroeg Sachin terwijl hij zijn handen met de palmen naar boven uitstrekte. 'Stap je nou nog in die auto of hoe zit dat?'
Hoewel hij er het liefst in het donker vandoor wilde gaan, was hij bang om in de rug te worden geschoten. Basant dwong zichzelf om naar voren te lopen terwijl hij zich afvroeg of hij de drukke straat op zou rennen. Voor hij in staat was zijn verlamde gedachten te ordenen stond hij naast de zwarte Mercedes waar Subrata met zijn vrije hand de deur achter de passagiersstoel opentrok. Subrata drukte Basants hoofd naar beneden en duwde hem de auto in waarna hij zelf aan de andere kant instapte. Hij had nog steeds zijn pistool in de hand en zorgde ervoor dat Basant dat goed zag.
Zonder nog iets te zeggen stapten Sachin en de chauffeur voorin. De auto trok zo snel op als het vastzittende verkeer toeliet.
'Naar de vuilnisbelt?' vroeg de chauffeur.

'Naar de vuilnisbelt, Suresh,' beaamde Sachin.
Basant, zich sterk bewust van het vuurwapen, was in eerste instantie te bang om ook maar iets te zeggen, maar na tien minuten won zijn angst voor de stilte het. Zijn stem trilde even maar toen vond hij een beetje van zijn kracht terug. 'Wat is dit allemaal?' vroeg hij. 'Waar brengen jullie me naartoe en waarom?'
'We brengen je naar de vuilnisbelt,' zei Sachin terwijl hij zich omdraaide. 'Volgens ons hoor je daar thuis.'
'Ik snap het niet,' wist Basant uit te brengen. 'Ik ken jullie helemaal niet.'
'Dat gaat veranderen, vanaf vanavond.'
Basant voelde een sprankje hoop. Hij was weliswaar niet blij met het vooruitzicht, maar Sachin had het over een relatie voor langere tijd, wat betekende dat ze hem niet zouden doodschieten. Als salesmanager in medicijnen kon hij zich voorstellen dat deze mensen misschien geïnteresseerd waren in bepaalde soorten drugs. Het probleem was dat Basant alleen maar aan de middelen kon komen die het bedrijf van zijn schoonfamilie produceerde, en dat waren voornamelijk antibiotica. Een actie als deze voor antibiotica leek hem buitenproportioneel.
'Kan ik iets voor jullie doen?' vroeg Basant hoopvol.
'O, ja! Zeker!' antwoordde Sachin zonder verder uit te weiden.
Een tijdje reden ze zwijgend verder. Uiteindelijk opende Basant zijn mond. 'Als je me nou eens zei wat ik kan doen, dan wil ik jullie met alle plezier zo veel mogelijk helpen.'
Sachin draaide zich met een ruk om en keek Basant even scherp aan, maar hij zei niets. Basants paniek sloeg onmiddellijk weer in alle hevigheid toe. Hij begon opnieuw heftig te trillen. Zijn intuïtie zei hem dat dit slecht ging aflopen. Toen de chauffeur vaart moest minderen achter een paar ossenkarren die elkaar inhaalden, overwoog Basant het portier te openen, de auto uit te springen en weg te rennen in de donkere, wazige nevel. Een blik op het op Subrata's knie rustende pistool werd direct beantwoord.
'Waag het niet,' zei Subrata, alsof hij Basants gedachten kon lezen.
Vijftien minuten later verlieten ze de hoofdweg en reden ze in de richting van een enorm stortterrein. Door de raampjes konden ze kleine vuurtjes zien waarvan de vlammen opschoten tussen de bergen afval. Rook kringelde omhoog. Kinderen klauterden over het afval, op zoek naar eten of iets wat mogelijk enige waarde zou kunnen hebben. Ratten zo groot als

kleine konijnen, die over de weg renden, werden in het licht van de koplampen gevangen.
Nadat hij tussen een paar torenhoge stapels vuilnis stil was blijven staan, keerde de chauffeur de auto met de neus in de richting van waaruit ze waren gekomen. Hij liet de motor draaien. De drie zware jongens stapten uit. De bestuurder opende het portier voor Basant. Toen Basant niet reageerde stak de man zijn hand naar binnen, greep hem bij zijn traditionele, lange gewaad en sleepte hem uit de auto. Basant kokhalsde van de rook en de stank. Pas toen hij in het licht van de koplampen stond liet de bestuurder hem ruw los. Basant moest de grootste moeite doen om op de been te blijven.
Sachin trok een dikke handschoen aan, liep op Basant af en sloeg hem voor Basant kon reageren keihard in het gezicht, waardoor hij achteruit struikelde, zijn evenwicht verloor en in het stinkende vuilnis viel. Met suizende oren en bloed druppelend uit zijn neus rolde hij op zijn buik en probeerde op te staan, maar zijn handen zonken weg in de losse prut. Tegelijkertijd voelde hij dat een stuk gebroken glas in zijn linkerarm sneed. Hij werd aan zijn enkel uit het zachte vuilnis getrokken tot hij weer op vaste bodem stond. Vervolgens werd hij zo hard in zijn maag getrapt dat alle lucht uit zijn longen werd geblazen.
Het duurde een paar minuten voor Basant weer op adem was. Toen het zover was, haalde Sachin uit, greep de voorkant van zijn gewaad en sleurde hem overeind. Basant hief zijn armen op in een poging zijn gezicht te beschermen tegen een volgende klap, maar de klap kwam niet. Aarzelend opende hij zijn ogen en keek op naar het wrede gezicht van zijn aanvaller.
'Nu ik eindelijk je aandacht heb,' snauwde Sachin, 'heb ik je het een en ander te zeggen. We kennen jou en we weten wat voor rotzak je bent. We weten wat je met je oudste dochter, Veena, hebt gedaan vanaf haar zesde. We weten dat je haar onder de duim houdt door te dreigen dat je hetzelfde zult doen met haar vier jongere zussen. En we weten wat je met haar moeder hebt gedaan.'
'Ik heb nooit...' begon Basant maar hij werd onderbroken door een keiharde klap in zijn gezicht.
'Probeer het maar niet te ontkennen, smeerlap, want dan ram ik je in elkaar en laat ik je hier achter als voer voor de ratten en de wilde honden.' Sachin keek dreigend neer op de in elkaar gedoken man voor hem, voor

hij verder ging. 'Dit is geen proces of zoiets. We weten dat ik de waarheid spreek, walgelijke schoft. En ik zal je nog iets zeggen. Dit is een waarschuwing! Als je ooit een van je dochters of je vrouw wat aandoet, dan vermoorden we je. Zo simpel is dat. Daarvoor zijn we ingehuurd, maar nu ik weet wat je allemaal hebt uitgehaald doe ik het net zo lief direct. Dus ik hoop dat je me de kans biedt. Dat is dus de boodschap. Nog vragen? Is het duidelijk?'

Basant knikte. Een sprankje hoop ontstond in zijn doodsbange geest. Deze nachtmerrie was alleen maar een waarschuwing.

Sachin haalde onverwacht nog een keer naar Basant uit, waardoor hij opnieuw achterover viel, met wederom tuitende oren en een bloedende neus. Zonder nog iets te zeggen, trok Sachin zijn leren handschoen uit, keek nog even dreigend op Basant neer, wenkte zijn maten om hem te volgen en liep terug naar de zwarte Mercedes.

Toen hij besefte dat ze hem achterlieten kwam Basant met een ongelooflijk gevoel van opluchting overeind. Hij probeerde op te staan, maar moest zich direct weer terug laten vallen in de losse troep, om de grote sedan te ontwijken die op hem afstormde en hem op een haar na miste. Basant staarde de auto van zijn belagers na, de rode achterlichten verdwenen in de rook en de nevel. Pas op dat moment werd hij zich echt bewust van de duisternis en de stank die hem omringden en het feit dat zijn neus en zijn arm bloedden. Om hem heen stond een klein groepje zwijgende, starende kinderen en de ratten kwamen steeds dichterbij. Met hernieuwde angst en walging worstelde Basant zich overeind en maakte zich los uit de zachte prut tot hij weer vastberaden op het pad stond, zijn gezicht vertrekkend van de pijn in zijn zij door de trap die hij had gekregen. Hoewel hij door de maanloze nacht slecht kon zien, begon hij te rennen, zijn handen voor zich uitgestrekt als een blinde man. Hij zou nog een heel eind moeten lopen voor hij bij een weg kwam waar hij vervoer zou kunnen krijgen. Dat was geen lolletje en tamelijk eng, maar hij leefde tenminste nog.

(Op hetzelfde moment in een ander deel van New Delhi)

Aan een drukke winkelstraat, weggedrukt tussen de gebruikelijke betonnen winkelgebouwen van twee verdiepingen, waarvan de gevels bijna geheel bedekt waren met borden in het Hindi en het Engels, stond het ultramoderne, vier verdiepingen hoge Queen Victoria Hospital. Het gebouw van amberkleurig spiegelglas en groen marmer vormde een sterk contrast met zijn buren. Het ziekenhuis, genoemd naar de geliefde negentiende-eeuwse Britse koningin om de moderne medische toerist maar ook de snel groeiende Indiase hogere middenklasse aan te spreken, was een baken van moderniteit in het centrum van India's tijdloosheid. In tegenstelling tot de kleine bedrijfjes eromheen die, voor het grootste deel, nog steeds geopend en druk waren en hard blauw-wit fluorescerend licht in de straat wierpen, leek het ziekenhuis zich te hebben teruggetrokken voor de nacht omdat maar weinig van de gedempte binnenverlichting door het getinte glas naar buiten drong.

Alleen aan de twee lange, traditioneel geklede sikh-portiers die aan weerszijden van de ingang stonden, was te zien dat het ziekenhuis niet gesloten was. Binnen was de dag duidelijk bijna ten einde. Omdat het Queen Victoria als gespecialiseerd ziekenhuis geen afdeling voor spoedeisende eerste hulp had, werden er alleen geplande operaties uitgevoerd, en geen noodgevallen behandeld. De vuile borden van het avondeten waren al opgehaald, afgewassen en opgeruimd en de meeste bezoekers waren vertrokken. Verpleegsters deelden de avondmedicijnen uit en controleerden drains en verband van de operaties die die dag waren uitgevoerd of ze zaten tussen de felle lichtbundels van de zustersposten hun verslagen op de computer af te ronden.

Na een hectische dag met zevenendertig grote operaties was het voor iedereen tijd om te ontspannen en te rusten, inclusief de honderdzeventien patiënten: iedereen behalve Veena Chandra. Terwijl haar vader wegstrompelde van de stinkende, weerzinwekkende vuilstortplaats, stond Veena te worstelen in het gedempte licht van een voorbereidingsruimte van een van de lege operatiekamers, waar het enige licht afkomstig was vanuit de schemerige gang. Ze was met trillende vingers bezig de naald van een 10cc-injectiespuit in de rubberen bovenkant van een buisje met succinylcholine te steken, een snel verlammend middel gerelateerd aan curare, het pijlengif uit het Amazonegebied. Ze was verpleegster, dus Veena kon normaal gesproken een spuit zonder enig probleem vullen. Bijna drie maanden geleden had ze haar diploma behaald bij het beroemde algemene ziekenhuis, het All Indian Institute of Sciences. Na haar afstuderen was ze aangenomen door een Amerikaans bedrijf dat Nurses International heette en dat haar, na wat extra training, had geplaatst in het Queen Victoria Hospital.

Omdat ze zichzelf niet wilde prikken aan de naald, wat dodelijk zou kunnen aflopen, liet Veena haar armen even zakken en probeerde zich te ontspannen. Ze was één bonk zenuwen. Ze wist echt niet of ze in staat was om te doen wat haar was opgedragen. Het leek ongelooflijk dat ze zich had laten overhalen. Ze moest de spuit vullen, hem meenemen naar de kamer van Maria Hernandez, waar de vrouw hopelijk nog lag te slapen na de anesthesie van de heupoperatie die ze die ochtend had ondergaan, het in haar infuus spuiten en zich dan heel snel uit de voeten maken, en dat alles zonder dat iemand haar zag. Veena wist dat het vrijwel onmogelijk was om door niemand gezien te worden op een bijna volledig bezette verdieping van een ziekenhuis en daarom droeg ze nog steeds het traditionele witte verpleegstersuniform dat ze de hele dag aan had gehad. Ze hoopte dat iemand die haar zag het niet vreemd zou vinden dat ze nog in het ziekenhuis was, terwijl ze overdag werkte en niet 's avonds.
Om te kalmeren sloot Veena haar ogen, en op dat moment moest ze onmiddellijk terugdenken aan vier maanden eerder, aan de laatste keer dat haar vader haar bedreigd had. Ze waren thuis, terwijl zijn ouders in de woonkamer zaten, haar moeder in het ziekenhuis was en haar zussen die zaterdagmiddag op stap waren met vriendinnen. Totaal onverwacht had hij haar in de badkamer in een hoek gedreven. Terwijl de televisie in de kamer ernaast stond te blèren schreeuwde hij tegen haar en schold hij haar uit. Hij paste heel goed op waar hij haar sloeg zodat er nooit iets op haar gezicht te zien was. Zijn woede was onverwacht losgebarsten en Veena moest haar uiterste best doen om het niet uit te schreeuwen. Omdat het al een jaar lang niet was gebeurd had ze gedacht dat het probleem voorbij was. Maar nu wist ze zeker dat het nooit voorbij zou zijn. De enige manier om aan de klauwen van haar vader te ontsnappen was India te verlaten. Maar ze was bang voor haar zussen. Ze wist dat hij niet in staat was zijn neigingen te onderdrukken. Als zij wegging zou hij ongetwijfeld een van haar zussen kiezen en opnieuw beginnen, en dat kon ze niet verdragen.
Het plotselinge lawaai van metaal dat tegen de vloer sloeg wekte Veena uit haar gedachten en haar hart sloeg over. Ze propte de ampul en de spuit snel in een laatje met infuusnaalden. Plotseling gingen de felle lampen in de hoofdgang van de operatie-afdeling aan. Met bonkend hart liep Veena naar het kleine, draadglazen raam en keek voorzichtig naar buiten.

Ze ging ervan uit dat ze in de donkere voorbereidingsruimte zelf niet zichtbaar was. Ze zag dat de hoofddeuren aan de rechterkant naar de hal nu openstonden. Even later verschenen twee leden van de schoonmaakploeg, gekleed in ziekenhuisuniform en allebei met een dweil in de hand. Ze raapten de lege emmers op die ze hadden laten vallen en liepen de gang door, vlak langs Veena.
Enigszins gerustgesteld dat het alleen maar een schoonmaakploeg was, liep Veena de kamer weer in en haalde de ampul en de spuit weer tevoorschijn. Ze was nu nog zenuwachtiger dan daarvoor. Door de onverwachte komst van de schoonmakers besefte ze hoe gemakkelijk het zou zijn om haar te betrappen in de ok en, als ze werd betrapt, hoe moeilijk het zou zijn om uit te leggen wat ze daar deed. Hoewel ze nu nog erger trilde, hield ze vol en ze slaagde erin de naald in de ampul te drukken. Ze vulde de spuit met de hoeveelheid die ze vooraf bedacht had. Ze wilde een flinke dosis, maar niet te veel.
Veena's korte, onplezierige gedachten hadden haar er pijnlijk duidelijk aan herinnerd waarom ze moest doen wat haar was opgedragen. Ze had erin toegestemd een oudere Amerikaanse vrouw met hartproblemen in te laten slapen als tegenprestatie voor een garantie van haar werkgever dat haar moeder en haar zussen in de nabije toekomst beschermd zouden worden tegen het misbruik door haar vader. Het was een moeilijke keus geweest voor Veena, die ze impulsief had genomen met het idee dat het haar enige kans was om een zekere mate van vrijheid te krijgen, niet alleen voor haarzelf maar ook voor elf van haar vriendinnen die allemaal tegelijk bij Nurses International in dienst waren getreden.
Toen ze de ampul had weggelegd en de verpakking van de spuit had weggegooid liep Veena naar de deur. Als ze haar plan wilde doorzetten dan moest ze zich concentreren en heel voorzichtig zijn. Het belangrijkst was dat ze niet gezien zou worden, vooral niet in de buurt van haar slachtoffers kamer. Mocht ze in een ander deel van het ziekenhuis aangesproken worden, dan zou ze zeggen dat ze die avond was teruggekomen om in de bibliotheek de ingreep van Maria Hernandez te bestuderen.
Veena trok de deur heel voorzichtig open en stak haar hoofd naar buiten om de gang in te kijken. Er waren een paar schoonmakers te zien die al kletsend aan het dweilen waren. Omdat ze aan het verste eind waren begonnen en achteruit in de richting van de deuren werkten stonden ze gelukkig met hun rug naar Veena gekeerd. Ze stapte de gang in, liet de

deur zachtjes dichtvallen en sloop de ok-afdeling af. Vlak voor de toegangsdeuren dichtzwaaiden keek ze achterom naar de schoonmaakploeg. Ze was zichtbaar opgelucht. Ze waren zich duidelijk niet van haar aanwezigheid bewust.

Veena liet de lift links liggen. Niet alleen om te voorkomen dat ze iemand tegenkwam maar ook omdat ze dan verplicht zou zijn om een praatje te maken nam ze de trap naar de derde verdieping. Ook daar opende ze de deur eerst op een kier om de vaag verlichte gang naar beide kanten te kunnen overzien. Er was niemand, zelfs niet bij de zusterspost, die in het midden van de verdieping een felverlichte oase vormde. Kennelijk waren de verpleegsters bezig met hun patiënten. Veena hoopte dat er niemand in Maria Hernandez' kamer zou zijn, die in tegenovergestelde richting lag. Vanaf het trappenhuis waar zij stond, was hij drie deuren verderop aan de rechterkant. Het enige wat ze kon horen waren de gedempte geluiden van de verschillende tv's en het zachte gepiep van de monitoren bij haar in de buurt.

Om moed te vatten liet Veena de deur dicht glijden, sloot haar ogen en leunde met haar hoofd achterover tegen de betonnen trapleuning. Stap voor stap overdacht ze wat ze op het punt stond te doen, om mogelijke vergissingen te voorkomen, en haalde ze zich weer voor de geest hoe ze tot deze onvoorstelbare stap was gekomen. Het was allemaal begonnen toen ze die middag na haar werk naar huis was teruggekomen. Zij en de andere elf verpleegsters die door Nurses International waren aangenomen moesten verplicht wonen in wat in Amerikaans-Engels klonk als een klein huis, maar wat in werkelijkheid een enorm Brits herenhuis uit het Raj-tijdperk was. Ze woonden daar in luxe, samen met de uit vier personen bestaande leiding van Nurses International. Toch had ze toen ze de voordeur binnenkwam, zoals altijd gevoeld dat haar hart sneller ging slaan en dat haar spieren zich spanden. Veena moest voortdurend op haar hoede zijn.

Als hindoevrouw levend in een andere cultuur besefte Veena dat ze een nauwelijks te onderdrukken neiging had om te buigen voor mannelijke autoriteit. Toen ze ging werken voor Nurses International, vooral omdat ze haar beloofden haar te zullen helpen naar Amerika te emigreren, gedroeg ze zich tegenover Cal Morgan, het hoofd van de organisatie, zoals in haar cultuur verwacht werd dat ze zich tegenover haar eigen vader gedroeg. Helaas veroorzaakte deze houding problemen. Als typische man van begin dertig interpreteerde Cal Veena's aandacht en respect als een uitnodiging, waardoor er diverse keren misverstanden waren ontstaan. De situatie was moeilijk voor hen allebei en duurde voort omdat ze er niet over praatten. Veena was bang haar kansen bij Nurses International, en dus de vrijheid die binnen bereik lag door hun hulp bij haar emigratie, te verspelen en Cal was bang haar te verliezen omdat ze hun beste werkneemster was en een voorbeeld voor de anderen.

Net als elke middag na haar werk zocht Veena zodra ze binnen was, en ondanks de spanning tussen hen, Cal op in de betimmerde bibliotheek die hij als zijn kantoor had ingericht. De verpleegsters waren aan het einde van elke dienst namelijk verplicht zich te melden bij een van de vier leidinggevenden die de zuster in kwestie had aangenomen: directeur Cal Morgan, onderdirecteur Petra Danderoff, hoofd van de computerafdeling Durell Williams of psychologe Santana Ramos. Veena moest zich bij Cal melden omdat ze ongeveer twee maanden geleden door hem was aangenomen toen het bedrijf werd opgezet. Elke dag hadden Veena en de anderen, naast hun normale verpleegsterstaken, de opdracht heimelijk zo veel mogelijk patiëntengegevens te downloaden van de centrale computers in de zes privéklinieken waar ze werkten. Vervolgens moesten ze die gegevens overdragen aan de hun toegewezen persoon. Tijdens hun opleiding van een maand in de VS waren ze hier specifiek op getraind. Een van de belangrijkste doelstellingen van Nurses International was namelijk, zo werd hun verteld, het verzamelen van gegevens over chirurgische resultaten. Waarom de organisatie hierin geïnteresseerd was werd niet uitgelegd en het kon eigenlijk ook niemand iets schelen. De gecompliceerde, onwettige taak werd gecompenseerd door Amerikaanse verpleegsterssalarissen die tien keer zo hoog waren als die van hun Indiase collega's en, nog belangrijker, de belofte om na zes maanden naar Amerika te worden overgeplaatst.

Veena was al net zo gespannen geweest als anders, maar toen ze die middag Cals kantoor in liep was haar angst nog groter geworden. Hij zei dat ze de deur achter zich moest sluiten en op de bank moest gaan zitten. Bang voor een nieuwe verleidingsscène had ze gedaan wat haar gevraagd werd, maar hij schokte haar met iets totaal anders. Hij had haar verteld dat hij die dag het hele verhaal had gehoord over haar vader en hoe hij haar bedreigde. Veena was stomverbaasd en vernederd maar ook woedend op haar beste vriendin, Samira Patel, want ze wist direct dat zij degene was geweest die Veena's diepste geheim had onthuld. Samira had haar ver-

pleegstersopleiding gelijk met Veena gevolgd en was samen met haar bij Nurses International komen werken. Zij wilde ook naar de Verenigde Staten emigreren, maar om een simpeler reden. Omdat ze de vrijheden van het Westen had leren kennen via internet, verachtte ze wat ze beschouwde als de beperkingen die het leven in India haar oplegden. Ze was, zoals ze graag zei, een vrije geest.
Nadat Cal had verteld wat hij wist, was Veena opgestaan om te vluchten, hoewel ze geen idee had waar naartoe. Maar Cal had haar arm gepakt en haar gevraagd weer te gaan zitten. In plaats van de schuld bij haar te leggen en haar te veroordelen, waar ze altijd bang voor was geweest, had hij haar er tot haar verrassing van overtuigd dat hij met haar meevoelde. Hij was kwaad geweest dat ze dacht dat ze op enigerlei wijze verantwoordelijk was voor haar vaders gedrag. Toen had hij gezegd dat hij haar kon helpen als zij hem zou helpen. Hij had haar gegarandeerd dat haar vader nooit meer een hand zou uitsteken naar haar, haar zussen of haar moeder. En dat hij, als hij dat wel deed, zou verdwijnen.
Ervan overtuigd dat Cal het meende, had Veena gevraagd wat ze voor hem moest doen. Cal had haar toen uitgelegd dat de gegevens die ze verzamelden teleurstellend bleken te zijn. De resultaten van de operaties waren te goed en ze waren tot de conclusie gekomen dat ze zelf een paar slechte resultaten moesten creëren. Daarop had hij haar verteld hoe ze dat dachten te doen met behulp van succinylcholine. In eerste instantie was Veena geschokt geweest door het plan, vooral omdat ze er geen idee van had waarom ze deze 'slechte resultaten' nodig hadden. Maar hoe langer Cal praatte en haar beloofde dat ze het maar één keer hoefde te doen, en het besef dat ze dan vrij zou zijn van haar vader en zou kunnen emigreren zonder het schuldgevoel dat haar zussen en moeder gevaar liepen, hoe meer ze besefte dat ze nooit meer zo'n aanbod zou krijgen. Op dat moment had ze impulsief besloten mee te werken. En niet alleen dat, ze wilde het direct doen, diezelfde avond nog, voordat ze te lang zou nadenken over wat ze ging doen.
Met hernieuwde vastbeslotenheid om het achter de rug te hebben en met duidelijk voor ogen welke stappen ze moest nemen, haalde Veena diep adem. Ze rechtte haar rug tegen de muur van het trappenhuis, deed haar ogen open en controleerde opnieuw of de gang leeg was. Terwijl ze de spanning voelde kloppen in haar slapen liep ze met snelle passen naar de kamer van Maria Hernandez. Ze had echter nog maar een paar stappen

gezet toen een van de nachtzusters tevoorschijn kwam uit de kamer recht tegenover die van Hernandez. Veena stond onmiddellijk stil. Maar de verpleegster was zich gelukkig niet bewust van haar aanwezigheid. Met haar aandacht gericht op het blad met medicijnen dat ze in haar handen had liep ze de gang verder af, bij de zusterspost vandaan. Net zo plotseling als ze was verschenen, verdween ze in de kamer van een andere patiënt.

Met een zucht van verlichting wierp Veena een blik in de richting van de zusterspost. Alles was rustig. Ze liep snel door en stond binnen een paar seconden voor de kamer van Hernandez. Ze duwde hem open, liep naar binnen en liet de deur tot op een kier weer dichtvallen. Hoewel de tv aan was, stond het geluid zacht. De plafondverlichting was gedimd waardoor de hoeken van de kamer in schaduwen gehuld waren. Veena kon mevrouw Hernandez goed zien. Ze was diep in slaap. Het hoofdeind van het bed stond in een hoek van ongeveer vijfenveertig graden omhoog. Het fluorescerende licht van de tv wierp een vage gloed over haar gelaatstrekken terwijl haar oogholten diepe schaduwen vormden die haar een spookachtig uiterlijk gaven, alsof ze al dood was.

Blij dat de vrouw sliep, en wensend dat de zenuwslopende taak zo snel mogelijk voorbij zou zijn, liep Veena snel naar het bed terwijl ze de injectiespuit uit haar zak haalde. Ze lette goed op dat ze de lawaaierige metalen rail om het bed niet aanraakte toen ze haar hand uitstak naar de infuuslijn. Ook zorgde ze ervoor niet aan de lijn te trekken, uit angst dat de patiënte iets zou merken en wakker zou worden. Terwijl ze de IV-toegang met een hand vasthield trok ze met haar tanden het beschermkapje van de naald. Met ingehouden adem stak ze de naald in het infuus. Toen ze de punt van de naald in de holte van de infuuslijn kon zien, maakte ze aanstalten de zuiger langzaam in te drukken. Op dat moment schrok ze zich een ongeluk. Volkomen onverwacht draaide mevrouw Hernandez haar hoofd in Veena's richting en keek haar aan. Een lichte glimlach speelde om haar lippen.

'Dank je, liefje,' zei ze.

Veena voelde een rilling door zich heen gaan. Ze wist dat ze het nu moest doen omdat ze er anders nooit meer toe in staat zou zijn. Ze drukte met kracht op de zuiger van de spuit, waardoor de dosis succinylcholine in de bloedbaan van de patiënte schoot. Wat haar over de rand had geduwd was haar plotselinge, misplaatste woede over het feit dat de vrouw niet

alleen de ongevoeligheid had gehad om wakker te worden maar ook nog om haar te bedanken, kennelijk in de veronderstelling dat Veena haar medicijnen toediende om haar te helpen.
Hoewel Veena er niet echt over had nagedacht wat ze te zien zou krijgen na het injecteren van het verlammingsmedicijn was ze ontzet door de gevolgen. Van een rustig heengaan zoals in een film, wat ze eigenlijk verwacht had en wat Cal ook had laten doorschemeren, was absoluut geen sprake. Binnen een paar seconden reageerde mevrouw Hernandez' lichaam op de hoge dosis succinylcholine met een snelle samentrekking van haar spieren. Het begon met haar gelaatsspieren, waardoor haar gezicht grotesk begon te vertrekken. Wat het allemaal nog afschuwelijker maakte was de intense angst die in haar ogen te lezen stond. Toen ze haar hand optilde in een vergeefse poging om hulp te zoeken bij Veena, begon ook die ongecontroleerd te schokken. Daarna volgde een plotseling opkomende, onheilspellende purperen kleur die zich over haar gezicht uitbreidde als de schaduw die tijdens een verduistering over de maan schuift. Niet in staat te ademen maar nog bij haar volle bewustzijn stikte mevrouw Hernandez en werd ze ernstig cyanotisch.
Diep geschokt door wat ze had aangericht en niets liever willend dan hard wegrennen, stond Veena door haar schuldgevoel als aan de grond genageld naar de doodsstrijd van haar patiënte te kijken. Gelukkig voor hen allebei was het snel voorbij en staarden de ogen van mevrouw Hernandez al vlug niets ziend in de eeuwigheid.
'Wat heb ik gedaan?' fluisterde Veena. 'Waarom is ze wakker geworden?'
Toen ze eindelijk haar psychische verlamming van zich af kon schudden, draaide Veena zich om en rende de kamer uit. Zonder zelfs maar te denken aan de gevolgen rende ze halsoverkop door de hal, zich er maar vaag van bewust dat de zusterspost nog steeds verlaten was. Overdag was er altijd ten minste een afdelingsreceptioniste, maar 's avonds en 's nachts niet.
In de lift merkte Veena nauwelijks dat ze alleen was. Ze bleef het afschuwelijk vertrekkende gezicht van mevrouw Hernandez steeds maar voor zich zien. Er waren mensen in de lobby van het ziekenhuis, en zelfs een paar rondwandelende patiënten met hun familie, maar niemand keek naar Veena. Ze wist wat ze moest doen, en dat was zo snel mogelijk wegkomen uit het ziekenhuis.
De portiers openden de glazen deuren toen ze haar aan zagen komen. Ze

zeiden goedenavond toen ze naar buiten holde, maar ze antwoordde niet. Oorspronkelijk had ze gepland om door de dienstuitgang te vertrekken, maar nu leek het er niets meer toe te doen. Wat haar betrof maakte het niks meer uit of mensen haar zagen.

Op straat hield Veena een van de geel met groene motorriksja's aan, een soort overdekte scooter op drie wielen met bankjes achterin en open zijkanten. Veena gaf het adres van de bungalow in het chique deel van de stad, Chanakyapuri, en klom erin. Met een schok trok de bestuurder op alsof hij zich aansloot bij een race. Hij toeterde onophoudelijk, hoewel dat absoluut onnodig was. Omdat het verkeer nu aanzienlijk was afgenomen schoten ze goed op, vooral toen ze Chanakyapuri bereikten. Veena staarde de hele rit strak voor zich uit en probeerde niet te denken, maar ze kon het heftig verkrampte gezicht van mevrouw Hernandez niet van zich af zetten.

Bij het huis lukte het Veena niet de bestuurder over te halen om de oprit op te rijden en haar bij de voordeur af te zetten. Hij geloofde niet dat ze daar woonde en zei dat hij geen last wilde krijgen met de politie. Omdat iets dergelijks al twee keer was voorgekomen in de maand dat Veena daar woonde, maakte ze er geen punt van. Ze betaalde de man en haastte zich door het hek het omheinde terrein op. Bij de voordeur gekomen ging ze niet direct naar de kamer die ze met Samira deelde, maar liep ze naar de bibliotheek, in de hoop dat Cal daar nog was. Toen ze hem daar niet vond, keek ze in de gezamenlijke zitkamer waar Nurses International een grote flatscreentelevisie had geplaatst. Cal en Durell waren verdiept in een herhaling van een American football-wedstrijd van de vorige dag. Beiden lagen languit op een bank met een fles Kingfisher bier in de hand.

'Ha!' riep Cal toen hij Veena zag. Hij liet zijn benen van de bankleuning op de grond vallen. 'Dat was snel! Is het gelukt?'

Veena zei niets. Met een somber gezicht gaf ze alleen maar aan dat Cal haar moest volgen en liep ze terug naar zijn kantoor in de bibliotheek.

Toen Cal de bibliotheek in kwam sloot Veena de deur achter hem, wat hij eigenaardig vond. 'Wat is er aan de hand?' vroeg hij. Voor het eerst merkte hij dat er iets heel erg mis was. Hij keek haar eens goed aan. Naar zijn mening, en die van bijna iedereen, had Veena een buitengewoon mooie combinatie van hoekige arische en ronde hindoekenmerken, met exotisch gevormde, opvallende blauwgroene ogen, gitzwart haar en een warme, goudbruine huid. Gewoonlijk gedroeg ze zich heel sereen. Maar

nu niet. Haar normaal volle, donkere lippen waren stijf opeengeklemd en bleek. Cal kon niet zeggen of het een teken van woede, vastbeslotenheid of een combinatie daarvan was. 'Is het gelukt?' vroeg hij weer.
'Het is gelukt,' zei Veena terwijl ze hem een sleutelhanger gaf met een USB-stick eraan waar Maria Hernandez' medische dossier op stond. 'Maar er was een probleem.'
'O?' vroeg Cal, met een blik op de stick terwijl hij zich afvroeg of het daar aan lag. 'Was het een probleem om de gegevens te krijgen?'
'Nee! Het medische dossier te pakken krijgen was makkelijk.'
'O-kéé,' zei Cal, het woord rekkend. 'Wat is dan wel het probleem?'
'Hernandez werd wakker en zei iets tegen me.'
'En?' vroeg Cal. Hij kon zien dat Veena erg van streek was, maar hij vond het feit dat de vrouw tegen haar gesproken had niet zo bijzonder. 'Wat zei ze?'
'Ze bedankte me,' zei Veena, terwijl de tranen haar in de ogen sprongen. Ze haalde diep adem en wendde haar blik af terwijl ze haar emoties onder controle probeerde te krijgen.
'Nou, dat was aardig,' zei Cal, in een poging het gesprek wat luchtiger te maken.
'Ze bedankte me vlak voor ik haar de injectie gaf,' voegde Veena er woedend aan toe. Haar ogen schoten vuur toen ze Cal weer aankeek.
'Hé, rustig nou!' zei hij half smekend, half bevelend.
'Jij hebt makkelijk praten. Jij hoefde haar niet in de ogen te kijken of te zien hoe haar gezicht vertrok. Jij hebt me niet verteld dat ze afschuwelijk zou gaan schokken of paars zou worden terwijl ze voor mijn ogen stikte.'
'Dat wist ik niet.'
Veena keek Cal woedend aan en schudde haar hoofd met duidelijk zichtbare afkeer.
'De mensen die me vertelden hoe het moest, lieten het voorkomen dat de patiënt vredig zou sterven omdat hij totaal verlamd zou zijn. Nou, ze hebben gelogen.'
'Het spijt me,' zei Cal schouderophalend. 'Maar ik ben trots op je. En zoals ik je heb beloofd hoorde ik een paar minuten geleden dat het gesprek dat mijn collega's met je vader hebben gehad heel goed is verlopen. Ze zijn er absoluut zeker van dat je je geen zorgen meer hoeft te maken dat hij zich zal misdragen tegenover jou, je zussen of je moeder. De mannen die ik gestuurd heb zijn er zeker van, maar ze gaan elke

maand of zo wel even controleren om hem eraan te herinneren dat hij zich moet gedragen. Je bent vrij.'

Een paar tellen keek Cal in Veena's woedende ogen. Hij had een positieve reactie verwacht, maar die kwam niet. Net toen hij op het punt stond om haar te vragen waarom ze niet blijer was met haar vrijheid, schokte ze hem door zich op hem te werpen. Voor hij wist wat er gebeurde greep ze met twee handen zijn shirt beet bij de kraag en rukte het open. De knopen sprongen alle kanten op.

In een reflex greep hij haar bovenarmen, maar niet voor ze zijn shirt van zijn schouders naar beneden had getrokken. In opperste verbazing liet Cal toe dat ze zijn shirt helemaal uittrok, in elkaar frommelde en opzij smeet. Hij probeerde haar blik te vangen in de hoop op een verklaring, maar ze was te geconcentreerd bezig. Zonder een seconde te aarzelen legde ze beide handpalmen tegen zijn blote borst en duwde hem achteruit tot zijn hielen tegen de onderkant van de bank sloegen. Zijn knieën knikten en hij kwam zittend op de bank terecht. Nog steeds zonder aarzeling of uitleg greep ze een voet, tilde die op en trok zijn schoen uit die ze in de richting van het shirt gooide. De tweede schoen volgde. Toen ze klaar was met de schoenen waren zijn riem en ritssluiting aan de beurt en nadat ze beide omslagen had beetgepakt ging zijn broek in de richting van de schoenen en het shirt.

'Wat moet dat, verdomme?' vroeg Cal toen ze ongegeneerd haar duimen achter het elastiek van zijn onderbroek stak. Cals atletische lichaam was nu in al zijn glorie te zien. Dit ging zelfs zijn geilste fantasieën te boven. Het was waar dat Cal Morgan zich al tot Veena Chandra aangetrokken had gevoeld sinds het sollicitatiegesprek van negen weken geleden en dat hij haar had proberen te verleiden, maar zonder resultaat. Cal was verbijsterd geweest. Omdat hij tot de meest sexy man van zijn examenklas van de middelbare school in Beverly Hills was uitgeroepen en de afscheidsrede had mogen houden namens zijn medeleerlingen, en hem hetzelfde eerbetoon op UCLA ten deel was gevallen, had het Cal nooit ontbroken aan vrouwelijk gezelschap en seks, wat hij als een sport zag. Maar hij was nooit één stap verder gekomen met Veena, wat heel verwarrend was omdat ze met kleine attenties en speciale aandacht altijd deed of ze echt om hem gaf.

'Waarom doe je dit?' vroeg Cal in opperste verbijstering, hoewel hij niet van plan was om te zeggen dat ze op moest houden. Op dat moment was

Veena razendsnel bezig om haar verpleegstersuniform los te knopen. Ze keek Cal daarbij recht aan en uit haar ogen sprak een woedende vastberadenheid. Voor het eerst sinds hij haar had ontmoet schoot het door Cals hoofd dat ze geestelijk misschien wel niet helemaal in orde was. Het feit dat hij net die dag had gehoord dat ze al zestien jaar door haar vader werd misbruikt was hij nog niet vergeten.

Veena zei geen woord toen ze uit haar uniform stapte. Ze wendde haar blik niet af toen ze haar beha losmaakte en haar goedgevormde borsten bevrijdde. Cal daarentegen liet zijn blik zakken om Veena's naaktheid in al haar schoonheid in zich op te nemen. Cal wist dat ze een fantastisch lichaam had omdat hij haar in een eenvoudige bikini had gezien toen ze de verpleegsters naar Californië hadden gebracht voor hun computer- en culturele training, maar dit was oneindig veel fascinerender.

Veena zweeg nog steeds maar aarzelde geen moment. Zodra ze haar kleren uit had liep ze op Cal af, ging op hem zitten en duwde hem in zich. Vervolgens zette ze haar handen op zijn schouders en begon ritmisch op en neer te bewegen.

Cal hief zijn ogen naar haar op. Ze keek hem nog steeds woedend aan met dezelfde vastberaden uitdrukking in haar ogen. Als het niet zo prettig was geweest zou hij gedacht hebben dat ze hem strafte voor het gebeuren van die avond in het ziekenhuis. Omdat Veena geen moment pauzeerde verloor Cal zijn controle en bereikte een climax. Toen Veena onverminderd doorging, moest Cal haar tegenhouden. 'Je moet me even tijd geven,' bracht hij uit.

Veena reageerde onmiddellijk door van hem af te glijden en zich zonder een moment te aarzelen weer aan te kleden. Haar gezichtsuitdrukking was niet veranderd.

In een postcoïtale waas van fysieke bevrediging keek Cal naar haar en raakte steeds meer in verwarring. Hij ging rechtop zitten. 'Wat doe je?'

'Ik kleed me aan, dat is toch duidelijk?' zei ze, voor de eerste keer sprekend sinds ze aan haar agressieve liefdesspel was begonnen. Haar toon was uitdagend, alsof ze Cals vraag belachelijk vond.

'Ga je weg?'

'Ja,' zei Veena terwijl ze haar beha dichthaakte.

Cal zag dat ze haar jurk opraapte. 'Heb je ervan genoten?' vroeg hij. Het was duidelijk dat ze geen orgasme had gehad. Het was van haar kant zo mechanisch geweest dat haar gedrag Cal deed denken aan dat van een robot.

'Waarom? Moest dat dan?'
'Nou, ja, natuurlijk,' zei Cal, een beetje gekwetst maar ook perplex. 'Waarom blijf je niet? Ik moet het verhaal over mevrouw Hernandez opslaan, maar daarna kunnen we het hebben over wat je vanavond in het ziekenhuis hebt meegemaakt. Ik heb het gevoel dat je daarover moet praten.'
'Waar zouden we over moeten praten?'
'Nou, over de details.'
'De details waren dat ze wakker werd, me bedankte, en dat ze niet rustig insliep.'
'Er is vast meer aan de hand.'
'Ik moet gaan,' zei Veena nadrukkelijk. Ze keek om zich heen om er zeker van te zijn dat ze alles had en liep naar de deur.
'Wacht! Waarom heb je vanavond met me gevreeën, en waarom op deze manier?'
'Hoe?'
'Eh, agressief. Dat is de beste manier om het te beschrijven.'
'Voor één keer in mijn leven wilde ik bewijzen dat mijn vader het mis heeft.'
'Wat bedoel je daar in 's hemelsnaam mee?' vroeg Cal met een kort cynisch lachje. Hij kreeg het gevoel dat hij gebruikt was, al was het fysiek niet onplezierig geweest.
'Mijn vader zei altijd tegen mij dat geen enkele man me nog zou willen als hij mijn geheim kende. Jij kende mijn geheim en toch wilde je nog met me vrijen. Mijn vader had het mis.'
O, mijn god, dacht Cal geïrriteerd. Met een gemaakte glimlach zei hij: 'Fantastisch, dat weet je dan nu. Tot later.' Hij stond op en begon zich aan te kleden. Hij was zich ervan bewust dat Veena naar hem keek maar hij meed haar blik. Even later was ze weg.
Onder het slaken van een reeks verwensingen trok Cal de rest van zijn kleren weer aan. Op tweeëndertigjarige leeftijd was hij nog niet van plan een serieuze romantische relatie aan te gaan, en ervaringen als die van zojuist maakten dat hij zich afvroeg of hij dat überhaupt ooit zou willen. Vrouwen waren een onbegrijpelijk mysterie en wat hem betreft gewoon gek.
Met de USB-stick in zijn hand verliet hij de bibliotheek en ging op zoek naar Santana Ramos, hun huispsycholoog en tevens hun mediagoeroe.

Hoewel Cal ook veel ervaring had op mediagebied door het runnen van de pr-afdeling van de SuperiorCare Hospital Corporation, waar hij, samen met Petra Danderoff, vóór Nurses International werkte, had hij geen connecties bij een netwerk, maar Santana wel. Ze had bijna vijf jaar bij CNN gewerkt. Hij vond Santana in haar kamer waar ze een van haar favoriete psychologietijdschriften zat te lezen. Zonder de afgrijselijke details die Veena hem had beschreven, vertelde hij haar dat de eerste patiënte was geregeld. Hij gaf haar de USB-stick met de medische geschiedenis. Hij zei geen woord over de agressieve vrijpartij.

'Bel je vrienden bij CNN,' zei Cal. 'Het is daar nu ongeveer tien uur 's ochtends. Geef ze het verhaal, blaas het op als een belangrijk nieuwsitem en zeg dat de Indiase regering dergelijke verhalen geheim wil houden. Zeg ze dat er nog meer zal volgen omdat er nu mollen binnen zijn en stimuleer ze om het zo snel mogelijk naar buiten te brengen.'

'Perfect,' zei Santana, terwijl ze de USB-stick omhoog hield. 'Ik ben ervan overtuigd dat dit gaat lukken,' voegde ze eraan toe terwijl ze opstond.

'Ik ook,' zei Cal. 'Ga er direct mee aan de slag.'

'Komt in orde.'

Erop vertrouwend dat ze haar woord zou houden, gaf Cal Santana een paar bemoedigende schouderklopjes. Nadat hij haar kamer had verlaten liep hij in de richting van de gezamenlijke zitkamer met de bedoeling terug te gaan naar de wedstrijd die hij met Durell had zitten bekijken. Maar al lopend gingen zijn gedachten terug naar de vreemde gebeurtenissen met Veena. Ondanks het feit dat ze hun beste werkneemster was, vroeg hij zich toch af of hij haar kennelijke emotionele instabiliteit niet aan de anderen moest voorleggen. Hij aarzelde omdat hij wist dat Petra, die tegen elk gescharrel tussen Cal of Durell en de verpleegsters was, ervan zou genieten en hem zou kwellen met haar onvermijdelijke 'wat heb ik je gezegd'. Daarbij was het natuurlijk behoorlijk beschamend om zo overduidelijk gebruikt te worden. Plotseling stond Cal stil. Hij moest terugdenken aan Veena's laatste opmerking dat ze 'voor één keer in mijn leven wilde bewijzen dat mijn vader het mis heeft'.

Waarom voor één keer, vroeg Cal zich af. Hij beet in gedachten op een vinger. 'O, mijn god!' riep hij uit. Hij draaide zich om en rende naar de gastenvleugel waar de verpleegsters waren ondergebracht. Bij de kamer van Veena en Samira aangekomen begon hij op de deur te bonken en Veena's naam te roepen. Toen ze niet direct antwoordde, opende hij de

deur, hopend dat zijn vrees ongegrond zou zijn. Maar helaas niet. Hij vond Veena languit op haar bed liggend, met gesloten ogen. In haar hand een leeg plastic potje slaappillen.
Cal greep Veena bij haar schouders en trok haar ruw overeind. Haar hoofd rolde heen en weer, maar haar ogen gingen moeizaam open.
'God, Veena!' schreeuwde Cal. 'Waarom? Waarom heb je dit gedaan?' Hij wist dat als zij zou sterven, de hele onderneming die hij zo zorgvuldig had opgezet voorbij zou zijn.
'Gerechtigheid,' mompelde Veena. 'Een leven voor een leven.'
Ze probeerde weer te gaan liggen en Cal liet haar terugvallen op het bed. Hij pakte zijn mobiele telefoon en drukte op de sneltoets voor Durell. Toen Durell antwoordde, klagend dat hij tijdens de wedstrijd werd gestoord, riep Cal hem toe zo snel mogelijk een ambulance te regelen omdat Veena zojuist een zelfmoordpoging had gedaan en haar maag leeggepompt moest worden.
Nadat hij de telefoon op het bed had gegooid sleepte Cal Veena's slappe lichaam naar de rand, duwde haar hoofd naar beneden en gebruikte zijn wijsvinger om haar te laten braken. Het was geen prettig gezicht. Het goede eraan was dat meer dan tien hele slaappillen en een paar stukken op het ondergespuugde tapijt terechtkwamen. Het slechte was dat hij zelf ook moest braken.

1

15 oktober 2007
maandag 7.35 uur
Los Angeles, VS

(Het moment waarop Veena werd gedwongen te braken)

Het was een fantastische dag in Los Angeles. De hitte, de smog en de rook van de onvermijdelijke bosbranden van de late zomer en de vroege herfst waren eindelijk het binnenland ingewaaid om plaats te maken voor de eerste heldere lucht in maanden. Jennifer Hernandez had niet alleen de nabijgelegen Santa Monica Mountains kunnen zien op weg naar het UCLA Medical Center, maar ze had zelfs een glimp opgevangen van de nog verder weg gelegen San Gabriel Range, prachtig uitkomend tegen de opgaande zon.

Jennifer was deze heldere ochtend heel opgewonden, en niet alleen vanwege het weer. Het was de eerste dag van haar coassistentschap algemene chirurgie. Jennifer was vierdejaarsstudent medicijnen aan de UCLA en ze had zo genoten van de derdejaars colleges chirurgie dat ze erover dacht het vak als specialiteit te kiezen, maar ze had het idee dat ze nog niet voldoende chirurgische ingrepen had bijgewoond om de beslissing te kunnen nemen. Hoewel meer vrouwen voor chirurgie kozen dan in het verleden, waren ze nog steeds in de minderheid. Het was geen makkelijke beslissing. Algemene chirurgie was erg tijdrovend, vooral voor een vrouw die zowel een carrière als een gezin wilde. Jennifer dacht dat ze wel een gezin wilde. Omdat ze meer ervaring nodig had om een goed doordachte beslissing te nemen, had ze algemene chirurgie gekozen als een van de keuzevakken in haar vierde en laatste jaar. Ze was er wel van overtuigd dat ze doortastend en goed met haar handen was, twee kwaliteiten die nodig waren voor chirurgie. En uit haar ervaring in haar derde jaar wist ze dat chirurgie zowel uitdagend als spannend was.

De eerste dag was het de bedoeling dat de aangewezen medisch studen-

ten operatiekleding aan zouden trekken en om acht uur 's ochtends hun respectievelijke opleiders in de hal van de afdeling chirurgie zouden ontmoeten. Jennifer was vroeg, zoals gewoonlijk. Het gevolg was dat ze zich, hoewel het nog maar vijf over halfacht was, al verkleed had en in de betreffende hal zat waar ze gedachteloos door een oud nummer van *Time* bladerde. Tegelijkertijd luisterde ze ook naar CNN op de televisie en keek ze naar het komen en gaan van de artsen, verpleegsters en andere personeelsleden. De afdeling chirurgie was al volop in bedrijf. Er was haar verteld dat de maandagen altijd druk waren en op het whiteboard kon ze zien dat alle drieëntwintig operatiekamers op dit moment bezet waren.
Jennifer dronk van haar koffie. De angst te laat te komen was langzaam weggezakt en ze begon zich af te vragen of ze aangenomen zou worden voor de uitstekende chirurgische opleiding van UCLA, als ze besloot om hem te kiezen als haar specialiteit. Het mooiste was dat het hele ziekenhuis binnen een jaar naar het nieuwe Ronald Reagan-gebouw aan de overkant van de straat zou verhuizen waar de ok's ultramodern en bijzonder goed waren. Ze was een van de ijverigste studenten en dus behoorde Jennifer tot de besten van haar groep, en daarom was ze er vrij zeker van dat ze een goede kans maakte als ze solliciteerde. Maar eigenlijk was LA niet haar eerste keus. Jennifer kwam oorspronkelijk niet uit Los Angeles, en zelfs niet van de Westkust zoals het grootste deel van haar medestudenten. Ze kwam uit New York en was naar het westen gekomen dankzij een vierjarige beurs die werd verstrekt door een dankbare en rijke Mexicaan die in het UCLA Medical Center van kanker was genezen. De beurs was voor een arme vrouw van Latijns-Amerikaanse afkomst. Omdat ze aan alle drie de eisen voldeed, had Jennifer zich aangemeld en gewonnen, en zo was ze aan haar onverwachte uitstapje naar Californië begonnen. Maar nu haar medische opleiding bijna afgelopen was wilde ze terug naar het oosten. Ze hield van de stad en beschouwde zichzelf als een New Yorker. Daar was ze geboren en, hoe moeilijk het ook was geweest, daar was ze opgegroeid.
Jennifer nam nog een slokje van haar koffie en richtte haar volledige aandacht op de tv. De twee CNN-presentatoren hadden iets gezegd wat haar belangstelling had getrokken. Volgens hen dreigde het medisch toerisme een groeiende industrie te worden in ontwikkelingslanden, vooral in Zuidoost-Aziatische landen als India en Thailand, en niet alleen voor cosmetische en kwakzalversingrepen als ongeteste kankerbehandelingen,

zoals in het verleden wel het geval was geweest. Er werden grote, moderne ingrepen als openhartoperaties en beenmergtransplantaties verricht. Jennifer leunde naar voren en luisterde met steeds meer belangstelling. Ze had de term medisch toerisme nog nooit gehoord. Naar haar idee was het nogal tegenstrijdig. Jennifer was in elk geval nog nooit in India geweest en voor zover ze wist was het een vreselijk arm land waar het grootste deel van de bevolking broodmager was en in lompen gekleed ging, de helft van het jaar in een hete, vochtige moesson leefde en de andere helft in een hete, droge, stoffige woestijn. Hoewel ze slim genoeg was om te weten dat een dergelijk stereotype niet per se waar hoefde te zijn, dacht ze dat er toch wel een kern van waarheid in zou zitten, want anders zou het geen stereotype zijn. Ze was er in elk geval zeker van dat een dergelijk stereotype het land nauwelijks geschikt maakte voor de laatste chirurgische vaardigheden, moderne en dure technologie en technieken van de eenentwintigste eeuw.

Het was duidelijk dat beide nieuwslezers haar ongeloof deelden. 'Het is schokkend,' zei de man. 'In 2005 zijn meer dan 75.000 Amerikanen naar India gereisd voor een grote chirurgische ingreep en sindsdien is het cijfer, volgens de Indiase regering, met meer dan twintig procent per jaar gestegen. Ze verwachten dat het binnen tien jaar een bedrag van tweepunt-twee miljard dollar aan buitenlandse valuta zal opleveren.'

'Ik ben stomverbaasd, absoluut stomverbaasd!' zei de vrouwelijke nieuwslezer. 'Waarom gaan mensen daarnaartoe? Heeft iemand daar een idee van?'

'De voornaamste reden is het ontbreken van een verzekering hier in de Verenigde Staten, en de tweede reden is dat de kosten daar veel lager zijn. Een operatie die hier in Atlanta misschien wel tachtigduizend dollar kost, kost daar misschien tienduizend. En daar komt nog bij dat ze op de koop toe een vakantie krijgen in een Indiaas vijfsterrenhotel.'

'Wauw!' antwoordde de vrouw. 'Maar is het veilig?'

'Daar zou ik me ook zorgen over maken,' was de man het met haar eens, 'en daarom is dit verhaal dat net binnengekomen is zo interessant. De Indiase regering, die het medisch toerisme met economische voordelen steunt, beweert dat de resultaten de laatste jaren net zo goed of beter zijn dan waar ook in het Westen. De reden daarvoor is volgens hen dat de chirurgen allemaal speciale examens afgelegd hebben, en dat het instrumentarium en de ziekenhuizen, waarvan sommige officieel erkend worden door de International Joint Commission, volgens de laatste standaarden zijn en splinternieuw. Maar er zijn nog nooit gegevens en statistieken verschenen in medische tijdschriften om dergelijke claims te onderbouwen. Een paar minuten geleden hoorde CNN uit bekende en betrouwbare bron dat een verder gezonde, vierenzestig jaar oude Amerikaanse vrouw uit Queens, New York, genaamd Maria Hernandez, bij wie ongeveer twaalf uur geleden zonder complicaties een heup was vervangen, maandagnacht om 22.35 uur Indiase tijd plotseling is overleden in het Queen Victoria Hospital in New Delhi, India. Interessant is dat volgens onze bron dit tragische overlijden slechts het topje van de ijsberg is.'

'Heel interessant,' zei de vrouw. 'Daar zullen we vermoedelijk nog meer over gaan horen.'

'Daar ga ik van uit,' antwoordde de man.

'Dan gaan we nu verder met de presidentiële campagne van 2008 waar maar geen einde aan lijkt te komen.'

Jennifer zakte in opperste verwarring onderuit. De naam bleef maar door haar hoofd spelen: Maria Hernandez uit Queens, New York. Jennifers grootmoeder van vaderskant, de belangrijkste persoon in haar leven, heette Maria Hernandez, en wat haar nog meer zorgen baarde, ze woonde in Queens. Bovendien had ze een slechte heup die steeds verder verslechterde. Nog maar een maand geleden had ze Jennifers mening gevraagd of ze er iets aan moest laten doen. Jennifer had gezegd dat alleen Maria die vraag kon beantwoorden, omdat het er in deze fase van afhing hoeveel problemen en ongemak hij veroorzaakte.

'Maar India?' Jennifer schudde haar hoofd. Het leek zo totaal onwaarschijnlijk dat haar grootmoeder naar India zou gaan zonder hierover met haar te praten, en dat was meteen Jennifers grootste hoop dat het verhaal toeval was en geen betrekking had op háár Maria Hernandez. Jennifer en haar grootmoeder stonden elkaar heel erg na, omdat Maria een soort tweede moeder voor Jennifer was. Jennifers echte moeder was omgekomen toen Jennifer nog maar drie was, als tragisch slachtoffer van een aanrijding in de Upper East Side van Manhattan. Jennifer, haar twee oudere broers Ramon en Diego en hun nietsnut van een vader, Juan, woonden bijna vanaf de dag van het ongeluk in Maria's piepkleine tweekamerflat in een appartementsgebouw in Woodside, Queens.

Jennifer was het laatste kind dat het huis verliet en dat was pas gebeurd toen ze naar de medische faculteit vertrok. Wat Jennifer betreft was Maria een heilige die door haar eigen echtgenoot in de steek was gelaten. Maria had hen niet alleen allemaal bij zich laten wonen, ze had hen ook allemaal ondersteund en gevoed door te werken als kinderjuffrouw en huishoudster. Jennifer en haar broers hielpen met naschoolse baantjes toen ze ouder werden, maar Maria was de voornaamste kostwinner geweest.

Wat Juan betreft, hij had niets uitgevoerd zolang Jennifer het zich kon herinneren. Omdat hij zogenaamd invalide was door een oude rugblessure die hij had opgelopen voor Jennifer geboren was, was hij niet in staat om te werken. Voor haar dood was Jennifers moeder, Mariana, de enige geweest die een salaris verdiende, als inkoopster bij Bloomingdale's. Nu Jennifer haar medische opleiding bijna had afgerond en iets meer wist over psychosomatische ziekten en simuleren, had ze nog meer reden om aan haar vaders zogenaamde invaliditeit te twijfelen en verachtte ze hem nog meer.

Omdat de stoel waarin ze zat laag was en hoge armleuningen had, moest Jennifer zich eruit worstelen. Ze kon hier niet blijven zitten en zich zorgen maken over haar grootmoeder. Ze wist dat zelfs maar de kleinste kans dat het nieuwsbericht wel over haar grootmoeder ging het bijna onmogelijk voor haar zou maken zich te concentreren als ze haar nieuwe opleider ontmoette. Ze moest het zeker weten, wat betekende dat ze iets moest doen waar ze een verschrikkelijke hekel aan had: haar stomme nietsnut van een vader bellen.

Jennifer had vanaf haar negende nauwelijks nog met haar vader gesproken. Ze deed het liefst of hij niet bestond, wat een beetje moeilijk was omdat ze allemaal zo dicht bij elkaar woonden. Wat dat betreft was het een verademing geweest om naar LA te gaan want sindsdien had ze hem helemaal niet meer gesproken. Als hij tijdens haar eerste jaar toevallig de telefoon opnam als ze Maria belde, had ze gewoon opgehangen en later nog eens gebeld als ze zeker wist dat haar grootmoeder thuis was. Meestal liet ze haar grootmoeder bellen, wat ze regelmatig deed. En ook de telefoon was niet langer een probleem sinds Maria, op Jennifers aandringen, een mobiele telefoon had gekocht en de vaste lijn aan Jennifers vader overliet. Wat betreft de bezoekjes die Jennifer aan New York bracht, ze was er al vier jaar niet geweest. Dat was gedeeltelijk vanwege haar vader en gedeeltelijk vanwege de kosten. In plaats daarvan liet ze haar grootmoeder ongeveer elke zes maanden overkomen. Ze had Jennifer verteld dat deze reizen naar de Westkust voor

haar de spannendste dingen waren die ze in haar hele leven had gedaan.
In de dameskleedkamer maakte Jennifer de veiligheidsspeld los waar de sleutel van haar kastje aan hing, opende haar kastje en pakte haar mobiele telefoon. Na enig rondlopen en zoeken vond ze gelukkig een plekje met voldoende bereik. Ze toetste het nummer in en wachtte terwijl ze het geluid hoorde overgaan met stijf op elkaar geklemde kaken tot ze haar vaders stem hoorde. Het was kwart voor acht in LA, wat betekende dat het kwart voor elf was in New York, precies het moment waarop Juan doorgaans uit zijn bed verrees.
'Wel, wel, mijn verwaande dochter,' sneerde Juan na de eerste begroeting. 'Waar heb ik dit telefoontje van de arrogante aanstaande dokter aan te danken?'
Jennifer negeerde de provocatie. 'Het gaat om oma,' zei ze alleen maar. Ze was vast van plan om zich niet te laten verleiden het over iets anders te hebben dan waar het om ging.
'Wat is er met oma?'
'Waar is ze?'
'Waarom vraag je dat?'
'Zeg me nou maar waar ze is.'
'Ze is in India. Ze heeft eindelijk iets aan haar heup laten doen. Je weet hoe koppig ze is. Ik heb haar al jaren gevraagd om het te doen, want ze had er echt last van bij haar werk.'
Jennifer kon zich met moeite inhouden bij de opmerking over het werk, haar vaders verleden kennend.
'Heb je al iets gehoord van de dokter of van het ziekenhuis of zo?'
'Nee. Waarom zou ik?'
'Ze hebben je telefoonnummer, neem ik aan.'
'Natuurlijk.'
'Waarom ben je niet met haar meegegaan?' Jennifer vond het vreselijk om te bedenken dat haar grootmoeder helemaal alleen naar India was gegaan voor zo'n grote operatie, terwijl de verste reis die ze ooit had ondernomen naar Californië was om Jennifer te bezoeken.
'Ik kon niet mee vanwege mijn rug en alles.'
'Wie heeft de operatie geregeld?' vroeg Jennifer. Ze wilde het gesprek afronden. Het feit dat niemand Juan had gebeld was beslist hoopgevend.
'Een organisatie in Chicago die Foreign Medical Solutions heet.'
'Heb je het nummer bij de hand?'

'Ja, een moment.' Jennifer kon de hoorn op de kleine bijzettafel horen vallen. Ze zag hem voor zich, bij de toegangsdeur in het deel van het appartement waar een eettafel hoorde te staan maar waar Juans bed stond. Een minuut later kwam Juan terug en ratelde het nummer in Chicago af. Zodra Jennifer het had hing ze op. Ze had geen zin in hypocriet gebabbel of zelfs maar om te groeten. Met het nummer in haar hand belde ze Foreign Medical Solutions en nadat ze de telefoniste had verteld wie ze was en waarom ze belde werd ze doorverbonden met iemand die Michelle heette en wiens functie die van zorgmanager was. De vrouw had een indrukwekkend diepe, resonerende stem met een licht zuidelijk accent. Nadat Jennifer haar verhaal had gedaan kon ze het onmiskenbare geluid horen van een computertoetsenbord terwijl Michelle het dossier van Maria Hernandez opzocht.
'Wat zou je graag willen weten?' vroeg Michelle, toen ze weer aan de lijn kwam. 'Als medisch student ben je je er vast wel van bewust dat de wettelijke privacyregels ons beperken in wat we kunnen zeggen, ook al ben je wie je zegt dat je bent.'
'Als eerste wil ik weten of het goed met haar gaat.'
'Het gaat heel goed. Ze is geopereerd en de operatie is probleemloos verlopen. Ze is nog geen uur in de PACU geweest en is toen naar haar kamer gebracht. Er wordt aangegeven dat ze al wat heeft gedronken. Dat is de laatste informatie die we hebben binnengekregen.'
'Was dat kortgeleden?'
'Inderdaad. Iets meer dan een uur geleden.'
'Dat is goed nieuws,' zei Jennifer. Ze was nog opgeluchter dan toen Juan had gezegd dat hij niets had gehoord. 'Gaat het over het algemeen goed met jullie patiënten in het Queen Victoria Hospital?'
'Zeker. Het is een populair ziekenhuis. We hebben zelfs een patiënt gehad die per se weer naar het Queen Victoria wilde voor zijn andere knie.'
'Een ooggetuigenverslag is altijd goed,' zei Jennifer. 'Kan ik het ziekenhuis bellen zodat ik misschien met mijn grootmoeder kan praten?'
'Natuurlijk,' zei Michelle en ze gaf haar het nummer.
'Hoe laat is het nu in New Delhi?' vroeg Jennifer.
'Eens kijken.' Het was even stil. 'Ik haal dit vaak door elkaar. Het is hier nu vijf voor elf 's ochtends, dus het is in New Delhi nu vijf voor halftien 's avonds volgens mij. Ze lopen tien en een halfuur voor op ons hier in Chicago.'

'Zou dit een goed tijdstip zijn om te bellen?'
'Dat zou ik echt niet kunnen zeggen,' antwoordde Michelle.
Jennifer bedankte haar. Even overwoog ze om haar grootmoeders mobiele telefoon te proberen maar toen liet ze het idee weer varen. In tegenstelling tot Jennifers AT&T-telefoon dacht ze niet dat haar grootmoeders telefoon in India zou werken. Ze belde het Queen Victoria Hospital. Toen de verbinding letterlijk in enkele seconden tot stand kwam was Jennifer zeer onder de indruk, vooral omdat ze geen idee had hoe mobiele of andere telefoons eigenlijk werkten. Even later was ze in het Engels in gesprek met een vrouw aan de andere kant van de wereld, met een prettig melodieus en duidelijk Indiaas accent. Het was naar Jennifers idee vergelijkbaar met een Brits accent maar dan welluidender.
'Ik kan niet geloven dat ik met iemand in India spreek,' zei Jennifer verwonderd.
'Geen dank,' zei de telefoniste van het ziekenhuis ietwat misplaatst. 'Maar u praat vermoedelijk meer met India dan u beseft, vanwege onze vele callcenters.'
Jennifer gaf haar grootmoeders naam en vroeg of ze doorverbonden kon worden met haar kamer.
'Het spijt me heel erg,' zei de telefoniste, 'maar we kunnen 's avonds na acht uur geen gesprekken meer doorverbinden. Als u het toestelnummer had gehad, had u direct kunnen bellen.'
'Kunt u me het toestelnummer geven?'
'Het spijt me, maar dat mag ik niet. U begrijpt wel waarom. Anders zou ik u wel doorverbinden.'
'Ik begrijp het,' zei Jennifer, maar ze vond dat het geen kwaad had gekund om het te vragen. 'Kunt u me vertellen hoe het met haar gaat?'
'Natuurlijk. We hebben hier een lijst. Wat was de achternaam ook weer?'
Jennifer herhaalde: 'Hernandez.'
'Hier is ze,' zei de telefoniste. 'Het gaat heel goed met haar, ze heeft al wat gegeten en is al naar haar kamer gebracht. De artsen zeggen dat ze heel tevreden zijn.'
'Dat is fantastisch,' zei Jennifer. 'Kunt u mij zeggen of er iemand in het ziekenhuis is die haar begeleidt?'
'O, ja, natuurlijk! Al onze buitenlandse gasten hebben per land een zorgmanager. Die van uw grootmoeder heet Kashmira Varini.'
'Kan ik een boodschap voor haar achterlaten?'

'Jazeker. Zal ik die aannemen of wilt u die liever op haar voicemail achterlaten? Ik kan u doorverbinden.'
'Voicemail is prima,' zei Jennifer. Ze was onder de indruk. Haar korte kennismaking met een Indiaas ziekenhuis deed vermoeden dat het heel ontwikkeld was en beschikte over moderne communicatiemiddelen.
Na Kashmira Varini's vriendelijke introductie, sprak Jennifer haar naam in, haar relatie met Maria Hernandez en het verzoek om op de hoogte gehouden te worden van haar oma's vooruitgang of, in elk geval, bericht te krijgen als er misschien problemen of complicaties op zouden treden. Voor ze ophing sprak Jennifer langzaam en duidelijk het nummer van haar mobiele telefoon in. Ze wilde er zeker van zijn dat er geen vergissingen werden gemaakt vanwege een accent. Jennifer wist dat ze een sterk New Yorks accent had.
Jennifer klapte haar telefoon dicht en wilde hem weer in het kastje leggen, maar toen aarzelde ze. Ze achtte de kans dat een andere Maria Hernandez uit Queens op bijna hetzelfde moment als haar grootmoeder in hetzelfde ziekenhuis in India werd geopereerd heel klein. Het leek zelfs compleet onmogelijk, en even speelde ze met het idee CNN te bellen en hun dat mee te delen. Jennifer was een doener en geen piekeraar en ze aarzelde niet om haar mening te geven. Ze vond dat CNN dat verdiend had vanwege het feit dat ze het verhaal niet voldoende hadden nagetrokken voor ze het uitzonden. Maar toen kreeg haar gezonde, nuchtere verstand de overhand. Wie moest ze bellen bij CNN en wat was de kans dat het haar wat op zou leveren? En daarbij, ze keek plotseling op haar horloge. Toen ze zag dat het al over achten was, liep er een rilling van bezorgdheid als een elektrisch stroompje over haar ruggengraat. Ze was te laat op de eerste dag van haar keuzevak chirurgie, ondanks alle moeite die ze genomen had dat niet te zijn.
Jennifer sloeg het kastje dicht en zette, terwijl ze naar de deur liep, haar telefoon op de trilstand voor ze hem in de zak van haar broek liet glijden samen met de veiligheidsspeld en de sleutel. Ze was echt ongerust. Te laat komen was geen manier om aan een nieuw coschap te beginnen, vooral niet met een dwangmatige chirurg, en haar ervaring tijdens haar derde jaar chirurgie had haar geleerd dat alle chirurgen dat waren.

2

15 oktober 2007
Maandag 11.05 uur
New York, VS

(Het moment waarop Jennifer werd berispt door haar nieuwe opleider omdat ze te laat was)

'Kun je ze zien?' vroeg dokter Shirley Schoener. Dokter Schoener was een gynaecoloog die zich had gespecialiseerd in onvruchtbaarheid. Hoewel ze het nooit toegegeven had, was ze medicijnen gaan studeren uit een soort bijgeloof om te leren omgaan met haar angst voor ziekten, en ze had zich gespecialiseerd in onvruchtbaarheid omdat ze bang was dat er bij haarzelf sprake van was. Het had op beide fronten gewerkt. Ze was kerngezond en had twee geweldige kinderen, evenals een bloeiende praktijk waar het aantal geslaagde zwangerschappen heel hoog was.
'Dat geloof ik wel,' zei dokter Laurie Montgomery. Laurie was lijkschouwer en werkte in het instituut van de Chief Medical Examiner van de stad New York. Ze was 43, even oud als dokter Schoener. Ze hadden samen geneeskunde gestudeerd en waren zelfs vriendinnen geworden. Het verschil tussen hen was, behalve hun professionele specialiteiten, dat Shirley relatief jong getrouwd was – op haar dertigste, net na het voltooien van haar opleiding – en na verloop van tijd een paar kinderen op de wereld had gezet. Laurie had gewacht tot ze 41 was voor ze twee jaar geleden met een collega-lijkschouwer, Jack Stapleton, trouwde en was gestopt met wat ze zelf de 'keeper' was gaan noemen, haar eufemisme voor de verschillende methoden van anticonceptie die ze in de loop der jaren had gebruikt. Laurie had verwacht dat ze zonder voorbehoedsmiddelen prompt zwanger zou worden van het kind waarvan ze altijd had geweten dat ze het zou krijgen. Ze was immers ongewenst zwanger geworden toen ze op periodieke onthouding vertrouwde en iets te veel risico had genomen. Helaas was het een buitenbaarmoederlijke zwangerschap geweest die moest wor-

den beëindigd. Maar nu conceptie gewenst was, gebeurde het niet en na het vereiste jaar onbeschermde, 'keeperloze' seks, was ze tot de onplezierige conclusie gekomen dat ze de realiteit onder ogen moest zien en actie moest ondernemen. Op dat moment had ze contact opgenomen met haar oude vriendin Shirley en was ze aan de behandelingen begonnen.
De eerste fase betekende dat er uitgevonden moest worden of er anatomisch of fysiek iets mis was met Jack of met haarzelf. Het antwoord bleek nee te zijn. Het was de enige keer in haar leven geweest dat ze had gehoopt dat de medische testen iets afwijkends zouden vinden, zodat het gerepareerd kon worden. Ze ontdekten wel, zoals te verwachten was, dat een van haar eileiders niet meer functioneerde door de buitenbaarmoederlijke zwangerschap, maar dat de andere eileider en het functioneren ervan geheel normaal waren. Iedereen vond dat één eileider geen probleem moest zijn.
Vanaf dat moment had Laurie het medicijn Clomid geprobeerd in combinatie met intra-uteriene inseminatie. De oude naam, kunstmatige inseminatie, was veranderd zodat het minder onnatuurlijk klonk. Na de voorgeschreven cycli met Clomid, die allemaal geen succes hadden, waren ze overgegaan op follikelstimulerende hormooninjecties. Laurie was nu aan haar derde reeks injecties bezig en als het nu niet lukte, stond ze op de nominatie voor in-vitrofertilisatie als laatste mogelijkheid. Het gevolg was dat ze, begrijpelijkerwijs, heel gespannen was en zelfs lichtelijk depressief. Ze had nooit verwacht dat onvruchtbaarheidsbehandelingen zo stressvol zouden zijn of zoveel emotionele last met zich mee zouden brengen. Ze was gefrustreerd, somber, boos en uitgeput. Het was alsof haar lichaam met haar speelde nadat ze zo lang zoveel moeite had gedaan om niet zwanger te worden.
'Ik weet niet waarom je ze niet kunt zien,' zei dokter Schoener. 'De follikels zijn heel duidelijk zichtbaar, minstens vier, en ze zien er geweldig uit. Het formaat is prima: niet te groot, niet te klein.' Ze greep het scherm van de echoscoop met haar vrije hand en draaide het met enige kracht om zodat het recht in Lauries blikveld kwam te hangen. Toen wees ze de follikels een voor een aan. Met haar rechterhand richtte ze het ultrasone apparaatje onder het afdeklaken naar linksboven in Lauries vagina.
'Oké, ik zie ze,' zei Laurie. Ze lag op de onderzoekstafel met haar voeten in de stijgbeugels en haar benen gespreid. De eerste keer dat er een echo werd gemaakt was ze lichtelijk geschokt geweest, omdat ze verwacht had

dat de sensor uitwendig op haar maag zou worden geplaatst. Maar inmiddels, nu ze de procedure tijdens de eerste helft van vijf cycli om de paar dagen had ondergaan, nam ze het op de koop toe. Het was een beetje ongemakkelijk maar niet pijnlijk. Het grootste probleem was dat ze het vernederend vond, maar eerlijk gezegd vond ze het hele onvruchtbaarheidsgedoe vernederend.
'Zien ze er beter uit dan bij eerdere cycli?' vroeg Laurie. Ze had wat bemoediging nodig.
'Niet opvallend,' gaf dokter Schoener toe. 'Maar wat ik vooral mooi vind, is dat het merendeel bij deze cyclus in de linkereileider zit en niet in de rechter. Vergeet niet dat alleen je linkereileider functioneert.'
'Denk je dat dat verschil zal maken?'
'Hoor ik daar een negatief geluid?' zei dokter Schoener terwijl ze de transducer weglegde en het scherm opzijschoof.
Laurie liet een kort, cynisch lachje horen terwijl ze haar voeten uit de stijgbeugels trok, haar benen over de rand van de onderzoekstafel zwaaide en rechtop ging zitten. Ze klemde het laken tegen haar middenrif.
'Je moet positief blijven,' ging dokter Schoener verder. 'Heb je ook last van hormonale symptomen?'
Laurie lachte opnieuw gemaakt maar deze keer iets harder. Ze rolde ook met haar ogen. 'Toen ik hiermee begon hield ik mezelf voor dat ik me er niet gek door zou laten maken. Maar dat had je gedacht! Je had me gisteren moeten horen schreeuwen tegen een bejaarde die probeerde voor te dringen bij de kassa bij Whole Foods. Een zeeman zou ervan gebloosd hebben.'
'En hoe zit het met hoofdpijn?'
'Dat heb ik ook.'
'Opvliegers?'
'De hele mikmak. Maar waar ik me het meest zorgen om maak is Jack. Hij doet alsof het hem helemaal niet aangaat. Elke keer als ik begin te menstrueren en me rot voel omdat ik niet zwanger ben, zegt hij alleen maar opgewekt, "Nou, misschien volgende maand," en verder niks. Ik heb soms zin om hem met een koekenpan op zijn hoofd te slaan.'
'Hij wil toch wel kinderen, of niet?' vroeg dokter Schoener.
'Nou, om eerlijk te zijn doet hij dit vooral voor mij, hoewel hij, als we ze eenmaal hebben, de allerbeste vader van de wereld zal zijn. Ik denk dat Jacks probleem hiermee is dat hij twee lieve dochters had met zijn eerste

vrouw, maar die zijn alle drie tragisch om het leven gekomen bij een vliegtuigongeluk. Hij heeft veel geleden en daarom is hij bang zich weer kwetsbaar op te stellen. Het was al moeilijk genoeg om hem over te halen tot een huwelijk.'

'Dat wist ik niet,' zei dokter Schoener met oprecht medeleven.

'Er zijn maar weinig mensen die dat weten. Jack toont zijn persoonlijke emotionele problemen niet graag.'

'Daar is niets vreemds aan,' zei dokter Schoener terwijl ze de gebruikte tissues van de echo verzamelde en in de afvalbak propte. 'Tenzij de man aantoonbaar de oorzaak is, wat hij dan heel serieus neemt, gaat hij heel anders met onvruchtbaarheid en de behandeling ervan om dan een vrouw.'

'Ik weet het, ik weet het,' zei Laurie nadrukkelijk. Ze stond op, nog steeds met het laken om zich heen gewikkeld. 'Ik weet het, maar toch stoort het me dat hij niet meer betrokkenheid en begrip toont voor wat er met mij gebeurt. Dit is allemaal echt niet makkelijk, vooral niet met de kans op hyperstimulatie die boven mijn hoofd hangt. Het probleem is dat ik als arts weet waar ik bang voor moet zijn.'

'Gelukkig lijken er geen aanwijzingen voor hyperstimulatie te zijn, dus ik wil dat je doorgaat met het injecteren van dezelfde dosis. Als je hormoonspiegel te hoog is in het bloedmonster dat we vandaag afgenomen hebben zal ik je bellen en maken we de nodige aanpassingen. Verder ga je gewoon zo door. Je doet het prima. Ik heb een goed gevoel bij deze cyclus.'

'Dat zei je een maand geleden ook.'

'Dat zei ik omdat ik er een maand geleden ook een goed gevoel bij had, maar deze maand is het nog beter omdat dat linkerovarium van je er meer bij betrokken is.'

'Wanneer denk je dat het tijd is voor de HCG-injectie en de intra-uteriene inseminatie? Jack wil het graag op tijd weten wanneer hij verzocht wordt om zijn aandeel te leveren.'

'Gezien de grootte van de follikels op dit moment, zou ik zeggen over vijf of zes dagen of zo. Maak bij de balie een afspraak over twee of drie dagen voor de volgende echo en oestradiolmeting, wat je het beste uitkomt. Dan kan ik je een beter idee geven.'

'Ik heb nog een vraag,' zei Laurie, toen dokter Schoener op het punt stond te vertrekken. 'Gisteravond toen ik in bed lag en weer niet in slaap

kon komen, moest ik denken aan mijn werk. Zouden er omstandigheden in het mortuarium kunnen zijn die te maken hebben met het hele onvruchtbaarheidsprobleem, zoals de fixatiemiddelen voor weefselmonsters bijvoorbeeld?'
'Ik betwijfel het,' zei dokter Schoener zonder aarzeling. 'Als er onder pathologen meer sprake zou zijn van onvruchtbaarheid dan onder andere artsen, dan zou ik het wel gehoord hebben. Vergeet niet dat ik hier heel wat artsen zie, onder wie een paar pathologen.'
Laurie bedankte haar vriendin, omhelsde haar even en dook toen de kleedkamer in waar ze haar kleren had achtergelaten. Het eerste wat ze deed was haar horloge pakken. Het was nog net geen halftwaalf en dat was perfect. Het betekende dat ze tegen twaalf uur weer in het pathologisch instituut kon zijn, het moment waarop ze zichzelf haar dagelijkse hormooninjectie gaf.

3

15 oktober 2007
maandag 9.30 uur
Los Angeles, VS

(Twintig minuten nadat Laurie zichzelf haar hormooninjectie heeft gegeven)

Jennifer schrok van het getril van haar mobiele telefoon; ze was totaal vergeten dat ze hem in de broekzak van haar operatiepak had gestopt en niet in haar kastje had achtergelaten. Het gevolg was dat ze opsprong, en dat was genoeg om de aandacht te trekken van haar nieuwe opleider, dokter Robert Peyton. Omdat hij haar goed duidelijk had gemaakt dat ze in zijn achting verkeerd was begonnen door op de eerste dag bijna vier minuten te laat te komen, was de nauwelijks hoorbare, trillende telefoon een potentiële ramp. Ze stak haar hand in haar zak in een poging het geluid dat maar door bleef gaan te stoppen, maar daar slaagde ze niet in. Omdat ze zich zonder te kijken de toetsen van de telefoon niet snel genoeg voor de geest kon halen, kon ze het juiste knopje niet vinden.
Jennifer stond samen met dokter Peyton, een elegante, bijzonder aantrekkelijke man, en zeven van haar jaargenoten die zich voor hetzelfde keuzevak hadden ingeschreven, in de doodse stilte van de voorbereidingsruimte tussen operatiekamers 8 en 10, het schema van de komende maand te bespreken. De groep van acht personen zou verdeeld worden in vier paren en bij toerbeurt een week lang bij verschillende chirurgische specialismen werken, waaronder anesthesie. Tot Jennifers teleurstelling was ze met een andere student ingedeeld bij anesthesie. Ze had het gevoel dat als ze anesthesie had gewild, ze het wel zou hebben gekozen als keuzevak. Maar vanwege de ongelukkige start die ze had gemaakt door te laat te zijn, had ze niet geklaagd.
'Is er iets wat deze jongedame de groep heeft mee te delen met betrekking tot haar overduidelijke schrik en de kennelijke behoefte haar mobiele

telefoon mee te nemen naar de ok?' vroeg dokter Peyton sarcastisch en met volgens Jennifer een onverdiend vleugje seksisme. Ze kwam in de verleiding de man een passend antwoord te geven maar zag ervan af. Ze was met haar gedachten vooral bij het voortdurende trillen van de telefoon. Ze kon zich niet voorstellen wie haar zou bellen, tenzij het iets te maken had met haar grootmoeder. Impulsief en ondanks alle aandacht die op haar gericht was haalde ze de telefoon uit haar zak, vooral met de bedoeling om hem uit te zetten, maar ze keek toch snel even op het schermpje. Ze zag onmiddellijk dat het een internationaal gesprek was en omdat ze het nummer nog maar zo kort geleden had gebeld, wist ze dat het het Queen Victoria Hospital was.

'Mijn excuses,' zei ze. 'Ik moet dit gesprek aannemen. Het gaat over mijn grootmoeder.' Zonder een antwoord van dokter Peyton af te wachten rende ze de deur uit naar de centrale gang. Wetend dat alleen al het bij je hebben van een telefoon in de ok een ernstige overtreding was, klapte ze hem open en hield hem bij haar oor. 'Blijf even aan de lijn alstublieft!' zei ze terwijl ze naar de dubbele toegangsdeur rende. Pas toen ze weer terug was in de kleedkamer probeerde ze te spreken. Ze begon met een verontschuldiging.

'Dat is geen probleem,' zei een tamelijk hoge Indiase stem. 'Ik ben Kashmira Varini en u hebt een boodschap achtergelaten op mijn voicemail. Ik ben de zorgmanager van Maria Hernandez.'

'Ik heb inderdaad een boodschap achtergelaten,' gaf Jennifer toe. Ze kon voelen hoe haar maagspieren samentrokken vanwege de reden waarom de vrouw belde. Jennifer wist dat het geen gezelligheidsgesprek was omdat het bijna middernacht moest zijn in New Delhi.

'Ik bel u zoals u hebt gevraagd. Ik heb net met uw vader gesproken, en hij adviseerde me u eveneens te bellen. Hij zei dat u alles moest regelen.'

'Wat regelen?' vroeg Jennifer. Ze wist dat ze zich een beetje van den domme hield om het ondenkbare voor zich uit te schuiven. Het gesprek moest over de toestand van Maria gaan en er was niet veel kans op goed nieuws.

'Wat er moet gebeuren. Ik ben bang dat Maria Hernandez is overleden.'

Jennifer kon even geen woord uitbrengen. Het leek onmogelijk dat haar grootmoeder dood was.

'Bent u daar nog?' vroeg Kashmira.

'Ja, ik ben er nog,' antwoordde Jennifer. Ze was als door de bliksem

getroffen. Ze kon niet geloven dat een dag die zo veelbelovend was begonnen zo rampzalig zou worden. 'Hoe kan dat nou?' vroeg ze geïrriteerd. 'Ik heb uw ziekenhuis ongeveer een halfuur geleden gebeld en toen heeft de telefoniste me verzekerd dat het prima ging met mijn grootmoeder. Er is me verteld dat ze zelfs al at en naar haar kamer was gebracht.'
'Helaas wist de telefoniste het niet. Wij vinden het allemaal vreselijk wat er gebeurd is. Het ging geweldig met uw grootmoeder en de operatie waarbij haar heup werd vervangen was een volledig succes. Niemand verwachtte dat dit zou gebeuren. Ik hoop dat u onze oprechte deelneming wilt aanvaarden.'
Jennifer voelde zich als verlamd. Het was bijna of ze een klap op haar hoofd had gehad.
'Ik begrijp dat het een schok is,' ging Kashmira verder, 'maar ik verzeker u dat al het mogelijke gedaan is voor Maria Hernandez. Nu, natuurlijk...'
'Waar is ze aan overleden?' vroeg Jennifer abrupt terwijl ze de zorgmanager onderbrak.
'De artsen hebben me verteld dat het een hartaanval was. Hoewel er vooraf absoluut geen tekenen van problemen waren geweest, is ze bewusteloos in haar kamer aangetroffen. Natuurlijk is alles in het werk gesteld om haar te reanimeren, maar helaas zonder resultaat.'
'Een hartaanval lijkt me niet erg waarschijnlijk,' zei Jennifer, terwijl haar rauwe emoties overgingen in woede. 'Ik weet toevallig dat ze een laag cholesterolgehalte had, lage bloeddruk, normaal bloedsuiker en een perfect normaal cardiogram. Ik studeer geneeskunde. Ik heb ervoor gezorgd dat ze een paar maanden geleden toen ze me hier bezocht een uitgebreid lichamelijk onderzoek heeft ondergaan in het UCLA Medical Center.'
'Een van de artsen zei dat ze een voorgeschiedenis van aritmie had.'
'Aritmie, onzin,' snauwde Jennifer. 'O, ze heeft heel lang geleden last gehad van PVC's, maar dat bleek het gevolg te zijn van efedrine in een of ander verkoudheidsmiddel van de drogist dat ze gebruikte. De PVC's stopten zodra ze het middel niet meer innam en ze zijn nooit meer teruggekomen.'
Nu zweeg Kashmira, waardoor Jennifer na een tijdje vroeg of de verbinding was verbroken.
'Nee, ik ben er nog,' zei Kashmira. 'Ik weet niet goed wat ik moet zeggen. Ik ben geen arts. Ik weet alleen wat de artsen me hebben gezegd.'
Een licht schuldgevoel verzachtte Jennifers reactie op het vreselijke nieuws. Onmiddellijk schaamde ze zich een beetje dat ze de schuld legde

bij de boodschapper. 'Het spijt me. Ik ben totaal van streek. Mijn grootmoeder betekende heel veel voor mij. Ze was als een moeder voor me.'
'We leven allemaal heel erg met u mee, maar er moeten beslissingen genomen worden.'
'Wat voor beslissingen?'
'Voornamelijk met betrekking tot het lichaam. We hebben al een getekende overlijdensverklaring, maar we moeten weten of u het lichaam wilt laten cremeren of balsemen, en of u het naar de Verenigde Staten wilt laten overbrengen of het hier in India wilt laten.'
'O, mijn god,' mompelde Jennifer zacht.
'We weten dat het onder deze omstandigheden moeilijk is om een beslissing te nemen, maar het moet wel gebeuren. We hebben het uw vader gevraagd, omdat hij in het contract als naaste familielid wordt genoemd, maar hij zei dat u het, als aanstaand arts, moet regelen en hij zal ons een machtiging hiervoor toezenden per fax.'
Jennifer rolde met haar ogen. Zo'n streek om de verantwoordelijkheid te ontlopen was weer typisch Juan. Wat een waardeloze vent.
'Gezien de vreselijke omstandigheden hadden we verwacht dat meneer Hernandez direct naar India zou komen op onze kosten, maar hij zei dat hij absoluut niet kon reizen vanwege een rugkwaal.'
Ja, ja, dacht Jennifer spottend. Ze wist heel goed dat hij elk jaar in november zonder problemen een godvergeten eind naar de Adirondacks kon rijden om te jagen en bergen te beklimmen met zijn al even waardeloze vrienden.
'Deze uitnodiging geldt natuurlijk ook voor u als het op een na naaste familielid. Het contract dat uw grootmoeder heeft getekend omvatte onder meer een ticket en logies voor een begeleidend familielid, maar ze zei dat dat niet nodig was. Het geld is echter nog beschikbaar.'
Jennifer voelde hoe haar keel dichtkneep bij de gedachte dat haar grootmoeder in het verre India was gestorven en dat haar lichaam eenzaam op een koude marmeren tafel lag in een koelcel van een mortuarium. Nu de reiskosten, logies en het verblijf betaald werden wist ze dat ze haar grootmoeder niet in de steek kon laten, ondanks haar persoonlijke verantwoordelijkheden, namelijk de medische opleiding en haar nieuwe chirurgische coassistentschap. Ze zou het zichzelf nooit vergeven, ondanks het feit dat Maria zelfs aan Jennifer niet had verteld dat ze ging.
'Regelingen kunnen worden getroffen via de Amerikaanse ambassade en

documenten kunnen op afstand worden getekend, maar we geven absoluut de voorkeur aan uw aanwezigheid. Het is onder dergelijke omstandigheden beter dat een familielid aanwezig is om fouten en onbegrip te vermijden.'

'Goed, ik kom,' zei Jennifer abrupt, 'maar ik wil direct komen. Dat betekent vandaag als het kan.'

'Dat moet geen probleem zijn als er plaats is op de middagvlucht naar Singapore via Tokio. We hebben eerder Amerikaanse patiënten uit LA gehad, dus ik ken het schema. Het grootste probleem zal een visum zijn, maar ik kan via het Indiase ministerie van Gezondheid een speciaal noodvisum regelen. Wij kunnen de luchtvaartmaatschappij op de hoogte brengen. Ik heb zo snel mogelijk uw paspoortnummer nodig.'

'Ik ga nu naar mijn appartement en zal u dan bellen,' beloofde Jennifer. Ze was blij dat ze een paspoort had. De enige reden daarvoor was haar grootmoeder. Maria had haar en haar twee broers meegenomen naar Colombia om familie te ontmoeten toen ze negen was. Ze was ook blij dat ze de moeite had genomen om het te verlengen.

'Misschien heb ik de meeste zaken al geregeld tegen de tijd dat u terugbelt. Ondanks het tijdstip nu hier in India, zal ik het direct doen. Maar voor ik ophang moet ik u nogmaals vragen of u wilt dat het lichaam van uw grootmoeder wordt gecremeerd, wat we aanbevelen, of gebalsemd.'

'Wacht daarmee tot ik er ben,' zei Jennifer. 'Ondertussen zal ik mijn twee broers vragen wat ze ervan vinden.' Jennifer wist dat dat een leugen was. Zij en haar broers waren uit elkaar gegroeid en ze spraken elkaar nog maar zelden. Ze wist niet eens hoe ze hen te pakken moest krijgen en voor zover zij wist, zaten ze nog in de gevangenis voor drugshandel.

'Maar we moeten een antwoord hebben. De overlijdensverklaring is al getekend. U moet beslissen.'

Jennifer aarzelde. Als iemand te veel aandrong had ze de gewoonte weerstand te bieden. 'Ik veronderstel dat het lichaam in een koelcel ligt.'

'Dat klopt, maar het is onze gewoonte om er direct werk van te maken. We hebben hier de faciliteiten niet voor, want Indiase families claimen hun overleden familieleden direct om ze te cremeren of te begraven.'

'Een van de belangrijkste redenen waarom ik kom is om het lichaam te zien.'

'Dan kunnen we het voor u laten balsemen. Dan ziet het er veel beter uit.'

'Luister eens, mevrouw Varini,' zei Jennifer. 'Ik kom van de andere kant van de wereld om mijn grootmoeder te zien. Ik wil dat ze met rust gelaten wordt tot ik er ben. En ik wil zeker niet dat ze in stukken wordt gesneden door een balsemer. Ik zal haar waarschijnlijk laten cremeren, maar ik wil geen beslissing nemen voor ik haar nog een keer heb gezien, begrijpt u?'
'Zoals u wenst,' zei Kashmira, maar op een toon die aangaf dat ze het absoluut niet eens was met de beslissing. Daarna gaf ze Jennifer haar doorkiesnummer en benadrukte nog eens dat Jennifer haar zo spoedig mogelijk moest bellen met de gegevens van haar paspoort.
Jennifer klapte haar telefoon dicht. Door haar verbazing en irritatie over het onfatsoenlijke en aanhoudende aandringen dat ze een beslissing moest nemen over wat te doen met haar grootmoeders lichaam, terwijl ze duidelijk had aangegeven dat ze het niet wist, nam in elk geval haar verdriet iets af. Maar toen haalde ze haar schouders op. Dit was kennelijk weer zo iemand die moeite had met normale sociale vaardigheden. Kashmira Varini was waarschijnlijk zo'n ambtenaar uit het middenkader met een vakje naast 'wegwerken van lichaam' dat afgevinkt moest worden.
Terwijl ze snel de kleedkamer uitliep bedacht ze een planning voor de volgende paar uur, waardoor ze vermoedelijk het feit dat haar grootmoeder was overleden even van zich af kon zetten. Eerst moest ze weer terug naar de ok-afdeling om dokter Peyton op te zoeken en de situatie uit te leggen. Dan zou ze snel naar haar appartement gaan, haar paspoort pakken en het nummer doorgeven. Dan zou ze naar de faculteit gaan en alles uitleggen aan de studentendecaan.
Nadat ze de deuren naar de ok was doorgelopen stopte Jennifer bij de hoofdbalie. Terwijl ze stond te wachten om een van de drukke hoofdverpleegsters te vragen of dokter Peyton en zijn studenten nog in de voorbereidingsruimte waren waar ze hen had achtergelaten, stond ze na te denken over iets heel vreemds. Hoe was het mogelijk dat ze nota bene via CNN van haar grootmoeders dood had gehoord, ongeveer anderhalf uur voor ze het van het ziekenhuis hoorde? Omdat ze er geen enkele verklaring voor kon bedenken, besloot ze dat ze dat aan de directie van het ziekenhuis zou vragen zodra ze in India aangekomen was. Ze had altijd begrepen dat de naaste familie als eerste moest worden geïnformeerd voor de naam werd doorgegeven aan de media, hoewel dat, bedacht ze, mis-

schien alleen in de Verenigde Staten zo was en niet in India. Maar daardoor kwam een volgende vraag boven. Wat had CNN er voor belang bij om haar grootmoeders naam te noemen? Ze was immers geen beroemdheid? En wie was die bekende, betrouwbare bron die beweerde dat de dood van haar grootmoeder slechts het topje van de ijsberg was?

4

15 oktober 2007
maandag 23.40 uur
Delhi, India

(Op het moment dat Jennifer vraagtekens zet bij het feit dat haar grootmoeders overlijden wordt aangekondigd door CNN)

Kashmira Varini was een slanke, doortastende vrouw met een bleke teint, die zelden glimlachte. Haar gelaatskleur vormde altijd een scherp contrast met de sari's die ze zonder uitzondering droeg. Zelfs nu ze laat in de avond ijlings was teruggeroepen naar het ziekenhuis om het overlijden van mevrouw Hernandez te regelen, had ze de moeite genomen een keurig gestreken, felrood met gouden sari aan te trekken. Hoewel ze weinig pit toonde en niet bijzonder sympathiek was, was ze goed in wat ze deed en straalde ze tegenover patiënten een zeer vertrouwwekkende vakkundigheid, efficiëntie en betrokkenheid uit, vooral door haar uitstekende beheersing van de Engelse taal. De patiënten die van heinde en ver kwamen voor een operatie waren zonder uitzondering bang en dus nerveus, maar zij wist ze, zodra ze in het ziekenhuis kwamen, op hun gemak te stellen.

'Kon u genoeg van mijn kant van het gesprek volgen om te begrijpen wat juffrouw Hernandez zei?' vroeg Kashmira. Ze zat in het kantoor van de directeur van het ziekenhuis aan een tafel. Hij zat tegenover haar. In scherp contrast met haar elegante, traditionele kleding, droeg de gezette Rajish Bhurgava een slecht passende spijkerbroek in cowboystijl en een geruit, flanellen overhemd met drukknopen in plaats van echte knopen. Hij had zijn benen over elkaar geslagen en zijn cowboylaarzen op de rand van de tafel gelegd.

'Ik kon eruit opmaken dat je geen toestemming hebt gekregen voor balseming of crematie, wat de voornaamste reden voor het telefoontje was. Dat is jammer.'

'Ik heb mijn best gedaan,' zei Kashmira verdedigend. 'Maar de kleindochter is behoorlijk koppig in vergelijking tot de zoon. Misschien hadden we gewoon tot crematie moeten overgaan zonder het haar te vragen.'
'Ik geloof niet dat we dat risico hadden kunnen nemen. Ramesh Srivastava was heel duidelijk toen hij me belde dat hij dit voorval stil wilde houden. Hij zei uitdrukkelijk dat hij absoluut niet de kans wilde lopen op meer media-aandacht, en als de kleindochter zo koppig is als jij vermoedt, dan zou het cremeren van het lichaam zonder toestemming weleens een hoop herrie hebben kunnen veroorzaken.'
'Je hebt de naam Ramesh Srivastava al eerder genoemd toen je me belde over Hernandez' dood en zei dat we het vanavond nog moesten afhandelen. Wie is dat? Ik heb die naam nog nooit gehoord.'
'Het spijt me. Ik dacht dat je het wist. Hij is een topambtenaar die verantwoordelijk is voor het departement van medisch toerisme bij het ministerie van Gezondheid.'
'Is hij degene die jou belde over het overlijden?'
'Dat klopt, en dat was een schok. Ik heb de man nooit ontmoet, maar hij is erg belangrijk. Zijn benoeming laat zien hoe belangrijk het medisch toerisme zal worden volgens de regering.'
'Hoe kan het dat hij eerder hoorde van het overlijden dan wij?'
'Dat is een goede vraag. Een van zijn ondergeschikten zag het op CNN International en vond het ernstig genoeg, gezien het mogelijke effect op de pr-campagne die mede door het ministerie van Toerisme en de Indiase Gezondheidszorg Federatie wordt gefinancierd, om Srivastava onmiddellijk op de hoogte te stellen ondanks het late uur. Wat veel indruk op me heeft gemaakt is dat Srivastava daarop direct mij heeft gebeld in plaats van het over te dragen aan een van zijn ondergeschikten. Het bewijst hoe ernstig hij dit opneemt. Hij wil dat de zaak geruisloos afgehandeld wordt en dat is natuurlijk de reden waarom hij snel van het lichaam af wil. Om te helpen, zei hij, zou hij bellen om de overlijdensverklaring zonder uitstel te laten tekenen, en dat heeft hij gedaan. Hij heeft ook de opdracht gegeven dat niemand van de ziekenhuisstaf, onder geen enkele voorwaarde, met de media mag spreken. Hij wil beslist geen nader onderzoek.'
'Die boodschap was volkomen duidelijk, voor iedereen.'
'Dus,' zei Rajish, terwijl hij zijn voeten op de vloer liet vallen en met zijn hand op de tafel sloeg om zijn woorden kracht bij te zetten, 'laten we het

lichaam vrijgeven voor crematie of balseming en dan weg ermee.'
Kashmira duwde haar stoel achteruit zodat de poten een piepend protest lieten horen op de vloer. 'Ik zal het proces onmiddellijk in gang zetten door de reis te regelen voor juffrouw Hernandez. Spreek je meneer Srivastava vanavond weer?'
'Hij vroeg me om hem thuis te bellen met het laatste nieuws. Dus, ja, ik zal hem bellen.'
'Zeg hem dan dat we misschien zijn hulp nodig hebben om een noodvisum voor juffrouw Hernandez te krijgen.'
'Komt in orde,' zei Rajish en maakte voor zichzelf snel een aantekening. Hij keek Kashmira na toen ze de deur uitliep. Daarna richtte hij zijn aandacht op de telefoon die Kashmira had gebruikt om Jennifer te bellen, haalde Ramesh Srivastava's telefoonnummer tevoorschijn dat hij op een kladpapiertje had geschreven, en toetste het in. Hij was er trots op dat hij iemand belde die zo hoog in de gezondheidsbureaucratie stond, vooral op zo'n ongebruikelijk uur.
Ramesh Srivastava antwoordde zodra de telefoon één keer was overgegaan, waardoor hij de indruk wekte dat hij ernaast had zitten wachten. Hij verspilde geen tijd aan beleefde prietpraat maar vroeg direct of alles met het lichaam geregeld was zoals hij verzocht had. 'Niet helemaal,' moest Rajish toegeven. Hij legde uit dat ze het de zoon hadden gevraagd maar dat de zoon de kleindochter had aangewezen en dat die tegengestribbeld had. 'Het goede nieuws is,' verklaarde Rajish, 'dat de kleindochter binnen een paar uur op weg naar Delhi zal zijn. Zodra ze aankomt zullen ze haar dringend verzoeken om een beslissing te nemen.'
'Hoe zit het met de media?' vroeg Ramesh. 'Is er enige media-activiteit rond het ziekenhuis?'
'Helemaal niets.'
'Dat verbaast en bemoedigt me. Maar daardoor begin ik me wel af te vragen hoe de media als eerste het nieuws over het overlijden hebben gekregen. In de context waarin het nieuws werd gepresenteerd, lijkt het dat het een linkse student moet zijn geweest die tegen de snelle toename van privéklinieken in India is. Weet je of er zo iemand is in het Queen Victoria Hospital?'
'Absoluut niet. Dat zouden dat wij als directie weten.'
'Hou het in gedachten. Nu de budgetten van de algemene ziekenhuizen bevroren zijn, vooral voor de controle op infectieziekten, zijn er mensen

die heel emotioneel over dit onderwerp kunnen worden.'
'Ik zal het zeker in gedachten houden,' zei Rajish. Het idee dat iemand van hun medische staf een verrader zou kunnen zijn was zorgelijk, en het eerste wat hij die ochtend zou doen was het onderwerp ter sprake brengen bij de voorzitter van de medische staf.

5

15 oktober 2007
maandag 10.45 uur
Los Angeles, VS

(Op het moment dat Rajish Bhurgava het Queen Victoria Hospital verlaat)

Jennifer was op de terugweg van de medische faculteit naar het hoofdgebouw van het UCLA Medical Center, en verbaasde zich over wat ze allemaal had weten te bereiken ondanks haar emoties. Nadat ze iets meer dan een uur geleden haar gesprek met de zorgmanager van het Queen Victoria Hospital had beëindigd, had ze met haar nieuwe opleider gesproken, was ze naar huis gegaan, had ze naar India gebeld om haar paspoortnummer door te geven, was ze naar de medische faculteit geweest en had ze toestemming van de decaan gekregen om een week vrij te nemen, had ze vervanging geregeld voor haar goedbetaalde baantje bij de bloedbank en nu hoopte ze haar emotionele angsten, economische zorgen en het probleem van malariapreventie op te lossen. Hoewel ze haar bijna vierhonderd dollar spaargeld had opgenomen, was ze bang dat het niet genoeg zou zijn, zelfs niet met haar creditcard en Foreign Medical Solutions uit Chicago die het grootste deel van haar uitgaven betaalde. Jennifer was nooit eerder in India geweest en al helemaal niet om een lijk op te halen. De mogelijkheid dat ze een flinke som contant geld nodig zou hebben was aanwezig, vooral als cremeren of balsemen niet met een creditcard betaald kon worden.
Dat ze in het afgelopen uur zo druk was geweest had als bijkomend voordeel dat ze geen tijd had gehad om lang stil te staan bij haar grootmoeders overlijden. Zelfs het weer werkte mee, want het was net zo prachtig als de zonsopgang had voorspeld. Ze kon nog steeds de bergen in de verte zien, hoewel niet langer met dezelfde ongelooflijke helderheid. Maar nu ze bijna klaar was met alle voorbereidingen kwam de realiteit weer op haar af.

Jennifer zou Maria vreselijk missen. Zij was degene die Jennifer het meest na stond, en dat was al zo sinds haar derde. Naast haar twee broers, die ze al in geen maanden had gesproken, had ze voor zover ze wist alleen nog een paar familieleden in Colombia, en die had ze maar een keer ontmoet toen haar grootmoeder haar juist om die reden daarnaartoe meegenomen had. De familie aan moederszijde was volledig onbekend. En wat Jennifer betrof telde haar vader, Juan, niet mee.
Net toen Jennifer via de draaideur het uit rode baksteen opgetrokken hoofdgebouw van het ziekenhuis was ingelopen rinkelde haar mobiele telefoon. Met een blik op het scherm zag ze dat India haar terugbelde. Ze nam het telefoontje aan en liep weer naar buiten, het zonlicht in.
'Ik heb goed nieuws,' zei Kashmira. 'Ik heb alles kunnen regelen. Hebt u pen en papier bij de hand?'
'Ja,' antwoordde Jennifer. Ze haalde een klein notitieboek met een harde kaft uit haar schoudertas, duwde haar telefoon onder haar kin en begon zo de vluchtinformatie op te schrijven. Toen ze hoorde dat ze die middag zou vertrekken maar pas woensdagochtend vroeg aan zou komen, schrok ze. 'Ik had geen idee dat het zo lang zou duren.'
'Het is een lange vlucht,' gaf Kashmira toe. 'Maar we zitten dan ook aan het andere eind van de wereld. Goed, als u hier in New Delhi geland bent en bij de paspoortcontrole komt, gaat u in de rij voor de diplomatieke dienst staan. Daar ligt uw visum voor u klaar. Zodra u uw bagage hebt en de douane bent gepasseerd zal er een vertegenwoordiger van het Amal Palace Hotel staan met een bordje. Hij zal voor uw bagage zorgen en u naar uw chauffeur brengen.'
'Dat klinkt makkelijk genoeg,' zei Jennifer, terwijl ze met behulp van de vertrek- en aankomsttijden probeerde uit te rekenen hoeveel uur ze in de lucht zou zijn. Ze besefte al snel dat ze dat niet zou kunnen zonder de verschillende tijdzones te weten. Wat het nog extra gecompliceerd maakte was dat ze over de internationale datumlijn zou vliegen.
'Woensdagochtend zullen we een auto regelen die u om acht uur bij het hotel zal ophalen. Is dat goed wat u betreft?'
'Dat denk ik wel,' zei Jennifer, die zich afvroeg hoe ze zich zou voelen nadat ze uren in een vliegtuig had gezeten en geen idee had hoeveel slaap ze zou kunnen krijgen.
'We zien ernaar uit u te ontmoeten.'
'Dank u.'

'Ik zou nog graag willen weten of u inmiddels al een besluit hebt genomen over crematie of balsemen?'
Een golf van irritatie overspoelde Jennifer, net op het moment dat ze de zorgmanager een beetje aardig begon te vinden. Snapte ze het dan niet, vroeg Jennifer zich vol verbazing af. 'Waarom zou ik er nu anders over denken dan een paar uur geleden?' vroeg ze boos.
'De directie heeft me uitgelegd dat het volgens hen voor iedereen het beste zou zijn, ook voor het lichaam van uw grootmoeder, als we niet langer zouden wachten.'
'Nou, dat spijt me dan. Mijn gevoelens zijn niet veranderd, vooral niet omdat ik zo druk geweest ben dat ik geen tijd heb gehad om ergens over na te denken. Verder wil ik niet het gevoel krijgen dat u druk op me uitoefent. Ik kom zo snel als ik kan.'
'We willen zeker geen druk op u uitoefenen. We adviseren alleen maar wat het beste is voor iedereen.'
'Ik geloof niet dat dit het beste voor mij is. Ik hoop dat u dat allemaal goed begrijpt, want als ik aankom en mijn grootmoeders lichaam is zonder mijn toestemming geschonden, dan ga ik enorme stennis schoppen. Ik meen dat heel serieus, want ik kan niet geloven dat uw wetten zoveel verschillen van de onze in een situatie als deze. Het lichaam is van mij als de verantwoordelijke naaste.'
'We zullen zeker niets doen zonder uw uitdrukkelijke goedkeuring.'
'Goed,' zei Jennifer terwijl ze iets kalmeerde. Ze was zelf verbaasd over de felheid van haar reactie. Ze besefte heel goed dat ze waarschijnlijk door haar emoties de schuld legde bij het ziekenhuis en zelfs bij Maria. Ze was niet alleen verdrietig om haar grootmoeder, ze was ook woedend. Het was gewoon niet eerlijk dat Maria haar niet in vertrouwen had genomen over haar vertrek naar India om daar een zware operatie te ondergaan, en toen zomaar dood was gegaan.
Na het gesprek bleef Jennifer staan waar ze stond. Ze begreep dat het waarschijnlijk nog wel wat tijd en moeite zou kosten voordat ze raad wist met haar emoties. Maar toen realiseerde ze zich hoe laat het was en dat ze een vliegtuig moest halen dat over niet al te lange tijd zou vertrekken. Met die gedachte haastte ze zich weer door de draaideur en ging op weg naar de afdeling Spoedeisende Hulp.
Zoals gewoonlijk was het er een gekkenhuis. Jennifer zocht dokter Neil McCulgan, die pijlsnel van hoofdarts-assistent was opgeklommen tot

assistent-hoofd, verantwoordelijk voor de planning. Jennifer had hem in haar eerste jaar ontmoet toen hij nog in opleiding was. Als een type dat aan de Oostkust onbekend was, was hij in haar ogen uniek en intrigerend. Neil was het prototype Zuid-Californische 'surfer dude', alleen zonder het blonde haar. Wat Jennifer het meest opviel was zijn open, vriendelijke, nonchalante houding die een compleet contrast vormde met het feit dat hij een kamergeleerde en een dwangmatige student was met een bijna fotografisch geheugen. Toen ze hem voor het eerst ontmoette kon ze niet geloven dat hij zich aangetrokken zou voelen tot een jachtig, zeer veeleisend medisch specialisme als SEH-arts.
Hoewel Jennifer zich ervan bewust was dat ze zijn sociale vaardigheden niet deelde, deelde ze wel zijn algemene belangstelling voor kennis om de kennis en zijn studiegewoonten, en ze vond hem een vruchtbare bron voor allerlei informatie. In de loop van dat jaar werd Neil de eerste man bij wie ze het gevoel had dat ze echt met hem kon praten, en niet alleen maar over geneeskunde. Het gevolg was dat ze zeer goede vrienden werden. In feite was Neil haar eerste echte vriendje geworden. Ze dacht dat ze eerder vriendjes had gehad, maar na haar ontmoeting met Neil besefte ze dat dat niet helemaal waar was. Neil was de eerste geweest tegenover wie Jennifer bereid was haar intiemste geheimen prijs te geven.
'Neem me niet kwalijk!' riep Jennifer tegen een van de gehaaste verplegers in de chaotische centrale post. De verpleger had net iets tegen een collega geschreeuwd die een paar kamers verder in de hoofdgang zijn hoofd uit een deuropening stak. 'Kunt u me zeggen waar dokter McCulgan is?'
'Ik heb geen flauw idee,' zei de man. Om de een of andere reden had hij niet een, maar twee stethoscopen om zijn nek gedrapeerd. 'Heb je in zijn kamer gekeken?'
Na die suggestie haastte Jennifer zich naar de triageruimte waar zijn kamer was. Ze keek naar binnen en zag dat ze geluk had. Hij zat aan zijn bureau met zijn rug naar haar toe, gekleed in een gesteven witte jas over groene operatiekleding. Jennifer plofte neer in de stoel die tussen het bureau en de muur geklemd stond. Geschrokken keek hij op.
'Druk?' wist Jennifer uit te brengen met stokkende stem. De enige reactie op haar vraag was een spottend lachje van de man wiens aandacht was teruggekeerd naar het uitgebreide schema voor de maand november dat hij zat te bestuderen.
Neil had prettige gelaatstrekken, intelligente ogen en enkele voortijdig

grijze haren op zijn slapen. Hij had ook de brede schouders en uitzonderlijk smalle heupen van een surfer. Aan zijn voeten droeg hij witleren klompen. 'Kan ik je even spreken?' vroeg ze, terwijl ze haar tranen moest terugdringen.
'Als je het kort houdt,' zei hij, maar met een glimlach. 'Ik moet dit schema over een uur klaar hebben voor de printer.' Hij keek weer op en merkte toen pas dat ze zat te worstelen met haar emoties. 'Wat is er aan de hand?' vroeg hij plotseling bezorgd. Hij legde zijn pen neer en boog zich naar haar over.
'Ik heb vanmorgen afschuwelijk nieuws gekregen.'
'Wat rot voor je,' zei hij terwijl hij haar arm vastpakte. Hij vroeg niet waar het over ging. Hij kende haar goed genoeg om te weten dat ze het hem zou vertellen als ze dat wilde, en niet als ze dat niet wilde, hoezeer hij haar ook zou proberen over te halen.
'Dank je. Het ging over mijn grootmoeder.' Jennifer trok haar arm los en reikte over Neils bureau om een tissue te pakken.
'Die herinner ik me. Maria, klopt dat?'
'Ja. Ze is een paar uur geleden overleden. Het werd zelfs uitgezonden door CNN.'
'O, nee! Jee, dat spijt me heel erg. Ik weet wat ze voor je betekende. Wat is er gebeurd?'
'Ze hebben me verteld dat het een hartaanval was, wat ik nauwelijks kan geloven.'
'Dat kan ik begrijpen. Heeft onze medische afdeling niet onlangs een opvallend goede gezondheidsverklaring voor haar afgegeven?'
'Ja, dat klopt. Ze hebben zelfs een stresstest afgenomen.'
'Ga je naar huis, of is dat een probleem? Ik bedoel, ben je niet net vandaag met je coschap chirurgie begonnen?'
'Nee en ja,' zei Jennifer cryptisch. 'De situatie is nog een beetje gecompliceerder.' Daarna vertelde ze Neil het hele verhaal over India, over de druk die werd uitgeoefend over crematie of balseming, over het krijgen van een week verlof van de decaan, over een medische organisatie die haar kosten betaalde en over haar vertrek binnen een paar uur.
'Wauw!' zei Neil. 'Je hebt wel een ochtend achter de rug. Jammer dat je om zo'n droevige reden naar India gaat. Ik heb je afgelopen mei nadat ik terugkwam al verteld dat het een fascinerend land is, vol ongelooflijke contrasten. Maar dit is natuurlijk geen plezierreisje.' Neil was vijf maan-

den eerder naar India geweest om te spreken op een medisch congres in New Delhi.
'Ik kan me niets prettigs voorstellen bij deze reis, en dan zit je ook nog met malaria. Wat moet ik doen volgens jou?'
'Poeh,' zei Neil zuchtend. 'Het spijt me, maar daar had je dan al ongeveer een week geleden mee moeten beginnen.'
'Ja, maar ik had dit natuurlijk absoluut niet kunnen voorzien. De rest is wel in orde, zelfs tyfus, van die toestand vorig jaar met mijn patiënt op interne.'
Neil haalde een receptenblok uit zijn la, schreef er snel iets op en gaf het recept aan Jennifer.
'Doxycycline?' las ze hardop.
'Het is niet de eerste keus maar je bent wel direct beschermd. Gelukkig heb je het vermoedelijk niet nodig. Alleen in Zuid-India is malaria echt een probleem.'
Jennifer knikte en stopte het recept in haar schoudertas.
'Waarom is je grootmoeder naar India gegaan voor haar operatie?'
'Vanwege de kosten, neem ik aan. Ze had geen ziektekostenverzekering. En ik weet zeker dat die rotzak van een vader van mij het enorm gestimuleerd heeft.'
'Ik heb wel iets gelezen over medisch toerisme naar India, maar ik heb nooit iemand ontmoet die het ook gedaan heeft.'
'Ik wist niet eens dat het bestond.'
'Waar hebben ze je ondergebracht?'
'In het Amal Palace Hotel.'
'Wauw!' zei Neil. 'Dat heeft volgens mij vijf sterren.' Hij grinnikte en voegde eraan toe: 'Pas maar op, misschien proberen ze je wel om te kopen. Ik maak natuurlijk maar een grapje. Ze hoeven je niet om te kopen. Een van de negatieve kanten van medisch toerisme is dat je geen verhaal kunt halen. Medische fouten worden niet erkend. Zelfs als ze er een gigantische puinhoop van maken, zoals het verwijderen van het verkeerde oog of als er iemand overlijdt door een vergissing of incompetentie, kun je er helemaal niks aan doen.'
'Ik vermoed dat ze een soort deal hebben met het Amal Palace. Daar brengen ze mensen onder. Ik bedoel, ik krijg geen speciale behandeling. Kennelijk betalen ze het ticket en het hotel voor een familielid. Daarom krijg ik deze reis. Mijn luie vader beweerde dat hij niet kon gaan.'

'Nou, ik hoop dat er iets positiefs uit deze reis komt,' zei Neil. Hij kneep Jennifer nog een laatste keer in haar pols. 'En hou me op de hoogte. Je kunt me altijd bellen, 's morgens, 's middags of 's nachts. Het spijt me heel erg van je grootmoeder.' Hij pakte zijn pen op ten teken dat hij weer aan het werk moest.

'Ik wil je nog wat vragen,' zei Jennifer terwijl ze bleef zitten.

'Natuurlijk. Wat dan?'

'Zou je willen overwegen met me mee te gaan? Ik denk dat ik je nodig heb. Ik bedoel, ik zal helemaal uit mijn doen zijn. Behalve een reis naar Colombia toen ik negen was, ben ik nooit het land uit geweest, en al helemaal niet naar een exotische plek als India. Omdat je daar net bent geweest heb je al een visum. Het zou zo ontzettend veel prettiger voor me zijn. Ik weet dat ik veel van je vraag maar ik voel me zo'n provinciaal. Zelfs naar New Jersey gaan maakte me al bang. Dat is een grapje natuurlijk, maar ik ben absoluut geen reiziger. En ik weet dat een van de voordelen van het werk als SEH-arts is dat je vrij kunt nemen, vooral omdat je een paar weken geleden dienst hebt gedaan voor Clarence en je dus nog wat van hem te goed hebt.'

Met een zucht schudde Neil zijn hoofd. Het laatste wat hij wilde was naar India vliegen, zelfs als hij vrij kon krijgen. Eerlijk gezegd had zijn rooster ook meegespeeld bij zijn motivatie voor deze specialiteit. Hij had zelfs speciaal een vierentwintig uur op-, en vierentwintig uur af-schema voor zichzelf gemaakt, zodat als hij zijn werkweek op maandagochtend om zeven uur begon hij eigenlijk op donderdagochtend om zeven uur al klaar was, tenzij hij wilde overwerken. De overige vier dagen van de week waren dan beschikbaar voor zijn echte grote liefde, surfen. En op dit moment had hij zijn zinnen gezet op een surfbijeenkomst aankomend weekend in San Diego. Het was inderdaad waar dat hij nog iets te goed had van zijn vriend en medesurfer Clarence Hodges voor een reisje naar Hawaï dat hij had gemaakt. Maar dat deed er allemaal niet toe. Neil wilde niet naar India vanwege een dode grootmoeder. Misschien als het Jennifers moeder was geweest, maar niet haar grootmoeder.

'Ik kan niet,' zei Neil na even gezwegen te hebben alsof hij serieus over het idee had nagedacht. 'Het spijt me, maar ik kan niet. Niet nu, in elk geval. Als je een week kunt wachten, misschien, maar dit is geen goed moment.' Hij hief zijn handen vaag in de richting van het schema waar hij aan zat te werken alsof dat het probleem was.

Jennifer was verbaasd en teleurgesteld. Ze had er lang over nagedacht of ze het hem zou vragen en of ze hem echt nodig had. Ze had het gedaan omdat ze realistisch genoeg was om zich af te vragen of ze de situatie echt aan zou kunnen als ze naar India ging. Het was haar duidelijk geworden dat ze na de eerste schok over Maria's dood een heleboel horden had genomen, waaronder al het geregel, het maken van plannen voor de tocht, en wat psychiaters 'blokkeren' noemden. Tot dusver was alles redelijk goed gegaan en ze functioneerde nog steeds. Maar omdat haar grootmoeder haar zo na had gestaan vreesde ze dat het mis zou gaan zodra de realiteit van het verlies tot haar door zou dringen. Ze was heel bang dat ze naar India zou reizen en daar zou veranderen in een emotioneel wrak.
Jennifer keek Neil woedend aan. Verrassing en teleurstelling waren onmiddellijk omgeslagen in boosheid. Jennifer was er zeker van geweest dat als ze het hem rechtstreeks vroeg en toegaf dat ze hem nodig had, hij zeker toe zou stemmen vanwege de vertrouwelijkheden die ze hadden uitgewisseld. Het feit dat hij haar verzoek zo snel weigerde en om zo'n stomme flutreden, iets wat zij nooit zou hebben gedaan als de situatie andersom was geweest, kon alleen maar betekenen dat hun relatie niet was wat zij dacht. Kort gezegd, hiermee was maar weer eens bewezen dat je op de meeste mannen niet hoefde te rekenen.
Jennifer stond abrupt op en liep zonder iets te zeggen de kleine kamer uit, terug naar de volle Spoedeisende Hulp. Ze hoorde dat Neil haar naam riep maar ze wachtte of reageerde niet. Ze vond het vreselijk om te weten dat het een vergissing was geweest om hem haar vertrouwen te schenken. En wat betreft het verzoek om wat geld te mogen lenen, daar zou ze nu zelfs niet eens meer over piekeren.

6

16 oktober 2007
dinsdag 6.30 uur
New Delhi, India

Cal Morgan was een vaste slaper en had een goede wekker nodig om wakker te worden. Hij had daarom een klokradio met een cd-speler en op de cd die hij gebruikte stond marsmuziek. Op driekwart van het volume trilde het apparaat zo sterk dat het nachtkastje en alles wat erop lag van zijn plaats schoof. Zelfs Petra in de kamer ernaast kon het horen alsof het in haar eigen kamer was. Op het moment dat de wekker afging probeerde Cal hem dus altijd uit te zetten zodra hij voldoende bij bewustzijn was. En dan nog viel hij af en toe weer in een diepe slaap.

Maar deze ochtend niet. Hij was veel te opgewonden over de gebeurtenissen van de vorige avond om nog te kunnen slapen. Hij lag naar het hoge plafond te staren en dacht na over wat er de avond ervoor was gebeurd.

Waar hij zich zorgen over maakte was hoezeer Veena's zelfmoordpoging het hele project in gevaar had gebracht. Als hij niet bij haar was gaan kijken zou ze gestorven zijn. Haar dood zou ongetwijfeld hebben geleid tot een onderzoek en dat zou een ramp zijn geweest. Het zou zeker het einde hebben betekend voor Nurses International en tegelijkertijd, op zijn minst, vertraging hebben opgeleverd voor het bereiken van zijn ultieme doel, net zo stinkend rijk te worden als de algemeen directeur van de SuperiorCare Hospital Corporation.

Cal was vroeger nooit geïnteresseerd geweest in de gezondheidszorg, en hij was nog steeds niet geïnteresseerd in patiëntenzorg of verpleegsters. Hij was vooral dol op het geld dat er in omging, alleen al in de Verenigde Staten twee biljoen, en op de steeds maar toenemende groei van de sector. Op de middelbare school was zijn eerste keus de reclamewereld geweest en daarom was hij naar de Rhode Island School of Design gegaan. Maar een korte werkervaring had hem de beperkingen aange-

toond, vooral op financieel vlak. Nadat hij de reclamebusiness had opgegeven, maar niet de misleidingsprincipes ervan, maakte hij in hoog tempo de Harvard Business School af, waar hij werd geconfronteerd met de verbluffende hoeveelheid geld die omging in de gezondheidszorg. Nadat hij de businessschool had verlaten kreeg hij een startersbaan bij de SuperiorCare Hospital Corporation, een van de grootste spelers in het veld. Het bedrijf was eigenaar van ziekenhuizen, poliklinieken en gezondheidscentra in bijna elke staat en grote stad in de Verenigde Staten.
Om zijn creatieve kant zo goed mogelijk te benutten kwam Cal het bedrijf binnen via de pr-afdeling, waar hij de meeste kans zag op te vallen en zo de aandacht te trekken van de leidinggevenden in het bedrijf. Op zijn eerste dag blufte hij dat hij over tien jaar het bedrijf zou leiden en na twee jaar leek het erop dat zijn voorspelling uit zou kunnen komen. Samen met Petra Danderoff, een opvallend knappe vrouw die vijf jaar ouder en drie centimeter langer was dan zijn een meter tachtig en die al bij pr werkte toen hij er binnenkwam, had hij de leiding over de afdeling, dankzij een reeks buitengewoon succesvolle advertentiecampagnes die ze samen hadden bedacht, waardoor de inschrijvingen in verschillende van de gezondheidscentra van het bedrijf bijna waren verdubbeld.
Sommige mensen waren verbaasd geweest over zijn pijlsnelle carrière, maar Cal niet. Hij was al van jongs af aan gewend succes te hebben, gedeeltelijk door de selffulfilling prophecy van het zelfvertrouwen en de strijdlust die in zijn genen zaten, en die waren aangewakkerd tot een obsessie door zijn even competitieve vader. Vanaf zijn vroegste jeugd wilde hij altijd alles winnen, vooral in de strijd met zijn twee oudere broers. Van spelletjes als Monopoly tot cijfers op school, van atletiek tot de cadeaus die hij zijn ouders gaf met kerst, Cal wilde absoluut de beste zijn met een vastberadenheid die maar weinigen konden evenaren. En succes maakte zijn honger naar meer succes alleen maar groter, zozeer zelfs dat hij in de loop der jaren alle fatsoen overboord gooide. Wat hem betrof waren bedriegen, wat hij niet zo noemde, en het negeren van normen en waarden, die hij alleen maar beschouwde als beperkingen voor zwakkelingen, slechts middelen om je doel te bereiken.
De leidinggevenden bij SuperiorCare Hospital Corporation waren zich niet bewust van deze details van Cals achtergrond en persoonlijkheid. Maar ze waren zich goed bewust van zijn bijdragen aan de firma en wilden hem graag belonen, vooral de algemeen directeur, Raymond Housman. Bij toe-

val was deze erkenning min of meer op hetzelfde moment naar voren gekomen als de toenemende financiële problemen die door de financieel directeur, Clyde English, onder de aandacht van de algemeen directeur waren gebracht. Tot hun grote afschuw hadden de cijfers uitgewezen dat het bedrijf in 2006 ongeveer zevenentwintig miljoen dollar verlies had geleden, omdat door het groeiend medisch toerisme naar India een verontrustend aantal Amerikaanse patiënten SuperiorCare Hospitals links had laten liggen door te kiezen voor operaties in een Aziatisch subcontinent.

Om deze twee zaken te koppelen had Raymond Housman Cal voor een geheime vergadering naar zijn kantoor geroepen. Hij had hem het probleem van het medisch toerisme en de noodzaak om het op de een of andere manier te keren uitgelegd. Daarna had hij Cal een ongekende gelegenheid geboden. Hij zei dat SuperiorCare bereid was om, via een geheime bank in Lugano, fondsen te verstrekken aan een organisatie die als enige doel had de aanvragen van patiënten om naar India te gaan voor chirurgische ingrepen drastisch te verminderen, mits Cal bereid was deze organisatie op te zetten. Raymond maakte hem onomwonden duidelijk dat SuperiorCare Hospital Corporation geen aantoonbare link met een dergelijke organisatie wilde en desgevraagd met klem zou ontkennen dat er een verband bestond. Ze wilden ook niet weten hoe het doel werd bereikt. Wat Raymond niet zei, maar wat Cal er wel uit opmaakte, was dat zijn ontslag bij SuperiorCare Hospital Corporation tijdelijk was en dat zijn succes in de genoemde onderneming reden zou zijn om hem weer met open armen, op heel hoog niveau, in het bedrijf terug te verwelkomen, waardoor hij met grote sprongen op de carrièreladder vooruit zou komen.

Hoewel hij er geen idee van had gehad hoe hij het doel van de nieuwe organisatie zou moeten bereiken, had Cal het aanbod onmiddellijk aangenomen op voorwaarde dat Petra Danderoff, toen zijn mededirecteur van de pr-afdeling, ook mee zou doen. In eerste instantie had Housman geprotesteerd dat er dan niemand meer zou zijn om de pr-afdeling van SuperiorCare te leiden, maar nadat hij nog eens was herinnerd aan de ernst van het probleem had hij toegegeven.

Twee weken later waren Cal en Petra terug in Cals thuisbasis Los Angeles, om te brainstormen over de modus operandi van hun organisatie in oprichting. Om hen te helpen hadden ze allebei een intelligente vriend ingehuurd. Cal had Durell Williams gekozen, een Afro-Amerikaan waar hij op UCLA bevriend mee was geraakt en die zich in computerbeveiliging had gespecialiseerd en Petra had Santana Ramos gevraagd, een psychologe die bij CNN was gaan werken nadat ze een paar jaar een privépraktijk had gehad.

Het belangrijkste was dat ze alle vier even competitief waren, even afwijzend stonden tegenover gedragsnormen die ze allemaal als een beperkende zwakheid zagen, en even overtuigd waren dat deze uitdaging om het medisch toerisme in te dammen voor een Fortune 500-bedrijf de kans van hun leven was. Ze zwoeren allemaal dat ze zouden doen wat nodig was om het medisch toerisme onderuit te halen. De groep had binnen no time een plan opgezet waarbij het aanwakkeren van de angst van patiënten gezien werd als de beste manier om de vraag te verminderen. Tenzij patiënten informatie kregen die het tegendeel bewees, had iedereen die een operatie moest ondergaan om allerlei begrijpelijke redenen natuurlijk zijn bedenkingen over het naar India of een ander ontwikkelingsland gaan. Ten eerste was er de bezorgdheid over het algemene gebrek aan hygiëne in het land, waardoor de gedachte aan wondinfecties en het oplopen van een of andere vreselijke infectieziekte opkwam. Daarnaast was er de begrijpelijke twijfel over de vaardigheid van de chirurgen en het overige personeel, onder wie verpleegsters. En daarbij kwam nog de vraag over de kwaliteit van de ziekenhuizen en of de noodzakelijke, geavanceerde apparatuur wel beschikbaar was.

Toen de groep onderzocht welke informatie actief werd verspreid door het Indiase toeristenbureau, ontdekten ze dat men zich al op deze punten richtte. Daarop werd besloten dat Cals nieuwe organisatie een advertentiecampagne zou opzetten die het tegenovergestelde deed en in zou spelen op de angsten van mensen. Iedereen was er zeker van dat dit plan zou slagen, omdat advertentiecampagnes die bestaande overtuigingen en vooroordelen steunden altijd makkelijker waren.

Helaas hadden ze de strategie nog maar net bepaald en waren ze amper begonnen met het uitwerken van hun ideeën toen ze op een serieus probleem stuitten. Ze beseften dat de Indiase regering, die heel veel geld en moeite stak in het promoten van het medisch toerisme, beslist een onderzoek in zou stellen als iemand ze zwart ging maken. Een onderzoek zou, zonder enige twijfel, grote problemen veroorzaken als de claims van de advertentiecampagne niet konden worden onderbouwd.

Ze hadden heel snel ingezien dat er echte gegevens nodig waren over Indiase privéklinieken, vooral wat betreft resultaten, sterftecijfers en complicaties, waaronder statistieken over infectiecijfers. Maar die gegevens waren niet beschikbaar. De groep had op internet en in medische tijdschriften gezocht en zelfs navraag gedaan bij het Indiase ministerie van Gezondheid dat, zoals ze al snel merkten, mordicus tegen het vrijgeven van dergelijke gegevens was. Ze weigerden zelfs toe te geven of er dergelijke gegevens bestonden. In hun eigen advertenties gebruikten ze helemaal geen gegevens, ze claimden alleen maar dat hun resultaten net zo goed of beter waren dan die in het Westen.
Omdat de tijd begon te dringen beseften ze dat ze zelf insiders moesten hebben in de privéklinieken die profiteerden van het zeer winstgevend en groeiend medisch toerisme. De voorkeur ging uit naar administrateurs, maar de haalbaarheid van dat plan leek op zijn best twijfelachtig. In plaats daarvan waren ze op het idee gekomen verpleegsters in te zetten, vooral omdat Santana iets wist wat de anderen niet wisten, namelijk dat er met verpleegsters geld te verdienen was. In het Westen was er een tekort. In het Oosten, vooral op de Filippijnen en in India, was er een overschot, waardoor veel jonge verpleegsters om economische en culturele redenen wanhopig graag naar de Verenigde Staten wilden emigreren. Hierbij kwamen ze echter grote, bijna onoverkomelijke hindernissen tegen.
Na uitgebreid onderzoek en veel discussie, hadden Cal en zijn collega's besloten om in de verpleegstersbusiness te gaan en een bedrijf op te richten dat Nurses International werd genoemd. Het plan, zoals ze het ook hadden uitgevoerd, was om een tiental jonge, aantrekkelijke, beïnvloedbare en pas afgestudeerde Indiase verpleegsters in te huren, ze Amerikaanse verpleegsterssalarissen te betalen, ze op een toeristenvisum naar de VS, hoofdzakelijk naar Californië, te halen om ze daar een maand lang te trainen, met het idee ze te veranderen in een team van aan hen verplichte en daardoor gemakkelijk te manipuleren spionnen. In Californië zouden ze ontzettend verwend worden zodat ze maximaal manipuleerbaar waren en Nurses International gebruik zou kunnen maken van hun wens om te emigreren. En verder kregen ze 's ochtends computertraining, vooral in de techniek van het hacken. Elke middag werkten ze een paar uur in een SuperiorCare Hospital om hun Amerikaans-Engels te verbeteren en ze kennis te laten maken met de verwachtingen van Amerikaanse patiënten,

waardoor ze sneller aangenomen zouden worden in Indiase privéklinieken.
Alles was geweldig volgens plan verlopen. Op dit moment werkten ze met teams van twee verpleegsters in zes Indiase privéklinieken voor medisch toerisme. De meisjes waren allemaal verplicht in een huis te wonen dat door Nurses International werd gehuurd in de diplomatieke wijk van New Delhi, aanvankelijk tegen de zin van de familie van de verpleegsters. Omdat het bedrag dat ze verdienden echter hetzelfde bleef, waren de klachten gestopt.
Nadat ze een week hadden gewerkt, en allemaal hadden geklaagd dat ze eerder naar Californië wilden dan de zes maanden die ze verplicht in India moesten blijven, hadden ze de instructie gekregen om patiëntengegevens uit de computers van hun respectievelijke klinieken te halen. De bedoeling was om een schatting te maken van de aantallen infecties, negatieve resultaten en sterfgevallen voor hun toekomstige advertentiecampagne. Tot verbazing van Cal en de anderen had geen van de verpleegsters vragen gesteld bij deze opdracht, en ze boekten fantastisch succes. Maar toen ging het mis. Er gebeurde iets wat niemand had verwacht. De resultaten bleken heel goed te zijn, zelfs opvallend goed in sommige klinieken.
Een paar dagen lang waren Cal en Petra somber gestemd en wisten ze niet wat ze moesten doen. Na al het geld dat ze hadden besteed aan het opzetten van een uitgebreid spionagenetwerk, voelden ze de druk om resultaten te leveren. Raymond Housman had een week geleden zelfs een geheime afvaardiging gestuurd om te horen wanneer ze resultaat konden verwachten. Het leek erop dat de verliezen door het medisch toerisme maar bleven oplopen en in alarmerend tempo stegen. Cal had beloofd dat er spoedig resultaten zouden zijn, want ten tijde van het bezoek van de afvaardiging begonnen de eindresultaten net binnen te komen.
Maar toen was Cal, met zijn creativiteit en zijn drang om te winnen, met een nieuw idee op de proppen gekomen. Als er geen slechte resultaten te vinden waren die de basis voor een negatieve advertentiecampagne konden vormen, waarom zouden ze dan niet hun eigen slecht aflopende pechverhalen creëren met behulp van hun reeds aanwezige spionnen en die verhalen rechtstreeks aan de media leveren? Met de hulp van een nietsvermoedende anesthesioloog en een patholoog die hij in Charlotte, North Carolina, had leren kennen toen hij op het SuperiorCare hoofd-

kantoor werkte, had Cal gekozen voor succinylcholine. De bedoeling was om een groep patiënten te vinden die een voorgeschiedenis met een of andere hartkwaal hadden en die succinylcholine hadden gekregen bij de narcose, om hun vervolgens de avond na hun operatie een extra dosis van het spierverlammende middel toe te dienen. Ze hadden Cal verzekerd dat het middel niet terug te vinden was en dat het, als dat wel het geval zou zijn, zou worden toegeschreven aan de narcose van de patiënt. Het mooiste was dat, vanwege de voorgeschiedenis, zou worden aangenomen dat een hartaanval de doodsoorzaak was.

Zodra Cal en Petra het idee hadden uitgewerkt, hadden ze het voorgelegd aan Durell en Santana. Hoewel Durell het plan zonder meer had geaccepteerd was Santana in eerste instantie tegen geweest. Het stelen van privégegevens was wat haar betrof één ding, maar het doden van mensen was iets heel anders. Uiteindelijk was ze overstag gegaan, deels vanwege het enthousiasme van de anderen deels vanwege ieders inzet, deels omdat ze ervan overtuigd was geraakt dat het plan niet kon worden ontdekt en deels omdat er maar een beperkt aantal slachtoffers zou zijn. Maar de belangrijkste reden was dat zij en de anderen geloofden dat het de enige manier was om Nurses International te redden, wat ze, zoals bleek, allemaal zagen als een belangrijke stap in hun carrière en voor het vergaren van de rijkdom waarvan ze dachten dat ze die verdienden. Een minder belangrijke reden voor haar omslag was de intensieve studie die ze van het hindoeïsme had gemaakt sinds ze in het land was gearriveerd. Ze had gemerkt dat ze zich intellectueel aangetrokken voelde tot het concept van *punarjamma*, het hindoeïstische geloof in de wedergeboorte, wat inhield dat de dood niet het einde was, maar slechts de deur naar een nieuw en beter leven als de persoon in kwestie zich had gehouden aan de wetten van zijn *dharma*. En ten slotte was er nog het feit dat zij, met de anderen, had gezworen te doen wat er maar nodig was om het medisch toerisme onderuit te halen.

Zodra de nieuwe strategie was aangenomen, werd het probleem verlegd naar de reacties van de verpleegsters en de vraag van hun medewerking. Hoewel de groep door hun verblijf in Los Angeles gewend was geraakt aan de Amerikaanse cultuur, verslaafd was aan hun hoge salarissen waar hun families van meeprofiteerden, en zo graag wilden emigreren dat ze waarschijnlijk alles zouden doen wat er van hen gevraagd werd, waren Cal, Petra en Durell hier niet helemaal zeker van. Santana, daarentegen, dacht dat de verpleegsters er geen probleem mee zouden hebben omdat ze gesteund zouden worden door hun geloof in *samsara* en vooral in hun geloof in het belang van de organisatie en de groep boven het individu. Daarop had Santana gezegd dat Veena de sleutel was en dat ze haar moesten laten inzien dat het haar dharma was om een Amerikaanse patient 'in te laten slapen'. Als zij, als de feitelijke leider, bereid was dat te doen, zou de rest zonder iets te vragen volgen.

Maar Veena's medewerking stond niet vast. Terwijl iedereen het erover eens was dat ze het meest betrokken was van het team en het meest erop gebrand te emigreren, hadden ze haar duidelijke intelligentie, aangeboren leiderskwaliteiten en uitzonderlijke schoonheid en haar even duidelijke slechte zelfbeeld en gebrek aan zelfvertrouwen niet met elkaar kunnen rijmen. Met deze gedachte in haar achterhoofd had Santana gezegd dat Veena volgens haar professionele mening was opgezadeld met zware psychologische bagage en daarnaast een sterk gewortelde band met de traditionele Indiase cultuur en religie had. Ze had ook gesuggereerd dat ze Veena's medewerking zouden kunnen krijgen als ze wisten wat het probleem was, zodat ze konden aanbieden haar daarmee te helpen.

Daarop hadden ze allemaal naar Durell gekeken. Het was algemeen bekend dat hij een relatie had met een van de verpleegsters, Samira Patel. Hoewel Petra en Santana deze relatie afkeurden, kwam hij nu plotseling heel goed van pas. Samira was Veena's kamergenote en haar beste vriendin en daarom geloofden ze dat als Veena iemand in vertrouwen had genomen het Samira zou zijn. Durell kreeg dus de opdracht om dat uit te vinden. Hij wist Samira ervan te overtuigen dat Nurses International Veena moest helpen en dat, als ze dat niet konden omdat ze niet wisten wat haar dwarszat, het hele programma, inclusief de hulp aan de verpleegsters om naar de Verenigde Staten te emigreren, in gevaar zou komen.

Samira had duidelijk elk woord geloofd en, ondanks het feit dat ze geheimhouding had beloofd, Veena's pijnlijke familieverhaal verteld. Gewapend met deze informatie had Cal gistermiddag Veena benaderd met zijn aanbod om eens en voor altijd een einde te maken aan het misbruik als tegenprestatie voor haar medewerking en leiderschap bij de nieuwe strategie. Veena had in eerste instantie tegengestribbeld maar was van gedachte veranderd door de belofte dat er een eind zou komen aan de bedreiging van haar zussen en haar moeder. Dat was altijd de grootste zorg geweest die haar emigratie in de weg stond.

Cal zuchtte. Nu hij het gebeurde nog eens overdacht, kwam hij tot de conclusie dat het hele programma om Amerikanen te ontmoedigen naar India te komen voor een chirurgische ingreep nauwelijks het eenvoudige klusje was dat hij in eerste instantie gedacht had. Hij schudde zijn hoofd en vroeg zich af wat er nog meer zou gaan gebeuren. Beseffend dat hij het onverwachte toch niet voor kon zijn, besloot hij dat hij een uitweg nodig had. Als het helemaal uit de hand liep moest hij een plan en de middelen hebben om uit India weg te komen, tenminste voor hemzelf en zijn drie collega's. Hij nam zich voor het die ochtend tijdens de vergadering om acht uur die hij had belegd naar voren te brengen.

Terwijl hij zich omdraaide keek hij op de wekker. Hij moest om kwart voor zeven opstaan als hij nog wilde hardlopen voor het ontbijt, en hij wilde ook even bij Veena kijken om zich ervan te verzekeren dat ze opstond en aan het werk zou gaan. Hoewel de artsen bij de Spoedeisende Hulp de avond tevoren haar maag hadden leeggepompt en hoewel ze een minimale hoeveelheid slaappillen had geslikt door Cals snelle optreden, moest hij er zeker van zijn. Als ze de dag na het overlijden van mevrouw Hernandez niet op haar werk zou verschijnen zou dat opvallen als iemand twijfelde aan een natuurlijke dood. Hij maakte zich ook zorgen dat iemand Veena had gezien in het ziekenhuis lang nadat haar dienst was afgelopen.

In zijn sportkleren liep Cal naar de gastenvleugel. Toen hij de laatste hoek om liep zag hij dat Veena's deur op een kier stond, wat volgens hem een goed teken was. Hij klopte op de deurpost, riep hallo en boog zich tegelijkertijd naar binnen. Veena zat in een ochtendjas op haar bed. Behalve de enigszins rode kleur van haar oogwit zag ze er normaal en net zo fantastisch uit als anders. Ze was niet alleen. Santana zat op Samira's bed, tegenover Veena.

'Ik ben blij te kunnen zeggen dat de patiënt zich goed voelt,' zei Santana. Santana was vijf jaar ouder dan Cal. Net als hij was ze gekleed in een joggingpak, maar in tegenstelling tot dat van Cal was haar pak stijlvol, met een zwarte, strakke broek en een even strak zwart shirt met korte mouwen, van synthetisch materiaal. Haar donkere, dikke haar had ze in een paardenstaart gebonden.

'Fantastisch!' zei Cal gemeend. 'Je gaat aan het werk, neem ik aan?' vroeg hij.

'Natuurlijk,' antwoordde Veena. In haar stem was het lichtelijk verdoofde gevoel dat ze had te horen.

'We hebben gepraat over wat er gisteravond is gebeurd,' zei Santana recht voor zijn raap.
'Fantastisch,' herhaalde Cal, maar zonder hetzelfde enthousiasme. Hij kon het niet helpen, maar hij aarzelde om over een onderwerp te praten waar hij het niet graag over zou hebben als hij zelf het slachtoffer was geweest.
'Ze heeft me verzekerd dat ze het niet weer zal proberen.'
'Dat is fijn,' antwoordde Cal, en dacht: dat mag ik verdomme hopen.
'Ze zei dat ze het gedaan heeft omdat ze voelde dat de goden ermee zouden instemmen: zoiets als een leven voor een leven. Maar nu, omdat de goden haar gered hebben, voelt ze dat ze willen dat ze leeft. Eigenlijk gelooft ze dat het hele gebeuren haar karma is.'
Ja, dat zal wel, dat ze haar gered hebben, dacht Cal, maar hij sprak de woorden niet uit. In plaats daarvan zei hij: 'Daar ben ik heel blij om, want we hebben haar zeker nodig.' Hij keek naar Veena's gezicht en vroeg zich af of ze Santana verteld had over de agressieve vrijpartij of over de afschuwelijke, verontrustende doodsstrijd van de patiënte, maar haar gezicht leek even ondoorgrondelijk en sereen als anders. Toen Cal de vorige avond na terugkeer van de SEH met zijn collega's had gesproken, had hij er ook niks over gezegd, hij wist niet precies waarom niet. Vermoedelijk omdat hij zich schaamde dat hij zo duidelijk het slachtoffer was geweest van Veena's seksuele agressie. Cal was eraan gewend om vrouwen te manipuleren, niet andersom. Wat betreft de doodsstrijd die de succinylcholine kennelijk had veroorzaakt, in tegenstelling tot de vredige verlamming die hem was voorgehouden en die hij aan de anderen had overgebracht, was hij bang geweest dat een discussie daarover het algemene enthousiasme voor het plan zou kunnen verminderen.
Cal excuseerde zich en vertrok, hoewel hij een beetje bang was dat de vrouwen de gelegenheid te baat zouden nemen om over hem te praten. Maar hij maakte zich er niet te lang zorgen om. Hij verliet de bungalow, liep de poort aan de voorzijde uit en begon te joggen. Chanakyapuri was een van de weinige wijken in de stad, met uitzondering van de zich naar het noorden uitstrekkende bergkam van Delhi, de Ridge, waar het prettig was om hard te lopen. Helaas was hij later dan anders en de enorme verkeersdrukte nam met de minuut toe. Het stof en de luchtvervuiling waren al bijna op middagniveau. Daarom verliet hij de hoofdstraat en rende verder via de secundaire straten. De lucht was er beter maar niet

ver van de drukke hoofdstraat kwam hij een grote groep apen tegen, waar hij altijd bang voor was. De apen in Delhi waren opvallend brutaal, tenminste volgens Cals ervaring. Hij dacht niet dat ze hem en masse aan zouden vallen, maar hij maakte zich wel zorgen dat ze een of andere vreemde ziekte bij zich droegen die hij zou kunnen oplopen, vooral als er een zou gaan bijten. Die ochtend joegen de beesten achter hem aan alsof ze zijn ongerustheid aanvoelden. Ze trokken hun gele tanden bloot en gilden en schreeuwden alsof ze bezeten waren.

Besluitend dat de apen en de vervuiling meer dan genoeg waren om het joggen die ochtend als een flop te beschouwen, draaide Cal zich abrupt om, waardoor de apen verschrikt wegvluchtten. Als een paard dat terugverlangde naar de stal liep hij snel dezelfde route terug naar huis. Hoewel hij maar een halfuur buiten was geweest, was hij blij weer binnen te zijn en onder de douche te kunnen stappen. Terwijl hij zich inzeepte en zich schoor had hij, ondanks het teleurstellende joggingtochtje, toch een positief gevoel over de ochtend. Door het korte gesprek met Santana waren zijn zorgen om Veena een stuk minder geworden. De zelfmoordpoging was een probleem en tot Santana's verzekering was hij bang geweest dat Veena het opnieuw zou proberen. Nu vertrouwde hij erop dat dat niet het geval zou zijn. Door het concept karma erbij te halen zag Veena wat ze mevrouw Hernandez had aangedaan kennelijk als iets wat bij haar lot hoorde, wat veel goeds voorspelde voor de medewerking van de andere verpleegsters.

Na een lekker ontbijt met ham en eieren, klaargemaakt door de kok van de bungalow, liep Cal naar de glazen serre aan de achterkant van het huis. Toen ze in het huis waren getrokken hadden er alleen stoelen gestaan, maar ze hadden er een ronde tafel aan toegevoegd en gebruikten de ruimte voor hun ochtendvergaderingen.

Toen Cal binnenkwam zaten de andere drie er al en hun opgewekte gesprek viel stil. Cal ging op zijn gebruikelijke stoel zitten, met direct uitzicht op de tuin en zijn rug naar de rest van het huis. De anderen zaten ook op hun vaste plaats, waardoor je bijna zou denken dat ze gewoontedieren waren. Santana zat aan Cals rechterkant, Petra links en Durell direct tegenover hem. De houding van elk weerspiegelde tot op zekere mate hun persoonlijkheid. Kalm en vol zelfvertrouwen hing Durell onderuit, met zijn kin in zijn hand en zijn elleboog op de leuning van de stoel. Hij was een sterk uitziende, zwaargespierde man met een mahoniekleurige huid, een donker, smal sikje en een snor. Petra zat kaarsrecht op het puntje van haar stoel alsof ze op school zat en haar lerares wilde imponeren met haar aandacht. Ze was een opvallend lange, aantrekkelijke vrouw met een blos op haar gezicht en een levendige uitstraling. Santana zat ontspannen achterover in haar stoel met haar handen gevouwen in haar schoot als de professionele psycholoog die ze was, wachtend tot de patiënt begint te spreken. Ze leek altijd kalm, met haar emoties stevig onder controle.

Cal opende de vergadering met Veena's zelfmoordpoging zodat iedereen goed geïnformeerd was. Hij liet Santana vertellen wat ze die ochtend tijdens het gesprek met Veena te weten was gekomen, vooral over Veena's belofte dat ze het niet weer zou proberen en waarom. Cal gaf toe dat het gebeuren hem zo bang gemaakt had dat hij vond dat ze een snelle terugtrekkingsstrategie moesten bedenken, voor het geval dat. 'Als het haar was gelukt om zelfmoord te plegen,' ging hij verder, 'zou er een onderzoek en een autopsie zijn gekomen, en dat zou grote problemen voor Nurses International hebben betekend.'

'Wat bedoel je precies met een terugtrekkingsstrategie?' vroeg Petra.

'Precies wat het woord zegt,' zei Cal. 'Ik heb het hier niet over iets filosofisch. Ik bedoel het letterlijk. In het slechtste geval, als we India onmiddellijk zouden moeten verlaten, zouden alle details al voorbereid zijn. Er hoeft dan niet geïmproviseerd te worden, want daar is misschien geen tijd voor.'

Petra en Santana knikten instemmend. Durell trok slechts een wenkbrauw vragend op. 'Over land, over zee of door de lucht?' vroeg hij.

'Ik sta open voor suggesties,' antwoordde Cal. Hij keek hen een voor een aan, en richtte uiteindelijk zijn aandacht op Petra, die een pietje-precies was.

'Via de lucht zou te moeilijk zijn,' zei ze. 'De douane op Gandhi International is te ervaren. We zouden te veel mensen moeten omkopen, omdat we niet weten op welk tijdstip van de dag het zou kunnen gebeuren. Als we in het geheim willen vertrekken, dan moet dat over land zijn.'

'Daar ben ik het mee eens,' zei Durell. Hij leunde naar voren met zijn ellebogen op de tafel en zijn handen in elkaar geklemd. 'Ik denk dat we moeten plannen om naar het noordoosten te gaan met een auto of een SUV die we voor dat doel kopen, en die altijd met een volle tank en voorzien van de noodzakelijke spullen klaar moet staan. We kunnen de grens

met Nepal overgaan op een plek die we vooraf bepalen, hoewel er niet veel keus is. En ook moeten we in de auto een flinke hoeveelheid geld leggen om mensen om te kopen. Dat is essentieel.'
'Je bedoelt een auto kopen, hem klaarmaken en dan uit het zicht houden?' vroeg Cal.
'Precies,' antwoordde Durell. 'Af en toe moeten we hem starten maar we kunnen hem in die grote garage op het terrein zetten en hem daar laten staan.'
Cal haalde zijn schouders op. Hij keek de vrouwen een voor een aan om hun reacties te peilen. Niemand zei iets. Cal keek weer naar Durell. 'Kan ik het aan jou overlaten om dat te regelen?'
'Geen probleem,' zei Durell.
'Laten we het dan nu hebben over onze nieuwe strategie. Hebben we al enige feedback?'
'Zeker weten,' zei Santana. 'Ik heb al binnen een paar uur bericht gehad van mijn contact bij CNN. Zoals ik al hoopte hebben ze het verhaal zodra ze het binnenkregen uitgezonden. Het aantal reacties was enorm en kennelijk veel groter dan ze hadden verwacht, met een stroom aan e-mail vanaf het allereerste moment. Meer dan ze een week lang op enig ander verhaal hadden gehad met uitzondering van de presidentiële voorverkiezingen. Ze snakken naar meer.'
Cal leunde achterover met een lichte glimlach op zijn gezicht. Dit was het eerste goede nieuws dat hun gezamenlijke inspanningen voor het hele project hadden opgeleverd.
'Toen ik vanochtend wakker werd, was er weer een bericht van Rosalyn Beekman, mijn contact bij CNN. Ze zei dat de journaals van de drie omroepen het verhaal hadden gecombineerd met stukken over medisch toerisme in het algemeen. Aan het eind van alle drie de uitzendingen lieten de presentatoren de vraag over de veiligheid van chirurgie in India onbeantwoord.'
'Fantastisch,' riep Cal uit terwijl hij met zijn vuisten een paar keer op de tafel sloeg om zijn enthousiasme te onderstrepen. 'Dat klinkt me als muziek in de oren. Maar daarmee komen we op de vraag wanneer we het nog eens moeten doen. Als CNN, zoals Santana zegt, snakt naar materiaal, dan lijkt me dat we hen niet moeten teleurstellen.'
'Daar ben ik het mee eens,' zei Durell. 'Zonder enige twijfel. Je moet het ijzer smeden als het heet is. Ik kan jullie zeggen, mensen, dat Samira er

klaar voor is. Ze vond het helemaal niet leuk dat Veena als eerste was uitgekozen, vóór haar. Ze zegt dat ze een patiënt heeft met een of andere hartkwaal in zijn voorgeschiedenis die vanochtend geopereerd zal worden en die perfect zou zijn.'

Cal grinnikte even. 'En ik was nog wel bang dat we problemen zouden krijgen met de medewerking van de verpleegsters. Ze bieden zich zelfs spontaan aan!'

Cal draaide zich om naar Petra en Santana. 'Hoe zit het met jullie? Wat vinden jullie ervan om het nog eens te doen? Toen ik gisteravond ontdekte dat Veena een zelfmoordpoging had gedaan, had ik nooit verwacht dat ik dat nu weer zou vragen, maar wel dus.'

'Rosalyn benadrukte dat ze meer materiaal wilde,' zei Santana terwijl ze naar Petra keek. 'Omdat we weten dat het nieuws zeker uitgezonden zal worden, zou ik zeggen, ja.'

'Hoe groot is de kans dat Samira net zo zal reageren als Veena?' vroeg Petra terwijl ze in Santana's donkere ogen keek. 'We willen niet nog een zelfmoordpoging.'

'Samira zeker niet,' zei Durell. Hij was er vast van overtuigd. 'Ze mag dan net zo oud zijn als Veena en haar beste vriendin zijn, maar qua persoonlijkheid zijn het twee volkomen verschillende mensen, wat misschien wel de reden is waarom ze zo close zijn, of tenminste waren. Gistermiddag, voor Veena vertrok, heeft ze Samira op haar donder gegeven voor het verklappen van haar familiegeheimen.'

'Ben je het daarmee eens, Santana?' vroeg Petra.

'Ja,' zei Santana. 'Samira is erg competitief, maar ze is geen leider. En nog belangrijker, ze is egocentrischer en in zichzelf gekeerd.'

'Dan ben ik het ermee eens,' zei Petra.

Alle ogen werden op Cal gericht. Hij haalde zijn schouders op. 'Ik geloof niet dat het er iets toe doet. Er is me verteld dat het om verschillende redenen niet ontdekt zou kunnen worden. Ten eerste zullen de ziekenhuisautoriteiten en hun geldschieters deze sterfgevallen zo snel mogelijk willen begraven, excuseer de woordspeling, om zo min mogelijk negatieve publiciteit te krijgen. India kent het systeem van een autopsie niet, maar zelfs als er een minieme kans zou zijn dat iemand kwade opzet vermoedt, of misschien zelfs aan succinylcholine zou denken, dan is het spul allang verdwenen en zullen eventuele residuen, of hoe ze dat maar mogen noemen, worden toegeschreven aan de anesthesie die ze hebben gehad tijdens de operatie.'

'Eigenlijk,' zei Santana, 'vormen twee sterfgevallen in twee dagen een nog beter verhaal. Ik denk dat het onze zaak goed zal doen.'
Terwijl hij instemmend knikte, keek Cal zowel Petra als Durell aan. Beiden knikten. 'Prachtig,' zei hij glimlachend en legde beide handen op tafel. 'Het is mooi dat we het unaniem eens zijn. Laten we het in gang zetten.' En kijkend naar Durell, voegde hij eraan toe: 'Wil jij Samira het goede nieuws meedelen als ze terugkomt van haar werk?'
'Met alle plezier,' antwoordde Durell.

7

15 oktober 2007
maandag 19.54 uur
Los Angeles, VS

(Op het moment dat de vergadering van Nurses International wordt beëindigd)

Neil McCulgan legde zijn pen neer en wreef in zijn ogen. Het schema waaraan hij zat te werken was nog niet klaar. Het softwarebedrijf dat het programma had geleverd waarmee het schema eigenlijk gemaakt had moeten worden, was onlangs overgegaan in andere handen en zonder de oorspronkelijke directeur om alles onder controle te houden gooide de software dingen door elkaar. Dus moest Neil het met veel moeite met de hand overdoen. Hij keek op zijn horloge. Het was al bijna acht uur en zijn dienst zat er eigenlijk al vanaf zeven uur op. Hij was uitgeput.
Het feit dat hij er niet in geslaagd was het schema af te krijgen lag aan twee dingen. Het eerste was een gigantisch verkeersongeluk op de snelweg met meerdere doden en een paar zeer ernstig gewonden, die allemaal binnen een halfuur nadat Jennifer Hernandez heel kinderachtig zijn kantoor was uitgestormd, door de ambulances waren binnengebracht. Het had een paar uur geduurd om dat af te handelen, wat betekende de doden van de levenden te scheiden, de gewonden die er het ernstigst aan toe waren te stabiliseren en door te sturen naar de ok, en ten slotte de minder ernstig gewonden te behandelen door gebroken botten te zetten en van gips te voorzien en snijwonden te hechten.
De tweede reden dat het gewijzigde schema niet klaar was, was omdat hij zich niet goed kon concentreren. 'Verdomme!' schreeuwde hij tegen de muur, waarna hij zich schuldig en stom voelde. Hij draaide zich om in zijn stoel en keek de triageruimte in. Twee patiënten keken met opgetrokken wenkbrauwen zijn richting uit. Beschaamd om zijn uitbarsting stond Neil op, zwaaide geruststellend naar de twee geschrokken patiënten, sloot

de deur en ging weer zitten. Hij kon zich niet concentreren vanwege Jennifer. Hoewel hij natuurlijk haar 'onvolwassen gedrag' als rechtvaardiging gebruikte voor zijn besluit om niet naar India te gaan, moest hij langzaam erkennen dat hij de situatie beroerd had aangepakt. Ten eerste waren de ware redenen gewoon veel egoïstischer. Uiteindelijk moest hij toegeven dat het excuus dat hij had gebruikt – namelijk het herschrijven van het SEH-schema – een overduidelijke leugen was. Hij had directer moeten zijn zodat er, op zijn minst, een eerlijke discussie had kunnen zijn. En ten slotte voelde hij zich nog het meest schuldig over het excuus dat hij zich meer betrokken zou hebben gevoeld als haar moeder was overleden, en niet haar grootmoeder. Hij wist heel goed dat Jennifers grootmoeder op de keper beschouwd haar moeder was geweest.
Op een gegeven moment probeerde Neil Jennifer op haar mobiele telefoon te bellen, maar ze nam niet op. Hij had geen idee of ze dat deed omdat ze zag wie er belde of omdat ze al was vertrokken, en hij wist niet hoe hij daar achter moest komen. Hij dacht er even over, in een irrationeel moment, om naar het vliegveld te racen en haar op te vangen voor ze vertrok, maar hij liet het idee varen omdat hij geen idee had met welke luchtvaartmaatschappij ze zou vliegen. Omdat hij vijf maanden geleden zelf een reis had geboekt naar India wist hij dat er verschillende maatschappijen vanuit LA naar New Delhi vlogen.
Die hele middag had Neil zichzelf steeds vaker voorgehouden dat hij Jennifer slecht behandeld had, tot hij zichzelf uiteindelijk begon te beschuldigen van het onvolwassen, egoïstische gedrag dat hij haar had verweten. Ten slotte geloofde hij bijna dat ze volkomen juist had gehandeld door weg te lopen en niet om te kijken. Hij had zelfs gegronde reden om aan te nemen dat hij waarschijnlijk zijn hakken in het zand zou hebben gezet als ze anders en nog heftiger gereageerd had.
Impulsief stond Neil op, waarbij zijn bureaustoel zo hard achteruitrolde dat deze tegen de deur botste. Hij greep een schone witte jas van de haak achter de deur, trok hem aan en liep naar de centrale balie. Aan de eerste verpleegster die hij te pakken kon krijgen vroeg hij of ze wist of Clarence Hodges al weg was. Zijn dienst zat er officieel gelijk op met die van Neil, maar ook hij vertrok maar zelden op tijd. Gelukkig werd hem verteld dat Hodges in een van de compartimenten een wond aan het hechten was. Daarbij wees de verpleegster in de richting van de met een gordijn afgesloten behandelruimte die ze bedoelde.

'Wauw!' riep Neil uit toen hij over Clarence' schouder keek. Clarence was bezig om het rechteroor weer vast te naaien aan het hoofd van zijn patiënt. Hij werkte met de precisie van een plastisch chirurg en leek zo te zien honderden piepkleine steekjes met ragdun zwartzijden hechtdraad te hebben gemaakt. Neil had Clarence aangenomen. Hij was een klasgenoot geweest op zijn middelbare school. Wat universiteit betreft hadden ze rivaliserende faculteiten gekozen, Neil die van de UCLA en Clarence van de USC, maar voor hun specialiteit hadden ze beiden de UCLA gekozen. Wat hun vriendschap bijzonder maakte was hun gemeenschappelijke liefde voor surfen. 'Dat is me nogal wat!'

Clarence ging rechtop zitten en rekte zich uit. 'Bobby hier en zijn skateboard hadden een kleine onenigheid met een boom, en ik geloof dat de boom heeft gewonnen.' Clarence pakte de rand van het afdeklaken beet en keek naar zijn patiënt. Tot zijn verrassing sliep deze. 'O, ik geloof dat ik al even bezig ben.'

'Waarom heb je niet een van de plasten laten komen om het over te nemen?' vroeg Neil.

'Om Bobby,' zei Clarence terwijl hij een volgende steek met de bek van zijn naaldvoerder pakte. 'Toen ik dat voorstelde, zei hij dat hij vertrok, terwijl zijn oor er bijna helemaal afhing. Hij zei dat hij hier al zo lang had gezeten dat hij niet nog langer wilde wachten. Hij wilde dat ik het deed, ook al heb ik hem verteld dat ik geen plastisch chirurg ben. Hij wilde het per se en liep zelfs bijna de deur uit. Dus, om een lang verhaal kort te maken, daarom doe ik dit.'

'Mag ik je mening vragen over iets terwijl je aan het werk bent?'

'Natuurlijk. Nu Bobby slaapt kan ik wel wat gezelschap gebruiken. Hoewel ik twee seconden geleden natuurlijk nog niet wist dat hij sliep.'

Neil vertelde hem snel Jennifers verhaal, waar Clarence zonder iets te zeggen naar luisterde terwijl hij doorging het oor van Bobby weer vast te zetten. 'Dus dat is het in het kort,' zei Neil toen hij klaar was.

'Wat wil je van mij horen? Of ik naar India zou gaan om mijn heup te laten vervangen? Het antwoord is nee.'

'Daar gaat het niet om. Het gaat om mijn reactie op Jennifers verzoek. Volgens mij heb ik het stom aangepakt, wat vind jij?'

Clarence keek zijn vriend aan. 'Meen je dat? Wat had je anders moeten doen?'

'Ik had eerlijker kunnen zijn.'

'Waarover? Ik kan me niet voorstellen dat je dat roteind naar India zou

willen gaan voor iemands grootmoeder, of wel? Ik bedoel, je kunt haar toch niet weer tot leven wekken.'
'Ik heb er inderdaad niet zoveel zin in om op dit moment helemaal naar India te gaan,' gaf Neil toe.
'Nou dan. Dan is het toch goed zo? Het is haar probleem dat ze zo reageerde. Ze had niet weg moeten lopen.'
'Vind je?' vroeg Neil. Hij was niet overtuigd. Nu hij het gebeuren aan Clarence had verteld voelde hij zich zelfs nog schuldiger over zijn gedrag.
'Wacht eens even,' zei Clarence terwijl hij de hechtnaald omhoog hield en Neil weer aankeek. 'Ik begin het vermoeden te krijgen dat je me niet alles hebt verteld. Wat is jouw relatie met deze vrouw? Ben je verliefd op haar of zo? Hebben jullie samen iets?'
'Zoiets,' gaf Neil toe. 'Ik weet het eigenlijk niet zeker. Het lijkt wel of ze me op afstand houdt. We hebben al heel veel samen gedaan, en het is eigenlijk fantastisch. We hebben altijd iets om over te praten en ze is echt heel open tegenover mij. Ze vertelt me dingen die ze nog nooit iemand anders heeft verteld. Dat weet ik zeker.'
'Hebben jullie ooit gevreeën?'
'Nee, maar niet omdat we het niet geprobeerd hebben. Ik bedoel, we hebben het een keer geprobeerd maar dat was geen succes. Het is heel raar. We kunnen over de meest intieme dingen praten maar zodra ik een beetje dichterbij probeer te komen, wham! Dan trekt ze een muur op.'
'Dat klinkt niet goed.'
'Ik weet het, maar aan de andere kant is ze heel intelligent, ze werkt en studeert zich uit de naad, en ze is fantastisch om mee om te gaan. Ik heb nog nooit een meisje ontmoet zoals zij.'
'Als ze is wie ik denk dat ze is, is ze ook een stuk.'
'Dat kan ik niet ontkennen. Ze viel me direct op toen ze eerstejaarsstudent medicijnen was.'
'Oké,' zei Clarence. 'Dat verandert alles. Ik kan wel horen dat je verliefd bent op deze vrouw.'
'Laten we zeggen dat ik geïnteresseerd ben, maar omdat ze een verleden heeft moet ik haar eerst beter leren kennen.'
'Denk je erover om achter haar aan te gaan naar India? Is dat waar je mijn mening over wilt horen?'
'Ja. Het enige wat ik absoluut zeker over haar weet is dat ze koppig is. Ze neemt onmiddellijk ergens een beslissing over en houdt er dan aan vast

als een hond met een kluif. Op dit moment is ze behoorlijk pissig op me, en ik snap wel waarom. Ze heeft me in vertrouwen genomen en nu ze me, op een bepaalde manier, gevraagd heeft om haar te steunen, heb ik in zekere zin haar grootste angst bevestigd door dat niet te doen. Als ik daar niet naartoe ga kan ik elke kans om haar beter te leren kennen wel op mijn buik schrijven.'

'Doe het dan! Dat is mijn advies. De dingen regelen voor haar grootmoeders lichaam kost waarschijnlijk nauwelijks een halfuur en dan is het klaar. Dan kunnen jullie het samen weer goedmaken. Zo verbrand je tenminste niet al je schepen achter je.'

'Dus je vindt dat ik moet gaan?'

'Absoluut. En je hebt me verteld dat je India leuk vond, dus je slaat twee vliegen in een klap.'

'Ik heb gezegd dat het interessant was.'

'Interessant of leuk, wat maakt het uit? En maak je maar geen zorgen over je werk hier.'

'Ik heb de komende vier dagen vrij.'

'Dat bedoel ik. Het moest zo zijn. Ga! En wat betreft je verplichtingen hier na die vier dagen, maak je geen zorgen. Ik ben je nog iets schuldig. Ik zal het wel overnemen, en als ik het niet kan dan zal ik ervoor zorgen dat iemand anders het doet.'

'Ik heb meer dan vier dagen nodig. Alleen de reis duurt al vier dagen.'

'Maak je geen zorgen. Oké? Ik heb gezegd dat ik het zal regelen. Weet je waar ze logeert?'

'Ja.'

'Dat is het enige wat je moet weten. En wanneer vertrek je?'

'Morgen denk ik,' zei Neil, terwijl hij zich afvroeg of zijn vriend hem iets aangepraat had wat uiteindelijk gecompliceerder en zwaarder zou worden dan hij had voorzien.

Hij moest eens weten...

8

16 oktober 2007
dinsdag, 19.45 uur
New Delhi, India

Uit gewoonte glimlachte Samira Patel quasi-verlegen tegen de twee lange sikh-portiers bij de hoofdingang van het Queen Victoria Hospital. Net als Veena de nacht ervoor droeg ze haar verpleegstersuniform. Ze reageerden niet op haar geflirt, maar ze herkenden haar beslist. Beiden staken zwijgend een hand uit, trokken hun respectievelijke deuren open en lieten haar, met een buiging, binnen.

Durell had alles die middag, voor ze vertrok op haar missie, uitvoerig met haar doorgenomen, onder meer wat ze moest doen zodra ze in het ziekenhuis was. Ondanks haar opwinding volgde ze de instructies letterlijk op. Ze liep de lobby door zonder met iemand oogcontact te maken. In plaats van de lift nam ze de trap naar de eerste verdieping waar de bibliotheek was. Nadat ze de lichten had aangedaan pakte ze een paar orthopedieboeken van de planken en legde ze op een van de tafels. Ze legde er zelfs een open bij het hoofdstuk over het vervangen van een knie, de operatie die haar patiënt, Herbert Benfatti, die ochtend had ondergaan. Dit was allemaal Durells idee. Hij wilde dat ze een duidelijke, te verifiëren uitleg had voor haar aanwezigheid in het ziekenhuis na haar werktijd, voor het geval een van de verpleegsters boven haar hiernaar zou vragen.

Zodra ze haar voorbereidingen in de bibliotheek had getroffen en ze Benfatti's dossier van de computer in de bibliotheek had gekopieerd op een USB-stick, liep ze via de trap naar de vierde verdieping, waar de ok-afdeling was. Haar opwinding was inmiddels veranderd in echte bezorgdheid, meer dan ze had verwacht, en ze begon zich af te vragen waarom ze zo graag vrijwilliger had willen zijn. Tegelijkertijd wist ze precies waarom ze zich had aangeboden. Hoewel Veena Chandra haar beste vriendin was sinds ze elkaar in groep drie voor het eerst hadden ontmoet, had Samira zich altijd de mindere gevoeld. Het probleem was dat Samira jaloers was op Veena's schoonheid, waar Samira zoals ze wist niet tegenop kon. Daar kwam haar wens vandaan om op elk ander vlak de strijd aan te gaan. Samira was ervan overtuigd dat Veena's haar donkerder en glanzender was dan dat van haar, en dat Veena's huid een mooiere goudkleur had, en dat haar neus kleiner en fraaier gevormd was.

Ondanks deze rivaliteit, waar Veena zich absoluut niet van bewust was, waren de meisjes dikke vriendinnen geworden, mede door de gemeenschappelijke droom op een dag naar Amerika te kunnen emigreren. Net als andere vriendinnen op school hadden ze al jong leren werken met internet, iets waar Samira meer gebruik van maakte dan Veena, maar waardoor beide meisjes kennis hadden kunnen maken met het Westen en het idee van persoonlijke vrijheid. In hun tienerjaren waren ze onafscheidelijk en deelden ze hun geheimen, ook Veena's misbruik door haar vader, iets wat ze nooit aan anderen vertelde uit angst schande over haar familie af te roepen. Samira's geheim, dat in scherp contrast stond met dat van Veena, was dat ze werd gefascineerd door pornografische websites, en dus door seks. Ze vond het moeilijk om aan iets anders te denken, juist omdat het haar ontzegd werd. Ze smachtte ernaar om het zelf te ervaren en voelde zich een gekooid dier door haar streng islamitische opvoeding. De relatie tussen de twee jonge vrouwen werd nog verstevigd door hun bereidheid de ander te dekken. Ze vertelden hun respectievelijke ouders dat ze bij elkaar logeerden, waardoor ze in staat waren naar westerse clubs te gaan en de hele nacht weg te blijven. In plaats van te leven volgens de waarden van het traditionele Indiase karma, zoals passiviteit, gehoorzaamheid en het accepteren van problemen in de verwachting daarvoor in een volgend leven beloond te worden, verkoos zowel Samira als Veena liever de beloningen in dit leven.

De dag ervoor, toen Samira had gehoord dat Veena als eerste was gekozen om het nieuwe plan uit te voeren, was ze heel jaloers geworden. Daarom had ze zich direct aangeboden voor de volgende opdracht met de bewering dat ze het beter en zonder aarzelen zou doen. De reden waarom ze zo zelfverzekerd was, was dat ze op één gebied meer vooruitgang had geboekt dan haar vriendin, en dat was de mate waarin ze de oude Indiase cultuur van zich had afgeschud en de nieuwe westerse cultuur had aangenomen. Haar affaire met Durell was daarvan een duidelijk bewijs.

Met trillende hand duwde Samira de deur van het trappenhuis op de vierde verdieping open. Het was relatief donker. Een paar seconden stond ze

alleen maar te luisteren. Ze hoorde niets behalve het constante, alomtegenwoordige, lage gebrom van het ventilatiesysteem. Ze stapte de hal in en liet de deur achter zich dicht glijden.
Ervan overtuigd dat ze alleen was liep Samira in de richting van de operatieafdeling terwijl ze probeerde het geluid van haar hakken op de harde vloer tot een minimum te beperken. De verlichting was gedempt maar voldoende. Toen ze de eerste dubbele deuren door liep controleerde ze of de hal leeg was. Ze wist dat hij 's avonds en af en toe zelfs tijdens de nachtdienst gebruikt werd door het personeel om te pauzeren en tv te kijken, hoewel dat officieel verboden was. Ze liep verder naar de deuren van de hoofdingang naar de ok-afdeling zelf en duwde ze iets open. Helaas protesteerden de scharnieren met veel lawaai, waardoor Samira in elkaar kroop. Ze kon haar hart in haar borst voelen bonken en zelfs horen. Na een paar seconden gewacht te hebben of er een reactie kwam op het geluid van de deuren, liep Samira verder. Bij het sluiten van de deur piepten de scharnieren opnieuw en weer kroop ze in elkaar. Maar onmiddellijk daarna omsloot een doodse stilte haar als een zware deken.
Samira kon niet wachten tot dit deel van de opdracht voorbij was. Ze kon inmiddels het zweet op haar gezicht voelen ondanks de airconditioning in de ok. Ze vond het niet prettig om zo bang te zijn, want door het langdurige dubbelleven dat ze als tiener had geleid met haar ouders had ze al meer dan genoeg angsten doorstaan.
Zodra ze zeker wist dat ze alleen in de ok was, vulde Samira snel de spuit met succinylcholine, waarbij ze in haar haast bijna het glazen flesje liet vallen. Het was een ramp geweest als het op de harde vloer in stukken gevallen was, want ze zou het niet hebben durven opruimen. Elke glassplinter zou te vergelijken zijn met een in curare gedoopte pijlpunt in het oerwoud van Peru. Ze begreep heel goed hoe ironisch het zou zijn als ze de volgende ochtend dood zou worden aangetroffen in de ok.
Opgelucht liep Samira weer terug naar het trappenhuis. Nu dit deel van haar taak erop zat, dacht ze dat de rest een makkie ging worden. Maar dat had ze mis.
Terwijl ze twee verdiepingen naar beneden liep, keek ze op haar horloge. Haar enige zorg op dit moment was mevrouw Benfatti, die ze die middag had ontmoet. Zou ze er nog zijn? Het was natuurlijk wel de avond na de operatie van Herbert Benfatti, en de kans bestond dat hij nog steeds last had van de effecten van de anesthesie, wat betekende dat hij waar-

schijnlijk heel slaperig zou zijn of misschien zelfs zou slapen. De enige manier om erachter te komen was door te gaan kijken.
Toen ze de deur naar de tweede verdieping opendeed keek Samira links en rechts de gang in. Twee verpleegsters waren te zien in de felverlichte zusterspost, wat betekende dat de andere twee bij een patiënt waren of een pauze namen. Ze kon het absoluut niet zeggen.
Terwijl haar angst weer toenam hield ze zichzelf voor dat het nu of nooit was. Ze haalde diep adem, stapte de hal in en liep naar de kamer van meneer Benfatti. Alles ging goed tot ze bij zijn deur kwam, die een paar centimeter openstond. Omdat ze het graag achter de rug wilde hebben hief Samira haar hand om te kloppen, maar hij bleef in de lucht hangen. Tot haar grote schrik werd de deur juist op dat moment opengetrokken. In een reflex slaakte Samira een kreet van verrassing toen ze plotseling tegenover een van de avondzusters stond. Het was de opvallend dikke en kortaangebonden Charu en ze vulde de hele deuropening.
In tegenstelling tot Samira's verraste reactie, reageerde Charu geïrriteerd dat er iemand in de weg stond. Ze bekeek Samira kritisch van top tot teen en zei op niet al te vriendelijke toon: 'Wat doe jij hier? Je werkt toch overdag?'
Charu en Samira kenden elkaar alleen van de overdracht waarbij de avondzusters door de dagzusters op de hoogte werden gesteld van de situatie en de specifieke behoeften van elke patiënt.
'Ik wilde net even bij mijn patiënt gaan kijken,' zei Samira met meer aarzeling dan ze wilde. 'Ik was in de bibliotheek om de procedure bij het vervangen van een knie te bestuderen.'
'O ja?' vroeg Charu op een toon waarin twijfel doorklonk.
'Ja,' echode Samira, terwijl ze even overtuigend probeerde te klinken.
Charu keek Samira ongelovig aan maar gaf verder geen commentaar. In plaats daarvan zei ze: 'Mevrouw Benfatti is er.'
'Gaat ze al bijna weg? Ik wilde meneer Benfatti een paar vragen stellen over de symptomen.'
Charu haalde alleen maar haar schouders op voor ze langs Samira schoof. Samira keek haar na toen ze wegliep in de richting van haar bureau. Ze wist niet goed wat ze moest doen. Ze kon niet op de verdieping blijven rondhangen om te wachten tot mevrouw Benfatti vertrok, maar als ze terugging naar de bibliotheek zou ze niet weten wanneer de echtgenote vertrok. Bovendien vroeg ze zich af of het feit dat ze Charu was tegenge-

komen betekende dat ze er helemaal van af moest zien. Maar misschien zou het dan wel een week duren voor ze een andere Amerikaanse patiënt met een voorgeschiedenis van hartproblemen had die een geschikt doelwit zou kunnen zijn. En dan waren de voordelen van de concurrentiestrijd met Veena waarschijnlijk verdwenen.

Samira stond nog in dubio toen ze opnieuw verrast werd. Deze keer was het mevrouw Lucinda Benfatti, een keurige, gezette vrouw van in de vijftig met stijf gepermanent haar en van gemiddelde lengte. Omdat ze Samira die dag ontmoet had herkende ze haar meteen. 'Lieve help, jij maakt lange dagen.'

'Soms,' stotterde Samira. Haar missie om niet te worden gezien veranderde langzamerhand in een slechte grap.

'Tot hoe laat werk je?'

'Dat verschilt,' loog Samira. 'Maar ik ga zo naar huis. Hoe gaat het met de patiënt? Ik wilde nog even bij hem gaan kijken.'

'Ach, wat lief van je! Het gaat redelijk goed met hem, maar hij heeft veel pijn en daar kan hij slecht tegen. De zuster die hier net was heeft hem een extra injectie tegen de pijn gegeven. Ik hoop dat het werkt. Waarom ga je hem niet even dag zeggen? Ik weet zeker dat hij blij zal zijn om je te zien.'

'Ik weet niet of dat wel gelegen komt, omdat hij net iets tegen de pijn gekregen heeft. Ik wil hem niet storen.'

'Dat doe je niet. Kom op!' Mevrouw Benfatti pakte Samira bij de elleboog en liep met haar de kamer van haar echtgenoot in. De lichten waren gedimd, maar de kamer was in zijn geheel redelijk felverlicht, omdat de grote flatscreen-tv aan stond en een BBC-programma vertoonde. Meneer Benfatti lag half achterover. Zijn linkerbeen zat in een apparaat dat langzaam maar constant zijn kniegewricht een paar keer per minuut dertig graden boog.

'Herbert, lieverd,' riep mevrouw Benfatti boven het geluid van de tv uit. 'Kijk eens wie hier is.'

Meneer Benfatti zette het geluid van de tv met de afstandsbediening iets zachter en keek naar Samira. Hij herkende haar en maakte net als zijn vrouw een opmerking over haar lange werkdag.

Voor Samira kon reageren onderbrak mevrouw Benfatti hem. 'Ik weet niet hoe het met jullie is, maar ik ben uitgeput. Nogmaals welterusten, lieverd,' zei ze terwijl ze Herberts hoge voorhoofd kuste. 'Ik hoop dat je goed zult slapen.'

Meneer Benfatti zwaaide zwakjes met zijn rechterhand. Zijn linkerhand met het infuus bleef volkomen bewegingsloos. Mevrouw Benfatti groette Samira en vertrok.
Samira zat in een lastig parket. Ze had geen zin in een gesprek met de man als ze haar plan door zou zetten, maar ze kon daar niet zo blijven staan. Moest ze er dan nu maar van afzien, nu ze mevrouw Benfatti was tegengekomen? Het enige wat ze zeker wist, was dat het helemaal niet zo makkelijk bleek te zijn als ze had gedacht. Omdat ze niet wist wat ze moest doen bleef Samira zwijgend staan, als aan de grond genageld.
Meneer Benfatti zweeg even voor hij vroeg: 'Is er iets wat ik voor je kan doen, zoals even naar de keuken rennen om een hapje voor je in elkaar te draaien?' Hij grinnikte even om zijn eigen poging tot een grapje.
'Hoe gaat het met uw knie?' vroeg Samira, terwijl ze haar gedachten probeerde te ordenen.
'O, fantastisch,' smaalde meneer Benfatti. 'Ik ga zo een stukje hardlopen.'
Onbewust gleed Samira's hand in haar zak, waarbij haar vingers de volle injectiespuit raakten. Met een schok herinnerde ze zich weer waarom ze daar was.
Terwijl meneer Benfatti tot in detail doorging over de pijn die hij leed, worstelde Samira met de vraag wat ze moest doen. Omdat er geen rationele manier was om een beslissing te nemen, koos ze ervoor om toe te geven aan haar opwelling en gewoon door te gaan zoals gepland. De doorslaggevende factor was het besef dat meneer Benfatti misschien pas over een paar uur zou worden ontdekt omdat zijn vrouw net was vertrokken en de verpleegster hem net een injectie gegeven had. Dat betekende dat Samira een heleboel tijd zou hebben om heel ver uit de buurt te zijn als hij werd ontdekt. Ze haalde de spuit tevoorschijn. Met haar tanden trok ze het beschermkapje van de naald en ze stak haar hand uit naar de IV-toegang, voorbij de Millipore filter.
Meneer Benfatti zag dat Samira plotseling naar het bed toe kwam. Toen hij de spuit in het oog kreeg stopte hij met zijn klaagzang over de pijn. 'Wat is dat?' vroeg hij. Toen Samira hem negeerde en de naald naar de IV-toegang bracht om hem erin te steken, stak hij zijn rechterhand uit en greep Samira's pols. Het volgende moment keken ze elkaar recht aan. 'Wat is dat?'
'Iets tegen de pijn,' improviseerde Samira zenuwachtig. Het feit dat meneer Benfatti haar vasthield maakte haar doodsbenauwd. Gek genoeg

was ze even bang dat wat ze meneer Benfatti gaf door de aanraking in haar zou overlopen.
'Ik heb net twee seconden geleden een spuit gehad tegen de pijn. Is dit niet wat overdreven?'
'De dokter heeft er nog een voorgeschreven. Dit is meer zodat u langer zult slapen.'
'Echt?'
'Echt,' herhaalde Samira terwijl ze terugdacht aan het onplezierige gesprek dat ze net had gehad met Charu. Ze keek neer op haar pols, die meneer Benfatti nog steeds in een vaste greep had. De man was sterk en hoewel ze nog geen pijn voelde, scheelde het niet veel. Hij kneep haar bloedsomloop af.
'Is de dokter hier?'
'Nee, hij is al naar huis. Hij heeft hierover gebeld.'
Meneer Benfatti hield haar nog een paar seconden stevig in zijn greep en liet toen plotseling los.
Samira slaakte een zucht van verlichting. Haar vingertoppen begonnen al te tintelen. Zonder nog een moment te verliezen worstelde ze om de naald in de toegang te krijgen, waarbij ze ondanks haar haast goed oplette dat ze zichzelf niet stak. Zelfs een kleine hoeveelheid succinylcholine kon al problemen veroorzaken. Zonder te aarzelen leegde Samira de spuit. Een seconde later slaakte meneer Benfatti een kreet. Samira sloeg snel haar vrije hand over de mond van de man.
Hij reageerde door naar de alarmknop te zoeken die aan de rand van zijn kussen was bevestigd, maar Samira slaagde erin hem buiten zijn bereik te trekken met de hand waarin ze de spuit vasthield. Bijna direct voelde ze de weerstand tegen haar hand die ze over zijn mond had geslagen, afnemen. Samira trok haar hand terug en zag een soort gewriemel onder zijn huid alsof zijn gezicht plotseling was geïnfiltreerd door wormen. Tegelijkertijd begonnen zijn armen en zelfs zijn vrije been kort en ongecontroleerd te schokken. Het volgende moment stopte het trillen. Daarop begon de huid donker te verkleuren, wat vooral zichtbaar was door het witte licht van de tv. De kleur kwam langzaam op maar verspreidde zich steeds sneller tot alle zichtbare huid een griezelige donkerpaarse kleur had. Hoewel Samira met opzet had vermeden de man in de ogen te kijken terwijl hij zijn snelle doodsstrijd uitvocht, deed ze dat nu wel. De oogleden waren half geopend en de pupillen doods. Achterwaarts naar de deur

lopend kwam Samira in botsing met een stoel. Ze greep ernaar om te voorkomen dat hij omviel. Het laatste wat ze wilde was dat er iemand zou komen kijken wat er was gevallen. Vanuit de deuropening wierp Samira nog een laatste blik op Benfatti. Even keek ze gehypnotiseerd naar het been van de man dat nog steeds ritmisch en mechanisch werd gebogen en gestrekt alsof het nog leefde.
Samira draaide zich om en rende de kamer uit, maar daarna dwong ze zich uit alle macht langzaam te lopen om geen aandacht te trekken. Met haar ogen gericht op de zusterspost waar ze alle vier de verpleegsters kon zien, liep ze naar het trappenhuis. Pas toen ze daar was liet ze haar adem ontsnappen, verrast dat ze hem ingehouden had. Daar was ze zich helemaal niet van bewust geweest.
Nadat ze de boeken had gepakt en het licht in de bibliotheek had uitgedaan, liep Samira naar beneden, naar de grote hal. Ze was blij dat hij leeg was en nog blijer dat de portiers geen dienst meer hadden. Op straat hield Samira een motorriksja aan. Ze keek toen ze optrokken nog eens achterom naar het Queen Victoria Hospital. Het was in schaduwen gehuld en zag er donker, en het allerbelangrijkste, rustig uit.
Tijdens de rit naar huis begon Samira zich steeds beter te voelen over wat ze had gedaan, en de angst, de bezorgdheid en de onzekerheid die ze had gevoeld verdwenen snel naar de achtergrond. Toen de motorriksja bij de oprit naar de bungalow kwam, leek het of de problemen nog slechts stipjes op een radarscherm waren.
'Ik moet u hier afzetten,' zei de bestuurder in het Hindi, terwijl hij stilstond.
'Ik wil hier niet uitstappen. Breng me naar de deur!'
De ogen van de bestuurder schitterden nerveus in het donker toen hij omkeek naar Samira. Hij was duidelijk bang. 'Maar de eigenaar van het huis zal boos worden en misschien de politie bellen en de politie zal geld eisen.'
'Ik woon hier,' snauwde Samira, gevolgd door een serie via internet geleerde vloeken. 'Als je het niet doet dan betaal ik je niet.'
'Dan kies ik ervoor om niet betaald te worden. De politie zal tien keer zoveel eisen.'
Met nog een paar passende woorden klom Samira uit de scooter op drie wielen en begon zonder om te kijken de oprit af te lopen. Op de achtergrond hoorde ze een uitbarsting van vergelijkbare scheldwoorden voor de

motorriksja met veel lawaai wegreed in de nacht. Onder het lopen bedacht Samira hoe ze haar ervaringen met de Amerikaan zou gaan omschrijven. Ze besloot vrijwel direct dat ze de kleine probleempjes zou weglaten en zich zou concentreren op het succes. Meneer Benfatti was uit de weg geruimd. Dat was het belangrijkste. Ze was beslist niet van plan zo te klagen als Veena had gedaan.

Toen ze het huis binnenkwam vond ze iedereen, de vier leidinggevenden en alle andere verpleegsters, in de gezamenlijke zitkamer waar ze naar een oude film zaten te kijken, *Animal House*. Op het moment dat ze de kamer in kwam, zette Cal de film stop. Iedereen keek haar vol verwachting aan.

'Nou?' vroeg Cal. Samira vond het heerlijk de groep in spanning te laten. Ze pakte een appel en ging zitten alsof ze zonder verder verslag te doen naar de film wilde gaan kijken.

'Nou wat?' vroeg Samira, om de spanning nog wat op te voeren.

'Kom op,' zei Durell.

'O, je bedoelt wat er met meneer Benfatti is gebeurd?'

'Samira,' waarschuwde Durell quasidreigend.

'Alles ging prima, precies zoals jullie allemaal zeiden dat het zou gaan, maar ik had ook niks anders verwacht.'

'Was je niet bang?' vroeg Raj. 'Veena zei dat ze bang was.' Raj was de enige mannelijke verpleger. Ondanks zijn bodybuilder-uiterlijk was zijn stem zacht, bijna vrouwelijk.

'Helemaal niet,' zei Samira, maar terwijl ze het zei herinnerde ze zich hoe ze zich gevoeld had toen Benfatti haar arm zo hard beetpakte dat de bloedtoevoer werd afgeknepen.

'Raj heeft zich aangeboden als vrijwilliger voor morgenavond,' legde Cal uit. 'Hij heeft een perfecte patiënt die morgen op het operatieprogramma staat.'

Samira draaide zich naar hem om. Hij was een knappe man. 's Avonds droeg hij shirts die een maat te klein waren om zijn indrukwekkende lichaam goed tot zijn recht te laten komen. 'Maak je geen zorgen. Je zult het prima doen,' verzekerde Samira hem. 'De succinylcholine werkt letterlijk in een paar seconden.'

'Veena zei dat het gezicht van haar patiënt trilde als een gek,' zei Raj met een bezorgde uitdrukking. 'Ze zei dat het afgrijselijk was.'

'Er waren wat zenuwtrekjes, maar ze waren al bijna voorbij voor ze begonnen.'

'Veena zei dat haar patiënt paars werd.'
'Dat klopt, maar je moet ook niet blijven staan om je werk te bewonderen.'
Een paar verpleegsters lachten. Cal, Petra en Santana bleven ernstig.
'En hoe zit het met Benfatti's medische dossier?' vroeg Santana. Omdat Samira het nog niet genoemd had, was Santana bang dat ze het vergeten was. Ze had de ziektegeschiedenis nodig om het verhaal voor de tv persoonlijker te maken.
Door achterover te leunen op de bank en haar lichaam te strekken kon Samira een hand in haar zak steken en de USB-stick, vergelijkbaar met de stick die Veena de vorige avond aan Cal had gegeven, tevoorschijn halen. Ze gooide hem in Santana's richting.
Santana greep de stick uit de lucht als een hockeykeepster en hield hem omhoog alsof ze zo kon vertellen of hij al dan niet de gegevens bevatte. Ze stond op. 'Ik ga dit verhaal doorgeven aan CNN. Ik heb ze er alvast op voorbereid en ze wachten in spanning. Mijn contactpersoon heeft me verzekerd dat het direct de lucht in zal gaan.' Terwijl de mensen die naast haar hadden gezeten op de bank hun benen optilden, schoof Santana langs de salontafel en liep naar haar kantoor.
'Ik heb een suggestie,' opperde Samira nadat Santana was vertrokken. 'Ik denk dat we onze eigen succinylcholine moeten hebben. De ok binnensluipen is de zwakste schakel in het plan. Het is de enige plek in het ziekenhuis waar we niet horen te zijn en als een van ons daar betrapt wordt, zouden we er geen verklaring voor kunnen geven.'
'Hoe makkelijk zou het voor ons zijn om aan het middel te komen?' vroeg Durell.
'Met geld kun je in India overal aan komen,' zei Samira.
'Het lijkt me een goed idee,' zei Petra tegen Cal.
Cal knikte instemmend en keek naar Durell. 'Kijk maar wat je kunt doen!'
Hij was uitermate tevreden. De nieuwe strategie leverde resultaat op, en iedereen werkte mee en deed zelfs suggesties. Hij bedacht weer dat het briljant was geweest om het plan met Veena te beginnen, ondanks de schrik van de zelfmoordpoging. Nog maar een paar dagen geleden was Cal bang geweest om met Raymond Housman te spreken, maar nu kon hij bijna niet wachten. Nurses International begon zoden aan de dijk te zetten, al was het niet op de manier die hij had verwacht. Maar wie kon

dat wat schelen, dacht Cal. Het waren de resultaten die telden en niet de methode.
'Hé, wie wil er nog een stukje film zien?' riep Cal, terwijl hij met de afstandsbediening boven zijn hoofd zwaaide.

9

16 oktober 2007
dinsdag 23.02 uur
New Delhi, India

De wielen van het grote straalvliegtuig kwamen hard neer op het asfalt van het Indira Gandhi International Airport, waardoor Jennifer wakker werd geschud. Ze was twintig minuten eerder door een van de stewardessen gewekt om de rugleuning van haar stoel rechtop te zetten toen het vliegtuig aan de landing was begonnen, maar ze was weer in slaap gevallen. Ironisch genoeg had ze het laatste deel van haar reis bijna niet geslapen, behalve het laatste uur.

Met haar neus tegen het raampje gedrukt probeerde Jennifer de eerste beelden van India op te vangen. Ze kon weinig meer zien dan de lichtjes van de landingsbaan die voorbij vlogen terwijl de krachtige motoren remden. Wat haar verbaasde was dat mist het zicht op de terminal leek te belemmeren. Het enige wat ze kon zien waren wazige, individueel verlichte vliegtuigstaarten die oplichtten in de duisternis. De terminal zelf was slechts een vage lichtvlek. Toen ze omhoog keek zag ze een bijna volle maan tegen een donkergrijze lucht zonder sterren.

Jennifer begon haar spullen te verzamelen. De stoel naast haar, die gelukkig leeg was gebleven, had ze gebruikt om haar chirurgieboek, de reisgids voor India en de roman die ze voor de vlucht had meegenomen – of liever gezegd voor de drie vluchten – neer te leggen. In haar reisschema zaten twee stops, die ze had aangegrepen om haar benen te strekken en wat rond te wandelen, maar ze had slechts een keer hoeven overstappen. Tegen de tijd dat het grote vliegtuig de gate had bereikt en het *fasten your seatbelts* lampje was gedoofd, had Jennifer haar handbagage weer in haar koffertje gepakt, waarna ze moest wachten terwijl passagiers die dichter bij de uitgang zaten naar buiten liepen. Iedereen zag eruit zoals zij zich voelde: uitgeput. Maar nu ze in dit vreemde en exotische land was aangekomen kon ze toch een zekere opwinding en nervositeit niet onder-

drukken, ondanks het feit dat ze hier was om het overlijden van haar geliefde grootmoeder te regelen.
De vluchten zelf, hoewel erg lang, waren wel te harden geweest. En in tegenstelling tot haar eerste zorg dat de duur van de reis haar te veel tijd zou geven om zich druk te maken over het verlies van haar dierbaarste vriendin, leek het tegenovergestelde het geval. Tot op zekere hoogte had de gedwongen tijd in eenzaamheid het haar mogelijk gemaakt het verlies te accepteren door terug te denken aan een van de lessen die ze had geleerd tijdens haar studie geneeskunde: dat de dood nu eenmaal bij het leven hoorde, en dat hij een van de dingen was die het leven zo speciaal maakten. Jennifer zou er haar grootmoeder niet minder om missen, maar haar verlies zou haar niet verlammen.
Zodra ze het vliegtuig uit was liep Jennifer door de enigszins verwaarloosde en schemerige terminal. Het begon eindelijk tot haar door te dringen dat ze echt in India was. In het vliegtuig had iedereen westerse kleding gedragen maar nu zag ze vrouwen in felgekleurde sari's en andere even kleurrijke kledingstukken die, zoals ze later zou leren, *salwar kameez* werden genoemd. Ze zag mannen in lange tunieken die *dhoti's* heetten over volumineuze *lungi's* of *churidar pyjama's*, losvallende broeken die bijeen werden gehouden aan de enkels.
Bang voor eventuele problemen begon Jennifer aan de eerste horde: de paspoortcontrole. Ze zag dat de rijen lang waren en langzaam vooruit schoven, althans de rijen voor zowel inwoners als toeristen. De ruimte voor het diplomatieke hokje was echter helemaal leeg. De inzittenden zaten te praten of lazen een krant. Omdat ze weinig vertrouwen in de bureaucratie in het algemeen had, en in die van India in het bijzonder door wat ze net in haar reisgids had gelezen, verwachtte Jennifer zeker problemen te zullen krijgen omdat ze geen visum had, ook al was de vliegtuigmaatschappij daarvan op de hoogte geweest. Het hing allemaal af van de vraag of mevrouw Kashmira Varini het telefoongesprek had gevoerd dat ze had beloofd en of ze met de juiste mensen had gesproken.
'Neem me niet kwalijk,' moest Jennifer luid in de richting van het raampje roepen om de aandacht te trekken. Gesprekken werden gestaakt en kranten zakten. De relatief grote groep mensen die er zat, in tegenstelling tot de andere hokjes waar maar een enkele douanier zat, staarde wezenloos naar Jennifer alsof ze geschokt waren dat er werk aan de winkel was. Alle douaniers droegen bruine uniformen en hoewel de kleding niet

zichtbaar vuil was, zag iedereen er een beetje verfomfaaid uit.
Zoals aangegeven overhandigde Jennifer haar paspoort en begon de situatie uit te leggen. De man schoof het paspoort echter terug en maakte met een handgebaar duidelijk dat ze in een van de andere rijen moest gaan staan.
'Er is mij uitdrukkelijk gezegd dat ik naar de diplomatieke balie moest gaan,' legde Jennifer uit. Haar hart zonk in haar schoenen uit angst dat ze na zo'n lange tocht misschien niet eens het land in zou komen. Snel vertelde ze dat haar gezegd was dat er een visum voor haar klaar zou liggen bij de diplomatieke balie.
Nog steeds zonder een woord tegen haar te zeggen pakte de douanier zijn telefoon. Zelfs van waar ze stond buiten het hokje kon ze iemand aan het andere eind van de lijn horen schreeuwen. Even later zag ze dat de douanier een la onder de balie waar hij aan zat, opentrok, en wat papieren tevoorschijn haalde. Hij gaf aan dat Jennifer haar paspoort weer moest overhandigen, wat ze met genoegen deed. Daarop plakte de man er iets in waarvan ze aannam dat het haar visum was, zette zijn initialen erop en drukte er een stempel op. Daarna schoof hij het weer naar buiten en gaf met een handbeweging aan dat Jennifer door mocht lopen. Opgelucht dat ze het land in mocht nadat ze het ergste had gevreesd, en verrast dat ze niet voor het visum hoefde te betalen, greep Jennifer haar koffertje en liep zonder iets te zeggen verder voor het geval ze van gedachten zouden veranderen. Het was raar dat de douanier tijdens de hele procedure geen woord tegen haar had gezegd, wat haar eraan herinnerde waarom ze zo'n hekel had aan bureaucratie.
Vervolgens ging ze haar bagage ophalen, wat verrassend genoeg efficiënter geregeld was dan op JFK. Tegen de tijd dat Jennifer de juiste bagageband had ontdekt had haar koffer al een paar rondjes gedraaid.
De douaniers bij de bagagebalies leken zelfs nog verfomfaaider dan hun collega's bij de paspoortencontrole, en nog minder geïnteresseerd. Ze zaten allemaal op het randje van de lange tafels die er stonden om bagage open te maken en te controleren, maar niemand hield zich daarmee bezig. Jennifer begon gezagsgetrouw wat langzamer te lopen maar ze wuifden haar alleen maar door.
Daarop ging Jennifer de deuren van de douaneruimte door en liep de centrale hal van de terminal in. Onmiddellijk werd ze geconfronteerd met een van India's meest opvallende kenmerken: het indrukwekkende

inwonersaantal. De hal was propvol. Hoewel het in de aankomsthal druk was geweest omdat er diverse internationale vluchten bijna tegelijk waren geland, was dat niets vergeleken met de rest van de terminal. Direct na de deuren begon een tien meter brede, oplopende gang van meer dan vijfentwintig meter lang met aan weerszijden een metalen leuning. Tegen de leuningen, als sardientjes tegen elkaar gedrukt, stonden horden verwachtingsvolle mensen, van wie de meesten een slordig geschreven bordje omhoog hielden. Ongeveer de helft van de mensenmassa was westers gekleed, waaronder een groot aantal in keurige uniformen, compleet met pet voorzien van een hotellogo.

Jennifer bleef stokstijf staan, verbluft door deze nieuwe horde. Omdat haar was verteld dat ze zou worden afgehaald door een medewerker van het Amal Palace Hotel die haar naam op een bordje zou hebben staan, had ze zich niet beziggehouden met dit aspect van de reis. Dat was duidelijk niet zo slim geweest. Vanaf het punt waar zij stond waren er misschien wel duizend bordjes en zelfs nog meer mensen te zien.

Hoewel ze nooit graag in het middelpunt van de belangstelling stond, probeerde Jennifer zich toch een beetje op de voorgrond te drukken en ze begon langzaam naar boven te lopen. Terwijl ze vergeefs naar haar naam zocht, kruiste haar blik onvermijdelijk die van vreemden, de een nog aparter en exotischer dan de ander. Als jonge vrouw alleen, met nauwelijks reiservaring, was het intimiderend en zelfs een beetje beangstigend, vooral omdat er geen politie of andere autoriteiten in zicht waren. Kalm blijven, hield Jennifer zich voor, hopend dat ze haar naam zou horen boven het rumoer uit. Helaas, of gelukkig, was Jennifer er tegen de tijd dat ze bovenaan was niet zeker van of iemand haar had aangesproken. Omdat ze geen zin had om zich door de menigte te dringen draaide ze zich om en begon net zo langzaam als ze naar boven was gelopen weer terug naar beneden te gaan. Toen ze weer terug was bij de uitgang had nog altijd niemand haar geroepen, of als dat wel zo was had ze het niet gehoord.

Ze overwoog weer naar binnen te gaan om te zien of ze ook informatie kon krijgen over hotels, maar op dat moment barstten de deuren open en kwam er een jonge man naar buiten in een kruiersuniform dat nog een graadje slonziger was dan dat van de douaniers. Hij zag er meer uit als een student dan als een professionele kruier en het uniform was niet alleen versleten maar ook veel te groot. Hij duwde een kar op vier wielen, vol-

geladen met bagage. Op het moment dat hij de deuren door kwam had hij vaart gemaakt om tegen de helling op te lopen. Het gevolg was dat hij bijna tegen Jennifer aan reed.
'Neem me niet kwalijk,' riep hij uit toen hij Jennifer zag en met enige moeite wist hij zijn kar tot stilstand te brengen.
Jennifer stapte opzij. 'Het is mijn fout. Ik moet niet proberen om een uitgang binnen te gaan. Kunt u me vertellen of er ergens een informatiebalie is? Iemand van mijn hotel zou me komen ophalen maar ik weet niet waar.'
'Welk hotel?'
'Het Amal Palace.'
De kruier floot. 'Als iemand u komt ophalen voor het Amal, dan zijn ze hier ongetwijfeld.'
'Maar waar?'
'Loop tot het einde van de gang en ga dan naar rechts. Daar zullen er beslist een paar staan. Ze hebben allemaal een donkerblauw uniform aan.'
Jennifer bedankte de man en liep weer naar boven. Hoewel ze nog steeds een beetje tegenzin voelde om zich in de massa te begeven deed ze het toch, en zoals de kruier al had beloofd vond ze direct de mensen van het Amal in hun keurig geperste maatkostuums. Tot haar verwondering zeiden ze niets. Daarom richtte ze zich tot de man met haar naam op zijn bordje. Hij stelde zich voor als Nitin en nam haar bagage van haar over. Daarop belde hij met zijn mobiele telefoon Rajiv, haar chauffeur, voor hij Jennifer voorging de terminal uit. Tijdens het lopen hield hij een vriendelijk gesprekje op gang.
Toen Jennifer en Nitin buiten kwamen en wachtten tot Rajiv de auto voor zou rijden, zag Jennifer opnieuw de zware nevel waar alles in was gehuld en waardoor de straatverlichting van het vliegveld en de koplampen van auto's omgeven waren met een groot halo. Het was precies zoals ze had gezien vanuit het vliegtuig, maar nu rook ze ook een scherpe geur.
'Is deze mist normaal?' vroeg ze Nitin terwijl ze haar neus ophaalde.
'O, ja,' zei Nitin. 'Tenminste in deze tijd van het jaar.'
'In welke periode is hij er niet dan?'
'Tijdens de moesson.'
'Alleen dan niet?'
'Ja.'

'Waar komt het door?'
'Stof en luchtvervuiling, ben ik bang. Er wonen nu ongeveer elfenhalf miljoen mensen in Delhi, en elke dag verhuizen er meer mensen naar de stad dan er hier geboren worden. Onofficieel denk ik dat er misschien wel veertien miljoen mensen wonen. Er is een massale immigratie van het platteland, wat een enorme belasting is en waardoor het verkeer nog meer toeneemt. De smog ontstaat hoofdzakelijk door de uitlaatgassen en het stof van de straat, maar de fabrieken hier in de buitenwijken dragen er ook aan bij.'
Jennifer was geschokt maar zei niks. Ze dacht dat LA vreselijk was in september, maar in vergelijking met Delhi leek LA op de lente in een alpenweide.
'Daar komt Rajiv,' zei Nitin toen een glimmende, zwarte Ford Explorer met getinte ramen stilhield langs de stoeprand. Rajiv sprong eruit, liep om de auto heen en groette Jennifer op typische hindoewijze door zijn palmen tegen elkaar te drukken, zich eroverheen te buigen en 'namaste' te zeggen. Hij was gekleed in een smetteloos, keurig gestreken wit uniform, compleet met witte handschoenen en een witte pet met klep. Terwijl hij het achterportier openhield voor Jennifer, zette Nitin haar twee koffers in de achterbak. Een ogenblik later waren zij en Rajiv op weg naar New Delhi.
De eerste auto die uit tegenovergestelde richting kwam verraste Jennifer totaal. Hoewel het stuur van de Explorer aan de rechterkant zat, was de implicatie haar ontgaan. Toen de koplampen van de auto uit de duisternis opdoken en hun kant uit kwamen nam ze aan dat ze aan de rechterkant voorbij zouden rijden, maar terwijl de auto's dichter bij elkaar kwamen stuurde de tegemoetkomende auto niet naar Jennifers linkerkant. Integendeel, hij leek naar rechts af te buigen. Op het moment dat de twee auto's elkaar passeerden moest Jennifer een schreeuw onderdrukken, bang dat ze frontaal tegen elkaar zouden botsen. Pas toen drong het tot haar door. In India reden de auto's, net als in Groot-Brittannië, aan de linkerkant en passeerden tegenliggers elkaar aan de rechterkant.
Met het hart bonkend in de keel leunde Jennifer achteruit. Ze schaamde zich voor haar onnozelheid als reiziger. Om te kalmeren gebruikte ze het vochtige doekje dat Rajiv haar gegeven had om haar voorhoofd af te vegen en nam ze een slokje uit het flesje ijskoud water waarvoor hij gezorgd had. Ondertussen staarde ze uit het raam, zich verbazend over wat ze zag.

Vanaf het moment ze de toegangsweg naar het vliegtuig verlieten voor de hoofdweg veranderde hun tempo in een slakkengang. Hoewel het al na middernacht was, stond de weg in beide richtingen vol met allerlei soorten voertuigen, maar hoofdzakelijk met vrachtwagens die allemaal ongelooflijk overbelast waren. Over alles heen hing een benauwde laag van zowel uitlaatgassen als stof, en het lawaai van motoren zonder geluiddempers en claxons die alle voertuigen om de paar seconden lieten horen was oorverdovend.
Jennifer keek naar het gebeuren en schudde vol ongeloof haar hoofd. Het was als een nachtmerrie, en als dit het verkeer na middernacht was kon ze zich niet voorstellen hoe het overdag zou zijn.
De chauffeur sprak redelijk Engels en was meer dan bereid om voor gids te spelen terwijl ze zich een weg baanden naar de stad. Jennifer bestookte hem met vragen, vooral toen ze van de hoofdweg afsloegen en de woonwijk Chanakyapuri in reden. Hier waren tenminste geen vrachtwagens of bussen en het verkeer had iets meer de ruimte. Jennifer zag het ene blok na het andere met relatief vergelijkbare enorme witte huizen, die er een beetje vervallen maar nog altijd indrukwekkend uitzagen. Ze vroeg hem ernaar.
'Dat zijn bungalows uit de tijd van de Britse *raj*,' zei de chauffeur. 'Ze waren voor Britse diplomaten en sommige worden nog steeds door diplomaten bewoond.' Daarna wees hij de verschillende buitenlandse ambassades aan, waar hij heel trots op leek te zijn. Hij wees ook de Amerikaanse ambassade aan die er volgens Jennifer tamelijk lelijk uitzag vergeleken met die van veel andere landen. Hij was vooral groot. Jennifer draaide zich om toen ze voorbijreden om nog eens goed te kijken. Ze nam aan dat ze er waarschijnlijk naartoe zou moeten voor hulp met betrekking tot haar grootmoeders stoffelijke resten.
Vervolgens wees de chauffeur de Indiase regeringsgebouwen aan, die ongelooflijk imponerend waren. Hij vertelde dat ze waren ontworpen door een beroemde Engelse architect waar Jennifer nog nooit van had gehoord. Een paar minuten later arriveerden ze bij het hotel en stopten ze op het bordes voor de hoofdingang. In eerste instantie was ze teleurgesteld. Het was een modern, hoog gebouw dat overal ter wereld had kunnen staan. Ze had iets meer Indiaas verwacht.
Maar binnen was het een heel ander verhaal. Tot haar verrassing gonsden de openbare ruimten van het hotel van activiteit ondanks het tijdstip, en

Jennifer moest in de rij staan om in te checken. Eigenlijk was het helemaal geen rij maar een comfortabele stoel, waar haar een verfrissing werd aangeboden en ze de kans kreeg om rond te kijken in de lobby. Op dat moment begreep ze de reactie van de kruier op het vliegveld toen ze de naam had genoemd van het hotel waar ze verbleef. Jennifer was in haar leven nog niet vaak in een hotel geweest en zeker niet in een als het Amal Palace. Ze zou het weelderig, of zelfs decadent willen noemen.
Twintig minuten later vertrok de formeel geklede gastenmanager die haar naar haar kamer op de achtste verdieping had gebracht en sloot de deur achter zich. Op weg naar boven had hij haar de faciliteiten en diensten van het hotel beschreven, waaronder een spa annex oefenruimte die vierentwintig uur open was en een buitenzwembad van olympische afmetingen. Jennifer besloot dat ze in elk geval zou proberen een beetje te genieten van haar verblijf hier, zoals Neil had voorgesteld. Alleen al bij de gedachte aan Neil raakte ze weer geïrriteerd en dus zette ze hem snel van zich af.
Nadat ze het veiligheidsslot op haar deur had dichtgedaan opende Jennifer haar koffers, pakte haar spullen uit en nam een lange, warme douche. Zodra ze klaar was vroeg ze zich af wat ze zou doen. Hoewel ze wist dat ze eigenlijk uitgeput zou moeten zijn, hadden de opwinding van de aankomst en de wetenschap dat het in LA midden op de dag was haar weer nieuwe energie gegeven. Als ze zou proberen te slapen, zou ze maar liggen draaien en woelen en gefrustreerd raken. In plaats daarvan trok ze een van de luxueuze badjassen aan die achter de badkamerdeur hingen, sloeg het dekbed van het enorme kingsize bed terug, stopte een paar veren kussens achter haar rug en zette de indrukwekkende flatscreen-tv aan met de afstandsbediening. Ze had geen idee wat er te zien zou zijn maar dat kon haar niet schelen. De bedoeling was om zich te ontspannen en haar lichaam het idee te geven dat het tijd was om te slapen.
Ze vond echter veel meer zenders in het Engels dan ze had verwacht, dus het was heel leuk om te zappen. Toen ze de BBC tegenkwam stopte ze bijna om naar het nieuws te kijken, maar omdat ze het moeilijk vond zich te concentreren ging ze door en ontdekte al snel CNN. Verrast een Amerikaanse zender te vinden bleef ze even kijken, omdat ze de nieuwspresentatoren niet herkende. Na een minuut of tien stond ze op het punt verder te gaan, toen de presentatrice haar aandacht trok door te beginnen met een verhaal over medisch toerisme dat vergelijkbaar was met wat Jennifer had gehoord terwijl ze in de hal van de afdeling chirurgie van het

UCLA Medical Center had zitten wachten. Zich afvragend of haar grootmoeders naam weer genoemd zou worden luisterde ze aandachtig. Maar haar grootmoeder kwam er niet in voor. Het was de naam van een andere patiënt maar wel van hetzelfde ziekenhuis, het Queen Victoria.
Gebiologeerd ging Jennifer rechtop zitten toen de nieuwspresentatrice zei: 'De Indiase regering, die claimt dat hun chirurgische resultaten net zo goed of beter zijn dan waar ook in de westerse wereld, heeft een nieuwe slag te verwerken gekregen toen de heer Herbert Benfatti uit Baltimore, Maryland, zoals we al zeiden, kort na acht uur plaatselijke tijd in New Delhi overleed aan een hartaanval. Het tragische voorval gebeurde nadat de man ongeveer twaalf uur eerder een ongecompliceerde operatie had ondergaan waarbij zijn knie werd vervangen. Hoewel meneer Benfatti een voorgeschiedenis had van aritmie, was hij in goede gezondheid en was het angiogram dat een maand geleden werd gemaakt ter voorbereiding op zijn operatie volkomen normaal. Onze bronnen vertellen ons dat een dergelijk sterfgeval geen ongebruikelijk fenomeen is in Indiase privéklinieken. De Indiase autoriteiten zijn er alleen tot nu toe in geslaagd om te voorkomen dat deze informatie naar buiten werd gebracht. Ze hebben ons laten weten dat ze van plan zijn zowel nieuwe sterfgevallen als die uit het verleden aan ons te melden zodat toekomstige patiënten over alle informatie beschikken en een doordachte keus kunnen maken of ze al dan niet een risico willen nemen, alleen maar om een paar dollars te besparen. Uiteraard zal CNN dergelijke informatie, zodra deze beschikbaar is, melden. En nu gaan we verder met...'
Jennifers eerste reactie was medeleven met de familie Benfatti. Ze hoopte dat ze het tragische nieuws niet via de tv hadden moeten horen zoals zij. Maar daarna begon ze zich dingen af te vragen over het ziekenhuis. Twee onverwachte sterfgevallen na een electieve operatie, in twee nachten achter elkaar was beslist te veel en, bovendien, hoogstwaarschijnlijk te voorkomen geweest en daardoor nog tragischer. Ze vroeg zich af of meneer Benfatti getrouwd was, en als dat zo was of mevrouw Benfatti in India was, en of ze misschien ook hier in het hotel verbleef. Ze bedacht dat als er een mevrouw Benfatti was, het misschien aardig zou zijn persoonlijk haar medeleven te betuigen als ze de moed kon opbrengen. Het laatste wat Jennifer wilde was de naaste familie tot last zijn, maar vanwege haar recente ervaring met haar grootmoeders dood, dacht ze dat ze zich beter in hun situatie kon verplaatsen dan wie ook.

10

17 oktober 2007
woensdag 8.31 uur
New Delhi, India

Jennifer stapte uit de zwarte Mercedes die het Queen Victoria Hospital had gestuurd om haar op te halen uit het Amal Palace Hotel. Het was buiten warm maar niet heet. De bleke ochtendzon deed hard haar best om door de mist te breken en werd slechts zwakjes weerkaatst door de spiegelende gevel van het ziekenhuis. Jennifer hoefde zelfs haar ogen niet af te schermen terwijl ze naar het gebouw keek. Het was vier verdiepingen hoog en hoewel het er niet erg verwelkomend uitzag en ultramodern was, moest ze de fraaie combinatie van het koperkleurige glas en het marmer in een bijpassende kleur tot op zekere hoogte wel bewonderen. Wat het extra opvallend maakte was de omgeving. Het overduidelijk dure gebouw stond weggedrukt tegen een ongelooflijk verwaarloosd, smerig, onbeduidend betonnen winkelcentrum dat ooit wit geweest was, met daarin een verzameling kleine winkeltjes die van alles verkochten, van Pepsi tot enorme wasbakken. De straat zelf was een puinhoop, vol gaten en hopen vuilnis naast een paar koeien die zich niets aantrokken van het drukke verkeer en de lawaaiige claxons. Zoals Jennifer al had verwacht was het verkeer nog erger dan de nacht ervoor. Hoewel er minder van de bont beschilderde, gedeukte vrachtauto's waren, waren er aanzienlijk meer stampvolle bussen, fietsriksja's, gewone fietsers, voetgangers en, wat Jennifer nog veel erger vond, groepjes jonge kinderen zonder schoenen, gekleed in vuile lompen, sommigen misvormd, anderen ziek en ondervoed, die allemaal gevaarlijk tussen de langzaam rijdende voertuigen heen en weer schoten en om geld bedelden. En alsof dat nog niet genoeg was, was er schuin tegenover het ziekenhuis een braakliggend terrein vol betonbrokken, modder, stenen, allerlei rommel en zelfs vuilnis. Er leefden desondanks verschillende gezinnen in hutjes gemaakt van stukken golfplaat, kartonnen dozen en lappen. En daartussen liepen een paar straathonden en zelfs een rat.

'Ik zal hier op u wachten,' zei de chauffeur, die om de auto heen was gelopen en de deur voor Jennifer had geopend. 'Weet u hoe lang het zal gaan duren?'
'Ik heb geen idee,' antwoordde Jennifer.
'Als ik hier niet zit, belt u me dan alstublieft op mijn mobiele telefoon als u klaar bent om te vertrekken.'
Jennifer stemde ermee in hoewel haar aandacht op het ziekenhuis was gericht. Ze wist niet wat ze kon verwachten en merkte dat ze erg emotioneel was. In plaats van alleen maar bedroefd te zijn over haar grootmoeders overlijden, raakte ze in toenemende mate geïrriteerd nu ze eindelijk hier was. Nu ze van een tweede, vergelijkbaar sterfgeval had gehoord kon ze niet anders denken dan dat Maria's dood voorkomen of tenminste vermeden had kunnen worden. Ze wist dat het geen erg rationele gedachte was en misschien kwam het meer door haar gemoedstoestand, maar zo voelde het nu eenmaal. Ze was uitgeput en had meer last van een jetlag dan ze had verwacht. Ze had slecht geslapen als ze überhaupt al geslapen had.
Om alles nog erger te maken was haar chauffeur te laat geweest, iets wat, zoals ze nog zou ontdekken, een Indiase gewoonte was, waardoor ze gedwongen was geweest te wachten in de lobby van het hotel. Bang dat ze in slaap zou vallen als ze ging zitten, had ze de tijd benut om na te vragen of mevrouw Benfatti in hetzelfde hotel logeerde, wat inderdaad het geval bleek te zijn. Jennifer had nog niet echt besloten of ze haar zou bellen maar ze wilde het toch graag weten.
Jennifer vond de twee reusachtige, traditioneel geklede portiers met hun tulband net zo uit de toon vallen als het ziekenhuis zelf. Ze groetten haar op de traditionele Indiase manier met de handpalmen tegen elkaar gedrukt voor ze de deuren opentrokken. Geen van tweeën sprak een woord of veranderde zijn neutrale gezichtsuitdrukking.
Het interieur van het ziekenhuis was net zo modern en luxueus als de buitenkant en de airconditioning was duidelijk te hoog afgesteld, alsof men de luxe van het ziekenhuis nog eens extra wilde benadrukken. De vloeren waren van marmer, de muren afgetimmerd met een glanzende houtsoort in een lichte kleur, en het meubilair bestond uit een combinatie van strak roestvrij staal en fluweel. Aan de linkerkant was een moderne koffiehoek die in een westers vijfsterrenhotel niet uit de toon zou vallen.
Onzeker over wat ze moest doen liep Jennifer naar de informatiebalie, die

meer leek op de receptiebalie van een Ritz-Carlton of een Four Seasons dan van een ziekenhuis, vooral door de aantrekkelijke jonge vrouwen in indrukwekkende sari's in plaats van in roze vrijwilligersschorten. Een van hen had Jennifer binnen zien komen en vroeg vriendelijk of ze haar kon helpen. Wetend hoe de gehaaste medewerkers en vrijwilligers van Amerikaanse ziekenhuizen zich gedroegen, was Jennifer onder de indruk van de klantvriendelijkheid van het instituut.

Zodra Jennifer haar naam had genoemd zei de receptioniste dat mevrouw Kashmira Varini haar verwachtte en dat ze de zorgmanager zou laten weten dat Jennifer was gearriveerd. Terwijl de receptioniste aan de telefoon was keek Jennifer nog eens rond door de lobby. Er was zelfs een kleine boekwinkel en een cadeauwinkel.

Al snel verscheen mevrouw Varini in de deuropening van een van de kantoren achter de informatiebalie. Ze was gekleed in een opvallende sari van heel bijzondere stof.

Jennifer nam haar eens goed op toen ze naar haar toe kwam lopen. Ze was slank en een beetje kleiner dan Jennifers een meter vijfenzestig, hoewel niet opvallend. Haar haar, dat ze had opgestoken en strak op haar achterhoofd had vastgezet met een zilveren juweel. Haar ogen waren veel donkerder dan die van Jennifer. Hoewel haar gelaatstrekken over het geheel aantrekkelijk waren, had ze smalle lippen die hard over zouden komen zonder de engelachtige glimlach die, zoals Jennifer later zou ontdekken, vals was. Ze begroette Jennifer op de typisch Indiase manier. 'Namaste,' zei ze.

Hoewel Jennifer zich slecht op haar gemak voelde, groette ze haar op dezelfde manier terug.

Kashmira begon met de gebruikelijke vragen over de reis en wat Jennifer van haar kamer en van het hotel vond en of het vervoer naar wens was geweest. Na dit korte gesprek was haar glimlach al bijna verdwenen, met uitzondering van een paar korte, beleefde pogingen op gepaste momenten.

Vervolgens werd Kashmira buitengewoon serieus en betuigde ze mede namens de artsen en, natuurlijk, de volledige staf van het ziekenhuis haar medeleven met het overlijden van Jennifers grootmoeder. 'Het was een volkomen onverwachte, tragische gebeurtenis,' voegde ze eraan toe.

'Dat klopt,' zei Jennifer, terwijl ze naar de vrouw keek. Opnieuw voelde ze de woede opkomen die ze die ochtend al eerder had gevoeld. Niet

alleen had ze degene verloren die haar op de hele wereld het meest na had gestaan, maar ze was ook weggesleept van misschien wel het belangrijkste co-assistentschap van haar hele studie. Ze wist dat haar onuitstaanbare vader waarschijnlijk net zoveel schuld had aan de huidige situatie, maar op dit moment richtte ze al haar woede op het Queen Victoria Hospital in het algemeen en op Kashmira Varini in het bijzonder, omdat Jennifers eerste indruk was dat haar medeleven niet erg oprecht was.
'Zegt u maar,' zei Kashmira, zich totaal onbewust van Jennifers slaapgebrek en emoties, 'waar we naartoe zullen gaan om de onplezierige dingen die we moeten regelen af te handelen. We kunnen naar de koffiehoek gaan of naar mijn privékantoor. Ik laat het helemaal aan u over.'
Jennifer nam de tijd. Ze keek achter de informatiebalie naar de open deur waaruit Kashmira tevoorschijn was gekomen, en draaide zich vervolgens om naar de met glas afgeschermde koffiehoek. Haar keus werd ingegeven door de angst dat ze, als ze niet gauw een kop koffie kreeg, in slaap zou vallen. Toen Jennifer haar besluit aan Kashmira overbracht reageerde de zorgmanager heel tevreden met een van haar korte glimlachjes, omdat het erop leek dat Jennifer gemakkelijk te manipuleren zou zijn.
Jennifer kreeg koffie, maar deze had niet veel effect en algauw besloot ze dat ze echt terug moest naar het hotel voor een dutje. Een snel rekensommetje leerde haar dat als ze in LA zou zijn, het bijna tijd was om naar bed te gaan. Geen wonder dat ze zich zo slecht voelde.
'Mevrouw Varini,' onderbrak Jennifer haar gastvrouw, die het gebrek aan mortuariumruimte in het ziekenhuis beschreef, 'het spijt me heel erg, maar ik kan me door slaapgebrek niet concentreren en het lukt me gewoon niet om nu belangrijke beslissingen te nemen. Ik ben bang dat ik naar mijn kamer terug moet om een paar uur te slapen.'
'Als het iemands fout is dan is het de mijne,' zei Kashmira, niet echt overtuigend. 'Ik had alles niet zo snel moeten regelen. Maar we kunnen het kort houden. We hebben maar een enkele beslissing van u nodig, en wij kunnen voor de rest zorgen. We moeten alleen maar weten of u kiest voor balsemen of voor cremeren. Zeg het maar! Wij zorgen ervoor.'
Jennifer wreef in haar ogen en zuchtte hoorbaar. 'Dat had ik ook in LA kunnen doen.'
'Ja, dat klopt,' gaf Kashmira toe.
Jennifer opende haar ogen, knipperde een paar keer om het gevoel dat ze in een vreemd lichaam zat kwijt te raken, en keek Kashmira toen aan.

'Oké. Ik moet mijn grootmoeder zien. Daarom ben ik gekomen.'
'Weet u dat zeker?'
'Natuurlijk weet ik dat zeker!' snauwde Jennifer voor ze zich kon inhouden. Ze had niet zo willen reageren. 'Ze is toch hier?'
'Zeker. Ik wist alleen niet of u haar wilde zien. Ze is maandagavond al overleden.'
'Ze heeft toch in een koelcel gelegen?'
'Natuurlijk. Ik dacht misschien dat een jong meisje als u niet zou willen...'
'Ik ben zesentwintig en vierdejaarsstudent medicijnen,' onderbrak Jennifer haar geïrriteerd. 'Ik geloof niet dat u zich zorgen hoeft te maken over mijn gevoelens.'
'Heel goed,' zei Kashmira. 'Zodra u uw koffie op hebt kunt u uw grootmoeder zien.'
'Ik heb genoeg koffie gehad. Ik begin trillerig te worden.' Jennifer duwde haar nog halfvolle kop-en-schotel van zich af en stond op. Terwijl Kashmira hetzelfde deed moest Jennifer even stil blijven staan om een lichte duizeling voorbij te laten gaan.
In een van de stille, ultramoderne liften daalden ze een verdieping af naar het souterrain, waar de machinekamers, een modern restaurant en een kleedkamer voor het personeel, en allerlei voorraadkamers waren. Aan het eind van de hoofdgang en voorbij het restaurant was een goederenplatform. Een oudere bewaker in een te groot uniform zat in een stoel met een rechte rugleuning tegen de muur geleund.
Er waren twee koelruimtes, beide aan de liftkant van het restaurant. Zonder iets te zeggen leidde Kashmira Jennifer naar de dichtstbijzijnde en probeerde hem met veel moeite te openen. Jennifer hielp haar een handje. Het was zeker geen mortuarium, zoals Kashmira al had toegegeven. Het interieur bestond uit planken die van de vloer tot aan het plafond over de hele lengte van de koelruimte liepen. Een snelle blik leerde Jennifer dat er voornamelijk vacuümverpakte voedingsmiddelen lagen, maar ook medische voorraden die koel bewaard moesten worden. In het midden stond een ziekenhuisbrancard. Degene die erop lag was geheel bedekt met een schoon laken. De lucht in de koelruimte was een beetje weeïg.
'Er is niet veel ruimte,' zei Kashmira. 'Misschien wilt u alleen naar binnen.'
Zonder iets te zeggen stapte Jennifer naar voren. De temperatuur leek

ongeveer rond het vriespunt te zijn. Nu Jennifer echt naast haar grootmoeder stond wist ze niet meer zo zeker of ze wel naar haar wilde kijken. Ondanks haar bewering van het tegendeel had Jennifer, de medisch studente, nooit kunnen wennen aan het zien van dode lichamen, zelfs niet nadat ze de kans had gehad om een week te mogen meelopen in een lijkenhuis op de middelbare school. Ze keek om naar de zorgmanager die Jennifers blik opving en haar wenkbrauwen fronste alsof ze wilde zeggen: nou? Kijk je nog of hoe zit dat?
Omdat ze besefte dat ze het niet langer kon uitstellen greep Jennifer de rand van het laken en trok, vechtend tegen haar tranen, de stof weg zodat ze haar grootmoeders gezicht kon zien. De eerste schok was dat ze er zo normaal uitzag. Ze leek nog precies op de warme, genereuze, witharige grootmoeder en de altijd sympathieke en standvastige vrouw die Jennifer had gekend. Maar toen Jennifer beter keek zag ze dat het niet het fluorescerende licht was waardoor haar huid en lippen op albast leken, behalve langs de zijkant van haar hals waar een donkerpaarse lijkkleur te zien was. Haar gelaat had een vlekkerige, bijna doorzichtige perzikkleur, en ze was zonder enige twijfel dood.
Als gevolg van haar uitputting sloeg Jennifers droefheid weer om in woede. Ze liet het laken vallen en keek naar Kashmira Varini. Het onechte medelijden van de vrouw irriteerde haar nog meer. Jennifer liep de koelruimte uit en zag hoe Kashmira worstelde om de zware deur te sluiten. Jennifer bood niet aan te helpen.
'Zo!' zei Kashmira terwijl ze rechtop ging staan en haar handen afveegde toen de deur was dichtgevallen. 'U hebt kunnen zien waarom u een beslissing moet nemen over uw grootmoeder. Ze kan hier niet langer blijven.'
'Is er een overlijdensverklaring?' vroeg Jennifer, schijnbaar in het wilde weg, maar de vraag werd ingegeven doordat het lot van meneer Benfatti plotseling weer in haar opkwam.
'Maar natuurlijk. Er moet een overlijdensverklaring zijn als crematie of balseming wordt overwogen. De akte is getekend door de eerste chirurg van mevrouw Maria Hernandez.'
'En de doodsoorzaak was beslist een hartaanval?'
'Ja, dat klopt.'
'Wat heeft de hartaanval veroorzaakt?'
Een paar seconden lang staarde Kashmira Jennifer aan. Jennifer kon niet zeggen of de vrouw geschokt, geïrriteerd of gewoon gefrustreerd was door

de vraag of door wat zij mogelijk beschouwde als Jennifers getreuzel over de verplaatsing van het lichaam.
'Ik weet niet waardoor de hartaanval van uw grootmoeder veroorzaakt is. Ik ben geen arts.'
'Ik ben bijna arts en ik kan me ook niet voorstellen wat de oorzaak zou kunnen zijn van haar hartaanval. Haar hart was letterlijk en figuurlijk een van haar beste kenmerken, op heel veel manieren. En hoe zit het met een autopsie? Heeft iemand daaraan gedacht? Ik bedoel, als de artsen niet weten wat er is gebeurd met hun patiënt, dan willen ze daar normaal gesproken wel achter zien te komen, en dat is een goede reden voor een autopsie.'
Kashmira was verrast door de suggestie, maar Jennifer eveneens. Tot het moment waarop ze het zei had ze niet eens over een autopsie nagedacht en wist ze zelfs niet of ze er een wilde. Ze had het meer om Kashmira gezegd, en waarschijnlijk omdat Kashmira en misschien zelfs het ziekenhuis haar probeerden te dwingen tot het nemen van een beslissing. Autopsie, crematie en zelfs balsemen waren ingrijpende maatregelen en Jennifer haatte de gedachte dat zij daar op de een of andere manier verantwoordelijk voor zou zijn, hoe irrationeel een dergelijk gevoel ook was. Maar er was nog een tweede gedachte bij haar opgekomen: hoezeer was Herbert Benfatti's dood te vergelijken met die van Maria, en hadden ze allebei vermeden kunnen worden?
'De politie of een rechter zijn de enige mensen in India die om een autopsie kunnen vragen, de dokter niet.'
'Dat meent u niet.'
'Zeker wel.'
'Dat is vragen om een complot tussen de politie en de rechterlijke macht, volgens mij. Stel dat ze iets zouden kunnen leren van mijn grootmoeders overlijden, iets wat een andere patiënt in de toekomst in leven zou kunnen houden? Ik bedoel maar, er was hier afgelopen nacht een zeer vergelijkbaar sterfgeval. Als ze wisten wat mijn grootmoeders hartaanval had veroorzaakt, dan had de hartaanval van meneer Benfatti misschien voorkomen kunnen worden.'
'Ik weet niets over een meneer Benfatti,' antwoordde Kashmira, bijna te snel. 'Wat ik wel weet is dat we een lichaam hebben in deze koelruimte dat er al te lang ligt en dat verplaatst moet worden. Onze ervaring is dat de familie een lichaam direct opeist en daarom moeten we nu een oplossing bedenken. Zoals u duidelijk hebt kunnen zien kan het lichaam hier

niet blijven. De ruimte is er gewoon niet voor bedoeld en het lichaam ligt er al sinds maandagavond.'
'Dat is uw probleem,' zei Jennifer. 'Ik ben geschokt dat uw ziekenhuis geen betere mortuariumfaciliteiten heeft. Ik ben net aangekomen in India na een vlucht van bijna vierentwintig uur en ik hoor nu pas de details. Momenteel ben ik mentaal en fysiek uitgeput. Ik ga terug naar mijn hotel om een paar uur te slapen voor ik een beslissing neem. Daarna ga ik naar de ambassade om over de logistiek te praten. Ik weet dat u ervan overtuigd bent wat ze zullen zeggen, maar ik niet, en ik wil dergelijke dingen graag rechtstreeks horen.'
'Dat is te laat. Er moet nu een beslissing genomen worden.'
'Luister eens, mevrouw Varini, om eerlijk te zijn krijg ik het akelige idee dat er hier te hard wordt aangedrongen en dat ik te veel onder druk wordt gezet. En met dit tweede sterfgeval vanavond dat toch iets te veel lijkt op dat van mijn oma ben ik nog minder bereid om een overhaaste beslissing te nemen. U zegt dat u er niets van afweet, wat vermoedelijk waar is, maar ik wil er meer over weten. Het is te snel na mijn grootmoeders dood en het klinkt te bekend.'
'Het spijt me, maar dossiers van andere patiënten zijn vertrouwelijk. En wat u betreft, er is mij uitdrukkelijk gezegd dat ik uw beslissing vanochtend moest krijgen. We kunnen het lichaam van uw grootmoeder geen uur langer in de koelruimte bewaren.' Om haar woorden te benadrukken stak Kashmira haar hand uit en legde hem tegen de deur van de koelruimte. 'Als u niet bereid bent mee te werken, ben ik bang dat u rechtstreeks met onze directeur zult moeten spreken omdat hij de autoriteit heeft om contact op te nemen met een rechter en een verzoek in te dienen bij het hof om de beslissing voor u te nemen.'
'Ik spreek de eerste uren met niemand,' snauwde Jennifer terug. Ze was nu echt woedend. Eerder had ze al het idee gehad dat het Queen Victoria Hospital haar tot een beslissing probeerde te forceren, en nu was ze er zeker van. Hoewel een dergelijke actie aan de ene kant begrijpelijk was vanwege hun gebrek aan goede bergruimte, leek het aan de andere kant provocerend, vooral hun onwil om een autopsie zelfs maar te overwegen als ze uitdrukkelijk aangaf dat ze die wilde. 'Ik zal u bellen als ik in staat ben beter te denken en dan kom ik terug. Ondertussen waarschuw ik u: waag het niet om iets met mijn grootmoeders lichaam te doen zonder mijn toestemming, want dan word ik pas echt pissig.'

11

17 oktober 2007
woensdag 8.45 uur
New Delhi, India

Jennifer staarde uit het raampje van de Mercedes. Ze was zo verdiept in haar eigen gedachten dat ze het verkeer niet eens opmerkte. De waarheid was dat ze al 'pissig' was geworden, veel eerder dan ze wilde toegeven. Het Queen Victoria Hospital hield absoluut geen rekening met haar gevoelens en omdat ze in haar relatief korte leven al te vaak slachtoffer was geweest, was ze daar helemaal niet blij mee. Ze had altijd juist haar best gedaan om uit die rol te breken. De laatste keer was op de middelbare school geweest, waar ze spijbelen en vechten tot een gewoonte had gemaakt. Ten einde raad had haar grootmoeder, die een buitengewoon trotse vrouw was geweest, iets gedaan wat voor haar heel ongebruikelijk was. Ze had iemand om hulp gevraagd. Degene die ze daarvoor inschakelde was dokter Laurie Montgomery, een lijkschouwer uit New York. Maria had haar als kindermeisje praktisch opgevoed van haar eerste tot haar dertiende.

Jennifer had het belachelijk gevonden om een vreemde te ontmoeten die haar grootmoeder 'oma' noemde. Maar oma was twaalf jaar lang Laurie Montgomery's kindermeisje geweest. Het was dus niet vreemd dat dokter Montgomery van oma hield en haar als familie beschouwde. Toen Jennifers demonen haar over het randje dreigden te duwen, had oma Laurie Montgomery gevraagd een poging te doen om Jennifers neerwaartse spiraal te doorbreken.

Door haar liefde en respect voor Maria, was Laurie graag bereid te helpen. Ze nodigde de onhandelbare Jennifer uit om een week lang na schooltijd naar het pathologisch-anatomisch instituut te komen waar ze werkte en met haar mee te lopen, om te zien wat haar beroep inhield. De andere lijkschouwers hadden er sceptisch tegenover gestaan dat een twaalfjarige een week meeliep in het mortuarium, maar Laurie had haar zin gekregen en het resultaat had de verwachtingen overtroffen. Het was allemaal zo 'raar' en 'walgelijk' geweest in Jennifers eigen woorden, dat haar jeugdige verbeelding erdoor werd geprikkeld, vooral omdat het de eerste academische carrière was waarmee ze ook maar zijdelings in aanraking kwam. Jennifer was niet erg onder de indruk, tot de derde dag. Op die dag was een meisje van haar eigen leeftijd binnengebracht met een perfecte, ronde, rode vlek op haar voorhoofd. Ze was neergeschoten door een rivaliserende bende.

Gelukkig was het Jennifer beter vergaan.

Het had beter geklikt tussen Jennifer en Laurie dan een van tweeën had kunnen denken, waardoor Laurie zowel bij haar filantropische moeder als bij haar eigen privéschool informeerde naar de mogelijkheid om voor Jennifer een beurs te krijgen. Een maand later zat Jennifer in een veeleisende academische omgeving zonder connecties met bendes, en daarna was het allemaal goed gekomen.

'Natuurlijk!' zei Jennifer zo hard dat de chauffeur opschrok.

'Is er iets, mevrouw?' vroeg hij terwijl hij via het achteruitkijkspiegeltje naar haar keek.

'Nee, nee, niets aan de hand,' zei Jennifer terwijl ze haar schoudertas pakte en naar haar mobiele telefoon begon te zoeken. Ze had geen idee wat het zou kosten om naar New York te bellen, maar daar zou ze zich niet druk om maken. Ze ging Laurie Montgomery bellen. Laurie wist nog niet eens dat oma was overleden en dat was reden genoeg om te bellen. Daar kwamen de beslissing die ze moest nemen en het idee over de autopsie nog bij. Nu ze had bedacht om Laurie te bellen, snapte Jennifer niet waarom ze dat niet eerder had gedaan.

Terwijl ze probeerde uit te vinden hoe ze de Verenigde Staten moest bellen, bedacht ze nog iets anders. Hoe laat was het eigenlijk aan de Oostkust? Ze wist dat er een tijdsverschil van negenenhalf uur was, maar in welke richting? Ondanks haar uitputting dwong Jennifer zichzelf om zich te concentreren. Ze beredeneerde dat omdat New York voorliep, de tijd teruggerekend moest worden en hoe raar haar dat ook in de oren klonk, ze was er vrij zeker van dat het klopte. Ze liep de redenatie nog eens na en besloot toen maar aan te nemen dat het rond middernacht was in de Big Apple.

Omdat ze uit het verleden nog wist dat Laurie een onverbeterlijk nachtdier was, dacht Jennifer dat ze wel kon bellen. Ondanks het onderwerp

van het gesprek hoorde ze met enige opwinding dat de telefoon overging. Het was ongelooflijk dat ze vanaf de andere kant van de wereld op het punt stond om met Laurie te praten, terwijl dat al meer dan een jaar niet gebeurd was. De telefoon werd na het eerste gerinkel opgenomen.
'Ik hoop dat ik niet te laat bel,' zei Jennifer zonder inleiding.
'Hemeltje, nee,' antwoordde Laurie. 'Ben jij dat, Jennifer?'
'Ja.'
Laurie was hoorbaar blij om Jennifers stem te horen, in de veronderstelling dat ze in Californië was. Een paar minuten babbelden ze wat. Jennifer vroeg naar Jack en Laurie op haar beurt verontschuldigde zich dat ze niet gebeld had sinds haar huwelijk, waarbij ze het gedoe rond haar onvruchtbaarheid als haar voornaamste excuus gebruikte. Jennifer wenste haar succes.
'Nou,' zei Laurie toen er een stilte viel, 'bel je alleen maar voor de gezelligheid? Het is natuurlijk heerlijk om je te spreken, maar is er iets waar ik je mee kan helpen? Een aanbevelingsbrief voor een opleidingsplaats bijvoorbeeld?'
'Helaas bel ik je om een speciale reden, maar het heeft niks met mijn studie te maken,' zei Jennifer. Ze begon uit te leggen dat ze in India was en waarom. Af en toe moest ze even wachten om zichzelf te vermannen.
'O, nee!' zei Laurie toen Jennifer uitgesproken was. 'Ik had er nog niks van gehoord. O, wat vind ik dat erg!'
Jennifer kon de brok in Lauries stem horen toen ze herinneringen begon op te halen en vertelde hoeveel Maria voor haar had betekend in haar jeugd. Ze eindigde haar spontane grafrede met de vraag: 'Ben je naar India gegaan om haar lichaam of haar as mee te nemen naar de States, of ben je van plan om haar daar te laten? India is immers misschien wel het meeste spirituele land ter wereld. Als ik doodging in India zou ik mijn as graag willen laten uitstrooien in de Ganges bij die miljarden andere zielen.'
'Daar heb ik helemaal nog niet over nagedacht,' gaf Jennifer toe en ze vertelde dat ze al moeite had met het beslissen tussen cremeren en balsemen en minder met wat ze daarna met de overblijfselen zou doen. 'Vandaag probeer ik naar de Amerikaanse ambassade te gaan. Ik neem aan dat zij wel een idee hebben over de kosten en alle diplomatieke details.'
'Dat denk ik ook wel. Goh, het spijt me dat je dit allemaal alleen moet doen. Ik wilde dat ik daar was om te helpen. Ze was als een moeder voor me, zo erg zelfs dat mijn echte moeder volgens mij soms jaloers was, maar

dat was haar eigen schuld. Zij heeft me immers aan Maria's zorgen overgelaten.'
'Ik kan je verzekeren dat het gevoel wederzijds was,' zei Jennifer.
'Daar ben ik blij om, maar het verbaast me niet. Kinderen voelen zoiets.'
'Er is nog iets anders wat ik je zou willen vragen. Heb je nog even tijd?'
'Natuurlijk. Ik luister.'
'De medewerkers van het ziekenhuis oefenen heel veel druk op me uit, en ik moet toegeven dat ik daar heel slecht op reageer. Maar ze hebben er reden toe. Het privéziekenhuis waar het om gaat is fantastisch en helemaal hightech. Maar toen ze het bouwden hebben ze niet aan mortuariumfaciliteiten gedacht, omdat lichamen in India door zowel hindoes als moslims, om religieuze redenen, heel snel opgeëist worden.'
'En misschien dachten de eigenaren van het ziekenhuis dat ze in spiritueel India met alle goden op hun hand helemaal geen sterfgevallen zouden hebben.'
Jennifer grinnikte zwakjes en ging verder. 'Oma's lichaam staat in een inloopkoelcel, in het souterrain naast het personeelsrestaurant, waar hoofdzakelijk afgesloten voedselvoorraden staan. Kennelijk is dat de enige plaats om een lichaam te bewaren.'
'Jakkes,' zei Laurie.
'Ik vertel je dit omdat ze van hun kant gezien zeker reden hebben om oma daar weg te krijgen, vooral omdat ze de overlijdensverklaring al klaar hebben.'
'Dat kan ik me voorstellen.'
'Maar ze hebben al geprobeerd om me tot een beslissing te dwingen voor ik hier was en sinds ik hier een paar uur geleden ben aangekomen, en nu blijven ze maar aandringen op een beslissing: cremeren of balsemen. Het lijkt wel of ze het het liefst gisteren hadden willen doen uit angst dat alles in het honderd zal lopen. In eerste instantie stribbelde ik misschien alleen maar tegen uit woede omdat ze mijn oma hadden gedood, maar nu is er nog iets anders.'
'Wat dan? Waar denk je aan?'
'Ik vroeg hun waar Maria aan overleden was en ze zeiden een hartaanval. Ik heb toen gevraagd wat die hartaanval veroorzaakt kon hebben, omdat ze me namelijk nog niet zo lang geleden heeft bezocht in LA en toen uitgebreid lichamelijk onderzocht is in het UCLA Medical Center. Daar werd me verteld dat haar cardiovasculaire systeem een tien plus kreeg.

Hoe kan iemand met een tien plus nu een paar maanden later, twaalf uur na een operatie, opeens een nul hebben? Ik bedoel, het zou tijdens de ingreep kunnen vanwege een idiosyncratische reactie op een medicijn, maar niet twaalf uur later. Tenminste, dat denk ik niet.'
'Daar ben ik het mee eens,' zei Laurie. 'Zonder duidelijke risicofactoren kun je je dat afvragen.'
'En daarom heb ik dat gevraagd, maar ik kreeg geen echt antwoord, tenminste niet van de zorgmanager. Ze zei me alleen dat ze geen dokter was en beschouwde dat kennelijk als voldoende. Toen heb ik een autopsie voorgesteld.'
'Goed van je,' reageerde Laurie. 'Dat is precies wat er moet gebeuren als je vragen hebt.'
'Weinig kans,' smaalde Jennifer. 'De zorgmanager, Kashmira Varini, zei dat de beslissing over een autopsie niet afhangt van de doktoren of de naaste familie maar van de politie of de rechterlijke macht. Ze vertelde ook nog dat er geen autopsie zou komen omdat er al een overlijdensverklaring was afgegeven na oma's dood. De zaak is gesloten!'
'Ik heb gehoord dat het Indiase pathologische systeem hopeloos achterloopt. Dat is heel vervelend. Daardoor ontstaat de situatie dat het recht niet altijd zijn loop heeft. In veel ontwikkelingslanden zijn de politie en de rechterlijke macht bijna zonder uitzondering corrupt en maken ze vaak deel uit van bondgenootschappen.'
'En er is nog meer,' zei Jennifer. 'Voor de tweede achtereenvolgende nacht is er in hetzelfde ziekenhuis een vergelijkbaar sterfgeval geweest. Eerst was het mijn oma, en vannacht een man die Herbert Benfatti heette. Beiden kregen kennelijk een hartaanval in de nacht na de operatie en net als bij mijn oma, was er ook bij meneer Benfatti voorafgaand aan de operatie sprake van een volkomen normaal angiogram.'
'Hebben ze autopsie verricht op de tweede patiënt?'
'Ik heb geen idee. Toen ik ernaar vroeg bij de zorgmanager die de zaak met oma regelt, zei ze dat ze niets wist over een overlijden gisteravond, maar ik geloofde haar niet.'
'Waarom niet?'
'Dat is vooral intuïtie, denk ik, wat natuurlijk niet erg wetenschappelijk klinkt. Ze komt gewoon niet erg betrouwbaar op me over. Ze wilde alleen maar dat ik een beslissing nam over het weghalen van mijn grootmoeders lichaam en daar mocht niks tussen komen. Ik weet het niet.'

'Denk je dat je ze nog langer tegen kunt houden?'
'Ik weet het echt niet. Hoe geïrriteerd ik ook ben, ik weet dat zij het ook zijn, in elk geval de zorgmanager. Waarom vraag je dat?'
'Omdat ik daar zo snel als ik kan naartoe kom om je te helpen. Ik denk niet dat ik het mezelf ooit zou vergeven als ik niet kwam. Vergeet niet dat ze net zoveel moeder voor mij was als voor jou en je broers. Luister, ik kom tenzij je denkt dat je niet in staat zult zijn om te gaan met een door hormonen bezeten, gekke vrouw.'
Jennifer was verbluft. Dat Laurie bereid zou zijn om helemaal naar India te komen was niet in haar opgekomen. 'Hormonen of geen hormonen, het zou geen snars uitmaken, maar het is een afschuwelijk lange vlucht,' waarschuwde ze. 'Ik bedoel, ik zou het heerlijk vinden om je hulp en steun te krijgen. Begrijp me niet verkeerd!'
'Ik twijfel er niet aan dat het een heel lange vlucht is,' zei Laurie, 'maar wat maakt het uit? Ik heb net gelezen dat Air India non-stop vluchten heeft tussen New York en Delhi.'
'Ik neem aan dat dat beter is dan twee keer te moeten overstappen, zoals ik heb gedaan.'
'Waar logeer je?'
'Het heet het Amal Palace en het is het beste hotel waar ik ooit gelogeerd heb. Maar ik heb natuurlijk nog maar in weinig hotels gelogeerd.'
'Wacht even!' riep Laurie plotseling met afschuw uit. 'Wat denk ik wel? Ik kan niet naar India vliegen. Ik zit midden in een vruchtbaarheidscyclus.'
'Natuurlijk! Dat heb je me verteld en ik was het ook vergeten,' zei Jennifer. Heel onaardig, maar ze voelde zich een beetje in de steek gelaten. Het zou heerlijk geweest zijn om Laurie bij zich te hebben.
'Maar misschien,' zei Laurie, 'kan het nog steeds wel, als ik mijn spermafabriekje mee kan nemen. Zo noemt Jack zichzelf de laatste paar maanden. Dat betekent dat het af zal hangen van dokter Calvin Washington, mijn baas. Ik weet dat hij mij zal laten gaan, maar of hij ons beiden zal laten gaan zonder voorafgaande waarschuwing vraag ik me af. Ik heb geen idee. Maar we kunnen het proberen. Dus we komen allebei of geen van tweeën. Het spijt me. Kun je met die onzekerheid leven?'
'Natuurlijk,' zei Jennifer. 'Zeg maar tegen dokter Washington dat ik hem heel lief vraag om jullie te laten gaan.'

'Goeie truc. Hij is nooit over jouw aanwezigheid veertien jaar geleden heen gekomen.'
'Ik ook niet, maar ik word in juni eindelijk beloond met mijn diploma.'
'En ik zal er zijn als je het in ontvangst neemt,' zei Laurie. 'Nou, laten we het even over het tijdschema hebben. Hoe snel kunnen we daar zijn, ervan uitgaande dat we komen. Heb je daar een idee van?'
'Ja,' zei Jennifer. 'Klopt het dat het nog dinsdag is bij jullie?'
'Ja. Iets na middernacht.'
'Als je morgenavond vertrekt, op woensdag dus, dan ben je hier donderdagavond laat.'
'Denk je dat je ze tegen kunt houden tot we er zijn? We willen niet dat oma gecremeerd of gebalsemd wordt als we een autopsie overwegen.'
'Ik zal zeker mijn best doen. Hé, ik zal zelfs naar het vliegveld komen om jullie op te halen.'
'Daar kunnen we het over hebben als we zeker weten dat we komen.'
'Laurie,' zei Jennifer vlak voor het gesprek werd beëindigd, 'kan ik je een persoonlijke vraag stellen?'
'Natuurlijk.'
'Denk je slechter over me omdat ik me vooral druk maak over deze ongetwijfeld onnodige toestanden, ondanks het verdriet dat ik voel om Maria? Ik bedoel, de meeste mensen zouden zo overmand zijn door emoties dat ze niet in staat zouden zijn om zich zorgen te maken of hun geliefde een autopsie zou moeten krijgen of niet. Is dat raar?'
'Absoluut en voor honderd procent nee! Ik zou precies zo gereageerd hebben. Normale mensen houden van de persoon, niet van het lichaam. Het lichaam is slechts een omhulsel, dat zonder twijfel zal verouderen en sterven. Het feit dat je zoveel van je grootmoeder hield dat je gevoelig bent voor dingen die verder gaan dan de details van de begrafenis is, naar mijn mening, een eerbewijs.'
'Ik hoop het.'
'Ik weet het zeker,' zei Laurie. 'Als lijkschouwer heb ik een heleboel lichamen en de reacties van heel veel familieleden gezien.'
Een paar minuten later, na een passend afscheid, verbrak Jennifer de verbinding. Ondanks het feit dat ze niet bijgelovig was, dankte ze haar gesternte dat ze eraan gedacht had Laurie Montgomery te bellen. Ze was opgetogen dat Laurie misschien kwam, en het feit dat ze daartoe bereid was benadrukte nog maar weer eens wat voor een slapjanus haar eigen

onbetrouwbare vriend Neil McCulgan was gebleken. Jennifer kruiste even haar vingers en zwaaide ermee door de lucht, hopend dat Laurie en Jack vrij zouden krijgen.

'We zijn bijna bij uw hotel,' kondigde de chauffeur aan. 'Moet ik op u wachten?'

De gedachte was niet bij haar opgekomen, maar omdat de organisatie die haar grootmoeder had gedood toch betaalde, waarom niet? Ze moest uiteindelijk toch terug naar het ziekenhuis. 'U kunt wachten of over een paar uur terugkomen naar het hotel. Hoe dan ook, ik zal u bellen als ik weer terug moet naar het Queen Victoria Hospital.'

'Heel goed, mevrouw,' antwoordde de chauffeur.

12

17 oktober 2007
woensdag 1.15 uur
New York, VS

'Jack!' riep Laurie. 'Word wakker!'
Laurie had de verlichting in de slaapkamer aangedaan maar voor Jack zo gedimd mogelijk gehouden. Omdat zij in de geheel verlichte studeerkamer achter haar computer had gezeten, leek het hier buitengewoon donker.
'Kom op, schat,' drong ze aan. 'Wakker worden! We moeten praten.'
Jack lag op zijn zij met zijn gezicht naar Laurie. Ze had geen idee hoe lang hij al sliep, misschien twee uur of zo. Hun gebruikelijke avondprogramma was een lichte maaltijd nadat Jack een potje basketbal had gespeeld. Terwijl ze aten keken ze ongeveer een halve dvd, de rest werd bewaard voor de volgende avond, en daarna ruimden ze op. Om ongeveer negen uur gingen ze meestal naar de studeerkamer die uitkeek over 106th Street, het nabijgelegen basketbalveld en de rest van het kleine park dat Jack op zijn kosten had laten opknappen en verlichten. Om ongeveer tien uur begon Jack onveranderlijk te gapen, gaf Laurie een kusje op haar hoofd en vertrok naar bed met de bedoeling nog wat te lezen. Maar in werkelijkheid kwam er van lezen nooit veel. Hoe laat Laurie ook om de hoek keek, hij was altijd in slaap, soms met een boek of een medisch tijdschrift balancerend op zijn borst en het lampje naast het bed nog aan.
'Jack!' riep Laurie weer. Ze wist dat het moeilijk zou zijn om hem te wekken, maar ze was vastbesloten. Ze begon aan zijn schouder te trekken, maar hij sliep gewoon door. Laurie kon een glimlach niet onderdrukken. Zijn slaapvermogen was van olympisch kaliber. Hoewel ze het in sommige situaties frustrerend vond, was ze er meestal jaloers op. Laurie was zelf een lichte slaper, tot vroeg in de ochtend als ze bijna op moest staan. Dan sliep ze vast.
Laurie schudde nog eens flink aan Jacks stevige schouder en riep weer zijn

naam. Eén oog, en toen het andere, ging open. 'Hoe laat is het?' vroeg hij met een hese stem.
'Het is ongeveer kwart over een denk ik. We moeten praten. Er is iets gebeurd.' In eerste instantie, nadat Laurie het telefoongesprek met Jennifer had beëindigd, was ze niet van plan geweest Jack te storen. Ze dacht dat hij zou slapen, wat dus ook het geval was. In plaats daarvan had ze op internet gekeken hoe ze naar India kon reizen en ze was een heleboel te weten gekomen.
'Staat het huis in brand?' vroeg hij, met zijn gebruikelijke sarcasme.
'Nee. Even serieus. We moeten praten.'
'Kan het niet wachten tot morgen?'
'Misschien wel,' gaf Laurie toe. 'Maar ik wilde je iets vertellen. Je houdt immers niet van verrassingen, en vooral niet van grote verrassingen.'
'Ben je zwanger?'
'Ik wilde dat het waar was. Goeie poging. Nee, ik ben niet zwanger. Een paar minuten geleden kreeg ik een telefoontje van die jonge vrouw die in juni zal afstuderen aan de medische faculteit van de UCLA, Jennifer Hernandez. Herinner je je haar nog? Bij ons huwelijk droeg ze een felrode jurk. Weet je dat nog? Ze heeft een van de mooiste figuurtjes die ik ken.'
'Jezus christus,' mompelde Jack. 'Het is bijna middernacht en jij hebt me wakker gemaakt zodat je me vragen kunt stellen over wat iemand droeg bij ons huwelijk? Doe me een lol!'
'De jurk doet er niet toe. Ik probeer alleen maar je te helpen je haar te herinneren. Zij is degene die een week bij het forensisch instituut heeft rondgelopen toen ze twaalf was, degene voor wie mijn moeder en ik dat jaar een beurs hebben geregeld.'
'Oké, ik herinner me haar,' zei Jack terwijl het duidelijk was dat hij loog. Hij was er veel meer in geïnteresseerd om weer te gaan slapen.
'Ze belde me een uur of zo geleden uit India. Ze is daar omdat haar grootmoeder is gestorven na een operatie in New Delhi. Het ziekenhuis dringt er bij haar op aan te beslissen wat ze wil doen met het lichaam.'
Jack tilde zijn hoofd op en sperde zijn ogen iets verder open. 'India?'
'India,' herhaalde Laurie. Toen vertelde ze het hele verhaal aan Jack dat Jennifer haar had verteld. Toen ze klaar was voegde ze eraan toe: 'Ik weet niet of je je dat nog herinnert, maar Maria Hernandez was mijn kindermeisje tot ik dertien was en de enige reden waarom ze toen wegging was

omdat mijn moeder te jaloers werd. Ik was er kapot van. Ik vond Maria's mening veel belangrijker dan die van mijn moeder, over kleren en zo. Ik hield van die vrouw. Ze was als een moeder voor me tijdens een aantal cruciale jaren. Ik ging altijd stiekem naar Woodside in Queens om haar op te zoeken.'

'Waarom is ze naar India gegaan voor haar operatie?'

'Dat weet ik niet zeker. Waarschijnlijk vooral om financiële redenen.'

'Denk je echt dat er daar sprake is van een samenzwering?' vroeg Jack sceptisch.

'Natuurlijk niet. Dat zei ik omdat Jennifer dat leek te denken. Als er al een probleem is bij dat ziekenhuis dan is het ongetwijfeld een fout in het systeem. Maar ik weet wel zeker dat het ziekenhuis druk op Jennifer uitoefent. Het lichaam ligt al sinds maandagavond in de koelcel, en het is zelfs geen mortuariumkoelcel. Het klinkt nog het meest als een voorraadopslag voor het restaurant.'

'Bedoel je dat er ook etenswaren liggen?'

'Zo klinkt het. En het is andersom. Het is meer zo dat het lichaam bij het eten en wat medische voorraden staat. Maar het eten is vacuüm verpakt, dus het klinkt erger dan het is. In elk geval, Jennifer denkt dat er sprake is van een soort samenzwering.'

'Dat is belachelijk! Ik denk dat het juffrouw Jennifer Hernandez misschien een beetje boven het hoofd groeit en dat ze daarom een beetje paranoïde wordt.'

'Ik ben het helemaal met je eens, en dat is een van de redenen dat jij en ik er vanavond hopelijk naartoe kunnen gaan.'

'Wat zeg je nou?' vroeg Jack. Hij dacht dat hij het goed had gehoord, maar hij wist het niet zeker.

'Direct morgenochtend ga ik naar Calvins kantoor. Ik hoop dat hij dit noodgeval ernstig genoeg vindt en ons allebei een week vrij geeft. Als we het groene licht hebben gekregen ga ik direct naar de organisatie die visa voor India regelt, dan ga ik onze tickets betalen die ik al online gereserveerd heb, en dan zal ik...'

'Wacht even!' zei Jack. Hij ging rechtop zitten en trok de dekens om zijn middel. Zijn ogen stonden nu wijd open. 'Rustig aan. Heb je al beloofd dat we de halve wereld over vliegen?'

'Als je bedoelt dat ik tegen Jennifer heb gezegd dat we ons uiterste best zullen doen om te komen, dan is het antwoord ja. Ik heb gezegd dat we

eerst toestemming moeten hebben van Calvin.'
'Een rouwend jong meisje dat paranoïde geworden is door stress is nauwelijks een goede reden om weet ik hoeveel mijl te vliegen om haar hand vast te houden.'
'Dat is niet de enige reden dat we gaan,' antwoordde Laurie terwijl haar irritatie toenam.
'Geef me dan nog eens een reden!'
'Dat heb ik al gezegd!' snauwde Laurie. 'Maria Hernandez was twaalf jaar lang als een moeder voor me. Haar overlijden is een groot verlies.'
'Als dat verlies zo groot is, waarom heb je haar dan god mag weten hoe lang niet gezien?'
Het schemerde Laurie rood voor de ogen en een seconde lang zweeg ze. Jacks opmerking maakte de komende confrontatie nog moeilijker en wakkerde Lauries schuldgevoel nog verder aan. Het was waar dat ze Maria al heel lang niet gesproken of gezien had. Ze had er wel aan gedacht en was steeds van plan geweest om het te doen, maar het was er niet van gekomen.
'Ik zit tegen een deadline aan met mijn artikel,' zei Jack. 'En er is zaterdag een basketbalwedstrijd van de buurt waar ik al weken naar uitkijk. Jezus, ik heb geholpen om het te organiseren.'
'Hou op over dat stomme basketbal,' schreeuwde Laurie. Ze knarste met haar tanden en keek Jack woedend aan. Alle wrok die onder de oppervlakte borrelde over de onvruchtbaarheidsbehandeling barstte als een vulkanische explosie naar buiten. En ze had er ook een geweldige hekel aan dat hij nog steeds basketbal speelde, omdat ze dat gevaarlijk vond.
Jack was de eerste die zich herinnerde dat Laurie momenteel dagelijks een injectie met hormonen kreeg. Hoewel hij er werkelijk geen idee van had dat ze baalde van zijn houding, had hij al een paar verrassende, door hormonen veroorzaakte uitbarstingen meegemaakt. Kennelijk was dit er ook een. Toen hij dat eindelijk doorhad hief hij zijn handen in overgave. 'Het spijt me,' zei hij en probeerde eerlijk te klinken. 'Ik vergat de hormonen.'
Even leek Jacks opmerking alles nog erger te maken. Irrationeel dacht Laurie dat Jack de schuld van hun onenigheid op haar probeerde te gooien. Maar toen ze even nadacht, zag ze de overeenkomst tussen haar geestesgesteldheid van nu en het moment waarop ze op die tachtigplusoma inreed bij de kassa van Whole Foods. Een seconde later barstte ze in tranen uit.

Jack schoof naar de rand van het bed en sloeg zijn arm om haar heen. En zweeg. Uit ervaring wist hij dat dat het beste was. Hij moest wachten tot ze gekalmeerd was.
Na een minuut of wat droogde Laurie haar tranen. Haar ogen waren felrood en waterig toen ze Jack aankeek. 'Je hebt me helemaal niet gesteund bij dit onvruchtbaarheidsgedoe.'
Jack moest zich inhouden om niet met zijn ogen te rollen. Naar zijn idee had hij zijn uiterste best gedaan, hij kon immers niet meer doen dan het sperma leveren wanneer dat nodig was.
'Als ik tijdens een cyclus ongesteld word doe je daar zo verrekte onverschillig over,' zei Laurie terwijl ze haar tranen probeerde in te slikken. 'Je zegt alleen maar: "O, nou, misschien de volgende keer," en dat is het dan. Je lijkt het helemaal niet erg te vinden. Voor jou is het gewoon weer een nieuwe cyclus.'
'Ik dacht dat ik hielp door te proberen er luchtig over te doen. Eerlijk gezegd zou het makkelijker zijn mijn verdriet te tonen. Maar ik heb nooit gedacht dat dat zou helpen. Ik kan me nog goed herinneren dat dokter Schoener dat ook zei. Jezus, ik moet juist onverschilligheid voorwenden.'
'Echt?' vroeg Laurie.
'Echt,' zei Jack, terwijl hij een paar vochtige slierten kastanjebruin haar van haar voorhoofd veegde. 'En wat India betreft. Ik heb er niets op tegen dat je gaat. Ik ken Maria Hernandez of haar kleindochter Jennifer niet. Mij lijkt het niet logisch om de halve wereld rond te vliegen, vanwege de tijd en het geld, vooral het geld. Natuurlijk zal ik je missen, en ik zou meegaan als je me nodig had.'
'Meen je dat?'
'Ja. Als je me nodig had dan zou ik gaan. Zeker, maar...'
'Ik heb je nodig,' zei Laurie plotseling vol enthousiasme. 'Je bent onmisbaar.'
'Echt?' zei Jack. Hij trok zijn borstelige wenkbrauwen vragend samen. 'Ik kan me niet voorstellen hoe.'
'De cyclus, suffie,' zei Laurie opgewonden. 'Gisteren dacht Shirley Schoener dat het nog maar vijf of zes dagen zou duren voor ik mezelf de HCG-injectie moest geven voor de eisprong. Op dat moment ben jij aan slag.'
Jack blies zijn adem uit. Hij had het verband tussen het onvruchtbaarheidsgebeuren en de voorgestelde trip naar India nog niet gelegd.

'Kijk niet zo somber. Misschien moeten we gewoon dat hele gedoe met die bedruipspuit achterwege laten en het op de normale manier doen. Maar ik zal je één ding zeggen, na alle moeite en stress die ermee gepaard gaan laat ik jou hier niet alleen zitten terwijl ik in India ben als deze nieuwe follikels barsten. Shirley is heel erg optimistisch, omdat het deze keer de linkereierstok bij mijn goede eileider is die de schoten zal gaan afvuren.'

Terwijl hij zijn arm van Lauries schouder haalde en achterover leunde tegen het hoofdeind van het bed, zei Jack: 'Het ziet ernaar uit dat we een snelle reis naar India moeten maken, vooropgesteld dat onze onverschrokken onderbevelhebber ons laat gaan. Misschien kan ik hem omkopen om nee te zeggen!'

Laurie sloeg hem speels tegen zijn bovenbeen onder de dekens toen ze opstond. 'Ik heb een goed idee. Omdat ik een afspraak nodig heb bij een gynaecoloog om mijn follikels te volgen en het bloedonderzoek te doen, kan ik er misschien wel een vinden in hetzelfde ziekenhuis, het Queen Victoria. Het zou handig kunnen zijn bij Jennifers probleem als we een bekende hebben bij de medische staf.'

'Misschien,' zei Jack terwijl hij weer onder de dekens schoof en ze over zich heen trok. 'Een logistieke vraag: als we visa nodig hebben, hebben we pasfoto's nodig.'

'Morgenvroeg kunnen we naar die nachtwinkel met die fotoafdeling gaan aan Columbus Avenue.'

'Net wat ik dacht,' zei Jack nadat hij diep adem had gehaald en de lucht met veel lawaai weer liet ontsnappen.

'Ga je weer slapen?'

'Natuurlijk ga ik weer slapen. Wat moet ik anders doen midden in de nacht?'

'Ik wilde dat ik net zo kon slapen als jij. Het probleem is dat ik inmiddels klaarwakker ben.'

13

17 oktober 2007
woensdag 11.42 uur
New Delhi, India

Jennifer voelde zich ongelooflijk gefrustreerd. Hoewel ze uitgeput was, zo erg dat ze er bijna misselijk van was, kon ze niet slapen. Ze had de zwaar gevoerde gordijnen dichtgetrokken zodat de kamer donker genoeg was. Het probleem was dat ze oververmoeid en tegelijkertijd heel opgewonden was. Het idee dat Laurie misschien kwam was bijna te mooi om waar te zijn en haar hoofd gonsde ervan. Eindelijk dacht ze 'barst toch' en gooide het dekbed van zich af.

Slechts gekleed in haar slipje, zoals ze in bed was gestapt, ging ze naar het raam en trok de gordijnen weer open zodat de wazige Indiase zonneschijn de kamer instroomde. Vaag vroeg ze zich af hoeveel warmer het buiten zou zijn geweest als de vervuiling niet een flink deel van de zonnestralen zou hebben tegengehouden.

Toen ze naar beneden keek zag Jennifer het zwembad. Er waren veel mensen, hoewel het zeker niet overvol was. Het was een groot zwembad. Plotseling had ze spijt dat ze geen badpak had meegebracht. Ze had er zelfs niet aan gedacht toen ze haar koffers pakte voor de reis, maar nu ze neerkeek op het indrukwekkende bad met het blauwe water vond ze dat erg jammer. Ze wist immers dat ze naar een chic hotel zou gaan in een warm land. Jennifer haalde haar schouders op. Misschien verkochten ze hier wel eenvoudige badpakken, dacht ze, maar toen schudde ze haar hoofd. Het hotel was zo bijzonder dat de badpakken die ze eventueel zouden verkopen ongetwijfeld heel duur zouden zijn. Dat was jammer, want Jennifer dacht dat een beetje beweging een uitstekende remedie tegen haar jetlag zou zijn.

Toen herinnerde ze zich de sportzaal van het hotel. Ze overwoog haar joggingkleren aan te trekken en even op een hometrainer te stappen of een paar gewichten te heffen. Maar toen ze op het punt stond haar eigen advies op te volgen, zag ze hoe laat het was. Het was bijna middag, waardoor ze op een ander idee kwam: lunch. Ondanks de aanhoudende, door de jetlag veroorzaakte misselijkheid bedacht ze dat ze kon proberen haar dagelijkse eetpatroon te normaliseren in een poging haar voortdurende slaperigheid kwijt te raken.

Omdat ze die ochtend niet de behoefte had gehad om indruk op iemand te maken, en al helemaal niet op de mensen van het Queen Victoria Hospital, had Jennifer een eenvoudig poloshirt en een strakke spijkerbroek gedragen naar het ziekenhuis, en na haar slaappoging trok ze dezelfde kleren weer aan. Terwijl ze daarmee bezig was kwam ze op het idee om uit te zoeken of mevrouw Benfatti misschien met haar zou willen lunchen. Natuurlijk bestond de kans dat de vrouw diep in rouw en depressief was en niet in het openbaar gezien wilde worden. Tegelijkertijd zou het in dat geval juist goed zijn om het te vragen. Als student geneeskunde was ze er maar al te vaak getuige van geweest hoe dood en ziekte mensen konden isoleren in de maatschappij, juist als ze de meeste steun nodig hadden.

Jennifer pakte de telefoon voor ze niet meer durfde. Ze liet zich door de receptioniste verbinden met de kamer van mevrouw Benfatti, waar die ook maar was in het hotel. Ze hield de hoorn even een stukje van zich af terwijl hij overging, om te horen of mevrouw Benfatti's kamer dichtbij was. Ze hoorde niets.

Net toen Jennifer op het punt stond op te hangen werd er aan de andere kant opgenomen. Een hese en aarzelende vrouwenstem antwoordde. Jennifer veronderstelde dat ze had gehuild.

'Mevrouw Benfatti?' vroeg ze.

'Ja,' antwoordde mevrouw Benfatti op haar hoede.

Jennifer begon snel uit te leggen wie ze was en waarom ze in India was. Ze dacht dat ze mevrouw Benfatti haar adem in hoorde houden toen ze uitlegde dat haar grootmoeder de nacht ervoor was overleden onder vergelijkbare omstandigheden als die van haar echtgenoot.

'Het spijt me zo van uw echtgenoot,' ging Jennifer verder. 'Gezien het overlijden van mijn grootmoeder, slechts een nacht eerder, voel ik met u mee.'

'Het spijt me eveneens van uw verlies. Het is verschrikkelijk, helemaal als je zo ver van huis bent.'

'Waarom ik u eigenlijk belde,' zei Jennifer, 'is omdat ik hoop dat u met me zou willen lunchen.'

Mevrouw Benfatti gaf niet direct antwoord. Jennifer wachtte geduldig. Ze begreep dat de vrouw waarschijnlijk met zichzelf overlegde. Jennifer kon zich voorstellen dat ze er vermoedelijk uitzag als een wrak na al het huilen en dat ze terneergeslagen was, wat een goede reden voor haar zou kunnen zijn om in haar kamer te blijven. Tegelijkertijd was ze vermoedelijk geïntrigeerd door de samenloop van omstandigheden en zou ze de kans willen grijpen om met iemand te praten die in dezelfde vreselijke situatie verkeerde.
'Ik moet me nog aankleden,' zei mevrouw Benfatti ten slotte, 'en iets aan mijn gezicht doen. Ik heb mezelf even helemaal laten gaan en ik zie eruit als een geest.'
'Neem de tijd,' zei Jennifer. Ze mocht deze vrouw nu al, vooral omdat ze sterk genoeg was om de spot met zichzelf te drijven in zo'n moeilijke tijd. 'Er is geen haast. Ik kan hier op u wachten of in een van de restaurants, bijvoorbeeld het grote restaurant net naast de lobby, of geeft u de voorkeur aan Chinees?'
'Het restaurant hier is prima. Ik heb niet veel honger. Ik ben er over een halfuur en ik zal een paarse blouse dragen.'
'Ik heb een witte polo en een spijkerbroek aan.'
'Dan zie ik u daar, en tussen twee haakjes, ik heet Lucinda.'
'Prima. Dan zie ik je daar, Lucinda.'
Jennifer legde langzaam de hoorn op de haak. Ze wist niet waarom, maar ze had een goed gevoel over Lucinda en plotseling keek ze uit naar de lunch. Op de een of andere manier was haar misselijkheid als bij toverslag verdwenen.

Vanuit haar stoel in het over meerdere niveaus verdeelde restaurant waarbij ze goed zicht had op de ingang, zag Jennifer mevrouw Benfatti zodra ze vanuit de lobby binnenkwam. Tenminste, ze was er vrij zeker van dat het mevrouw Benfatti was. De vrouw droeg een paarse top op een donkerder paarse rok. Ze was een enigszins gezette vrouw. Haar muiskleurige haar was stijf gepermanent. Jennifer schatte haar op midden vijftig.
Jennifer zag dat ze bleef staan om met de gerant te spreken. Toen de gerant mevrouw Benfatti wenkte om hem te volgen en zich in Jennifers richting draaide, begon ze te zwaaien. Mevrouw Benfatti zwaaide terug. Terwijl ze dichterbij kwamen bleef Jennifer naar de vrouw kijken. Ze was onder de indruk van de manier waarop mevrouw Benfatti liep, met gehe-

ven hoofd. Pas toen ze dichterbij kwam en Jennifer de bloeddoorlopen ogen kon zien was er iets van haar verlies zichtbaar.
Jennifer stond op en stak haar hand uit. 'Mevrouw Benfatti,' zei ze. 'Wat prettig u te ontmoeten, maar het spijt me heel erg van de omstandigheden. Bedankt dat u met me wilt lunchen.'
Mevrouw Benfatti zei in eerste instantie niets. Ze liet zich door de gerant op een stoel helpen.
'Sorry,' zei ze zodra de man vertrokken was. 'Het kost me heel veel moeite om me te beheersen. Het is allemaal zo plotseling gegaan. Gisteren toen hij zo snel bijkwam uit de anesthesie en zo'n goede dag had gehad, was ik ervan overtuigd dat we het ergste achter de rug hadden, en toen gebeurde dit.'
'Ik begrijp het, mevrouw Benfatti,' zei Jennifer.
'Alsjeblieft. Noem me Lucinda.' De vrouw drukte een zakdoek tegen haar ogen voor ze rechtop ging zitten en zichtbaar haar best deed zich te beheersen.
'Ja, natuurlijk. Dank je, Lucinda!' zei Jennifer. Ze besloot het initiatief te nemen en stelde voor dat ze hun maaltijd zouden bestellen om dat vast achter de rug te hebben. Zodra ze dat gedaan hadden begon Jennifer over zichzelf te vertellen. Over hoe ze bijna zou afstuderen aan de medische faculteit, over het verlies van haar moeder en over het feit dat ze was opgevoed door haar grootmoeder. Toen Jennifer even moest wachten op het moment dat de gerechten arriveerden, was ze blij dat Lucinda een vraag stelde. Ze vroeg wat er met Jennifers vader was gebeurd, omdat Jennifer hem niet genoemd had.
'O, nee?' zei Jennifer op een komische, overdreven manier. 'Wat vreselijk. Maar misschien ook niet. De reden dat ik hem niet genoemd heb is omdat we dat nooit doen, noch mijn twee oudere broers, noch ik. Hij verdient het niet.'
Ondanks zichzelf moest Lucinda even lachen waarbij ze haar hand voor de onderste helft van haar gezicht hield. 'Ik ken het type. In onze familie hebben we er ook zo een.'
Tot Jennifers vreugde nam Lucinda het gesprek vanaf dat moment over en terwijl ze aten vertelde ze eerst over de oom waar niemand meer iets mee te maken wilde hebben en die zelfs een tijdje in de gevangenis had gezeten. Daarna vertelde ze over haar twee zoons. De een was een oceanograaf in Woods Hole in Massachusetts en had een zoontje, en de ander

was een reptieldeskundige in het Natuurhistorisch Museum in New York City en had drie kinderen.
'En wijlen je echtgenoot?' vroeg Jennifer met enige aarzeling. Ze wist niet wat Lucinda's reactie zou zijn, maar ze wilde uiteindelijk over het overlijden van hun familieleden praten om erachter te komen hoeveel overeenkomsten er waren.
'Hij had jarenlang een dierenwinkel.'
'Dan kan ik wel zien waar de biologen vandaan komen.'
'Dat klopt. De jongens waren dol op de winkel en vonden het enig om met dieren te werken, vissen en zo.'
'Waarom zijn jullie naar India gegaan voor zijn operatie?' vroeg Jennifer met ingehouden adem. Als Lucinda een vraag aankon over een beslissing waardoor haar echtgenoot, als het anders was gelopen, misschien nog wel in leven zou zijn, was Jennifer ervan overtuigd dat ze alles kon vragen.
'Dat is heel simpel. We dachten dat we ons een knietransplantatie in de Verenigde Staten niet konden veroorloven.'
'Ik denk dat dat ook het geval was bij mijn grootmoeder,' zei Jennifer. Ze was blij. Hoewel Lucinda's stem even was gestokt kwamen er geen tranen.
'Vertel eens,' ging Jennifer verder, 'hoe vond je het Queen Victoria Hospital? Zijn ze servicegericht? Zijn ze professioneel? Ik bedoel, het ziekenhuis zelf ziet er fantastisch uit, wat je niet kunt zeggen van de omgeving.'
Lucinda moest weer even zacht lachen, zodat Jennifer begon te denken dat het een karaktertrekje was, vooral door de manier waarop ze de glimlach achter haar hand probeerde te verbergen. 'Is het niet verschrikkelijk, al die rommel? De staf van het ziekenhuis, inclusief de doktoren, doen net of ze het niet zien, vooral de kinderbedelaars niet. Sommige ervan zijn duidelijk ziek.'
'Het verbaast mij net zo. Maar hoe ben je door de staf behandeld?'
'Uitstekend, tenminste eerst.'
'Wat bedoel je?'
'Toen we hier net aankwamen was het allemaal fantastisch. Kijk alleen maar eens naar dit hotel.' Lucinda gebaarde door het restaurant. 'Ik heb nog nooit in zo'n mooi hotel gelogeerd. Hetzelfde met het ziekenhuis. De service in het ziekenhuis deed ons ook denken aan een hotel. Herbert heeft dat zelfs nog gezegd.'
Bij het noemen van zijn naam moest Lucinda even stoppen. Ze schraapte haar keel. Jennifer wachtte rustig af.

'Maar vanmorgen was het een beetje anders.'
'O, ja?' vroeg Jennifer. 'Hoe dan?'
'Ze vinden me lastig,' zei Lucinda. 'Alles was prima tot ze erop stonden dat ik een beslissing nam over cremeren of balsemen. Ze zeiden dat ik dat direct moest beslissen. Toen ik zei dat ik dat niet kon omdat mijn echtgenoot er uit een soort bijgeloof nooit over had willen praten, probeerden ze me te dwingen. En toen ik zei dat mijn twee jongens kwamen en dat zij de beslissing zouden nemen, zei de vertegenwoordiger van het ziekenhuis dat ze niet konden wachten tot er iemand helemaal uit Amerika was gekomen. Ze moesten het vandaag weten. Ik kon wel merken dat ze dat heel vervelend vonden.'
Nu was het Jennifers beurt om te glimlachen. 'Ik zit in hetzelfde schuitje,' zei ze, 'en ze zijn om dezelfde reden geïrriteerd over mij.'
'Dat is toevallig.'
'Dat begin ik me af te vragen,' zei Jennifer. 'Waar is het lichaam van je man?'
'Ergens in een koelruimte. Ik weet het niet zeker.'
'Waarschijnlijk in een van de twee inloopkoelruimtes in het souterrain bij het personeelsrestaurant. Daar ligt mijn oma terwijl ik wacht.'
'Waar wacht je op?'
'Een goede vriendin van mij komt over. Tenminste, dat hoop ik. Ze is patholoog-anatoom en werkt als lijkschouwer. Ze gaat me helpen en mijn oma bekijken. Ik denk dat er misschien autopsie op mijn grootmoeder verricht moet worden, en hoe meer ze aandringen, hoe meer ik daarvan overtuigd ben. Want weet je, er bestond geen risico voor een hartaanval bij mijn grootmoeder. Daar ben ik van overtuigd.'
'Dat dachten we bij Herbert ook. Zijn cardioloog heeft hem een maand voor we kwamen nog onderzocht. Hij zei dat hij prima in orde was en dat hij een uitstekend hart en een laag cholesterolgehalte had.'
'Waarom was hij bij een cardioloog?'
'Drie jaar geleden zijn we naar Afrika geweest op safari. We moesten toen allebei een heleboel vaccinaties hebben en ook een antimalariamiddel, mefloquine. Helaas kreeg hij last van bijwerkingen waardoor zijn hart onregelmatig begon te slaan, maar dat ging vanzelf weer over.'
'Dus je man had feitelijk een normaal hart,' zei Jennifer. 'Net als mijn oma. Ze wist nog dat ze als kind last had gehad van hartruis, en ze dacht altijd dat er iets mis was met haar hart. Daarom heb ik haar bij het

medisch centrum van het UCLA laten onderzoeken door een heel goede cardioloog, en hij dacht dat ze vermoedelijk wat ze noemen een 'open ductus Botalli' had gehad, iets wat normaal is bij embryo's en na de geboorte vanzelf sluit. Die van oma bleef open en is pas later voor het grootste deel dichtgegaan. Ze had net als je man last van wat onregelmatigheden, maar er was vastgesteld dat dat veroorzaakt werd door een middel tegen verkoudheid waarna het is overgegaan. Maar haar hart was nu absoluut normaal en voor haar leeftijd zelfs opvallend goed. Met een achtergrond als die van jouw man en mijn oma, moet je toch wel achterdochtig worden.'
'Denk je dat jouw vriendin ook naar mijn Herbert zou willen kijken?'
Terwijl de ober hun bestelling voor koffie opnam en de borden afruimde, leunden de vrouwen zwijgend achterover en dachten nog eens na over het gesprek. Toen de ober weg was bogen ze zich weer naar voren. Jennifer zei: 'Ik kan haar zeker vragen of ze dat wil doen. Ze is een fantastisch mens en volgens mij een bekend patholoog-anatoom, en haar echtgenoot ook. Ze werken samen in New York.' Ze wachtte even. 'Wanneer hoorde jij het nieuws over je man?'
'Dat was heel bizar,' zei Lucinda. 'Ik werd wakker van de telefoon omdat een vriend van ons uit New York me belde om me te condoleren vanwege Herbert. Het punt was dat ik op dat moment nog niks gehoord had. Ik dacht dat het prima ging met Herbert, net zoals toen ik drie uur eerder bij hem weg was gegaan.' Lucinda zweeg en haar lippen begonnen te trillen terwijl ze tegen haar tranen vocht. Ten slotte zuchtte ze hoorbaar en droogde haar ogen. Ze keek Jennifer aan, probeerde te glimlachen en verontschuldigde zich.
'Je hoeft je niet te verontschuldigen,' verzekerde Jennifer haar. Eigenlijk voelde ze zich een beetje schuldig omdat ze zoveel druk op Lucinda uitoefende. Maar de overeenkomsten tussen de twee gevallen leken alleen maar toe te nemen. 'Gaat het een beetje?' vroeg ze. Zonder erbij na te denken pakte ze Lucinda's pols in een spontaan gebaar van medeleven. 'Misschien moeten we over iets anders praten,' stelde ze voor terwijl ze haar losliet.
'Nee, het is prima. Eigenlijk wil ik er graag over praten. In mijn kamer zit ik maar te tobben en daar schiet ik ook niks mee op. Het is goed voor me om te praten.'
'Wat heb je gedaan nadat je met je vriend uit New York had gesproken?'
'Ik was natuurlijk stomverbaasd. Ik vroeg hem waar hij dat in hemels-

naam had gehoord. Nou, hij had het gehoord via CNN waar het werd vermeld in een stuk over medisch toerisme. Kun je je dat voorstellen?'

Jennifers mond viel langzaam open. Zij had hetzelfde stuk gezien als Lucinda's vriend, maar mogelijk niet op hetzelfde moment.

'In elk geval,' zei Lucinda terwijl ze haar emoties steeds beter onder controle kreeg, 'terwijl ik nog met mijn vriend aan de telefoon was en volhield dat het prima ging met Herbert, kwam er een tweede gesprek binnen. Ik vroeg hem om aan de lijn te blijven en nam het tweede gesprek aan. Het bleek het ziekenhuis te zijn – om precies te zijn onze zorgmanager – die me meedeelde dat Herbert inderdaad was overleden.'

Lucinda zweeg weer. Er kwamen geen tranen meer, maar ze haalde diep adem.

'Doe maar rustig aan,' drong Jennifer aan.

Lucinda knikte, en op dat moment kwam de ober informeren of ze nog meer koffie wilden. Beide vrouwen schudden het hoofd, totaal verdiept in hun gesprek.

'Ik vond het afgrijselijk dat CNN het eerder wist dan ik. Maar ik heb op dat moment niks gezegd. Ik was te geschokt door het nieuws. Ik heb alleen maar tegen Kashmira Varini gezegd dat ik direct naar het ziekenhuis kwam.'

'Wacht even!' zei Jennifer, terwijl ze haar hand nadrukkelijk ophief. 'Jullie zorgmanager heet Kashmira Varini?'

'Ja. Ken je haar?'

'Ik kan niet zeggen dat ik haar ken, maar ik heb haar ontmoet. Ze was ook de zorgmanager van mijn oma. Dit wordt steeds gekker. Vanochtend vroeg ik haar naar het overlijden van je man en ze zei dat ze er niets van afwist.'

'Dat wist ze zeker wel. Zij is degene die ik gisteravond heb gezien.'

'Jemig,' bracht Jennifer uit. 'Ik had al het gevoel dat die vrouw niet helemaal te vertrouwen was, maar waarom zou ze liegen over iets wat ik heel makkelijk zou kunnen achterhalen?'

'Ik snap er niks van.'

'Ik zal je één ding zeggen. Als ik haar vanmiddag zie zal ik het haar rechtstreeks vragen. Dit is belachelijk. Denkt ze soms dat we een paar kinderen zijn, dat ze ons zo glashard voor kan liegen?'

'Misschien heeft het iets te maken met hun vereiste geheimhoudingsplicht?'

‘Gelul!’ zei Jennifer en beheerste zich. ‘Neem me niet kwalijk, maar ik word steeds nijdiger.’
‘Je hoeft je niet te verontschuldigen. Ik heb twee jongens opgevoed.’
‘Maar dan nog, de meeste mensen accepteren zulke taal niet van vrouwen. Maar even terugkomend op CNN. Er gebeurde bij mij iets vergelijkbaars.’ Jennifer legde uit hoe ook zij via CNN had gehoord over het overlijden van haar oma, en dat terwijl ze zowel de organisatie die alles had geregeld als het ziekenhuis zelf had gebeld en de verzekering had gekregen dat het prima ging met haar grootmoeder. En hoe ze pas later, toen ze werd teruggebeld door mevrouw Varini, had gehoord dat haar oma inderdaad was overleden.
‘Dat is bizar! Het klinkt alsof de rechterhand niet weet wat de linkerhand doet in het Queen Victoria.’
‘Ik vraag me af of er niet meer aan de hand is,’ antwoordde Jennifer.
‘Zoals wat?’
Jennifer glimlachte, schudde haar hoofd en haalde tegelijkertijd haar schouders op. ‘Dat weet ik eigenlijk niet. Misschien lijden we wel aan door verdriet veroorzaakte achterdocht. Ik zal de eerste zijn om toe te geven dat ik niet helemaal mezelf ben door de schok van het verlies van mijn beste vriendin, moeder en grootmoeder, in een keer. Daarbij kom ik erachter dat jetlag geen kleinigheid is. Ik ben uitgeput en ik kan niet slapen. Misschien denk ik ook niet helemaal helder. Ik bedoel, het zou kunnen dat een sterfgeval na een chirurgische ingreep zo ongewoon is in het Queen Victoria Hospital dat ze niet goed weten hoe ze daarmee om moeten gaan. Ze hebben immers zelfs geen mortuarium.’
‘Wat ga je doen?’
‘Bidden dat mijn vriendin Laurie Montgomery komt. Als ze niet komt weet ik werkelijk niet wat ik moet doen. In elk geval ga ik vanmiddag terug naar het ziekenhuis. Ik ga mevrouw Varini vragen waarom ze tegen me gelogen heeft en ik zal haar heel goed duidelijk maken, als ik dat al niet gedaan heb, dat ze van oma moeten afblijven. En jij? Zullen we samen dineren vanavond?’
‘Lief van je om me uit te nodigen. Kan ik je dat later laten weten? Ik weet gewoon niet hoe ik er dan emotioneel aan toe zal zijn.’
‘Je kunt het me laten weten wanneer je maar wilt. We moeten denk ik wel vroeg eten. Op een bepaald moment zal ik waarschijnlijk helemaal geen puf meer hebben en dan twaalf uur achter elkaar slapen. Maar wat

ga je doen met het ziekenhuis? Blijf je wachten tot je zoons arriveren om hen de beslissingen te laten nemen?'
'Ja, dat is precies wat ik ga doen.'
'Misschien moet je je vriendin mevrouw Varini even bellen om ervoor te zorgen dat ze zich niet kan beroepen op een misverstand en iets gaat doen zonder je uitdrukkelijke toestemming. Als de naaste familie in de rouw is, is het heel makkelijk om ze te manipuleren. Ironisch genoeg gaat het meestal om het uitvoeren van een autopsie en niet om het níét-uitvoeren ervan.'
'Ik denk dat ik haar dat maar eens ga vertellen. Gisteravond was ik mezelf niet.'
'Heb je genoeg gegeten?' vroeg Jennifer. 'Ik ga weer terug naar het ziekenhuis. Ik was van plan om naar de ambassade te gaan, maar ik denk dat ik dat nog even uitstel. Ik wil de zorgmanager een paar vragen stellen, zoals waarom ze gelogen heeft. Ik zal het je laten weten als ik iets bijzonders hoor.'
Omdat ze hun rekening al getekend hadden, stonden de vrouwen op. Een paar hulpkelners kwamen aangerend om hun stoel naar achteren te trekken. Het restaurant was nu helemaal vol waardoor ze tussen een groep mensen door moesten lopen die op een tafel stonden te wachten. In de lobby namen ze afscheid van elkaar met de belofte later verder te praten. Net toen ze weg wilde lopen bedacht Jennifer nog iets anders. 'Ik denk dat ik eens ga kijken hoe dat zit met CNN als dat mogelijk is. Zou je het heel vervelend vinden om je vriend te vragen hoe laat het precies was in New York toen hij dat bericht over je man zag?'
'Met plezier. Ik was al van plan om hem terug te bellen. Ik weet dat hij het vreselijk vond dat hij me het nieuws had verteld.'
Ze stonden opnieuw op het punt om uit elkaar te gaan toen Lucinda zei: 'Dank je dat je me hebt aangemoedigd om uit mijn kamer te komen. Ik denk dat dit veel beter was, en ik ben bang dat ik het uit mijzelf niet gedaan zou hebben.'
'Het was me een genoegen,' antwoordde Jennifer. En ze pakte haar telefoon om de chauffeur te bellen.

14

17 oktober 2007
woensdag 13.42 uur
New Delhi, India

'Hoe lang blijft u weg, mevrouw?' vroeg de chauffeur terwijl hij het portier van de auto voor haar openhield. Tijdens de rit van het hotel naar het ziekenhuis had Jennifer ongeveer twintig minuten geslapen en ze voelde zich daardoor nog veel slechter dan eerst. Maar toch wilde ze met Kashmira Varini praten.

'Ik weet het niet zeker,' zei Jennifer, terwijl ze omhoog keek naar het ziekenhuis. Ze was net op het idee gekomen eens naar de derde verdieping te gaan waar volgens zeggen de kamer van haar grootmoeder was geweest, om te zien of ze de dagzuster kon vinden die aan haar was toegewezen. 'Maar het zal niet lang zijn. Niet nu ik me zo voel.'

'Ik zal proberen hier te blijven staan,' zei de chauffeur en wees naar de grond. 'Maar als de portiers me wegsturen kunt u mijn mobiele telefoon bellen.'

'Geen probleem,' zei Jennifer.

Net als bij haar eerdere bezoek openden de twee kleurrijke portiers de dubbele deuren voor haar zonder dat ze een woord hoefde te zeggen. Omdat het buiten warmer was dan eerder die ochtend voelde het binnen nog koeler aan. Wat haar betrof stond de airconditioning beslist te hoog. Op dat moment waren er veertig tot vijftig mensen in de lobby, allemaal Indiërs uit de hogere middenklasse of gefortuneerde buitenlanders. Bij de opnamebalie stond een aantal mensen, van wie sommigen in een rolstoel. Leden van de ziekenhuisstaf waren met de nieuwe patiënten bezig in verschillende stadia van het opnameproces. Toen ze een blik in de richting van de koffiehoek wierp zag Jennifer dat hij helemaal vol zat, terwijl er nog een aantal mensen stond te wachten voor een tafeltje.

Met de zelfverzekerdheid die ze had opgedaan tijdens al die uren die ze in een ziekenhuis had doorgebracht, aarzelde Jennifer geen seconde en liep op de liften af. Toen ze erin stapte controleerde ze even of de knop

voor de derde verdieping was ingedrukt en trok zich toen terug op de achtergrond.
De patiëntenafdeling was een van de mooiste die Jennifer ooit gezien had, en ze had er heel wat gezien. De vloer was bedekt met een aantrekkelijk gekleurd, geluidabsorberend industrieel tapijt van uitstekende kwaliteit en in combinatie met een hightech akoestisch plafond en wanden van geluiddempend materiaal, werd het geluid van de omgeving gereduceerd tot bijna nul. Zelfs een grote, volgeladen maaltijdentrolley was nauwelijks hoorbaar toen hij achter Jennifer langsreed terwijl ze naar de zusterspost liep.
Verschillende patiënten waren net teruggekeerd van de operatieafdeling dus iedereen was druk bezig, inclusief de receptioniste van de verdieping. Jennifer keek alleen maar toe. Ze was onder de indruk hoe vergelijkbaar de protocollen hier op de afdeling leken te zijn met wat ze kende van het UCLA Medical Center, ondanks het feit dat ze aan de andere kant van de wereld in een ontwikkelingsland was.
In relatief korte tijd waren de net gearriveerde, postoperatieve patiënten in hun kamers geïnstalleerd, gestabiliseerd en weer herenigd met hun naaste familie. Net zo plotseling als het was begonnen, nam de activiteit af. Op dat moment zag de receptioniste, met een naamkaartje waarop alleen KAMNA stond, Jennifer. 'Kan ik u helpen?' vroeg ze.
'Ik denk het wel,' antwoordde Jennifer. Ze vroeg zich af of Kamna een naam was of iets betekende als 'receptioniste'. 'Ik ben Jennifer Hernandez en ik ben de kleindochter van Maria Hernandez. Volgens mij was ze patiënte op deze afdeling.'
'Dat klopt,' zei Kamna. 'Ze lag in kamer 408. Het spijt me heel erg.'
'Mij ook. Komt dat hier vaker voor?'
'Ik begrijp niet goed wat u bedoelt.'
'Zijn er relatief veel sterfgevallen?'
Kamna schrok terug, bijna alsof Jennifer haar had geslagen. Ook het hoofd van een van de verpleegsters achter een computer schoot omhoog met een geschokte uitdrukking op haar gezicht.
'Nee, dat komt heel weinig voor.'
'Maar er was nog een tweede geval vannacht, rond dezelfde tijd. Dat is twee achter elkaar.'
'Dat is zo,' gaf Kamna zenuwachtig toe. Ze keek hulpzoekend naar de verpleegster.

'Ik ben zuster Kumar,' zei de vrouw. 'Ik ben de hoofdzuster op deze afdeling. Kan ik u helpen?'
'Ik wil graag spreken met degene die mijn grootmoeder heeft verpleegd.'
'Eigenlijk waren dat er twee. De eerste was juffrouw Veena Chandra, die nieuw is hier, en omdat ze nieuw is werd een seniorverpleegster, Shruti Aggrawal, aangewezen als supervisor.'
'Ik neem aan dat het dus juffrouw Chandra is geweest die daadwerkelijk met mijn grootmoeder te maken had?'
'Dat klopt. Alles is volkomen normaal verlopen. Er waren absoluut geen complicaties. Het ging uitstekend met mevrouw Hernandez.'
'Is juffrouw Chandra aanwezig?'
Zuster Kumar zweeg even terwijl ze Jennifer scherp opnam. Misschien was ze bang dat Jennifer gestoord was en naar het ziekenhuis was gekomen om wraak te nemen. Iedereen was zich pijnlijk bewust van het overlijden van mevrouw Hernandez. Maar kennelijk kon Jennifer ermee door.
'Ik denk het wel. Ik zal even kijken of ze tijd heeft.'
'Perfect,' zei Jennifer.
Zuster Kumar stond op, liep een stukje de gang in en verdween na nog een snelle blik op Jennifer in een patiëntenkamer.
Jennifer keek weer naar Kamna, die geen spier vertrokken had. Ze was duidelijk niet zeker van Jennifers stemming en bedoelingen. Jennifer glimlachte naar haar, met de bedoeling de vrouw te kalmeren, die keek als een konijn dat op het punt stond te vluchten. De vrouw glimlachte even terug, maar nog gemaakter en korter dan Jennifer. Voor ze haar op haar gemak kon stellen, zag Jennifer zuster Kumar uit de patiëntenkamer komen met een jonge verpleegster achter zich aan. Jennifer knipperde met haar ogen. Zelfs in een verpleegstersuniform zag de pas aangenomen verpleegster eruit als een schoonheidskoningin of een filmster of, nog ergerlijker wat Jennifer betrof, als een lingeriemodel. Ze was het soort vrouw waardoor Jennifer zich altijd dik voelde. Ze had een perfect lichaam en een gezicht dat de droom van elke fotograaf was.
'Dit is zuster Veena Chandra,' zei de hoofdzuster toen de vrouwen bij de zusterpost kwamen. Op hetzelfde moment arriveerde de lift en stapte een van de geüniformeerde bewakers die Jennifer beneden had gezien uit. Omdat hij op de achtergrond leek te blijven rondhangen, had Jennnifer het gevoel dat de hoofdzuster naar beneden had gebeld toen ze uit het zicht was.

Veena begroette Jennifer met de handpalmen tegen elkaar. Jennifer probeerde het gebaar na te doen. Veena was van dichtbij nog mooier, met een smetteloze, gebronsde huid en fantastische groene ogen, die Jennifer betoverend vond. Het probleem was dat de ogen die van haar, op een kort moment na, ontweken, alsof Veena verlegen was of zich op de een of andere manier slecht op haar gemak voelde in Jennifers aanwezigheid.
'Ik ben Jennifer, de kleindochter van mevrouw Hernandez.'
'Ja, dat heeft zuster Kumar me verteld.'
'Mag ik je een paar vragen stellen?'
Veena wierp een snelle, onzekere blik op haar hoofdzuster, die knikte dat het goed was.
'Jawel.'
'Misschien kunnen we daar even bij het raam gaan zitten,' zei Jennifer terwijl ze naar een kleine zithoek met een moderne bank en twee stoelen wees. Ze voelde zich te veel op de huid gezeten door de hoofdzuster en de receptioniste, die erbij stonden als standbeelden maar naar elk woord luisterden.
Veena keek opnieuw naar zuster Kumar, wat Jennifer verbaasde. De vrouw gedroeg zich alsof ze twaalf was, terwijl ze vermoedelijk al over de twintig was, ook al was het nog maar net. Het leek alsof ze overal liever was dan hier, waar ze met Jennifer moest praten.
Zuster Kumar haalde haar schouders op en wees naar de zithoek.
'Ik hoop dat je het niet vervelend vindt,' zei Jennifer tegen Veena terwijl ze gingen zitten. 'Ik wist niet eens dat mijn grootmoeder in India was toen ik hoorde dat ze was overleden. Ik ben dus niet erg blij met haar dood, om het maar zacht uit te drukken, en ik wil er graag meer over weten.'
'Nee, ik vind het niet vervelend,' antwoordde Veena nerveus. 'Het is prima.' Even zag ze in gedachten het beeld van Maria Hernandez' vertrokken gezicht.
'Je lijkt wel heel zenuwachtig,' zei Jennifer, terwijl ze vergeefs probeerde oogcontact te maken.
'Misschien ben ik bang dat u boos op me bent.'
Jennifer begon in een reflex te lachen, niet hard maar meer van verrassing. 'Waarom zou ik boos moeten zijn op jou? Je hebt mijn grootmoeder geholpen. Jemig. Nee, ik ben niet boos. Ik ben je dankbaar.'
Veena knikte maar leek niet overtuigd, hoewel ze iets meer oogcontact maakte.

'Ik wilde alleen maar vragen hoe ze zich gedroeg. Leek ze gelukkig? Heeft ze geleden?'
'Het ging prima. Ze heeft niet geleden. Ze heeft zelfs over u gepraat. Ze vertelde me dat u dokter werd.'
'Dat klopt,' zei Jennifer. Ze was niet verbaasd. Haar grootmoeder was heel erg trots geweest op wat Jennifer deed, en schepte er tot haar ergernis over op tegen iedereen die maar wilde luisteren. Jennifer probeerde te bedenken wat ze nog meer kon vragen. Ze had er eigenlijk van tevoren niet erg over nagedacht. 'Ben jij degene die Maria heeft gevonden na haar hartaanval?'
'Nee!' zei Veena met nadruk. 'Nee, nee,' herhaalde ze. 'Mevrouw Hernandez overleed tijdens de avonddienst. Ik werk overdag en ben vanaf halfvier vrij. Ik was thuis. Ik werk hier deze maand voor het eerst en ik heb overdag nog toezicht.'
Jennifer keek de jonge verpleegster aan die ongeveer even oud was als zij. Jennifer kon het gevoel niet van zich afzetten dat er iets niet klopte, alsof ze niet helemaal op dezelfde golflengte zaten. 'Kan ik je een paar persoonlijke vragen stellen?'
Veena knikte aarzelend.
'Ben je pas van de opleiding gekomen?'
'Ongeveer drie maanden geleden.'
'Is mijn grootmoeder de eerste patiënt die je hebt verloren?'
'Ja,' knikte Veena weer. 'De eerste privépatiënt.'
'Dat spijt me. Het is nooit makkelijk, of je nu de dokter, de verpleegster of zelfs student bent, en ik ben zeker niet boos op je. Op het lot misschien, maar niet op jou. Ik weet niet of je gelovig bent, maar als dat wel het geval is, geeft je religie je dan geen steun? Ik bedoel, het was kennelijk mijn grootmoeders karma om te vertrekken uit dit leven, en misschien hoeft ze in haar volgende leven niet zo hard te werken. Ze heeft haar hele leven altijd heel hard gewerkt en niet voor haarzelf. Ze was een ongelooflijk genereus mens. De allerbeste.'
Toen Jennifer zag dat Veena tranen in haar ogen kreeg, dacht ze dat ze de reden van de angst van de verpleegster had gevonden. Oma was haar eerste sterfgeval geweest als gediplomeerd verpleegster, en Jennifer kon zich wel voorstellen dat dat het zwaar was. 'Je bent een schat dat je het zo erg vindt,' voegde Jennifer eraan toe. 'Ik wil je geen rotgevoel geven, maar ik heb nog een paar vragen. Wat weet je nog meer over mijn grootmoeders

overlijden? Wie heeft haar gevonden en onder welke omstandigheden? En hoe laat was het?'
'Het was Theru Wadhwa die haar heeft gevonden toen hij naar haar toe ging om te vragen of ze een slaapmiddel wilde,' zei Veena terwijl ze haar ogen afveegde met een knokkel. 'Hij dacht dat ze sliep tot hij zag dat haar ogen open waren. Ik heb het hem gisteravond gevraagd toen hij weer kwam werken, omdat ze immers mijn patiënte was.'
'Hoe laat was het, weet je dat?' vroeg Jennifer. Nu ze het geheim van de jonge vrouw had ontdekt en het onderwerp had aangesneden, verwachtte Jennifer dat ze zich wel zou ontspannen. Maar dat was niet het geval. Ze leek zelfs nog banger. Ze wrong haar handen in haar schoot alsof ze meededen aan een worstelwedstrijd.
'Ongeveer halfelf.'
'Omdat je met de verpleger zelf hebt gesproken kun je me misschien vertellen of hij haar op een bepaalde manier beschreef? Ik bedoel, zag ze er kalm uit, alsof het een vredige dood was geweest? Heeft hij daar iets over gezegd?'
'Hij zei dat ze een blauwe kleur had toen hij de lichten aandeed en alarm sloeg.'
'Dus ze hebben geprobeerd haar te reanimeren.'
'Heel even maar. Hij zei dat het duidelijk was dat ze dood was. Er was helemaal geen hartactiviteit meer en ze was koud en al een beetje stijf.'
'Dat is inderdaad dood. En hoe zit het met de blauwe kleur? Weet je of hij meer grijs of echt blauw bedoelde?'
Veena wendde haar blik af alsof ze nadacht. Haar handen grepen de leuningen van de stoel. 'Ik denk dat hij blauw bedoelde.'
'Cyanoseblauw?'
'Ik denk het. Dat nam ik aan.'
'Dat is vreemd bij een hartaanval.'
'Is dat zo?' vroeg Veena een beetje verbaasd.
'Zei hij dat ze helemaal blauw was of had ze alleen maar bijvoorbeeld blauwe lippen en blauwe vingertoppen?'
'Ik weet het niet. Ik denk helemaal blauw.'
'En hoe zit het met meneer Benfatti?' vroeg Jennifer, snel van onderwerp veranderend. Ze moest plotseling denken aan verhalen over zogenaamde 'engelen des doods', seriemoordenaars in de gezondheidszorg, vaak ook degenen die hun slachtoffers na de daad 'vonden', en soms zelfs probeerden te redden.

‘Wat is er met meneer Benfatti?’ vroeg Veena, verbaasd.
‘Heeft die verpleger Wad- en nog iets hem toevallig ook gevonden gisteravond?’ vroeg Jennifer. Ze wist dat het antwoord ontkennend zou zijn maar ze moest het vragen.
‘Nee,’ sputterde Veena. ‘Meneer Benfatti lag niet op deze verdieping. Hij lag op de tweede. Ik weet niet wie hem heeft gevonden.’
‘Mevrouw Hernandez!’ klonk het plotseling achter Jennifer. Ze draaide zich geschrokken om. Het was hoofdzuster Kumar die van de centrale balie op hen af kwam lopen.
‘Ik ben bang dat mevrouw Chandra weer naar haar patiënt moet. Ik heb ook naar beneden naar mevrouw Kashmira Varini gebeld om haar te laten weten dat u hier bent. Ze heeft me gevraagd u te vragen naar haar kantoor te komen. Ze zei dat u wist waar dat was. Ik ben ervan overtuigd dat zij alle vragen die u verder nog mocht hebben, kan beantwoorden.’
Zuster Kumar gebaarde dat Veena weer terug moest gaan naar haar taken. Zowel Jennifer als Veena stond op.
‘Heel erg bedankt,’ zei Jennifer. Ze schudde Veena’s hand en was verrast dat die ijskoud was.
‘Graag gedaan,’ zei Veena aarzelend, terwijl ze haar houding van verlegen meisje weer aannam. Haar ogen schoten schuldbewust heen en weer tussen de twee vrouwen. ‘Ik ga weer aan het werk.’
Jennifer keek haar na toen ze wegwandelde. Spijtig bedacht ze hoe weinig ze maar zou mogen eten en hoeveel ze zou moeten trainen om een vergelijkbaar figuurtje te krijgen. Ze richtte haar aandacht weer op zuster Kumar en zei: ‘Een mooie vrouw.’
‘Vindt u?’ vroeg zuster Kumar stijfjes. ‘Ik neem aan dat u weet waar het kantoor van mevrouw Varini is?’
‘Jazeker,’ gaf Jennifer toe. ‘Dank u dat ik even met haar heb kunnen praten.’
‘Heel graag gedaan,’ zei zuster Kumar, maar toen draaide ze zich abrupt om en liep terug naar de zusterspost.
Met het gevoel dat ze op de vingers was getikt liep Jennifer naar de liften. Ze overwoog even om te vragen of ze oma’s kamer mocht zien, maar veranderde toch weer van gedachten. Ze wist dat hij eruit zou zien als elke ziekenhuiskamer, alleen wat luxueuzer. Toen de lift kwam en ze erin stapte, merkte ze dat de bewaker die eerder op de verdieping was gearriveerd ook instapte. Ze werd duidelijk met grote omzichtigheid behandeld.

Toen de lift naar beneden gleed, dacht Jennifer na over het gesprek dat ze had gehad met de pas aangenomen verpleegster. Ze was geroerd dat de vrouw nog zo emotioneel was over oma's overlijden, want ze had de afgelopen dagen vermoedelijk maar een paar uur in oma's aanwezigheid doorgebracht. Natuurlijk was het meest interessante aan het gesprek oma's kennelijke cyanose. Jennifer sloot haar ogen even en dacht terug aan haar fysiologiecolleges, terwijl ze probeerde zich te herinneren wat voor soort hartaanval algehele cyanose zou kunnen veroorzaken. Helaas kon ze niets bedenken. Het enige wat bij haar opkwam was mogelijke aspiratie en verstikking door voeding. Bij een algehele cyanose was er met de pompfunctie van oma's hart niks aan de hand geweest. Het waren haar longen geweest die hun werk niet meer deden.

Jennifer opende haar ogen. Het deed toch echt denken aan verstikking. Misschien had iemand haar grootmoeder wel laten stikken waardoor een algehele cyanose was veroorzaakt. Maar zodra dit idee bij haar opkwam liet Jennifer het alweer varen. Ze begreep niet hoe ze zo paranoïde kon worden en schaamde zich een beetje. Ze wist heus wel dat niemand oma had laten stikken.

De lift arriveerde in de lobby en bijna iedereen stapte uit, inclusief Jennifer die bewust de bewaker, die de deuren openhield, even recht aankeek. 'O, dankuwel,' zei ze stralend. De bewaker reageerde verbaasd dat hij werd aangesproken maar zei niets terug.

Zonder tijd te verliezen liep Jennifer om de marmeren ontvangstbalie heen naar Kashmira Varini's open deur. Ze klopte op de deurpost. Kashmira zat aan haar bureau een formulier in te vullen.

'Komt u binnen, alstublieft,' zei ze toen ze opkeek. Ze ging staan en bracht de gebruikelijke groet, waar Jennifer slechts met een licht buigen van het hoofd op reageerde. Kashmira wees naar een stoel en Jennifer ging gehoorzaam zitten. Daarna keek ze Kashmira aan.

'Dank u dat u teruggekomen bent,' zei Kashmira. 'Ik hoop dat u goed hebt geslapen.'

'Ik heb geen oog dichtgedaan.'

'O!' riep Kashmira uit die kennelijk een positievere reactie had verwacht op wat ze meer als een retorische vraag had bedoeld. Ze hoopte beslist het gesprek wat beter te beginnen dan het die ochtend was geëindigd. 'Hebt u iets gegeten? Ik zou een sandwich of een salade voor u kunnen bestellen.'

'Ik heb geluncht, dank u.'

'Hebt u de consul op de ambassade gesproken?'
'Nee,' zei Jennifer en voegde eraan toe, 'mevrouw Varini...'
'Noem me alsjeblieft Kashmira.'
'Oké, Kashmira. Ik denk dat we open kaart moeten spelen. Ik heb je vanochtend specifiek naar meneer Benfatti gevraagd. Je hebt toen tegen me gelogen. Je zei dat je niets wist over een meneer Benfatti, maar daarna hoorde ik dat je zijn zorgmanager was. Hoe kan dat?'
Even overwoog Kashmira haar woorden. Ze schraapte haar keel voor ze begon te praten. 'Daar bied ik mijn verontschuldigingen voor aan. Het kwam door mijn frustratie. Ik probeerde u ervan te overtuigen bij het onderwerp van uw grootmoeder te blijven en een beslissing te nemen, wat niet zo moeilijk zou moeten zijn. U zult begrijpen dat we niet over andere patiënten praten. Dat had ik moeten zeggen. Ik moet bekennen dat ik mijn geduld met u verloor, en dat is tot op zekere hoogte nog het geval. Ik heb net een telefoontje gehad van Lucinda Benfatti en ze heeft me laten weten dat u haar speciaal hebt geadviseerd ook te wachten met het nemen van een beslissing. Ik weet dat ze erover dacht te wachten tot haar zoons er waren maar ik hoopte dat ik haar kon overhalen, als de schok een beetje gezakt was, hun naar hun voorkeur te vragen voor ze aan hun reis begonnen zodat alles op passende wijze afgehandeld kon worden. Zo is het in het verleden altijd gegaan. Dit soort problemen heeft zich nooit eerder voorgedaan.'
'Wilt u zeggen dat het hier regelmatig voorkomt dat er een patiënt overlijdt?'
'Integendeel,' zei Kashmira met nadruk. 'U moet mijn woorden niet verdraaien.'
'Oké, oké,' zei Jennifer, bang dat ze een beetje te ver was gegaan. 'Dank u voor uw verontschuldiging. Die is hierbij aanvaard. Ik ben onder de indruk van uw verklaring. Ik had niet het idee dat er een goede verklaring voor kon zijn.'
'De toestand rond uw grootmoeder heeft me volledig van mijn stuk gebracht.'
'Goed om te weten dat we het tenminste over één ding eens zijn,' mompelde Jennifer.
'Neem me niet kwalijk?'
'Laat maar,' zei Jennifer. 'Dat was een slechte grap. Maar ik zou wel graag de overlijdensverklaring van mijn grootmoeder willen zien.'
'Waarom in hemelsnaam?'

'Ik wil zien wat er als doodsoorzaak op wordt vermeld.'
'Het was een hartaanval, zoals ik al heb gezegd.'
'En toch wil ik die graag zien. Hebt u de verklaring, of een kopie misschien?'
'Ja, die heb ik. Hij zit in het patiëntendossier.'
'Mag ik de verklaring even zien? Ik neem aan dat ik ooit toch wel een kopie zal krijgen. Het is geen staatsgeheim.'
Kashmira dacht even na, haalde haar schouders op en duwde zichzelf in haar stoel naar een rij dossierkasten. Ze trok een van de laden open, liet haar blik over de tabs gaan en haalde er uiteindelijk een map uit. Ze opende hem en pakte een zeer Indiaas uitziend officieel document. Ze rolde weer terug naar haar bureau en overhandigde het document aan Jennifer.
Jennifer pakte het aan. Ze voelde een steek van emotie door zich heen gaan toen ze de naam van haar grootmoeder zag. Het document was in het Hindi en in het Engels opgesteld, zodat ze er geen moeite mee had het te lezen. Ze keek naar de handgeschreven aantekeningen over de doodsoorzaak, een hartaanval, en het tijdstip van overlijden, 22.35 uur, 15 oktober 2007. Jennifer prentte de informatie in haar hoofd en gaf het papier terug aan Kashmira. Kashmira deed het weer in de map en stak de map weer terug op de juiste plaats in de kast.
Terwijl ze haar stoel nog een keer terugrolde naar het bureau keek Kashmira naar Jennifer. 'Zo! Ik geloof dat we alles hebben besproken. Kunt u me dan nu zeggen wat we moeten doen, cremeren of balsemen?'
Jennifer schudde haar hoofd. 'Ik weet het nog steeds niet. Maar er gloort hoop aan de horizon. Het mooie is dat mijn grootmoeder het kindermeisje is geweest van een vrouw die patholoog-anatoom is geworden. Ik heb met haar gesproken. Ze is op weg hiernaartoe en komt, althans dat is de bedoeling, morgenavond hier aan. Ik zal op haar advies en dat van haar echtgenoot, die eveneens patholoog-anatoom is, afgaan.'
'Ik moet u eraan herinneren dat dat, patholoog-anatoom of niet, geen verschil zal maken. Er komt geen autopsie, punt uit. Dat is en zal niet worden goedgekeurd.'
'Misschien wel, misschien niet. Maar ik heb nu tenminste het gevoel dat er iemand aan mijn kant staat. Ik weet dat ik zelf niet helder kan nadenken. Ik ben compleet uitgeput, maar ik kan niet slapen.'
'Misschien kan ik een slaapmiddel voor u regelen?'

'Nee, bedankt,' zei Jennifer. 'Wat ik wel graag wil is een kopie van mijn grootmoeders dossier.'
'Dat kan worden geregeld, maar dat duurt wel vierentwintig uur.'
'Prima! En ik wil graag met de hoofdchirurg spreken.'
'Hij heeft het heel druk. Als u specifieke vragen hebt, kunt u die opschrijven en dan zal ik antwoorden proberen te krijgen.'
'Wat als er sprake is van medische fouten?'
'Er bestaat niet zoiets als medische fouten in een internationale situatie. Sorry.'
'Ik moet zeggen dat u niet erg meewerkt.'
'Luister, juffrouw Hernandez. U zou ons ongetwijfeld behulpzamer vinden als u met óns zou meewerken. Echt,' zei Kashmira. 'Ik kan iets voor u regelen om te slapen. Misschien dat u na een goede nachtrust weer helder kunt nadenken en begrijpt dat u een keuze moet maken. Uw grootmoeder kan niet in onze koelruimte blijven.'
'Dat begrijp ik ook wel,' zei Jennifer. 'Waarom brengt u het lichaam niet over naar een regulier mortuarium in de stad?'
'Dat is onmogelijk. Openbare mortuaria in ons land zijn afgrijselijk door onze ingewikkelde bureaucratie. Ze worden beheerd door het ministerie van Binnenlandse Zaken en niet door het ministerie van Gezondheid, zoals zou moeten, en het ministerie van Binnenlandse Zaken heeft er weinig belangstelling voor en stelt er veel te weinig geld voor beschikbaar. Sommige hebben geen koeling, andere maar af en toe, en de lichamen gaan zeker rotten. Bot gezegd, we kunnen dat uw grootmoeder niet aandoen vanwege de potentiële negatieve reacties in de media. We proberen u te helpen. Help ons dan ook alstublieft!'
Plotseling voelde Jennifer zich draaierig worden. Ze stond op. Hoewel ze nog steeds niet erg tactvol waren, probeerde het Queen Victoria het nu kennelijk met smeken in plaats van intimidatie. 'Ik ga terug naar het hotel,' bracht Jennifer uit. 'Ik moet rusten.'
'Ja, ga maar eens lekker lang slapen,' zei Kashmira. Ze stond eveneens op en boog haar hoofd over haar tegen elkaar gedrukte handen.
Jennifer struikelde de overvolle lobby in, waar nog een tiental mensen stond om te worden opgenomen. Ze liep naar de glazen deur en zocht haar auto en haar chauffeur op de kleine parkeerplaats van het ziekenhuis. Toen ze deze niet zag haalde ze haar mobiele telefoon tevoorschijn en toetste het nummer in.

15

17 oktober 2007
woensdag 14.55 uur
New Delhi, India

Kashmira keek hoe Jennifer haar weg tussen de mensen in de lobby door zocht. Nog nooit hadden naaste familieleden het haar zo moeilijk gemaakt. Toen ze erin geslaagd was de vrouw over te halen naar India te komen had ze gedacht dat het probleem met Maria Hernandez' lichaam voorbij zou zijn. Maar het probleem werd alleen maar groter, met niet een maar twee pathologen-anatomen onderweg om hun mening te geven. Kashmira wist dat algemeen directeur Rajish Bhurgava niet blij zou zijn.

Zodra Jennifer de lobby verliet liep Kashmira haar kantoor uit, de hal door, naar Rajish' hoekkantoor.

'Kan ik hem spreken?' vroeg Kashmira aan zijn privésecretaresse.

'Ik geloof het wel,' zei de secretaresse. 'Maar hij is niet in een goed humeur.' Ze informeerde via de intercom en gebaarde naar Kashmira dat ze door kon lopen terwijl er tegelijkertijd een gesprek binnenkwam via een buitenlijn.

Tussen de telefoontjes door zat Rajish een stapel brieven te lezen, die hij vervolgens met een snelle krabbel ondertekende. In tegenstelling tot de casual cowboyuitrusting die hij droeg als hij 's nachts werd opgeroepen, droeg hij nu een westers designerkostuum, een wit shirt en een Gucci-stropdas.

'Is ze teruggekomen vanmiddag?' vroeg Rajish toen Kashmira de deur van zijn kantoor sloot en naar zijn bureau toe kwam lopen. Tijdens de lunch had ze hem op de hoogte gebracht over Jennifers koppige en eigenwijze houding van die ochtend. Maar ze had eraan toegevoegd dat ze optimistisch was dat Jennifer na een beetje slaap redelijker zou zijn. Ze had ook Jennifers opmerking over een autopsie aan Rajish overgebracht. Deze nieuwe informatie had hem het geïrriteerde commentaar ontlokt

dat er onder geen beding sprake kon zijn van een autopsie. Hij voegde hieraan toe dat hij beslist niet het risico wilde lopen dat er echt pathologie gevonden zou worden waar ze voor de operatie van hadden moeten weten. Kashmira had hem ook verteld dat Jennifer de naam Benfatti had laten vallen, en Rajish had haar gevraagd hoe Jennifer over zijn overlijden had gehoord. Kashmira had moeten bekennen dat ze daar geen idee van had. Alles bij elkaar was Rajish geen fan van Jennifer Hernandez.
'Ze is net vertrokken,' knikte Kashmira in antwoord op Rajish' vraag.
'En?' snauwde Rajish. Met een tweede sterfgeval in twee nachten was hij in een heel slechte stemming. Ook de vorige nacht was hij gebeld door de machtige Ramesh Srivastava en geïnformeerd dat CNN International een bericht had uitgezonden over een tweede overlijden in Rajish' ziekenhuis, voor het ziekenhuis hem had gebeld. Hoewel de hooggeplaatste ambtenaar Rajish niet direct bedreigd had, was de implicatie van schuld pijnlijk duidelijk.
'Het wordt nog erger, ben ik bang. Ze zegt nu dat ze wil wachten tot vrijdag voor ze een beslissing neemt. Kennelijk werkte de overleden vrouw voor iemand die patholoog-anatoom is geworden. Deze persoon zal morgenavond aankomen.'
Rajish sloeg zijn hand tegen zijn voorhoofd en wreef krachtig met zijn duim en wijsvinger over zijn slapen. 'Dat kan niet waar zijn,' kreunde hij.
'Daar komt nog bij dat deze vrouw haar echtgenoot meebrengt, die eveneens patholoog-anatoom is.'
Gealarmeerd liet Rajish zijn hand zakken en staarde Kashmira aan. 'We gaan te maken krijgen met twee Amerikaanse pathologisch specialisten?'
'Blijkbaar.'
'Heb je juffrouw Hernandez heel duidelijk gemaakt dat er geen autopsie zal komen?'
'Ja, dat heb ik gedaan, zowel vanochtend als vanmiddag. Volgens mij berust het feit dat de vrouw die komt patholoog-anatoom is op toeval. Dus we moeten niet te snel onze conclusies trekken.'
Rajish kiepte zijn stoel naar achteren tot hij recht naar het plafond kon kijken. 'Wat heb ik gedaan om deze problemen te verdienen? Ik probeer alleen maar om het allemaal buiten de media te houden na de eerste uitzendingen van CNN.'
'Wat dat betreft is er nog steeds niks aan de hand. Er zijn hier gisteren en vandaag geen mensen van de media geweest.'

'Godzijdank, maar dat kan elk moment veranderen, vooral met twee sterfgevallen.'
'Juffrouw Hernandez zal mogelijk ook daarin verandering brengen.'
Er klonk luid gepiep toen Rajish plotseling naar voren schoot en Kashmira aangaapte. 'Hoe gaat ze dat doen?'
'Op de een of andere manier hebben zij en de weduwe Benfatti elkaar ontmoet. Lucinda Benfatti belde even geleden om nog eens te benadrukken dat ook zij niet wil dat er iets met het lichaam van haar echtgenoot gebeurt voor haar zoons hier vrijdag arriveren. Je weet nog wel dat ze dat gisteravond ook al zei, maar we dachten allebei dat de kans bestond dat ze vandaag van gedachten zou veranderen als ik met haar sprak. Maar nee. In feite vertelde zij me ook over de komst van Jennifer Hernandez' pathologenvrienden en dat ze had gevraagd of ze ook naar haar echtgenoot konden kijken. Als de media hier lucht van krijgen, zullen ze er bovenop springen.'
Rajish liet de palm van zijn hand met kracht op zijn bureau neerkomen. Een aantal brieven die hij nog moest lezen wapperden op de grond. 'Die vrouw is een plaag die haar koppigheid overbrengt op anderen. Ik ben bang dat we de situatie binnenkort niet meer stil zullen kunnen houden. De meeste mensen in de rouw zijn emotioneel te verlamd om problemen te veroorzaken. Wat is er met die meid aan de hand?'
'Ze is koppig, zoals ik al zei,' gaf Kashmira toe.
'Is ze religieus?'
'Ik heb geen idee. Ze heeft niks gezegd waar ik dat uit zou kunnen opmaken. Waarom vraag je dat?'
'Ik dacht net dat als ze religieus was, we haar een aanbod zouden kunnen doen met haar grootmoeders lichaam.'
'Hoe bedoel je?'
'Bied aan om het te laten cremeren in de wereldberoemde crematie-*ghats* van Varanasi, waarna de as uitgestrooid zal worden in de Ganges.'
'Maar dat privilege is voorbehouden aan hindoes.'
Rajish maakt een gebaar alsof hij een vlieg wegwuifde. 'Met een beetje extra aandacht voor de brahmaan van de *ghats* van Jalore is dat probleem ook opgelost. Misschien kan juffrouw Hernandez worden overgehaald. Het kan worden voorgesteld als een extra gunst tegenover de overledene. We zouden het mevrouw Benfatti ook kunnen aanbieden.'
'Ik ben niet optimistisch,' zei Kashmira. 'Ze maken geen van tweeën een

bijzonder religieuze indruk, en gecremeerd worden in Varanasi heeft alleen maar betekenis voor hindoes. Maar ik zal een poging wagen. Juffrouw Hernandez heeft zelf toegegeven dat ze er misschien anders over zal denken als ze wat geslapen heeft. Ze is uitgeput en heeft last van een jetlag. Misschien kan ze hiermee overgehaald worden.'

'We moeten deze lichamen uit de koelruimtes van het restaurant krijgen,' benadrukte Rajish. 'Vooral nu het ziekenhuis onder toezicht van de International Joint Commission staat. We kunnen het ons niet veroorloven te falen vanwege een dergelijke incidentele schending van de regels. Ondertussen zal ik Ramesh Srivastava terugbellen en hem vertellen dat we heel veel te stellen hebben met die meid van Hernandez.'

'Ik heb mijn uiterste best gedaan met haar, echt waar. Ik ben heel direct geweest. Meer dan bij andere naaste familieleden.'

'Dat weet ik. Het probleem is dat we maar beperkte mogelijkheden hebben. Dat geldt niet voor Ramesh Srivastava. Hij heeft de macht van de hele Indiase bureaucratie achter zich. Als hij wil kan hij zelfs de twee forensische vrienden van juffrouw Hernandez buiten het land houden.'

'Ik hou u op de hoogte van eventuele veranderingen,' zei Kashmira, terwijl ze zich omdraaide om te gaan.

'Heel graag,' zei Rajish en zwaaide even. Hij vroeg zijn secretaresse via de intercom meneer Ramesh Srivastava te bellen. Hij keek er bepaald niet naar uit. Srivastava was heel machtig en kon Rajish met een knip van zijn vingers laten ontslaan.

16

17 oktober 2007
woensdag 15.15 uur
New Delhi, India

Het was geen goede dag geweest voor Ramesh Srivastava. Het begon al op het moment dat hij die ochtend op zijn kantoor was gekomen en de onderminister van Gezondheid hem belde om te vertellen dat de minister van Gezondheid woedend was over het tweede bericht dat CNN International over India's opkomende medische toeristenindustrie had uitgezonden. Daarna waren de telefoontjes blijven komen. Ze kwamen van zowel het ministerie van Gezondheid en Familiezaken als van de president van de Indiase gezondheidszorgfederatie, en zelfs van de minister van Toerisme, die hem er allemaal aan herinnerden dat hij aan het hoofd stond van het departement voor medisch toerisme, het departement dat nu de meest negatieve pr ooit kreeg. Elke beller herinnerde hem er ook aan dat zij de macht hadden een einde te maken aan zijn carrière als hij er niet iets aan deed, en wel heel snel. Het probleem was dat hij niet wist wat hij moest doen. Hij had geprobeerd erachter te komen waar CNN zijn informatie vandaan haalde, maar zonder succes.

'Ene meneer Rajish Bhurgava is aan de lijn,' zei Ramesh' secretaresse toen hij na zijn drie uur durende lunch weer in zijn kantoor verscheen. Ramesh rende zijn kamer in en greep de hoorn van de haak. 'Heb je het lek gevonden?' vroeg hij zonder omwegen.

'Een ogenblik,' zei Rajish' secretaresse. 'Ik geef u meneer Bhurgava.'

Ramesh vloekte zachtjes terwijl hij zich in zijn bureaustoel liet vallen. Hij was een grote, kalende man met waterige ogen en diepe littekens van acne op zijn jukbeenderen. Hij tikte met dikke, ongeduldige vingers op zijn bureau. Zodra Rajish Bhurgava aan de lijn kwam gooide hij dezelfde vraag eruit, met dezelfde emotie.

'Nee, dat is niet gelukt,' gaf Rajish toe. 'Ik heb weer langdurig gesproken met de voorzitter van de medische staf. We geloven nog steeds dat de meest waarschijnlijke boosdoener een van de academische artsen is die hier ook toegangsprivileges hebben voor hun relatief weinige privépatiënten. We weten dat sommigen van hen er mordicus op tegen zijn dat de regering ons toeslagen en belastingvoordelen geeft, omdat het ten koste gaat van het financieren van mogelijkheden om besmettelijke ziekten in plattelandsgebieden te beheersen. Hij gaat nu proberen te achterhalen of een van de meest uitgesproken tegenstanders zowel maandag- als gisteravond in het ziekenhuis is geweest.'

'Wat zegt hij over de sterfgevallen zelf?' gromde Ramesh. 'Twee in twee nachten is ontoelaatbaar. Wat doen jullie fout? Als CNN deze catastrofe zeven of acht keer per dag de wereld rondstuurt, zijn in feite zes maanden adverteren, vooral in Amerika, onze grootste doelgroep, voor niets geweest.'

'Ik heb hem dat ook gevraagd. Hij is stomverbaasd. Bij geen van de patiënten was sprake van waarschuwingssymptomen of signalen, noch van hun eigen artsen in Amerika, noch tijdens onze opnametests.'

'Is er hier preoperatief een cardiogram gemaakt?'

'Ja, natuurlijk is er een cardiogram gemaakt, en beiden hadden ook een positief rapport van Amerikaanse cardiologen bij zich. De voorzitter van onze medische staf zei dat er, zelfs terugkijkend, geen enkele indicatie is geweest om te voorspellen wat er gebeurd is. Beide operaties en de postoperatieve behandelingen zijn vlekkeloos verlopen.'

'En hoe zit het met het probleem van dat meisje van Hernandez? Is dat tenminste verholpen?'

'Ik ben bang van niet,' gaf Rajish toe. 'Ze heeft nog niet besloten wat er met het lichaam moet gebeuren en ze heeft het er nu over dat ze misschien wel een autopsie wil.'

'Waarom?'

'Dat weten we niet zeker. Mogelijk vanwege haar overtuiging dat er niks mankeerde aan haar grootmoeders hart.'

'Ik wil geen autopsie,' verklaarde Ramesh categorisch. 'Daar schieten we niks mee op. Als de autopsie niets zou uitwijzen, zouden ze hem niet gebruiken om ons vrij te pleiten omdat dat geen verhaal oplevert, en als de autopsie wel iets aantoont waar we van moesten weten, dan nagelen ze ons aan het kruis. Nee, er komt geen autopsie.'

'Om alles nog gecompliceerder te maken heeft juffrouw Hernandez kennelijk contact gezocht met een kennis van de overledene, en zij en haar

echtgenoot, beiden patholoog-anatoom, zijn onderweg en arriveren vrijdag in Delhi.'
'Mijn hemel,' zei Ramesh. 'Nou, zorg ervoor dat als zij een formeel verzoek indienen voor een autopsie, het wordt behandeld door een van de rechters waarmee we gewoonlijk te maken hebben.'
'Ik zal mijn best doen,' zei Rajish. 'Maar misschien kunt u zich met uw connecties afvragen of we ze hier eigenlijk wel willen hebben.'
'Daar moeten meer redenen voor zijn. Anders worden ze alleen maar tegengehouden op het vliegveld en dat zou ook weer een probleem kunnen veroorzaken als het door de media in verband gebracht wordt met beruchte sterfgevallen in privéklinieken waar CNN melding van heeft gemaakt. Persvrijheid is een ramp. Ze zijn dol op dit soort roddelverhalen.'
'Er is nog iets waar het meisje Hernandez moeilijk over doet. Ze heeft vanochtend kennelijk contact gezocht met mevrouw Benfatti en haar ervan overtuigd om ons nog geen permissie te geven het lichaam van haar echtgenoot weg te halen, net zoals ze dat weigert voor haar grootmoeder.'
'Nee!' riep Ramesh ongelovig uit.
'Helaas wel, ben ik bang. Ik begin net als mijn zorgmanager langzaam te denken dat ze opzettelijk problemen probeert te veroorzaken. Het lijkt wel of ze paranoïde begint te worden en ons verantwoordelijk wil stellen, alsof we deze tragedie opzettelijk hebben veroorzaakt.'
'Nu is het genoeg,' zei Ramesh. 'We kunnen dit niet zo door laten gaan.'
'Is er iets wat u kunt doen, meneer?' vroeg Rajish hoopvol.
'Misschien,' zei Ramesh. 'We kunnen niet passief blijven zitten en deze vrouw de vrije teugel geven tot haar paranoia op de een of ander manier genoegdoening heeft gevonden.'
'Ik ben het helemaal met u eens.'
'Hou me op de hoogte van alle ontwikkelingen,' zei Ramesh.
'Absoluut,' antwoordde Rajish.
Ramesh hing op en draaide zich naar het toetsenbord van zijn computer. Hij zocht in zijn adresboek naar het mobiele telefoonnummer van inspecteur Naresh Prasad van de politie van New Delhi, die aan het hoofd stond van de kleine, clandestiene Industriële Veiligheidseenheid. Hij nam de hoorn weer van de haak en toetste het nummer in. Omdat de mannen elkaar al bijna zes maanden niet gesproken hadden wisselden ze eerst wat persoonlijke verhalen uit voor Ramesh begon over de reden

waarom hij belde. 'We hebben hier op het departement voor medisch toerisme een probleem waar we jouw expertise voor nodig hebben.'
'Ik luister,' zei Naresh.
'Is dit een goed moment om te spreken?'
'Het kan niet beter.'
'Er is een jonge vrouw, Jennifer Hernandez, wier grootmoeder maandagnacht in het Queen Victoria Hospital helaas is overleden aan een hartaanval. Op de een of andere manier heeft CNN het verhaal te pakken gekregen en het uitgezonden, waardoor er vragen worden gesteld over onze reputatie op het gebied van veiligheid.'
'Dat is niet goed.'
'Dat kun je wel zeggen,' zei Ramesh. Hij vertelde Naresh vervolgens het hele verhaal, inclusief de details van het tweede sterfgeval, en alles wat Jennifer had gedaan en nog deed om zichzelf tot persona non grata te maken. 'Deze affaire begint een bijzonder negatief effect te krijgen op onze advertentiecampagne voor medisch toerisme, wat weer effect zou kunnen hebben op het behalen van onze doelstellingen. Ik weet niet of je helemaal op de hoogte bent, maar we hebben onze begrotingen naar boven bijgesteld zodat het medisch toerisme in India rond 2010 een omzet moet hebben van twee punt twee miljard dollar per jaar.'
Naresh floot. Hij was diep onder de indruk. 'Dat soort bedragen had ik nog niet gehoord. Proberen jullie IT in te halen? Die lui van informatietechnologie zullen stinkend jaloers worden, ze denken dat zij de ongekroonde koningen van de buitenlandse deviezen zijn.'
'Helaas zou het huidige probleem onze doelstellingen ernstig kunnen schaden,' zei Ramesh, Naresh' vraag negerend. 'We hebben hulp nodig.'
'Daar zijn we voor. Wat kunnen we doen?'
'Twee dingen. Eén voor jouw unit in het algemeen en één voor jou in het bijzonder. Wat betreft jouw unit, we hebben iemand nodig die uitzoekt wie de vertrouwelijke informatie aan CNN verstrekt. De algemeen directeur van het Queen Victoria en de voorzitter van zijn medische staf denken dat het een radicale academische arts is die ook toegangsprivileges heeft. Hoeveel dat er zijn in het Victoria weet ik niet, maar ik wil dat dat onderzocht wordt en wel nu. Ik wil weten wie die persoon is.'
'Dat kan makkelijk worden geregeld. Ik zal mijn beste mensen erop zetten. En wat moet ik doen?'
'Dat meisje, Jennifer Hernandez. Ik wil dat zij tegengehouden wordt. Dat

moet niet moeilijk zijn. Ze logeert in het Amal.'
'Waarom bel je niet een van je collega's bij Immigratie? Laat haar oppakken en de grens overzetten. Probleem opgelost.'
'Ik heb het gevoel dat ze bijzonder, koppig en slim is. Als Immigratie haar oppakt, ben ik bang dat ze trammelant maakt, en als de media haar zaak koppelen aan het sterfgeval waar CNN over heeft bericht, ontstaat er misschien nog een veel groter verhaal over een regering die iets te verbergen heeft. Dat zou alles nog veel erger maken.'
'Goed punt. Wat bedoel je precies met "tegenhouden"? Wees eens wat specifieker.'
'Ik laat dat aan je welverdiende reputatie van creativiteit over. Ik wil dat ze niet langer een potentiële doorn in ons vlees is. Hoe je dat voor elkaar wilt krijgen maakt mij niet uit. Eigenlijk is het ook beter dat ik dat niet weet. Als er mij dan later naar wordt gevraagd omdat ik ook geïnteresseerd was in haar gedrag, hoef ik niet te liegen.'
'Wat als ik je kan verzekeren dat ze geen kwaad in de zin heeft en haar zogenaamde dreiging flauwekul is?'
'Dat zou natuurlijk ook voldoende zijn. Vooral als jouw team ons de mol onder de medici kan geven. Ik moet dit probleem van twee kanten aanpakken.'
'Kan ik ervan uitgaan dat ik op de gebruikelijke manier gecompenseerd zal worden?'
'Laten we zeggen, vergelijkbaar. Zoek de zaak uit. Volg haar. En denk eraan, we willen niet dat ze in het nieuws komt, en we willen zeker niet dat ze een soort martelaar wordt. En wat betreft de compensatie, dat hangt af van de moeilijkheidsgraad. Jij en ik kennen elkaar al heel lang. We kunnen elkaar vertrouwen.'
'Je hoort van me.'
'Goed.'
Ramesh hing op. Tegen het einde van zijn gesprek met Naresh had hij nog een idee gekregen voor het probleem Hernandez. Een mogelijke oplossing die gemakkelijker, goedkoper en waarschijnlijk beter was, omdat de regering er niet bij betrokken zou zijn. Het enige wat hij hoefde te doen was iemand heel boos maken. En toevallig was de persoon die Ramesh in gedachten had heel gemakkelijk boos te maken als het om geld ging. Ramesh was verbaasd dat hij niet eerder aan Shashank Malhotra had gedacht. Per slot van rekening betaalde de man hem regel-

matig smeergeld en had hij hem zelfs meegenomen op een memorabele tocht naar Dubai.
'Hallo, goede vriend,' riep Shashank enthousiast, een paar octaven luider dan nodig. 'Wat heerlijk om van je te horen. Hoe gaat het met het gezin?'
Ramesh kon Shashank duidelijk voor zich zien, zittend in zijn paleisachtige kantoor met uitzicht op de hippe Connaught Place. Shashank was een van India's zakenlieden nieuwe stijl die een vinger in een hele reeks ondernemingen had, sommige legaal, sommige wat minder. Nog niet zo lang geleden was hij geïnteresseerd geraakt in de gezondheidszorg en hij zag medisch toerisme als de weg naar een makkelijk verdiend tweede fortuin. De laatste drie jaar had hij een substantieel bedrag geïnvesteerd en hij was de grootste aandeelhouder in een bedrijf dat, toevallig, een Queen Victoria Hospital bezat in Delhi, Bangalore en Chennai, en een Aesculapian Medical Center in Delhi, Mumbai en Hyderabad. Hij was ook degene die recentelijk het leeuwendeel had bijgedragen aan de kosten van de laatste advertentiecampagne in Europa en Noord-Amerika, waarin India werd afgeschilderd als dé bestemming voor de gezondheidszorg van de eenentwintigste eeuw. Shashank Malhotra was een heel grote speler.
Nadat een gepaste hoeveelheid vriendelijkheden was uitgewisseld kwam Ramesh ter zake. 'De reden voor mijn telefoontje is een probleem in het Queen Victoria Hospital hier in Delhi. Ben je op de hoogte?'
'Ja, ik hoorde dat er een probleempje was,' zei Shashank op zijn hoede. Hij had de verandering in Ramesh' stem opgemerkt en hij was heel gevoelig voor het woord 'probleem', wat doorgaans betekende dat er geld gespendeerd moest worden. Hij was vooral gevoelig voor problemen met betrekking tot zowel de Queen Victoria Hospital Group als de Aesculapian Medical Centers, want zij waren de nieuwste loten aan zijn financiële stam en moesten nog hun vruchten afwerpen.
'Het is meer dan een probleempje,' zei Ramesh. 'Ik denk dat je ervan moet weten. Heb je even?'
'Ben je gek? Natuurlijk.'
Ramesh vertelde ongeveer hetzelfde verhaal aan Shashank dat hij aan inspecteur Naresh Prasad had verteld, met uitzondering van de optimistische economische voorspellingen van de regering omtrent medisch toerisme, omdat Shashank zich daar maar al te goed van bewust was. Terwijl Ramesh zijn verhaal deed, begreep hij uit diens reactie dat Shashank

zowel het belang als de urgentie van de situatie inzag.
Toen Ramesh klaar was en zweeg, zweeg Shashank eveneens. Ramesh liet hem rustig nadenken, vooral over het verlies van een groot deel van de winst van de advertentiecampagne.
'Ik vind dat je me dit allemaal wel wat eerder had mogen vertellen,' gromde Shashank. Hij klonk als een ander mens. Zijn stem was laag en dreigend.
'Ik denk dat alles in orde komt als deze jongedame heeft besloten wat er moet gebeuren met haar grootmoeders lichaam, waarna ze weer naar huis kan gaan. Ik weet zeker dat je wel iemand kent die in staat is om dat aan haar duidelijk te maken, iemand waar ze wel naar wil luisteren.'
'Waar logeert ze?'
'In het Amal Palace.'
Shashank hing op.

17

17 oktober 2007
woensdag 15.45 uur
New Delhi, India

Veena keek op haar horloge. Het leek wel of de overdracht nog nooit zo lang had geduurd. Haar dienst zou eigenlijk al om halfvier afgelopen zijn, maar het was inmiddels kwart voor vier.
'Dat is het dus,' zei zuster Kumar tegen de avondhoofdzuster. 'Zijn er nog vragen?'
'Ik geloof het niet,' zei de avondhoofdzuster. 'Dankuwel.'
Iedereen stond op. Veena liep regelrecht naar de lift terwijl de anderen nog even napraatten. Samira zag haar weglopen en moest rennen om haar in te halen.
'Waar ga je naartoe?' vroeg ze.
Veena antwoordde niet. Haar ogen schoten van lift naar lift om te zien welke het eerst zou arriveren.
'Veena!' riep Samira dringend. 'Waarom praat je nog steeds niet tegen me? Ik vind dat je hier wel heel lang mee doorgaat.'
Veena negeerde Samira en liep naar de deur van de lift die eraan kwam. Samira volgde haar.
'Ik begrijp dat je in eerste instantie boos op me was,' fluisterde Samira nadat ze achter haar vriendin was gaan staan. Een paar andere zusters voegden zich bij hen, pratend over de gebeurtenissen van die dag. 'Maar nu je tijd hebt gehad om erover na te denken, dacht ik dat je wel zou begrijpen dat ik het zowel voor jou als voor mijzelf en de anderen heb gedaan.'
Daar was de lift. Iedereen stapte in. Veena ging achterin staan, draaide zich om en keek recht voor zich uit. Samira volgde. 'Het is niet eerlijk dat je blijft zwijgen,' ging ze fluisterend verder. 'Wil je zelfs de details van gisteravond niet weten?'
'Nee,' fluisterde Veena terug. Het was het eerste woord dat ze direct tegen

Samira sprak sinds maandag, toen Cal aan Veena had verteld dat hij wist van haar familieproblemen. De enige andere persoon ter wereld die dat wist was Samira, dus het was duidelijk waar zijn informatie vandaan kwam.

'Dank je dat je weer tegen me praat,' zei Samira zacht, zodat haar stem niet te horen was boven het gebabbel van de anderen uit. 'Ik weet dat ik het niet had moeten vertellen over je vader, maar dit leek anders. Durell vertelde me dat onze emigratie ervan afhing. Ze hebben me ook beloofd dat ze je probleem zouden oplossen en dat je vrij zou zijn, en ook je familie.'

'Mijn familie is te schande gemaakt,' zei Veena. 'Onherroepelijk.'

Samira zei niets. Ze wist dat Veena nog wel even zou piekeren over haar familie en hun reputatie, in plaats van blij te zijn dat zij en haar zussen eindelijk van hun vreselijke vader verlost waren. Maar ze hoopte dat dat niet lang zou duren. Meer dan ooit wilde Samira ontsnappen aan wat zij zag als de culturele ketens van het huidige India. Ze kon niet wachten tot Nurses International haar zou helpen om te emigreren.

Vanwege de dienstwisselingen stopte de lift op elke verdieping.

'Ik ga niet direct terug naar de bungalow,' zei Veena met haar blik gericht op het display dat de verdieping aangaf. 'Ik ga naar het kantoor van Kashmira Varini.'

'Waarom in hemelsnaam?' vroeg Samira fluisterend.

'De kleindochter van mijn patiënte kwam me vanmiddag opzoeken en ik vond het heel akelig om met haar te praten. Cal heeft nooit gezegd dat ik zoiets zou moeten doen. Ze maakt me bang. Ze zei dat ze niet gelukkig is met haar grootmoeders dood en dat ze het gaat onderzoeken. Ik vind dat niet prettig.'

De lift kwam met een schok tot stilstand bij de lobby en spuugde al zijn passagiers uit. Na een paar passen bleef Veena staan. Samira ook.

'Misschien is het beter dat je niks doet tot we met Cal en Durell hebben gepraat,' zei Samira, nadat ze zich ervan verzekerd had dat niemand luisterde.

'Ik wil weten waar ze logeert voor het geval Cal ernaar vraagt. Ik weet zeker dat de zorgmanager het weet.'

'Dat denk ik ook.'

'De kleindochter had het ook over jouw patiënt.'

'Wat zei ze dan?' vroeg Samira met toenemende bezorgdheid.

'Ze vroeg zich af of degene die mevrouw Hernandez had gevonden ook meneer Benfatti had gevonden.'
'Wat kan haar dat schelen?'
'Ik weet het niet.'
'Nou heb je me bang gemaakt,' zei Samira.
'Ik zal hier op je wachten,' vervolgde ze toen Veena zich omdraaide en naar de informatiebalie liep. Veena wuifde alleen bevestigend over haar schouder. Ze liep om de balie heen en keek om de hoek van Kashmira Varini's open deur. Ze hoopte dat de zorgmanager alleen zou zijn en gelukkig was dat het geval.
'Neem me niet kwalijk,' zei Veena en boog toen Kashmira opkeek. 'Mag ik u iets vragen?'
'Natuurlijk,' antwoordde Kashmira en beantwoordde de begroeting.
Veena liep naar het bureau toe. 'Ik heb vanmiddag met de kleindochter van mevrouw Hernandez, Jennifer, gesproken.'
'Ja, dat heeft zuster Kumar me verteld toen ze belde om me te laten weten dat ze er was. Ga zitten!' Kashmira wees met haar kin naar een van de lege stoelen.
Hoewel Veena maar even wilde blijven, ging ze zitten.
'Ik wil graag horen wat je van haar vond. Wij vinden haar moeilijk in de omgang.'
'Hoezo?' vroeg Veena, die een steeds slechter gevoel kreeg over de Amerikaanse.
'In allerlei opzichten. We willen alleen maar dat ze aangeeft wat ze wil dat we doen met haar grootmoeders lichaam zodat we het kunnen regelen en alles achter de rug is. Maar ze weigert. Ik ben bang dat ze een soort paranoïde idee heeft dat deze tragedie een medische fout of opzet was. Ze heeft zelfs geregeld dat een paar pathologen-anatomen hiernaartoe komen voor god mag weten wat. Ik heb haar herhaaldelijk duidelijk gemaakt dat er geen autopsie zal komen.'
Veena had onbewust haar adem ingehouden toen ze Kashmira het woord 'opzet' hoorde gebruiken en hoopte dat het niet opgevallen was. Haar gevoel dat Jennifer Hernandez moeilijkheden betekende, was nog veel sterker geworden.
'Gaat het wel goed met je?' vroeg Kashmira, zich naar Veena overbuigend.
'Ja, prima. Het was alleen een lange dag.'

'Wil je een beetje water of zoiets?'
'Nee, het gaat wel. Maar ik kwam eigenlijk langs om te vragen waar Jennifer Hernandez logeert, want ik wil haar misschien bellen. Ik wil zeker weten dat ik al haar vragen heb beantwoord. Ik had het heel druk toen ze kwam en zuster Kumar moest het gesprek onderbreken omdat ik terug moest naar mijn patiënt.'
'Ze logeert in het Amal,' zei Kashmira. 'Hoe leek ze toen je met haar praatte? Deed ze vijandig of zo? Tegenover mij gedraagt ze zich heel wisselend. Ik weet niet of dat komt omdat ze heel moe of heel boos is.'
'Nee, niet vijandig. Het tegendeel eigenlijk. Ze reageerde heel sympathiek toen ze hoorde dat haar grootmoeder mijn eerste overleden patiënt was sinds mijn afstuderen.'
'Dat had ik niet verwacht.'
'Maar ze zei heel duidelijk dat ze ongelukkig was over haar grootmoeders dood, wat ze daar ook mee mag bedoelen, en dat ze er meer over wilde weten. Ze gebruikte die woorden, maar op een heel zakelijke toon.'
'Als je met haar gaat praten, moedig haar dan alsjeblieft aan om een beslissing te nemen. Dat zou geweldig helpen.'
Nadat ze beloofd had dat ze de vraag van crematie of balsemen aan de orde zou stellen als ze de kans kreeg, nam Veena afscheid van Kashmira Varini en haastte zich naar de lobby. Samen met Samira liep ze naar buiten.
'Wat heb je gehoord?' vroeg Samira terwijl ze de oprit afliepen.
'We moeten met Cal over dat mens van Hernandez praten. Ik maak me zorgen over haar. Zelfs Kashmira Varini heeft problemen met haar. Ze denkt dat Jennifer Hernandez vermoedt dat de dood van haar grootmoeder het gevolg van een medische fout was, of op de een of andere manier opzet. Met andere woorden, geen natuurlijke dood.'
Samira stond abrupt stil en greep Veena bij haar elleboog om haar tegen te houden. 'Je bedoelt dat ze denkt dat haar grootmoeder misschien vermoord is.'
'Met zoveel woorden,' zei Veena.
'Ik denk dat we beter terug kunnen gaan naar de bungalow.'
'Dat ben ik helemaal met je eens.'
Ondanks het feit dat het bijna spitsuur was en het verkeer al vast stond, vonden de vrouwen gelukkig een vrije motorriksja. Ze klommen achterin, gaven de bestuurder het adres van de bungalow en klemden zich vast.

18

17 oktober 2007
woensdag 16.26 uur
New Delhi, India

'Heb je even?' vroeg Durell vanuit de deur van de bibliotheek. Cal keek op van de spreadsheets over de financiën van Nurses International. De uitgaven waren enorm, maar nu alles zo goed ging was hij niet meer zo bezorgd als twee of drie dagen eerder.
'Natuurlijk, ' zei Cal. Hij leunde achterover en strekte zijn armen boven zijn hoofd. Durell slenterde naar binnen en spreidde een paar kaarten uit op de tafel die Cal als bureau gebruikte. En ook een paar afbeeldingen van auto's, die hij met zijn grote, krachtige handen zorgvuldig uitspreidde. Durell was gekleed in een van zijn gebruikelijke zwarte stretch T-shirts, dat zo strak over zijn spieren spande alsof het opgespoten was.
'Oké,' zei Durell terwijl hij weer rechtop ging staan en tevreden in zijn handen wreef. 'Dit heb ik gevonden.'
Voor hij verder kon gaan sloeg de voordeur in de verte zo hard dicht dat ze het niet alleen konden horen, maar dat ook Cals espressokopje op zijn bureau rinkelde op het schoteltje. De twee mannen keken elkaar aan.
'Wat is dit godverdomme?' vroeg Cal.
'Iemand wil duidelijk maken dat hij thuis is,' zei Durell. Hij keek op zijn horloge. Het was bijna halfvijf. 'Dat moet een van de verpleegsters zijn die een slechte dag heeft gehad.'
De woorden waren zijn mond nog niet uit of Veena en Samira kwamen door de deur van de bibliotheek. Ze begonnen tegelijk te praten.
'Hé!' riep Cal en gebaarde met beide handen dat ze moesten kalmeren. 'Eén tegelijk alsjeblieft en ik hoop dat dit belangrijk is. Durell was net iets aan het vertellen.'
Veena en Samira wisselden een blik. 'Er is misschien een probleem in het Queen Victoria...' begon Veena.
'Misschíén een probleem?' vroeg Cal, haar onderbrekend.

Veena knikte opgewonden.
'Dan vind ik dat je je wel even kunt inhouden. Durell was aan het woord.'
'We kunnen dit later wel bespreken,' zei Durell en stapelde de foto's weer op elkaar.
Cal greep zijn pols om hem tegen te houden en keek hem aan. 'Nee, ga verder! Zij kunnen wel wachten.'
'Weet je het zeker?' vroeg Durell terwijl hij zich vooroverboog om in Cals oor te fluisteren. 'Ik dacht dat dit ontsnappingsplan geheim moest blijven.'
'Het is goed. Als de zaak in het honderd loopt, wil ik toch dat ze met ons meegaan. Laat ze het maar horen. Ze kunnen helpen.'
Durell stak zijn duimen instemmend omhoog en ging weer rechtop staan.
'Luister,' zei Cal. 'Durell heeft zich beziggehouden met wat we een rampenplan noemen in geval van problemen. Maar het is geheim. Je mag er niet met de anderen over spreken.'
Nieuwsgierig geworden kwamen de vrouwen naar de tafel en keken naar de kaarten.
'Ik hoop dat je beseft dat het een stuk gecompliceerder zal worden om weg te komen als en wanneer het plan uitgevoerd moet worden nu je hen erbij betrekt,' zei Durell tegen Cal.
'Dat kun je later wel uitwerken,' zei Cal. 'Laat maar eens horen.'
Durell spreidde de foto's van de auto's weer uit. Ondertussen vertelde hij de vrouwen dat hij had bedacht hoe ze het land uit zouden kunnen komen als het nodig mocht zijn.
Veena en Samira keken elkaar nerveus aan. Dit had te maken met waar zij over kwamen praten.
'Dit zijn een paar voorbeelden van auto's die we zouden kunnen kopen om hier op het terrein in de versterkte garage te stallen. De bedoeling is om hem met een volle tank en volledig bepakt en bezakt klaar te hebben staan. Volgens mij moet het een fourwheeldrive zijn, omdat de wegen op de route die ik heb uitgestippeld in niet zo'n beste conditie zijn.'
'Welke route beveel je aan?' vroeg Cal.
'We rijden in zuidoostelijke richting Delhi uit en nemen de hoofdweg naar Varanasi. Vandaar rijden we naar het noordoosten om bij Raxaul-Birgunj de grens met Nepal over te steken.' Durell gaf met zijn vinger de route aan op de kaart.

'Is dat een goede plek?'
'De beste denk ik. Raxaul is in India en Birgunj in Nepal. Het zijn kennelijk allebei klotesteden, een paar honderd meter van elkaar, waarvan de voornaamste bron van inkomsten, voor zover ik het kan beoordelen, de commerciële seksindustrie is dankzij de meer dan tweeduizend truckers die er elke dag de grens overgaan.'
'Klinkt fantastisch.'
'Voor wat we zoeken, klinkt het volgens mij perfect. Het is zo'n achtergebleven gebied dat je zelfs geen visum nodig hebt. Er is alleen maar een douanepost.'
'Ligt het in de bergen?' vroeg Cal.
'Nee, het is een tropisch en vlak gebied.'
'Fantastisch. En dan, nadat we de grens over zijn?'
'Dan rijden we bijna rechtdoor over de Prethir autoweg aan de Nepalese kant naar Kathmandu en een internationaal vliegveld. Als we daar eenmaal zijn is het gelukt. '
'Er zijn bergen in Nepal, veronderstel ik?'
'O, ja!'
'Dan ga ik voor de Toyota Land Cruiser,' zei Cal terwijl hij de foto pakte en er met zijn vinger op tikte. 'Dan hebben we zes stoelen en fourwheeldrive.'
'Komt in orde,' zei Durell en raapte de andere foto's op. 'Dat was ook mijn eerste keus.'
'Koop hem, maak hem klaar en zet hem in de garage. Laat het terreinpersoneel hem een keer per week starten. En laten we ook allemaal een weekendtas pakken.'
'Als de autosleutels daarbuiten zijn, weet ik niet of we onze tassen daar wel moeten laten. De omheining aan de achterkant van het terrein is deels omgevallen.'
'Laten we de kamer in die kelder eronder gebruiken. Die deur kan worden afgesloten, toch?'
'Er is een grote oude sleutel van die eruitziet of hij op een middeleeuws kasteel past.'
'Dat doen we dus. We pakken allemaal een weekendtas in en zetten de tassen in de kelder.'
'Wat doen we met de sleutel?' vroeg Durell. 'We moeten allemaal weten waar de sleutel is. Als er een groot probleem ontstaat, waar dit plan voor

bedoeld is, moeten we allemaal weten waar de sleutel te vinden is. Door één kink in de kabel zou alles kunnen mislukken.'
Cal liet zijn blik door de bibliotheek gaan. Behalve de aanzienlijke collectie antieke boeken stonden er massa's voorwerpen op tafels en planken. Cals oog viel al snel op een Indiase, antieke papier-maché doos op een marmeren schoorsteenmantel. Hij stond op en pakte hem. De doos was ingewikkeld beschilderd en gelakt, en zeker groot genoeg. Na een beetje prutsen kreeg hij hem open. Hij was gelukkig leeg. 'De sleutel gaat hierin. Akkoord?' Hij hield de doos omhoog zodat iedereen hem kon zien.
Iedereen knikte toen Cal de doos terugzette op zijn oorspronkelijke plaats. Daarna ging hij weer zitten en keek de vrouwen aan. 'Zijn jullie het hiermee eens? Kunnen jullie een kleine tas pakken en hem aan Durell geven? En ik bedoel echt klein, voor een paar dagen maar.'
De meisjes knikten weer.
'Het klinkt allemaal uitstekend, Durell,' zei Cal. 'De kans dat het nodig is, is natuurlijk ongeveer nul maar het is beter om voorbereid te zijn.' Hij herinnerde zich dat de aanleiding voor het plan de volkomen onverwachte zelfmoordpoging van Veena was geweest, maar dat zei hij niet hardop. Hij keek naar haar, verbaasd over haar kennelijke ommezwaai. Maar nu hij het misbruikverhaal kende waar ze in stilte onder had geleden, vroeg hij zich wel af of ze stabiel genoeg was.
'Ik zal Petra en Santana ook van de details op de hoogte brengen,' zei Durell tegen Cal, terwijl hij de kaarten verzamelde. En tegen de vrouwen zei hij dat hij ze later nog wel zou spreken over waar ze elkaar zouden treffen in het onwaarschijnlijke geval dat het noodplan in werking gesteld zou moeten worden.
Cal knikte naar Durell, maar zijn aandacht was nu gericht op Veena en Samira. 'Oké,' zei hij. 'Jullie beurt. Wat is "misschien" het probleem?'
Veena en Samira barstten tegelijkertijd los, wachtten even en begonnen opnieuw tot Samira aangaf dat ze het woord aan Veena zou laten. Veena beschreef haar ontmoetingen met Jennifer Hernandez en met de zorgmanager van Maria Hernandez.
Cal hief zijn hand op om haar tot zwijgen te brengen en riep toen: 'Durell, misschien moet je hier even naar luisteren!' Durell was, worstelend met de kaarten, al op weg naar de deur. Hij draaide zich om en kwam terug. Cal vatte voor hem samen wat de meisjes al hadden gezegd en gaf toen aan dat Veena door kon gaan.

Ze vertelde verder hoe Jennifer het ziekenhuis dwarsboomde om het lichaam kwijt te raken en belangrijker nog, dat ze een onderzoek instelde naar haar grootmoeders overlijden. En dat de zorgmanager zelfs de woorden 'medische fouten' en 'opzet' gebruikte om te beschrijven wat Jennifer dacht. 'Volgens mij denkt ze dat haar grootmoeders dood niet natuurlijk was,' vatte Veena samen. 'En je hebt me gezegd dat dat niet zou gebeuren, dat het onmogelijk was dat iemand zelfs maar zoiets zou denken. Maar dat is precies wat deze Jennifer Hernandez doet, en daar krijg ik een heel slecht gevoel over...'

'Oké, oké,' zei Cal en hief zijn hand op om Veena te kalmeren. 'Je maakt je veel te druk.' Cal keek naar Durell. 'Hoe komt het in godsnaam dat deze Hernandez dat denkt?'

Durell schudde zijn hoofd. 'Joost mag het weten, maar ik denk dat we dat beter even kunnen uitzoeken. Kan er iets met die succinylcholine zijn waar we geen rekening mee gehouden hebben?'

'Ik kan het me niet voorstellen,' zei Cal. 'De anesthesioloog was heel specifiek over ons hypothetische geval. Hij zei dat het slachtoffer een voorgeschiedenis met een of ander hartprobleem moest hebben. Wat het precies was deed er niet toe. Hij moest minder dan twaalf uur eerder een operatie hebben ondergaan, en het middel moest worden toegediend via een bestaande infuuslijn. Dat was toch alles?'

'Dat is wat ik me herinner,' zei Durell.

'Ze studeert medicijnen,' voegde Veena eraan toe. 'Ze weet dit soort dingen.'

'Dat zou niets uit hoeven maken,' zei Cal. 'We hebben het plan van een anesthesioloog en hij zei dat het niet kon mislukken.'

'Ze heeft geregeld dat er twee lijkschouwers naar India komen,' zei Samira.

'Dat klopt,' gaf Veena toe. 'We hebben niet alleen met haar te maken.'

'En ze begon tegen Veena ook over mijn patiënt, Benfatti. Dat betekent dat ze al over hem wist,' voegde Samira eraan toe.

'Zodra de informatie op CNN is geweest kan iedereen erover gehoord hebben,' zei Cal. 'Dat geeft niks.'

'Maar maak je je geen zorgen over die lijkschouwers die komen?' vroeg Veena. 'Het zijn twee pathologen-anatomen. Ik vind dat behoorlijk eng.'

'Ik maak me geen zorgen over die lijkschouwers om twee redenen: één, uit wat je hebt gezegd krijg ik de indruk dat het Queen Victoria niet van plan is om toe te staan dat er een autopsie wordt uitgevoerd, en twee, zelfs als dat wel zou gebeuren en ze vinden een spoor van succinylcholine, dan zal dat worden toegeschreven aan de anesthesie die de patiënten hebben gekregen tijdens de operatie. Het enige waar ik me tot op zekere hoogte zorgen over maak is het feit dat deze Hernandez überhaupt verdenkingen heeft. Wat kan daar de reden voor zijn?'

'Misschien is het van haar kant alleen maar wantrouwen,' suggereerde Durell. 'En het feit dat er twee sterfgevallen zo kort na elkaar waren.'

'Dat is een interessant idee,' zei Cal.

'Dat zou het kunnen zijn. Denk maar eens na. Zomaar opeens hoort ze dat haar grootmoeder is overleden, na een operatie in India nota bene. Ze moet helemaal hiernaartoe komen vliegen. Dan dringt het ziekenhuis er bij haar op aan om een beslissing te nemen over wat er met het lichaam moet gebeuren voor ze er klaar voor is. En daarbij komt dat er nog een tweede, vergelijkbaar sterfgeval is. Dat is genoeg om iemand wantrouwig te maken. De enige les die we hier misschien uit moeten trekken is dat we er niet twee achter elkaar in hetzelfde ziekenhuis moeten doen.'

'Maar Samira had een perfecte patiënt,' zei Durell om zijn vriendin te verdedigen. 'En ze wilde heel graag. We moeten zo'n initiatief belonen.'

'Ongetwijfeld, en dat doen we ook. Je hebt het prima gedaan, Samira. Maar laten we vanaf nu niet twee nachten achter elkaar hetzelfde ziekenhuis nemen. We moeten ze spreiden. We hebben tenslotte verpleegsters in zes ziekenhuizen. Het heeft geen enkele zin om risico's te nemen.'

'Nou, vannacht nemen we dat risico in elk geval niet,' zei Durell.

'Is er vanavond weer een?' vroeg Veena ongerust. 'Vind je niet dat we een paar dagen of een week moeten wachten, tenminste tot Jennifer Hernandez vertrokken is?'

'Het is zonde om te stoppen nu alles zo goed gaat,' zei Cal. 'Gisteravond hebben alle netwerken in de States het verhaal van CNN opgepikt en verhalen over Aziatisch medisch toerisme uitgezonden, met als thema dat het misschien niet zo veilig is als werd verondersteld. Het heeft een enorme impact gehad.'

'Dat is waar,' zei Durell. 'De boodschap komt heftig aan. Santana heeft van haar contact bij CNN gehoord dat ze al berichten krijgt over annuleringen. Je kunt succes niet tegenhouden, zei mijn vader altijd.'

'Welk ziekenhuis is er vanavond aan de beurt?' vroeg Veena op dezelfde ernstige toon. Ze probeerde haar weerzin tegen een volgend geval, zo snel na de eerste twee, niet te verbergen, vooral niet omdat zij degene was geweest die het plan in werking had gezet.

'Het Aesculapian Medical Center,' zei Cal. 'Raj belde vandaag om te zeggen dat zijn patiënt, David Lucas, een man van in de veertig, een prima kandidaat is. Hij heeft vanochtend een maagoperatie gehad vanwege zijn zwaarlijvigheid. Wat zijn hart betreft kon het niet beter. Hij heeft drie jaar geleden een stent gekregen, dus het is bekend dat hij last heeft van vernauwingen.'

'Het is nu ook makkelijker,' zei Durell. 'We hebben Samira's uitstekende voorstel over de succinylcholine overgenomen. We hebben nu onze eigen voorraad, dus er hoeft niemand meer stiekem in de operatiekamers rond te sluipen.'

'Dat klopt,' zei Cal. 'We hebben het vandaag gekregen. Dit soort suggesties hebben we nodig om het plan beter en veiliger te maken. Ik denk dat we een bonus moeten geven om dergelijk constructief gedrag aan te moedigen.'

'Dan vind ik dat Samira een bonus moet krijgen,' zei Durell, terwijl hij Samira even tegen zich aan trok om haar te feliciteren.

'En Veena een bonus omdat ze de eerste was,' zei Cal. Hij trok Veena eveneens tegen zich aan. Haar figuur en de stevigheid ervan onder haar verpleegstersuniform wonden hem direct op.

'Betekent dat dat jullie niet van plan zijn iets aan Jennifer Hernandez te doen?' vroeg Veena. Ze maakte zich direct los van Cal. Het verbaasde haar dat Cal en Durell niet net zo bezorgd waren als zij over Jennifers behoefte om haar grootmoeders dood te onderzoeken. 'Ik heb uitgezocht waar ze logeert, want ik dacht dat jullie dat wel zouden willen weten.'

'Waar is dat?'

'In het Amal Palace.'

'Is dat zo? Wat een toeval, want daar hebben we allemaal gelogeerd tijdens jullie sollicitatiegesprekken voor Nurses International.'

'Cal, ik meen het.'

'Ik ook. Ik hoef niets te doen aan die vrouw, niet als een van de leidinggevenden van Nurses International. Terwijl jij dat wel kunt zonder verdenking op je te laden. Als je je zoveel zorgen maakt, waarom bedenk je dan niet een reden om haar nog eens te ontmoeten zodat je kunt uitzoeken waarom ze zo wantrouwig is? Ik weet zeker dat Durell gelijk heeft. Het is haar eigen paranoia, en het zal voor jou en voor ons een opluchting zijn als we weten dat er geen aanwijzing is die we over het hoofd zien.'

'Dat kan ik niet,' zei Veena, schuddend met haar hoofd alsof ze een aanval van misselijkheid kreeg.

'Waarom niet?'

'Als ik alleen al aan haar denk, zie ik haar grootmoeders gezicht weer voor me, dat helemaal verkrampte toen ze stierf en, erger nog, dan hoor ik steeds weer hoe ze me bedankte.'

'Nou, dan ga je toch niet naar haar toe,' zei Cal scherp. 'Ik probeer juist te bedenken hoe je van die angst af kunt komen.'

'Misschien moet ik dit helemaal niet doen,' zei Veena plotseling.

'Nou, laten we niet al te hard van stapel lopen. Vergeet niet dat jij geen patiënten meer hoeft te "doen". Jij hebt de bal aan het rollen gebracht. Je hebt nu een ondersteunende rol.'

'Ik bedoel dat niemand van ons dit moet doen.'

'Het is niet aan jou om dat te beslissen,' zei Cal nadrukkelijk. 'Beschouw het maar als je dharma om de anderen te moeten steunen. En vergeet niet dat je hierdoor van je vader bent bevrijd, en dat jij en je collega's, ook Samira hier, naar Amerika kunnen, waar de vrijheid wacht.'

Veena stond even stil, knikkend alsof ze het ermee eens was. Toen draaide ze zich om en liep de kamer uit zonder nog iets te zeggen.

'Het komt wel goed met haar,' zei Samira. 'Het zal alleen even duren. Zij heeft er meer onder te lijden dan de rest van ons. Het probleem is dat de westerse invloed van internet bij haar lang niet zo sterk is als bij ons, en dat ze daardoor veel meer vastzit aan de Indiase cultuur dan wij. Toen ze bijvoorbeeld vandaag voor het eerst weer tegen me begon te praten, nadat ze heel boos op me was geweest omdat ik haar duistere geheim aan jullie verteld had, was een van de eerste dingen die ze zei dat ze schande over haar familie had gebracht en niet dat ze blij was dat ze eindelijk bevrijd was van haar vader en in staat om haar droom te volgen.'

'Ik denk dat ik het begin te snappen,' zei Cal. 'Ik maak me alleen wel zorgen over die zelfmoordpoging. Is er een kans dat ze dat nog eens zal proberen?'

'Nee! Absoluut niet! Ze heeft het gedaan omdat ze het gevoel had dat het van haar werd verwacht, vanwege haar religie en haar familie, maar je hebt haar gered. En dat was het dus. Het was niet haar karma om te sterven, zelfs al dacht zij dat dat wel zo was. Nee, ze zal het niet weer proberen.'

'Laat me je dan iets anders vragen,' zei Cal. 'Praat ze met jou, haar beste vriendin, weleens over seks?'
Samira lachte hol. 'Seks? Ben je gek? Nee, ze praat nooit over seks. Ze haat seks. Nee, laat ik het anders zeggen. Ik weet dat ze op een dag kinderen wil. Maar seks om de seks, absoluut niet. Niet zoals andere mensen die ik ken.'
Samira knipoogde naar Durell, die achter zijn hand grinnikte.
'Bedankt,' zei Cal. 'Ik had je deze vragen al weken geleden moeten stellen.'

19

17 oktober 2007
woensdag 6.15 uur
New York, VS

Nog voor hij zijn ogen open had hoorde dokter Jack Stapleton een geluid dat hem niet bekend voorkwam. Het was een gedempt geruis in de verte, dat hij maar moeilijk kon omschrijven. Even probeerde hij te bedenken wat het kon zijn. Omdat hun 'brownstone' huis in 106th Street in Manhattan nog maar twee jaar geleden was gerenoveerd, dacht hij dat het geluid normaal zou kunnen zijn en dat hij het gewoon nog nooit eerder opgemerkt had. Maar toen hij wat langer nadacht vond hij het daar toch te luid voor. Terwijl hij nog harder zijn best deed om het te determineren deed het hem plotseling denken aan een waterval.

Jacks ogen knipperden. Toen hij zijn hand onder de dekens naar de andere kant van het bed liet glijden en daar niet het slapende lichaam van zijn vrouw aantrof, wist hij wat het geluid was: de douche. Laurie was al opgestaan, een ongehoord fenomeen. Ze was een verstokte nachtuil en moest vaak met veel lawaai uit haar bed gesleurd worden om zich klaar te maken zodat ze op een redelijk tijdstip op het Gerechtelijk Laboratorium zou aankomen. Hijzelf hield ervan te arriveren vóór de anderen zodat hij de gelegenheid had de leuke gevallen uit te kiezen.

Verbaasd gooide hij de dekens van zich af en liep naakt, zoals hij bij voorkeur sliep, de bewasemde badkamer in. Laurie was bijna onzichtbaar in de douche. Jack trok de deur een stukje open.

'Hé, jij daar,' riep hij boven het geluid van het water uit.

Met shampoo in haar haar kwam Laurie onder de straal vandaan. 'Goeiemorgen, slaapkop,' zei ze. 'Hoog tijd dat je eens wakker wordt. Het wordt een drukke dag.'

'Waar heb je het over?'

'De reis naar India!' zei Laurie. Ze stak haar hoofd weer onder het water en spoelde energiek haar haar uit.

Jack sprong achteruit om te vermijden dat hij nat werd en liet de douchedeur dichtvallen. Ineens wist hij het weer. Hij herinnerde zich vaag delen van het gesprek midden in de nacht toen hij de eerste keer wakker was geworden, maar hij had gedacht dat het allemaal een nachtmerrie was. Jack had Laurie niet meer zo gedreven gezien sinds zij en haar moeder samen hun huwelijk hadden georganiseerd. Even later hoorde hij dat ze opgebleven was en vrijwel de hele reis en het logies had geregeld, ervan uitgaande dat Calvin hun toestemming zou geven om een week vrij te nemen. Ze vertrokken die avond, moesten overstappen in Parijs en zouden morgenavond laat in New Delhi arriveren. En ze had kamers geboekt in hetzelfde hotel waar Jennifer Hernandez logeerde.

Die ochtend om zeven uur staarde Jack in de lens van een digitale camera in een winkel op Columbus Avenue. Toen het licht flitste schrok hij op. Een paar minuten later liepen Laurie en hij weer op straat.

'Laat me je foto eens zien!' zei Laurie en giechelde toen ze ernaar keek. Jack greep hem terug, gepikeerd dat ze erom moest lachen. 'Wil je de mijne zien?' vroeg Laurie maar ze stak hem al naar hem uit voor hij kon reageren. Zoals hij al verwacht had zag die van haar er beter uit dan die van hem, omdat het flitslicht de kastanjebruine glans in haar haar had opgelicht alsof de fotograaf een professional was geweest. Het grootste verschil waren de ogen. Terwijl Jacks diepliggende lichtbruine ogen keken alsof hij een kater had, stonden de blauwgroene ogen van Laurie helder en sprankelend.

Toen ze om halfacht bij het Gerechtelijk Laboratorium arriveerden, dacht Laurie dat de zaken er gunstig voorstonden. Als het een heel drukke dag was, zou Calvin psychologisch gezien minder bereid zijn om hen allebei een week te laten gaan, veronderstelde ze. Maar het was niet druk, tenminste nog niet. Toen ze de identificatieruimte in liepen, waar de dag voor alle lijkschouwers begon, zat dokter Paul Plodget, de patholoog-anatoom van dienst die de zaken moest beoordelen die die nacht waren binnengekomen, aan zijn bureau *The New York Times* te lezen. Voor hem lag een ongewoon dun stapeltje mappen dat al was beoordeeld. Naast hem, in een van de bruine kunststof fauteuils, zat Vinnie Amendola, een van de technici van het mortuarium die als taak had om vroeg te komen zodat hij kon helpen bij de overdracht van de nachttechnici. Hij maakte ook de gemeenschappelijke koffie. Op dit moment las hij *The New York Post*.

'Een makkelijke dag vandaag?' vroeg Laurie voor de zekerheid.
'Heel erg makkelijk,' zei Paul zonder van achter zijn krant tevoorschijn te komen.
'Zijn er interessante gevallen bij?' vroeg Jack terwijl hij tussen het dunne stapeltje begon te zoeken.
'Hangt ervan af wie het vraagt,' zei Paul. 'Er is een zelfdoding die een probleem gaat worden. Misschien heb je de ouders gezien. Ze zaten eerder in de identificatieruimte. Het zijn leden van een prominente joodse familie met veel connecties. Kort gezegd, ze willen geen autopsie en ze zijn tamelijk vastbesloten.' Paul keek over de rand van zijn krant naar Jack om zich ervan te verzekeren dat hij het had gehoord.
'Is autopsie echt nodig?' vroeg Jack. Volgens de wet was een autopsie na zelfmoord verplicht, maar het Gemeentelijk Laboratorium probeerde families tegemoet te komen, vooral als het geloof ermee te maken had.
Paul haalde zijn schouders op. 'Ik zou zeggen, ja, dus het moet een beetje fijnzinnig aangepakt worden.'
'Dan valt dokter Stapleton af,' was het commentaar van Vinnie.
Jack tikte fel met zijn vingernagels tegen Vinnies krant waardoor de man opschrok. 'Heb je er bezwaar tegen als ik die zaak neem na deze aanbeveling?' vroeg Jack aan Paul.
'Ga je gang,' zei Paul.
'Is Calvin er al?' vroeg Laurie.
Paul liet zijn krant zakken zodat hij Laurie aan kon kijken met een overdreven vragende uitdrukking op zijn gezicht die zei: ben je gek?
'Jack en ik moeten misschien even vrij nemen vanwege een noodgeval, met ingang van vanmiddag,' zei Laurie tegen Paul. 'Als het geen probleem is, en daar ziet het niet naar uit, wil ik vandaag graag wat papierwerk doen om zo veel mogelijk zaken weg te werken.'
'Dat moet kunnen,' stemde Paul in.
'Ik ga nu met die ouders praten,' zei Jack in het algemeen terwijl hij het dossier omhoog hield.
Laurie greep zijn arm. 'Ik wacht op Calvin. Ik wil zo snel mogelijk een ja of een nee. Als het ja is, kom ik eerst naar beneden voor ik onze visa ga halen.'
'Oké,' zei Jack, maar het was duidelijk dat hij al met zijn gedachten bij het bewuste onderzoek was.
Na een snelle omweg via Marlene aan de receptiebalie om te vragen haar

te bellen zodra Calvin arriveerde, nam Laurie de lift naar haar kantoor op de vierde verdieping. Ze ging zitten en dook in de stapel zaken waar ze mee bezig was. Maar ze kwam niet ver. Slechts tweeëntwintig minuten later deelde Marlene haar mee dat Calvin net door de voordeur was binnengekomen, veel eerder dan anders.

Het kantoor van de plaatsvervangend hoofdpatholoog-anatoom lag naast het veel grotere kantoor van de hoofdpatholoog-anatoom, vlak bij de hoofdingang van het gebouw. Op dat tijdstip, nog voor achten, moesten de secretaresses nog arriveren en daarom kondigde Laurie zichzelf aan.

'Kom erin!' zei Calvin toen hij Laurie voor zijn deur zag. 'Wat je ook wilt zeggen, doe het snel. Ik moet zo naar het gemeentehuis.' Calvin was een enorme Afro-Amerikaan die in de NFL had kunnen spelen als hij niet zoveel belangstelling had gehad voor een studie medicijnen nadat hij geslaagd was voor de middelbare school. Met zijn intimiderende postuur, gecombineerd met een stormachtig temperament en een neiging tot perfectionisme, was hij een zeer goede organisator. Ondanks het feit dat het laboratorium een gemeentelijke instelling was, wist dokter Calvin Washington veel voor elkaar te krijgen en nog heel efficiënt ook.

'Neem me niet kwalijk dat ik je al zo vroeg lastigval,' begon Laurie, 'maar ik ben bang dat Jack en ik een soort noodgeval hebben.'

'Uh-o,' zei Calvin, terwijl hij het materiaal verzamelde dat hij mee moest nemen naar de burgemeester. 'Waarom krijg ik het gevoel dat ik het een tijdje zal moeten doen zonder mijn twee meest productieve pathologen? Oké, geef me de korte versie van het probleem.'

Laurie schraapte haar keel. 'Herinner je je nog dat meisje, Jennifer Hernandez, dat ik hier veertien jaar geleden heb uitgenodigd?'

'Hoe kan ik dat nou vergeten. Ik was er absoluut op tegen en toch heb ik me door jou laten overhalen. Vervolgens bleek het een van de beste dingen te zijn die we hier ooit gedaan hebben. Is dat al veertien jaar geleden? Mijn god!'

'Ja, zo lang al. Jennifer zal dit voorjaar afstuderen aan de medische faculteit van UCLA.'

'Dat is fantastisch. Ik was dol op dat kind.'

'Ze doet je de groeten.'

'Wederzijds,' zei Calvin. 'Laurie, je moet even opschieten. Ik had vijf minuten geleden die deur al uit moeten zijn.'

Laurie vertelde het verhaal van het overlijden van Maria Hernandez en hoe moeilijk het voor Jennifer was om dingen te regelen in verband met het stoffelijk overschot. Ze vertelde Calvin ook dat Maria niet alleen voor Jennifer maar ook voor haar toen ze opgroeide als een moeder was geweest, en eindigde door te zeggen dat Jack en zij naar India wilden en daarvoor een week vrij moesten hebben.

'Gecondoleerd,' zei Calvin. 'Ik begrijp natuurlijk dat je je deelneming wilt betuigen, maar ik begrijp niet helemaal waarom Jack moet gaan. Dat we jullie beiden op hetzelfde moment moeten missen legt behoorlijk wat druk op ons, dus tenzij er een dringende reden is...'

'De reden dat Jack moet gaan staat eigenlijk los van het overlijden van Maria Hernandez,' legde Laurie uit. 'Jack en ik zijn al ongeveer acht maanden bezig met een vruchtbaarheidsbehandeling. Op dit moment zit ik in een cyclus en ik heb mezelf geïnjecteerd met hoge doses hormonen, en binnen een paar dagen moet ik mezelf de HCG-injectie geven. Op dat moment...'

'Oké, oké!' riep Calvin uit voor Laurie kon uitpraten, 'Ik snap het. Prima! Neem die week maar vrij. We redden ons wel.' Hij pakte zijn aktetas.

'Dank u, dokter Washington,' zei Laurie. Ze voelde een rilling van opwinding. De reis zou echt doorgaan. Ze volgde het plaatsvervangend hoofd zijn kantoor uit.

'Bel me even als je weer terug bent om aan het werk te gaan,' riep Calvin over zijn schouder op weg naar de voordeur.

'Zal ik doen,' riep Laurie terug terwijl ze naar de liften liep.

'Nog één ding,' riep Calvin terwijl hij met zijn achterste de voordeur openhield. 'Breng een souvenir mee, zorg dat je zwanger wordt.' Daarop verdween hij en zwaaide de deur dicht.

Als een plotseling opkomende zomerstorm, viel er een wolk over Lauries opkomende enthousiasme heen. Calvins laatste opmerking maakte haar furieus. Kokend van woede liep ze terug naar de lift. Alle druk die ze zichzelf oplegde om zwanger te worden en de moedeloosheid die erdoor veroorzaakt werd, was immers al genoeg! Voor haar was Calvins opmerking over het onderwerp vergelijkbaar met seksuele discriminatie. Hij ging toch ook niet zoveel druk uitoefenen op Jack?

In de lift ramde ze met haar vuist op de knop voor de vierde verdieping. Ze kon niet geloven hoe ongevoelig mannen konden zijn. Het was onvergeeflijk.

Maar bijna net zo snel als haar woede opgekomen was, verdween die ook weer. Laurie zag plotseling dat het weer de hormonen waren die hier spraken, net als bij haar reactie op Jack gisteravond en in de supermarkt met die bejaarde vrouw. Wat haar verbaasde en beschaamde was de snelheid waarmee dergelijke stemmingen opkwamen. Er was geen tijd om rationeel na te denken.

Terug in haar kantoor en met het gevoel dat ze haar emoties nu beter onder controle had, belde Laurie haar vriendin Shirley Schoener. Ze wist dat het een goed moment was omdat Shirley de tijd van acht tot negen reserveerde om te telefoneren en te mailen met haar patiënten. Ze nam direct op.

Omdat ze wist dat ook andere patiënten zouden gaan bellen, kwam Laurie direct ter zake en vertelde Shirley dat Jack en zij die avond naar India zouden vertrekken en waarom.

'Ik ben jaloers op je,' antwoordde Shirley. 'Je zult het heel... interessant vinden.'

'Zo zou iemand iets omschrijven waar hij of zij niet van houdt maar waar hij diplomatiek op moet reageren,' antwoordde Laurie.

'Het is gewoon moeilijk om je reactie op India te omschrijven,' legde Shirley uit. 'Het land roept zoveel verschillende emoties op, dat gewone standaardomschrijvingen zinloos zijn. Maar ik was er dol op!'

'We zullen geen tijd hebben om veel van India te zien,' zei Laurie. 'Het zal erin en eruit worden, vrees ik.'

'Dat doet er niet toe. India is zo vol tegenstellingen dat je al snel zult begrijpen wat ik bedoel. Of je er nou kort of lang blijft en of je nou naar Delhi, Mumbai of Calcutta gaat. Het is zo complex. Ik was er een jaar geleden voor een medisch congres en het heeft me echt geraakt. Het is een combinatie van onvoorstelbare schoonheid en stedelijke lelijkheid. Je hebt er extreme rijkdom en de meest hartverscheurende armoede die je je maar kunt voorstellen en die je de adem beneemt. Echt waar, het is onmogelijk om er niet door getroffen te worden.'

'We zullen zeker onze ogen openhouden, maar we gaan ernaartoe om de dood van Maria Hernandez te onderzoeken. En we moeten natuurlijk ook rekening houden met mijn cyclus.'

'Verdorie,' riep Shirley uit. 'In mijn enthousiasme over India was ik dat even vergeten. Ik heb een heel positief gevoel over deze cyclus. Ik wil niet dat je weggaat. Ik zal er helemaal geen krediet voor krijgen als je zwanger wordt, en ik denk dat dat gaat gebeuren.'

'Hé, ga jij nu niet ook nog extra druk op me uitoefenen,' zei Laurie grinnikend. Ze vertelde over haar reactie van zojuist op Calvins onschuldige opmerking.
'En jij was de vrouw die betwijfelde dat je last zou hebben van de hormonen!' lachte Shirley.
'Herinner me daar nou niet aan. Maar ik dacht echt dat het wel mee zou vallen. Ik had nooit last van PMS zoals veel andere vrouwen die ik ken.'
'Dus we moeten zorgen dat je door iemand anders onderzocht kunt worden in New Delhi op de eerste volle dag na je aankomst. We willen niet het risico lopen op hyperstimulatie.'
'Daarom bel ik. Kun je iemand aanbevelen in New Delhi?'
'Een heleboel mensen,' antwoordde Shirley. 'Dankzij het feit dat ik daar voor dat congres was heb ik contact met een aantal artsen. De geneeskunde in India staat op een tamelijk hoog niveau, hoger dan de meeste mensen beseffen. Ik ken ten minste een stuk of vijf artsen die ik je zou durven aanbevelen. Heb je nog voorkeur op het gebied van mannelijk of vrouwelijk, of een bepaalde locatie in de stad?'
'Het zou misschien handig zijn als het iemand is die geassocieerd is met het Queen Victoria Hospital,' zei Laurie. 'Het zou kunnen helpen dat we iemand van de staf kennen als we te maken krijgen met de directie.'
'Dat ben ik helemaal met je eens. Laten we dit afspreken. Ik zal nu wat gaan bellen. Het is ongeveer kwart voor zes 's avonds in Delhi en dat is een prima moment. Ik kan ook mailen maar ik denk dat het beter is om te bellen en rechtstreeks met iemand te spreken. En kennelijk wachten er op dit moment geen telefoontjes op mij.'
'Dank je, Shirley,' zei Laurie. 'Je houdt beslist nog iets van me te goed, maar ik weet niet wat ik voor je terug zou kunnen doen. Ik betwijfel sterk of je vergelijkbare professionele diensten van me wilt.'
'Daar mag je zelfs geen grappen over maken,' zei Shirley. 'Ik ben veel te bijgelovig.'
Toen ze ophing keek Laurie automatisch op haar horloge. Het Indiase visumkantoor ging pas om negen uur open, dus ze had nog wat tijd. Het eerste wat ze deed was de luchtvaartmaatschappij bellen en met haar creditcard de tickets betalen die ze had besteld. Daarna belde ze Jennifer. De telefoon ging vier of vijf keer over, en toen hij eindelijk werd opgenomen verwachtte Laurie de voicemail. Maar het was Jennifer, die buiten adem klonk.

Laurie vroeg of ze op een slecht moment belde. Ze kon heel goed later nog eens bellen.
'Nee, dit is prima,' zei Jennifer, diep inademend. 'Ik zit in een chic Chinees restaurant hier in het hotel, en toen de telefoon ging ben ik snel naar de lobby gelopen om op te nemen. Raad eens met wie ik zit te eten?'
'Ik zou het niet weten.'
'Een zekere mevrouw Benfatti. Ze is de vrouw van de man die gisteravond in het Queen Victoria is overleden.'
'Dat is toevallig.'
'Niet echt. Ik heb haar opgezocht en we hebben samen geluncht. Ik moet zeggen dat er tussen zijn dood en die van oma een paar vreemde overeenkomsten zijn.'
'Echt?' vroeg Laurie. Ze vroeg zich af of het echte overeenkomsten waren of ingebeelde.
'Jeetje, maar wat zit ik te kletsen terwijl jij mij belde. Zeg alsjeblieft dat je naar India komt.'
'We komen inderdaad naar India,' zei Laurie, met hoorbare opwinding in haar stem.
'Fantastisch!' juichte Jennifer. 'Wat ben ik daar blij om. Je hebt geen idee. Zeg tegen dokter Washington dat ik hem heel, heel, heel erg bedank.'
'Hij condoleert je,' zei Laurie. 'Zijn er nog grote veranderingen in de situatie daar?'
'Niet echt. Ze proberen me nog steeds te dwingen hun het groene licht te geven. Ik heb ze verteld dat jullie komen en hier vrijdagochtend zullen arriveren.'
'Heb je ook gezegd dat we pathologen-anatomen zijn?'
'O, jazeker.'
'En wat was hun reactie?'
'Opnieuw de verzekering dat er geen autopsie zal komen. Ze zijn vastbesloten.'
'We zullen zien,' zei Laurie.
'Ik heb ook gesproken met de verpleegster die voor oma gezorgd heeft. Ze ziet eruit als een schoonheidskoningin met een figuurtje om jaloers op te worden.'
'Komend van jou is dat een groot compliment.'
'Ik kan echt niet aan haar tippen. Ze is het soort vrouw dat waarschijnlijk alles kan eten en er toch steeds beter uit zal gaan zien. Ze is ook erg

aardig. In eerste instantie deed ze alleen een beetje vreemd.'
'Hoe dat zo?'
'Verlegen of beschaamd, ik kon het niet goed zeggen. Het bleek dat ze bang was dat ik kwaad op haar zou zijn.'
'Waarom zou je kwaad zijn?'
'Dat vroeg ik haar. En weet je wat het was? Oma was de eerste patiënt die ze had verloren sinds ze van de opleiding was gekomen. Is dat niet roerend?'
'Heb je iets meer over je grootmoeder gehoord van haar?' vroeg Laurie. Ze antwoordde niet op Jennifers retorische vraag. Laurie begreep absoluut niet wat het feit dat Maria het eerste sterfgeval was van de verpleegster te maken had met haar angst dat Jennifer kwaad op haar zou zijn. Laurie veronderstelde dat het iets cultureels moest zijn.
'Niet echt,' zei Jennifer, maar verbeterde zichzelf toen. 'Behalve dat ze zei dat oma cyanotisch was toen ze werd gevonden.'
'Centrale cyanose?' vroeg Laurie.
'Dat zei ze, en ik heb het haar specifiek gevraagd. Maar dit had ze uit de tweede hand. Oma is niet overleden tijdens háár dienst, maar tijdens de avonddienst. Ze had het gehoord van de verpleger die oma heeft gevonden toen ze al overleden was.'
'Misschien kun je beter niet meer voor medisch detective spelen,' stelde Laurie voor. 'Je zou weleens te veel mensen tegen de haren in kunnen strijken.'
'Je hebt waarschijnlijk gelijk,' stemde Jennifer in, 'en vooral niet nu jullie komen. Wat is je vluchtschema?'
Laurie gaf haar de vluchtnummers en de verwachte aankomsttijd. 'En je hoeft niet naar het vliegveld te komen zoals je voorstelde,' zei Laurie. 'We springen wel in een taxi.'
'Ik wil komen. Ik kom met een auto van het hotel. Mijn onkosten worden immers betaald.'
Onder die omstandigheden nam Laurie het aanbod van Jennifer graag aan. 'Nu kan ik je beter terug laten gaan naar je diner en je tafelgenote.'
'Wat betreft mevrouw Benfatti, ik heb aangeboden dat jullie ook even naar de zaak van haar echtgenoot kijken. Ik hoop dat je dat niet erg vindt. Er zijn overeenkomsten, zoals ik al zei.'
'We zullen eerst naar de overeenkomsten kijken en dan beslissen,' zei Laurie.
'Nog één ding,' zei Jennifer. 'Ik ben vanmiddag naar de Amerikaanse

ambassade geweest en heb daar met een heel aardige medewerker gesproken die zeer behulpzaam was.'
'Heb je iets opgestoken?'
'Het blijkt dat de zorgmanager in het Queen Victoria gelijk had over het vervoer van lichamen naar de VS. Je moet een heleboel bureaucratische horden nemen en het is heel duur. Ik neig dus naar crematie.'
'We zullen het er verder over hebben als ik er ben,' zei Laurie. 'Ga nu maar gauw terug naar je diner.'
'Aye, aye, sir. Tot morgenavond,' zei Jennifer vrolijk.
Laurie legde de hoorn neer. Even liet ze haar hand erop rusten, in gedachten bij een hartaanval en centrale cyanose. Als het hart faalt, stopt het met pompen maar dan kreeg je geen centrale cyanose. Cyanose ontstaat doorgaans als de longen ermee ophouden terwijl het pompen doorgaat.
De telefoon onder Lauries hand begon schel te rinkelen, waardoor ze opschrok. Met kloppend hart greep ze de hoorn en bracht een snel 'hallo' uit.
'Ik ben op zoek naar dokter Laurie Montgomery,' zei een prettige stem.
'Daar spreekt u mee,' antwoordde Laurie nieuwsgierig.
'Mijn naam is dokter Arun Ram. Ik heb net gesproken met dokter Shirley Schoener. Ze zei dat u op het punt staat naar India te vertrekken en dat u midden in een vruchtbaarheidscyclus zit met gebruik van hormonen. Ze zei dat de grootte van uw follikels in de gaten gehouden moet worden en dat het oestrogeenniveau van het bloed gecontroleerd moet worden.'
'Dat is waar. Fijn dat u mij belt. Ik had verwacht dat dokter Schoener me een paar telefoonnummers zou geven en dat ik zelf zou moeten bellen.'
'Dat is geen enkel probleem. Ik heb het voorgesteld omdat dokter Schoener zei dat ze net met u gesproken had. Ik wilde u laten weten dat het een eer voor me zou zijn om u te kunnen helpen. Dokter Schoener heeft een beetje over u verteld, en ik ben erg onder de indruk. Aan het begin van mijn opleiding heb ik er even over gedacht patholoog-anatoom te worden na het zien van Amerikaanse tv-series. Maar ik ben ervan teruggekomen. De faciliteiten in dit land zijn heel slecht vanwege onze beruchte bureaucratie.'
'Dat is jammer. We hebben goede mensen nodig in onze specialiteit en India zou er heel veel aan kunnen hebben als de faciliteiten op dat gebied zouden worden verbeterd.'
'Dokter Schoener heeft eerst een collega van me gebeld, dokter Daya

Mishra, een vrouwelijke arts dus, als u daar de voorkeur aan zou geven. Maar dokter Schoener zei dat u graag iemand wilde die toegang heeft tot het Queen Victoria Hospital en daarom heeft dokter Mishra mij aanbevolen.'

'Ik zou u heel dankbaar zijn als u me kon ontvangen. Mijn echtgenoot en ik hebben ook nog iets anders te doen in het Queen Victoria Hospital, dus dat komt heel goed uit.'

'Wanneer arriveert u precies?'

'We vertrekken vanavond uit New York en het vliegtuig zal donderdagavond laat in Delhi arriveren, op achttien oktober om tweeëntwintig uur vijftig.'

'Waar bent u nu in de huidige cyclus?'

'Dag zeven, maar belangrijker is dat dokter Schoener maandag schatte dat de HCG-injectie over vijf dagen gegeven zou moeten worden.'

'Dus de laatste keer dat u werd onderzocht was maandag en alles was prima?'

'Ja, alles was prima.'

'Dan moet ik u dus op vrijdagochtend zien. Hoe laat komt u het beste uit? Elk moment is goed, want vrijdag is een onderzoeksdag en mijn agenda is leeg.'

'Ik weet het niet,' zei Laurie. 'Wat vindt u van acht uur?'

'Acht uur dus,' zei dokter Arun Ram.

Na het gesprek met dokter Ram beëindigd te hebben belde Laurie naar Shirley en bedankte haar voor haar bemiddeling.

'Je zult hem aardig vinden,' zei Shirley. 'Hij is heel goed, heeft veel gevoel voor humor en een goede naam.'

'Meer kan een mens zich niet wensen,' zei Laurie voor ze ophing.

Nu alle telefoontjes geregeld waren keek Laurie weer op haar horloge. Het was tijd om naar het kantoor te gaan dat door India gemachtigd was om visa te verstrekken. Ze haalde de paspoorten van haar en Jack uit haar aktetas en stak de foto's die ze die ochtend hadden laten maken ertussen. Met de paspoorten, de foto's en haar mobiele telefoon in haar schoudertas verliet Laurie haar kantoor en liep naar de liften. Toen ze de liftdeur open hoorde schuiven versnelde ze haar pas om hem nog te halen en botste tegen haar kantoorgenoot, dokter Riva Mehta op, die net uitstapte. Ze verontschuldigden zich allebei en Laurie moest lachen.

'Jeetje, jij bent in een goed humeur,' zei Riva.

'Ja, ik geloof het wel,' antwoordde Laurie vrolijk.
'Vertel me niet dat je zwanger bent,' zei Riva. Riva en Laurie waren niet alleen kantoorgenoten, ze waren ook elkaars vertrouweling. Riva was naast Shirley de enige met wie ze al haar zorgen over de vruchtbaarheidsbehandeling had gedeeld.
'Was dat maar zo,' zei Laurie. 'Nee, Jack en ik gaan een reis naar India maken vanwege een noodgeval.' Laurie worstelde met de liftdeur die wanhopig graag wilde sluiten.
'Dat is fantastisch,' zei Riva. 'Waar in India?' Riva en haar ouders waren naar de Verenigde Staten geëmigreerd toen ze elf was.
'New Delhi,' zei Laurie. 'Maar ik ben eigenlijk op weg om visa te halen. Ik zal over ongeveer een halfuur terug zijn. Ik wil het er heel graag even met je over hebben en misschien kan ik wat tips krijgen.'
'Natuurlijk,' zei Riva en zwaaide.
Laurie schoot de lift in en liet de dwingende deur dichtschuiven. Op weg naar beneden dacht ze aan Riva's opmerking over haar stemming en besefte dat ze inderdaad heel opgewekt was, helemaal in vergelijking tot de negatieve stemming waar ze de laatste twee of drie maanden last van had gehad. Vaag hoopte ze dat de druk van de onvruchtbaarheid haar niet bipolair maakte.
Nadat ze in het souterrain was uitgestapt haastte Laurie zich naar de autopsieruimte. Omdat ze wist dat ze er maar even zou zijn pakte ze snel een jas en een muts en liep de hoofddeuren door. Hoewel het bijna kwart voor negen was waren Jack en Vinnie het enige team dat aan het werk was. Verschillende andere mortuariummedewerkers waren zaken aan het voorbereiden en legden lichamen klaar, maar de artsen die ermee aan de gang zouden gaan moesten nog arriveren.

De grote Y-vormige incisie over de borst en maag van het lichaam waar Jack en Vinnie mee bezig waren was alweer gehecht. Inmiddels hadden ze de schedel gelicht en werkten ze aan de hersenen.
'Hoe gaat het?' vroeg Laurie terwijl ze naast Jack ging staan.
'We hebben een hoop lol, zoals gebruikelijk,' antwoordde Jack terwijl hij zich oprichtte en uitrekte.
'Een typische zelfmoord met een pistool?' vroeg Laurie.
Jack stootte een kort lachje uit. 'Nauwelijks. Inmiddels wordt aardig duidelijk dat het moord was.'

'Echt?' vroeg Laurie. 'Hoezo dan?'
Jack reikte over het lichaam heen, pakte de omgekeerde schedel en klapte hem weer terug op zijn oorspronkelijke plaats. Hoog aan de zijkant van het hoofd, in het midden van een geschoren gedeelte, was een scherp gedefinieerde, ronde, dieprode ingangswond te zien omringd door een aantal zwarte stippels van vijf tot zes centimeter in doorsnee.
'Jee, ja zeg,' riep Laurie uit. 'Je hebt gelijk. Dit is geen zelfmoord.'
'En dat is niet alles,' zei Jack. 'De baan van de kogel gaat recht naar beneden en eindigt in de subcutane weefsels van de hals.'
'Hoe komt het dat jullie hier zoveel uit kunnen afleiden?' vroeg Vinnie.
'Dat is eenvoudig,' zei Laurie. 'Als iemand zichzelf neerschiet dan zet hij de loop bijna altijd tegen de huid. Wat er dan gebeurt is dat de explosiegassen samen met de kogel in de wond dringen. De ingangswond wordt als gevolg daarvan rafelig en stervormig omdat de huid wordt weggeblazen van de schedel en scheurt.'
'En zie je dit?' zei Jack terwijl hij met het handvat van een scalpel naar de ring van zwarte stippels om de wond wees. 'Dat zijn kruitsporen. Bij een zelfmoord verdwijnt dat allemaal in de wond.' En zich omkerend naar Laurie vroeg hij: 'Op welke afstand denk je dat de loop was toen het pistool werd afgevuurd?'
Laurie haalde haar schouders op. 'Misschien dertig tot veertig centimeter.'
'Dat is precies wat ik dacht,' stemde Jack toe. 'En ik denk dat ons slachtoffer lag toen het gebeurde.'
'Dat kun je maar beter zo snel mogelijk aan de baas vertellen,' adviseerde Laurie. 'Zulke gevallen hebben bijna altijd politieke gevolgen.'
'Dat ben ik ook van plan,' zei Jack. 'Is het niet verbazingwekkend hoeveel gevallen we zien waarvan de doodsoorzaak na de autopsie anders blijkt te zijn dan voordien werd gedacht?'
'Daarom is ons werk zo belangrijk,' zei Laurie.
'Hé!' riep hij uit. 'Heb je Calvin al gezien?'
'O, ja!' zei Jennifer die zich opeens weer herinnerde wat ze kwam doen. 'Daarom ben ik hiernaartoe gekomen. Ik ben op weg naar Travisa om onze visa voor India te halen. Calvin heeft ons het groene licht gegeven voor een week.'
'Verdomme,' zei Jack, maar toen lachte hij, voor Laurie de kans kreeg om nijdig te worden.

20

17 oktober 2007
woensdag 19.40 uur
New Delhi, India

Raj Khatwani duwde de deur van het trappenhuis op een kier open en keek het stuk van de gang op de tweede verdieping van het Aesculapian Medical Center in dat zichtbaar was. Er was niemand te zien, maar hij kon een medicijnenkarretje dichterbij horen komen met het karakteristieke gerammel van glas tegen glas. Hij liet de deur dichtglijden. Ondanks de brandwerende laag kon hij het karretje voorbij horen rollen. Terwijl hij tegen de muur van betonblokken leunde probeerde hij zijn ademhaling onder controle te krijgen. Door de spanning die hij voelde was dat moeilijk. De zweetdruppels stonden op zijn voorhoofd. Hij kon alleen maar met hernieuwd respect aan Veena en Samira denken. Nu hij op weg was om zijn eerste patiënt in te laten slapen, besefte hij dat het veel spannender was dan hij had verwacht, vooral nadat Samira hem verteld had dat het een makkie was. Wat een makkie, dacht hij nijdig.
Nadat er enige tijd voorbij was gegaan duwde hij de deur weer iets open. Omdat hij niemand zag en niets hoorde duwde hij de deur verder open, stak langzaam zijn hoofd naar buiten en keek de hal door. De enige mensen die hij zag waren twee verpleegsters een eind verderop in de gang bij de zusterspost, die stonden te praten met een ambulante patiënt. De afstand was zo groot dat Raj ze nauwelijks kon horen. In tegenovergestelde richting waren er nog maar drie patiëntenkamers aan weerszijden van de gang en helemaal aan het einde een serre. Aan beide uiteinden van de lange gang waren serres vol met planten waar ambulante patiënten konden gaan zitten.
In gedachten hoorde Raj Samira's advies: zorg dat je niet gezien wordt, maar als dat wel zo is, gedraag je dan normaal. Laat je uniform voor je spreken. Zorg dat je niet gezien wordt, smaalde Raj. Omdat hij een grote man was van iets meer dan tweehonderd pond, was niet gezien worden

behoorlijk moeilijk, vooral op een drukke ziekenhuisverdieping waar verpleegsters en coassistenten rondholden die druk waren met honderd-en-één klusjes.
Raj was eerder die avond naar de kamer van Samira en Veena gegaan om advies te vragen voor hij naar het Aesculapian Medical Center vertrok. Hij dacht niet dat hij echt hulp nodig had en deed het meer uit respect voor zijn vrouwelijke collega's, maar nu hij hier was, was hij blij dat hij het gedaan had. Samira had uiteindelijk toegegeven dat ze nerveus was geweest. Maar Veena had niks gezegd.
Van de twaalf verpleegkundigen van Nurses International was Raj de enige man en hij vormde een enorm contrast vergeleken met de elf aantrekkelijke, en zeer vrouwelijke collega's. Hij had een middelbruine, gave huid, heel donker kortgeknipt haar, donkere indringende ogen en een potlooddun snorretje onder een licht gebogen neus. Hij viel vooral op door zijn lichaamsbouw. Hij had brede schouders, smalle heupen en enorme spieren. Je kon goed zien dat hij een enthousiast gewichtheffer en vechtsporter met zwarte band was. Maar ondanks zijn verschijning gedroeg Raj zich niet macho. Ook niet vrouwelijk, tenminste naar zijn idee. Hij was ook geen homo. Hij dacht alleen maar aan zichzelf als Raj. De moeilijk te rijmen combinatie van gewichtheffen en vechtsport was oorspronkelijk zijn vaders idee geweest. Zijn vader wilde dat hij zich kon weren in een sociaal wrede wereld. En toen hij ouder werd begon Raj van gewichtheffen te houden. Het was leuk om er strak uit te zien omdat het hem veel aandacht opleverde van zijn voornamelijk vrouwelijke kennissen, en hij hield van vechtsport omdat het, naar zijn idee, meer op een dans leek dan op een agressieve sport.
Plotseling hoorde Raj harde voetstappen op het kale beton. Tot zijn afschuw besefte hij dat er iemand achter hem in het trappenhuis van boven naar beneden kwam lopen. Het geluid was al tamelijk dichtbij en hij realiseerde zich dat de persoon in kwestie elk moment de overloop tussen de tweede en de derde verdieping zou bereiken en Raj zou kunnen zien rondhangen! Raj wist dat hij twee mogelijkheden had als hij niet gezien wilde worden. Hij kon de trap afrennen, eventueel tot in het souterrain, of hij kon de gang in lopen op de tweede verdieping met het risico daar gezien te worden.
De voetstappen kwamen snel dichterbij. Raj moest beslissen! Hij raakte in paniek. Hij hoorde de hollere klank toen de naderende persoon de over-

loop bereikte. In nog grotere paniek opende Raj de deur naar de tweede verdieping net ver genoeg om erdoor te glippen en duwde hem vervolgens met zijn heup weer dicht. Ongemerkt had hij zijn adem ingehouden, maar nu kon hij die weer laten ontsnappen terwijl hij links en rechts de gang door keek. Achter hem, in het trappenhuis, kon hij de nu gedempte stappen horen afdalen naar de tweede verdieping. Uit angst dat wie het ook maar mocht wezen op de tweede verdieping zou moeten zijn, liet Raj de deur naar het trappenhuis los en ging op weg naar de kamer van zijn patiënt. Hij werd gedwongen tot actie. Het was alsof hij aan de rand van een zwembad had gestaan terwijl hij bang was voor water, en er vervolgens in was geduwd. Raj keek niet om tot hij de deur van David Lucas' kamer had bereikt. Vlak voor hem kwamen twee verpleegsters uit de volgende patiëntenkamer, diep in gesprek over het ziekteverloop. Gelukkig liepen ze direct in de richting van de zusterspost. Als ze de andere kant op hadden gekeken dan hadden ze op slechts drie meter afstand oog in oog gestaan met Raj, en dan zou hij heel wat uit te leggen hebben gehad.
Gelukkig kon hij ongezien de kamer binnenglippen, maar net achter de deur bleef hij staan. Hij hoorde gedempte stemmen. David Lucas was niet alleen!
Niet wetend of hij moest blijven of vluchten, bleef Raj stokstijf staan. Een seconde later ging er een golf van opluchting door hem heen. Het was geen bezoeker, het was de tv. Met hernieuwd zelfvertrouwen liep Raj verder de kamer in, om de muur van de badkamer heen, zodat hij de ongelooflijk dikke patiënt kon zien die, ondersteund door kussens, in het bed lag. De patiënt sliep. In zijn ene neusgat zat een neus-maagsonde, waaraan gezogen werd. Ongeveer een half kopje gelige vloeistof was te zien in de opvangfles. Een hartmonitor aan de muur achter meneer Lucas gaf een regelmatig ritme te horen. Alles bij elkaar zag de hele situatie er net zo uit als toen Raj vanmiddag was vertrokken.
Raj greep in de zak van zijn witte broek en haalde de spuit tevoorschijn die hij in de bungalow had klaargemaakt. In tegenstelling tot Veena en Samira had hij niet naar de verlaten operatiekamer hoeven gaan om de succinylcholine te halen, en daar was hij blij om. Hij wist dat hij Samira daarvoor moest bedanken en dat had hij dan ook al gedaan.
Nadat hij de spuit had gecontroleerd om zeker te weten dat er geen vloeistof uitgelekt was, wat heel goed mogelijk was omdat hij de 10cc-spuit tot de rand gevuld had, was Raj er klaar voor. Hij had de spuit met opzet

zo vol gedaan omdat hij beslist niet te weinig wilde geven.
Raj liep terug naar de deur en wierp nog een blik door de gang. Er kwam een verpleegster zijn richting uit, maar ze ging een kamer in en verdween uit het zicht. Met de gedachte dat dit hét moment was, liep hij weer naar het bed. Voorzichtig pakte hij de infuuslijn zonder eraan te trekken, haalde met zijn tanden het beschermkapje van de naald en stak de naald voorzichtig in de IV-toegang. Hij hoefde zich geen zorgen te maken over steriliteit.
Aldus voorbereid wachtte Raj even, luisterend of er geluiden uit de hal kwamen die hij boven het gedempte geluid van de tv uit zou kunnen horen. Die waren er niet en daarop gebruikte hij beide handen om de inhoud van de spuit in één keer in de infuuslijn te drukken. Omdat hij het bovenste deel van de infuuslijn niet van tevoren had afgeklemd, was het eerste wat hij opmerkte een snelle stijging van de vloeistofniveau in de Millipore chamber. Direct daarna volgde de reactie van de patiënt. Zoals Samira al had gezegd begonnen de gelaatsspieren bijna direct samen te trekken terwijl tegelijkertijd de ogen van David Lucas openvlogen. Hij slaakte een kreet toen zijn ledematen spastisch begonnen te schokken.
Raj stapte achteruit, ontzet door wat hij zag. Hoewel hij gewaarschuwd was, was de reactie sneller en akeliger geweest dan hij had verwacht. Hij bleef nog een seconde staan terwijl de patiënt rechtop probeerde te gaan zitten maar direct weer achterover viel. Met een gevoel van afkeer draaide Raj zich om en sloeg op de vlucht. Het probleem was dat hij niet ver kwam. Toen hij de deur naar de gang openrukte, botste hij tegen een in het wit geklede figuur aan die net zijn hand had geheven om de deur open te duwen die er dankzij Raj nu niet meer was.
Raj greep de man vast om te voorkomen dat hij hem omverliep, waardoor ze beiden in de gang belandden. 'Het spijt me,' gooide de verwarde verpleger eruit. De botsing was geheel onverwacht en, erger nog, hij herkende de man. Het was dokter Nirav Krishna, de chirurg van David Lucas, die zijn laatste ronde deed voor hij naar huis ging.
'Mijn god, man,' snauwde dokter Krishna. 'Waarom heb je zo'n haast, verdomme?'
In een ogenblik van opperste paniek probeerde Raj te bedenken wat hij moest zeggen. Beseffend dat er geen weg terug was, vertelde hij de waarheid. 'Er is een spoedgeval. Het gaat niet goed met meneer Lucas.'

Zonder nog iets te zeggen duwde dokter Krishna Raj aan de kant en holde de kamer in. Bij het bed zag hij de beginnende cyanose van David Lucas. Vanuit zijn ooghoek zag hij op de monitor dat het hart relatief normaal klopte. Op dat moment realiseerde hij zich dat de patiënt niet ademde. Hij zag geen contracties, want die waren al gestopt.
'Haal de crashcar,' schreeuwde dokter Krishna. Hij rukte de neus-maagsonde eruit en gooide hem aan de kant. Hij greep de knoppen van het bed en begon het hoofdeinde omlaag te bewegen. Toen hij zag dat Raj als aan de grond genageld bleef staan schreeuwde hij hem opnieuw toe de crashcar te halen. Ze moesten reanimeren.
Rajs verlamde gevoel verdween, maar niet zijn doodsangst. Hij rende de kamer uit, de gang door naar de zusterspost, waar de crashcar stond. Hij kon niets anders bedenken dan te helpen. De chirurg had hem goed kunnen zien en als hij zomaar verdween zou het zeker verdacht zijn.
Toen hij bij de zusterspost kwam schreeuwde Raj tegen de twee verpleegsters die aan de balie zaten dat er een spoedgeval was in kamer 304. Zonder te wachten gooide Raj de deur naar de bergruimte open waar de crashcar stond, greep hem, trok hem achter zich aan de gang op en rende terug naar David Lucas' kamer, waarbij hij een hels kabaal maakte. Toen hij terugkwam waren alle lampen aan. Dokter Krishna gaf mond-opmondbeademing, en tot Rajs grote afschuw zag meneer Lucas er niet eens zo slecht uit. Zijn cyanose was al flink afgenomen.
'Ambubag!' schreeuwde dokter Krishna. Een van de afdelingszusters die achter Raj aan was gehold greep hem van de kar en gooide hem naar de dokter. Dokter Krishna drukte het hoofd van de patiënt achterover, bracht de pomp aan en begon het slachtoffer te beademen. De borst bewoog nu nog beter op en neer dan tijdens de mond-op-mondbeademing. 'Zuurstof!' blafte dokter Krishna. De andere afdelingszuster bracht de cilinder naar het hoofdeinde van het bed en verbond hem, tussen dokter Krishna's knijpbewegingen door, met de handpomp. Binnen een paar seconden verbeterde meneer Lucas' kleur aanzienlijk. Hij was nu zelfs roze.
Terwijl dit alles gaande was had Raj de gelegenheid om na te denken over de puinhoop waar hij in beland was. Hij wist niet zeker of het beter zou zijn dat de patiënt stierf of gered werd. En hij wist ook niet of het beter voor hem was om weg te sluipen of te blijven, en die onzekerheid hield hem aan de grond genageld.

Op dat moment kwam de dienstdoende arts, dokter Sarla Dayal, de kamer in hollen. Ze voegde zich bij de anderen aan het hoofdeind van het bed en dokter Krishna gaf haar een snelle samenvatting van wat er was gebeurd.
'Toen ik hier kwam was hij beslist cyanotisch,' zei dokter Krishna. 'De hartmonitor zag er redelijk uit, maar dat is slechts een aanwijzing. Het probleem was dat hij stopte met ademen.'
'Denk je dat het een beroerte was?' vroeg dokter Dayal. 'Misschien een beroerte veroorzaakt door een hartaanval. De patiënt heeft een voorgeschiedenis met een occlusieve cardiovasculaire aandoening.'
'Zou kunnen,' stemde dokter Krishna in. 'Het lijkt erop dat de hartmonitor nu wel iets aangeeft. Het ritme neemt beslist af.'
Dokter Dayal legde een hand op de borst van de patiënt. 'De hartslag neemt af en is tamelijk zwak.'
'Dat komt waarschijnlijk door zijn overgewicht.'
'Hij voelt ook tamelijk warm aan. Moet je eens voelen. Ik zal het beademen wel even overnemen.'
Dokter Krishna gaf de ambubag aan de dienstdoende arts en voelde aan David Lucas' borst. 'Dat vind ik ook.' Hij keek naar een van de afdelingsverpleegsters. 'We moeten de temperatuur opnemen!' De zuster knikte en pakte de thermometer van de patiënt.
'Is er een cardioloog oproepbaar?' vroeg dokter Krishna.
'Zeker,' zei dokter Dayal. Ze gaf de andere afdelingsverpleegster de opdracht dokter Ashok Mishra te bellen en hem te vragen onmiddellijk te komen. 'Zeg hem dat het een spoedgeval is,' voegde ze eraan toe.
'Ik vind het geen goed teken dat de hartslag steeds verder afneemt,' zei dokter Krishna terwijl hij naar de monitor keek. 'We moeten het kaliumgehalte testen.'
De afdelingsverpleegster die niet aan de telefoon was nam wat bloed af en rende zelf naar het laboratorium.
Om niet in de weg te staan, had Raj zich langzaam teruggetrokken tegen de muur. Hij was blij dat iedereen zo geconcentreerd bezig was met de reanimatiepoging dat hij vrijwel genegeerd werd. Hij overwoog opnieuw om weg te glippen, maar vanwege de kans dat hij de aandacht op zichzelf zou vestigen bleef hij toch maar.
'Dokter Mishra komt zo snel mogelijk,' riep de verpleegster terwijl ze ophing. 'Hij is bijna klaar met een ander spoedgeval.'

'Dit is niet goed,' zei dokter Krishna. 'Ik heb een slecht voorgevoel. Met zo'n abnormaal lage pols is het tegen die tijd misschien wel te laat. Het gaat helemaal niet goed met zijn hart. Volgens mij wordt de QRS-breedte groter.'
'De patiënt heeft ontzettend hoge koorts,' riep de verpleegster uit, terwijl ze ongelovig naar de thermometer staarde.
'Hoeveel?' vroeg dokter Krishna.
'Over de 42.'
'Shit!' schreeuwde dokter Krishna. 'Dat is hyperpyrexie. Haal ijs!'
De afdelingszuster rende weg.
'U hebt waarschijnlijk gelijk, dokter Dayal,' kreunde dokter Krishna. 'We hebben hier vast te maken met een hartaanval in combinatie met een beroerte.'
De verpleegster die naar het laboratorium was geweest kwam op een holletje weer terug. Ze was buiten adem maar wist nog uit te brengen: 'Het kaliumgehalte is negen-punt-één milli-equivalent per liter. De laborant zegt dat hij nog nooit zo'n hoog gehalte heeft gezien, dus hij gaat de test nog eens overdoen.'
'Mijn god!' riep dokter Krishna uit. 'Ik heb ook nog nooit zo'n kaliumgehalte gezien. Laten we wat calciumgluconaat geven: tien milliliter van een tienprocentsoplossing. Maak het klaar. We zullen het over een paar minuten toedienen. En ik wil twintig eenheden reguliere insuline. En hebben we natrium-kaliumuitwisselaar beschikbaar? Zo ja, haal het.'
De afdelingszuster kwam terug met ijs. Dokter Krishna gooide het over de patiënt en een groot deel kletterde op de vloer. Daarna rende de verpleegster weer weg om de uitwisselaar te zoeken, terwijl de andere verpleegster de medicatie begon klaar te maken.
'Verdomme!' schreeuwde dokter Krishna toen het signaal op de monitor overging in een rechte streep. 'We zijn de hartslag kwijt.' Hij klom op het bed en begon hartmassage toe te passen.
De reanimatiepoging ging nog twintig minuten door, maar ondanks de medicatie, het ijs, de natrium-kaliumuitwisselaar en een heleboel moeite kwam de hartslag niet meer op gang. 'Ik denk dat we het moeten opgeven,' zei dokter Krishna uiteindelijk. 'We zijn intuïtief bezig en het werkt niet. Ik geloof zelfs dat de rigor mortis al begonnen is, waarschijnlijk door de hyperpyrexie. Het is tijd om ermee op te houden.' Hij stopte met de hartmassage. Hoewel dokter Dayal tien minuten eerder had aangeboden

hem af te lossen, had hij geweigerd. 'Het is mijn patiënt,' had hij gezegd. Nadat hij de twee afdelingsverpleegsters en dokter Dayal had bedankt voor hun hulp, trok dokter Krishna de mouwen van zijn witte jas, die hij aan het begin van de reanimatiepoging omhoog had geschoven, weer omlaag en liep naar de deur. 'Ik zal het papierwerk afhandelen,' riep hij over zijn schouder terwijl de anderen de rommel begonnen op te ruimen, de kamer weer in orde brachten en het lichaam verzorgden. 'En vanwege die e-mail die net vandaag binnenkwam dat we sterfgevallen direct moeten rapporteren, zal ik ook directeur Khajan Chawdhry bellen om hem het slechte nieuws te vertellen.'

'Dank u, dokter Krishna,' echoden de twee verpleegsters.

'Ik zal wel naar Khajan bellen, als je wilt,' bood dokter Dayal aan.

'Ik vind dat ik het moet doen,' reageerde dokter Krishna. 'Hij was mijn patiënt en ik moet de eventuele gevolgen op me nemen. Met de internationale media-aandacht voor die sterfgevallen in het Queen Victoria zal dit heel slecht uitkomen, op zijn zachtst gezegd. Ik weet zeker dat er sterk op zal worden aangedrongen dit niet openbaar te maken en heel snel af te handelen. Wat jammer is, want onder normale omstandigheden had ik graag het fysiologische verloop van de gebeurtenissen willen weten, te beginnen met de voorgeschiedenis van de patiënt met de obstructieve hartaandoening, tot en met de hyperpyrexie en het gigantisch verhoogde kaliumgehalte.'

'Ik betwijfel of we het ooit zullen weten,' zei dokter Dayal. 'Ik ben het met je eens dat de directie dit stil zal willen houden. Maar als Khajan met me wil praten, zeg hem dan dat ik hier in het ziekenhuis ben en dat hij me kan laten oppiepen.'

Dokter Krishna gebaarde over zijn schouders dat hij het had gehoord. Hij stond op het punt de kamer uit te lopen toen hij Raj opmerkte. 'Mijn god, jongen, ik was je helemaal vergeten. Kom mee!' Dokter Krishna gebaarde dat Raj hem moest volgen en liep voor hem uit de deur door.

Vergeefs hopend dat hij zou worden genegeerd alsof hij onzichtbaar was, volgde Raj de chirurg met tegenzin. Zijn hart begon weer te bonken. Hij had geen idee wat hij kon verwachten, maar het zou niet goed zijn.

In de hal wachtte dokter Krishna op hem. 'Neem me niet kwalijk dat ik je heb genegeerd, jongeman,' zei de chirurg. 'Ik was even heel druk met iets anders, maar nu herken ik je. Ik heb je vanochtend gezien toen ik hier langs kwam om Lucas te controleren. Jij bent de dagverpleger als ik me niet vergis. Hoe heet je ook weer?'

'Raj Khatwani,' zei Raj aarzelend.
'O, ja, Raj. Jee, jij maakt lange dagen.'
'Ik werk nu niet. Ik ben vrij vanaf drie uur.'
'Maar je bent nog hier in het ziekenhuis en je ziet eruit of je nog dienst hebt, met je uniform nog aan.'
'Ik ben teruggekomen naar het ziekenhuis om naar de bibliotheek te gaan. Ik wilde meer weten over de operatie die u op meneer Lucas hebt uitgevoerd. Obesitaschirurgie maakte geen deel uit van het lesprogramma tijdens de opleiding.'
'Ik ben onder de indruk! Je doet me denken aan mijzelf toen ik zo oud was als jij en nog studeerde! Motivatie is de sleutel tot succes in de geneeskunde. Kom. Loop met me mee naar de zusterspost.'
Raj moest moeite doen om de neiging tot vluchten te onderdrukken. Hoe langer hij bleef en hoe meer hij zei, des te groter was de kans dat hij zichzelf zou verraden. Hij kon de injectiespuit in zijn broekzak waar de succinylcholine in had gezeten tegen zijn dij voelen drukken.
'Ben je nog op vragen gestuit die ik voor je zou kunnen beantwoorden?'
Wanhopig probeerde Raj een vraag te bedenken die hij kon stellen om het geloofwaardig te maken dat hij echt aan het studeren was geweest. 'Ummm...' zei hij. 'Hoe weet u hoe klein u de maag moet maken?'
'Goede vraag,' zei dokter Krishna, terwijl hij met een professioneel gezicht de vraag breed gebarend beantwoordde. Hij merkte dat Raj verlangend naar de deur naar het trappenhuis keek die ze passeerden. De chirurg stopte en onderbrak zichzelf. 'Het spijt me,' zei hij. 'Word je ergens verwacht?'
'Ik moet naar huis,' zei Raj.
'Laat me je dan niet langer ophouden,' zei dokter Krishna. 'Maar ik heb nog een vraag. Waarom was jij, net op het moment dat hij deze terugval kreeg, in de kamer van meneer Lucas?'
Raj dacht wanhopig na over een verklaring. Hij wist dat hij, hoe langer hij aarzelde, steeds minder overtuigend zou klinken. 'Toen ik een tijdje gelezen had, had ik wat vragen voor de patiënt. Op het moment dat ik zijn kamer binnenkwam wist ik dat er iets vreselijk mis was.'
'Was hij bij bewustzijn?'
'Ik weet het niet. Hij lag te kronkelen alsof hij veel pijn had.'
'Dat was waarschijnlijk de hartaanval. Daar overlijden deze zwaarlijvige patiënten meestal aan. Wel, je hebt de ramp bijna kunnen voorkomen. Dankjewel.'

'Geen dank,' zei Raj hortend, waardoor hij zichzelf bijna verried. Hij kon niet geloven dat hij bedankt werd.
'Ik heb een paar goede tijdschriftartikelen over obesitaschirurgie die ik je kan lenen als je wilt.'
'Dat zou fantastisch zijn,' wist Raj uit te brengen.
Na een snelle handdruk gingen de twee mannen uit elkaar. Raj verdween in het trappenhuis en dokter Krishna liep naar de zusterspost om de overlijdensverklaring in te vullen en de zorgmanager en Khajan Chawdhry te bellen.
Zodra hij in het trappenhuis stond moest Raj even blijven staan. Zijn hart sloeg zo snel dat hij zich een beetje misselijk voelde. Nadat hij even op zijn hurken had gezeten om de duizeligheid weg te laten trekken en het koude zweet van zijn voorhoofd had geveegd, trok hij zich aan de trapleuning weer omhoog. Opgelucht liep hij een paar treden naar beneden en zodra hij zich beter voelde rende hij de rest van de trap af.
Blij dat de lobby verlaten was, haastte hij zich zonder aarzelen naar de hoofdingang en verliet het gebouw. Buiten dwong hij zichzelf niet te snel te lopen en niet toe te geven aan de paniek en op de vlucht te slaan. Hij voelde zich als een bankovervaller die met al het geld de bank uitloopt terwijl iedereen naar hem kijkt. Elk moment verwachtte hij een schel fluitje te horen en een geschreeuwd bevel om te blijven staan.
Op straat, waar het nog steeds heel druk was, hield Raj een motorriksja aan en pas toen het Aesculapian Medical Center uit het zicht verdween in het kleine achterruitje kon hij zich een beetje ontspannen. Bijna in trance voor zich uit kijkend, kwelde Raj zichzelf door de hele ongelukkige gebeurtenis nog eens te overdenken. Hij was bang om het de anderen te vertellen, maar hij was nog banger om het niet te vertellen, omdat hij niet zeker wist wat de uiteindelijke gevolgen zouden zijn.
Nadat hij de voordeur van de bungalow was binnengelopen, bleef Raj staan om te luisteren. Hij kon de bas van de grote subwoofer van de videoinstallatie in de gezamenlijke woonkamer voelen trillen, en dus liep hij die richting uit. Cal, Durell, Petra en Santana zaten samen met Veena, Samira en twee andere verpleegsters naar een spannende actie-dvd te kijken. Durell ging enthousiast tekeer en juichte de helden toe die te maken hadden met onoverkomelijke conflicten.
Raj ging achter Cal staan en tikte hem na enige aarzeling voorzichtig op de schouder.

Gespannen door de film schoot Cal overeind. Hij keek om en zette de film toen stil. 'Raj! Blij je weer te zien. Hoe ging het?'
'Ik ben bang dat het helemaal niet goed is gegaan,' zei Raj en keek naar de grond. 'Het was een ramp.'
Even bleef het stil toen alle ogen op Raj gericht waren.
'Ik dacht al dat we er niet zo snel mee door hadden moeten gaan,' gooide Veena eruit. 'Jullie hadden naar me moeten luisteren!'
Cal hief zijn hand om haar tot zwijgen te brengen. 'Ik denk dat we eerst naar Raj moeten luisteren voor we voorbarige conclusies trekken. Vertel ons wat er gebeurd is, Raj. Tot in de details.'
Zonder veel uit te weiden, vertelde Raj het hele verhaal, van het tegenkomen van de dokter tot het bedankje in de gang van het ziekenhuis nadat de reanimatie mislukt was. Toen hij klaar was, zweeg hij, nog steeds met neergeslagen ogen om oogcontact met de anderen te vermijden.
'Dat was het?' vroeg Cal na een korte stilte. Hij was opgelucht. Ze hadden allemaal iets veel ergers verwacht. Bijvoorbeeld dat Raj beschuldigd werd van wat hij daadwerkelijk had gedaan. 'Laat me even denken. De eerste diagnose was een hartaanval en een soort beroerte. Dat komt op de overlijdensverklaring te staan?'
Raj knikte. 'Dat begreep ik.'
'En je hebt niks gehoord over een onderzoek of een autopsie?'
'Nee. Niks. Ik heb de chirurg wel horen zeggen dat er een e-mail was gekomen waardoor hij verplicht werd direct de directeur van het ziekenhuis te bellen en het overlijden meteen te rapporteren. Blijkbaar hebben die twee sterfgevallen in het Queen Victoria Hospital internationale aandacht gekregen. Ze willen elke aandacht voor het sterfgeval van vanavond de kop in drukken.'
'Dat klinkt bijna te mooi om waar te zijn,' zei Cal. 'Onder de omstandigheden kan ik me niet voorstellen dat een potentiële ramp als deze beter had kunnen aflopen. Raj, volgens mij heb je het fantastisch gedaan.'
Raj klaarde weer wat op. Hij durfde zelfs weer iemand aan te kijken. In navolging van Cal gaven ze hem zelfs een spontaan applausje. 'Laten we een paar Kingfishers uit de koelkast halen en een toost uitbrengen op Raj,' zei Cal.
'Waarom stoppen we er nu niet mee?' vroeg Veena. 'Ik denk dat we nu moeten beslissen ermee op te houden, ten minste een paar dagen. Laten we niet te veel risico nemen.'

‘Dat lijkt me redelijk,’ zei Cal, ‘maar laten we hier zo veel mogelijk van profiteren. Heb je het dossier van de patiënt?’ vroeg Cal aan Raj. Raj stak een hand in een van zijn zakken en haalde de USB-stick en de succinylcholinespuit tevoorschijn. Cal nam de stick aan en gaf hem aan Santana. ‘Laten we dit sterfgeval direct doorgeven aan CNN. Door de mislukte reanimatiepoging moet het bericht nog meer impact hebben. Dring er bij ze op aan dat ze het zo spoedig mogelijk uitzenden.’
Santana nam de stick aan. ‘Het zal maar een paar minuten duren, en dan ben ik terug voor dat biertje. Wacht op mij.’

21

17 oktober 2007
woensdag 21.05 uur
New Delhi, India

Jennifers slaappatroon was nog nooit zo in de war geweest. Toen ze na het diner met Lucinda Benfatti weer in haar kamer kwam, was ze zo moe dat ze bijna tijdens het tandenpoetsen in slaap viel. Maar zodra ze in bed lag en de lamp had uitgedaan begon haar hoofd weer wakker te worden. Voor ze het wist lag ze opgewonden na te denken over de komst van Laurie en Jack en vroeg ze zich af of ze een van de auto's van het hotel had moeten reserveren om hen op te halen. Het leek of tussen tien uur 's avonds en twee uur 's ochtends de meeste internationale vluchten landden, dus dan was er de meeste vraag naar vervoer.

Bang dat ze al te laat was ging Jennifer rechtop zitten, deed het licht aan en belde naar de balie van de conciërge. Tijdens het gesprek met de conciërge hoorde ze iets wat ze nog niet wist. De afhaaldienst van het vliegveld was voor gasten van het Amal Palace gratis en er was al een auto gereserveerd om Laurie en Jack op te halen. Op de vraag of ze mee kon rijden, verzekerde de conciërge haar dat dat mogelijk was. Hij vertelde haar wanneer de auto zou vertrekken en beloofde haar dat hij zou doorgeven dat ze mee wilde gaan.

Toen dat geregeld was deed Jennifer het licht weer uit en kroop onder de dekens. Eerst ging ze op haar rug liggen met haar handen losjes gevouwen op haar borst. Maar nu haar hoofd weer helemaal helder was na het reserveren van de auto, begon ze te puzzelen over de vraag of Laurie en Jack meer geluk zouden hebben met de zorgmanager dan zij, en wat dat zou betekenen voor een mogelijke autopsie.

Een paar minuten later draaide Jennifer zich op haar zij, terwijl ze nadacht over cyanose en zich afvroeg of Herbert Benfatti cyanotisch was geweest en hoe ze daarachter zou kunnen komen.

Vijf minuten later lag ze op haar buik te bedenken wat ze de volgende dag moest doen. Ze was zeker niet van plan om in het Queen Victoria Hospital rond te hangen om de hele dag te worden lastiggevallen. Misschien zou ze een beetje aan sightseeing kunnen doen, hoewel ze dat, nu ze zoveel aan haar hoofd had, misschien wel saai zou vinden. Ze kende zichzelf goed genoeg om te weten dat ze zelfs onder de meest gunstige omstandigheden al niet echt een sightseeing-type was als het ging om oude gebouwen en grafkelders. Ze vond vooral mensen interessant.

Op dat moment begon ze na te denken over hoe weinig ze over India, de mensen en de cultuur wist.

'Verdomme!' riep ze plotseling in het donker uit. Ondanks het feit dat haar lichaam uitgeput was, zoemde haar hoofd als een bijenkorf. Gefrustreerd ging ze rechtop zitten, deed de lamp op het nachtkastje aan en stapte uit bed. In de kast vond ze de Indiase reisgidsen die ze op het vliegveld van LA had gekocht. Ze nam ze mee en gooide ze op haar bed. Daarna liep ze naar de tv en draaide hem zo dat hij niet langer naar de bank maar naar het bed gekeerd stond. Ze sprong weer in bed en schakelde met de afstandsbediening naar CNN. Daarop vloekte ze opnieuw omdat ze besefte dat ze wat vergeten was. Ze klom weer uit bed, liep naar de koelkast in de minibar, pakte een flesje mineraalwater en haalde de dop eraf. Weer terug in bed propte ze de kussens achter haar rug en leunde tegen het hoofdeinde. Eindelijk op haar gemak, sloeg ze een van de reisgidsen open en zocht het deel over Old Delhi op.

Terwijl de CNN-presentatoren doorpraatten over slimme Franse ondernemers die hotels met een Disney-thema voor Dubai hadden bedacht, las Jennifer over het Rode Fort, gebouwd door de Mogol-keizers. Er werden een heleboel feiten en cijfers en namen en data genoemd. Op de volgende bladzijde stond een beschrijving van de grootste moskee van India, met veel vergelijkbare wetenswaardigheden, zoals over hoeveel mensen er tijdens de vrijdagsdienst in konden. Maar toen kwam ze iets tegen wat haar echt interesseerde: een uitgebreide beschrijving van de beroemde bazaar van Old Delhi.

Jennifer probeerde de wereldberoemde specerijenbazaar op de kaart in de reisgids te ontdekken toen haar aandacht werd getrokken door de tv. De vrouwelijke presentator kondigde aan: 'Na het nieuws over twee sterfgevallen in de tot nu toe veelgeprezen Indiase ziekenhuizen voor medisch toerisme, was er ongeveer een uur geleden sprake van een derde geval. Hoewel de eerste twee sterfgevallen plaatsvonden in het Queen Victoria

Hospital in New Delhi, was het tragische overlijden van vanavond in het Aesculapian Medical Center, eveneens in New Delhi. Het betrof hier een gezonde, hoewel zwaarlijvige, achtenveertigjarige man uit Jacksonville, Florida, David Lucas, die vanochtend een maagverkleiningsoperatie had ondergaan. Hij laat een vrouw en twee kinderen van tien en twaalf jaar achter.'

Gebiologeerd zat Jennifer rechtop.

'Wat een tragedie,' stemde de mannelijke presentator in. 'Vooral vanwege de kinderen. Hebben ze gezegd wat de doodsoorzaak was?'

'Ja. Het schijnt dat het een combinatie van een hartaanval en een beroerte is geweest.'

'Wat vreselijk. Mensen gaan naar India om een paar dollar te besparen en dan wham, komen ze thuis in een kist. Als ik een operatie moest ondergaan en ik zou moeten kiezen tussen lagere kosten en overlijden versus een beetje meer uitgeven en leven, dan weet ik wel wat ik zou kiezen.'

'Ongetwijfeld. En kennelijk reageren andere cliënten net zo. CNN krijgt een steeds toenemende lawine aan berichten en mails van mensen die hun in India geplande operatie hebben afgezegd.'

'Dat verbaast me helemaal niks,' zei de mannelijke presentator. 'Zoals ik al zei, dat zou ikzelf zeker ook doen.'

Toen de presentatoren overgingen op een ander onderwerp, Halloween dat al over twee weken zou zijn, zette Jennifer het volume van de tv lager. Ze was perplex. Weer een gezonde Amerikaan die in een Indiaas privéziekenhuis overleed, nadat ongeveer evenveel tijd was verstreken na de operatie.

Jennifer keek op de klok en probeerde uit te rekenen hoe laat het was in Atlanta. Ze dacht dat het ongeveer halftwaalf 's ochtends was. Impulsief greep ze haar telefoon en belde met behulp van de AT&T-telefoondienst CNN. Nadat ze had uitgelegd waar ze in geïnteresseerd was en via verschillende afdelingen was doorverbonden, kreeg ze eindelijk een vrouw aan de lijn die leek te weten waar ze het over had. De vrouw stelde zich voor als Jamielynn.

'Ik zag een bericht op CNN International over een sterfgeval na medisch toerisme,' zei Jennifer. 'Wat ik graag zou willen weten is wie...'

'Het spijt me, we geven geen enkele informatie over onze bronnen,' onderbrak Jamielynn haar.

'Daar was ik al bang voor,' zei Jennifer. 'Maar wat als het gaat om het tijd-

stip waarop het bericht binnenkwam? Daarmee zult u uw bron op geen enkele manier schaden.'
'Dat denk ik niet,' gaf Jamielynn toe. 'Ik zal het even vragen! Blijf aan de lijn!' Na een paar minuten kwam ze weer terug. 'Ik kan u vertellen hoe laat het binnenkwam maar meer ook niet. Het was om tien uur vijfenveertig plaatselijke tijd en het werd voor het eerst om elf uur twee uitgezonden.'
'Dank u,' zei Jennifer. Ze schreef het op het notitieblok bij de telefoon. Daarna belde ze naar beneden naar de conciërge en vroeg hem om het telefoonnummer van het Aesculapian Medical Center. Zodra ze het had belde ze. Ze hoorde de telefoon een paar keer overgaan. Toen hij werd beantwoord vroeg ze om doorverbonden te worden met de kamer van David Lucas.
'Het spijt me, maar we mogen niet bellen naar een patiënt na acht uur.'
'Hoe bellen familieleden dan na acht uur?' Jennifer dacht het wel te weten, maar wilde het toch even vragen.
'Ze hebben een rechtstreeks nummer.'
Jennifer hing op zonder afscheid te nemen. Ze voelde dat ze op het goede spoor zat en belde naar de receptiebalie. Ze vroeg daar of er een zekere mevrouw Lucas in het hotel logeerde. Terwijl ze wachtte vroeg ze zich af of ze de moed zou hebben de vrouw zo snel na het gebeuren te bellen.
'Het spijt me, maar er is geen mevrouw Lucas in het hotel geregistreerd,' antwoordde de receptioniste.
'Weet u het zeker?' vroeg Jennifer teleurgesteld.
De receptioniste spelde de naam en vroeg of Jennifer een andere spelling had. Jennifer zei van niet en wilde al ontmoedigd ophangen toen ze iets bedacht. 'Ik logeer hier in het Amal Palace Hotel via het Queen Victoria Hospital. Brengen andere privéziekenhuizen de naaste familieleden van hun buitenlandse patiënten ook onder in andere hotels?'
'Jazeker,' zei de receptioniste. 'Dat doet het Queen Victoria Hospital ook als wij geen kamers meer beschikbaar hebben.'
'Kunt u me zeggen welke hotels ik zou kunnen proberen?'
'Natuurlijk. Een van de andere vijfsterrenhotels, het Taj Mahal, het Oberoi, het Imperial, het Ashok of het Grand zijn het meest populair, maar het Park en het Hyatt Regency worden ook gebruikt. Het hangt af van de beschikbaarheid. Als u met een van deze hotels verbonden wilt worden, kan de telefooncentrale hiervoor zorgen.'

Na het advies van de receptioniste opgevolgd te hebben belde Jennifer de andere hotels in de volgorde die ze had gekregen. Het duurde niet lang of ze had beet bij het derde hotel, het Imperial.

'Zal ik u doorverbinden?' vroeg de telefoniste van het Imperial.

Jennifer aarzelde. Ze zou de vrouw ernstig storen en ongerust maken, of ze nu wel of niet al op de hoogte was van de situatie van haar man. Maar met de overeenkomsten tussen de omstandigheden rond haar grootmoeder, meneer Benfatti en deze patiënt had ze het gevoel dat ze weinig keus had. 'Ja,' zei Jennifer ten slotte.

Ze trok een gezicht toen ze de telefoon hoorde overgaan. Toen hij werd opgenomen schrok ze. In eerste instantie struikelend over haar woorden legde ze uit wie ze was en excuseerde ze zich uitgebreid voor haar telefoontje.

'U stoort me helemaal niet,' zei mevrouw Lucas. 'En noem me alsjeblieft Rita.'

Je vraagt me niet meer om je Rita te noemen als ik je vertel waarom ik bel, dacht Jennifer terwijl ze moed verzamelde om te beginnen. Het was haar al duidelijk dat Rita, net als zijzelf en mevrouw Benfatti, nog niet was ingelicht over haar echtgenoots dood, ook al had CNN het bericht al uitgezonden. Om de klap te verzachten vertelde Jennifer eerst wat haar en Lucinda was overkomen dankzij CNN.

'Wat verschrikkelijk om het zo te moeten horen,' zei Rita meelevend, maar haar stem stierf weg alsof ze onwillekeurig voelde waarom Jennifer haar belde na negen uur 's avonds.

'Ja,' gaf Jennifer toe, 'hoewel de media in de VS altijd hun uiterste best doen om dit te vermijden, omdat ze eerst de familie op de hoogte willen stellen. Maar Rita, een paar minuten geleden zat ik naar CNN International te kijken, en de presentatoren hadden het over het tragische overlijden van jouw echtgenoot.'

Nadat ze het eindelijk gezegd had zweeg Jennifer. Terwijl de seconden wegtikten wist ze niet of ze haar medeleven moest uitspreken of moest wachten tot Rita Lucas reageerde. Toen het stil bleef kon Jennifer niet langer zwijgen. 'Het spijt me dat ik degene moest zijn die je dit vreselijke nieuws moest brengen, maar daar heb ik een reden voor.'

'Is dit een of andere wrede grap?' vroeg Rita woedend.

'Ik verzeker je van niet,' zei Jennifer, die de woede en de angst van de vrouw kon voelen.

'Ik ben pas iets meer dan een uur geleden bij David weggegaan en het ging heel goed met hem,' schreeuwde ze.
'Ik begrijp hoe je je voelt, ook al omdat je zomaar opeens opgebeld wordt door een vreemde. Maar ik verzeker je dat het de hele wereld is overgegaan dat David Lucas uit Jacksonville, Florida ongeveer een uur geleden is overleden in het Aesculapian Medical Center en dat hij een vrouw en twee kinderen achterlaat.'
'Mijn god!' riep Rita wanhopig uit.
'Rita, bel alsjeblieft het ziekenhuis en vraag het na. Als het waar is, en ik hoop van niet, bel me dan terug. Ik probeer alleen maar te helpen. En als het waar is, en ze proberen je te dwingen in te stemmen met onmiddellijke crematie of balseming, doe het dan alsjeblieft niet. Vanwege mijn ervaringen met het ziekenhuis waar mijn oma en meneer Benfatti geopereerd zijn, denk ik dat er iets mis is, iets heel erg mis is met het Indiase medisch toerisme.'
'Ik weet niet wat ik moet zeggen!' snauwde Rita, bang maar verward dat Jennifer zo overtuigd klonk.
'Zeg maar niks. Bel het ziekenhuis en bel mij dan direct terug. Ik heb het ziekenhuis al gebeld maar ze willen me geen informatie geven, wat raar is omdat het al op de internationale televisie is geweest. Ik logeer in het Amal Palace Hotel en wacht hier bij de telefoon. Nogmaals, het spijt me dat ik degene moest zijn om je te bellen terwijl het de verantwoordelijkheid is van het ziekenhuis.'
Het volgende moment hoorde Jennifer alleen nog de kiestoon. Rita had opgehangen. Bedenkend dat zij misschien wel hetzelfde gedaan zou hebben als de situatie omgekeerd was geweest, hing Jennifer langzaam op. Het gaf haar een vreselijk gevoel dat zij degene was geweest die dit slechte nieuws had moeten brengen. Maar als arts in opleiding wist ze ook dat ze dat in haar verdere carrière nog weleens zou moeten doen.
Wetend dat ze nu helemaal niet meer zou kunnen slapen, vroeg Jennifer zich af wat ze zou doen. Ze dacht erover nog wat in de reisgids te lezen maar liet dat idee weer varen. Ze kon zich niet concentreren. Ze begon zich zorgen maken dat Rita haar, ook al was het bericht van CNN juist, erbuiten zou houden en haar niet terug zou bellen door in een soort passief-agressieve reactie de schuld bij de boodschapper te leggen.
Zonder iets beters te kunnen bedenken, zette Jennifer het volume van de tv harder en keek gedachteloos naar een uitzending over Darfur. Maar ze

had zich nog niet geïnstalleerd of de telefoon begon te rinkelen. Ze nam hem op, nog bijna voor het eerste gerinkel was gestopt. Zoals ze hoopte was het Rita, maar haar stem was veranderd. Haar keel klonk nu zo dichtgeknepen dat ze bijna niet kon spreken.
'Ik weet niet wie of wat je bent, maar mijn man is dood.'
'Het spijt me ontzettend en ik vind het vreselijk dat ík het je heb moeten vertellen. De enige reden waarom ik het heb gedaan is dat ik je wilde waarschuwen voor de mogelijkheid dat het ziekenhuis je probeert te dwingen hun toestemming te geven tot crematie of balseming.'
'Wat doet dat ertoe?' snauwde Rita.
'Alleen dat er dan geen autopsie meer verricht kan worden. Het lijkt wel of er overeenkomsten zijn tussen het onverwachte overlijden van je man, mijn grootmoeder en meneer Benfatti. Ik ga ervan uit dat het overlijden van je man onverwacht was?'
'Absoluut! Zijn cardioloog heeft minder dan een maand geleden het groene licht gegeven.'
'Dat was ook het geval bij mijn grootmoeder en meneer Benfatti. Om eerlijk te zijn ben ik bang dat deze sterfgevallen niet natuurlijk zijn. Dat bedoelde ik toen ik zei dat er iets mis was.'
'Wat bedoel je precies?'
'Ik ben bang dat er opzet in het spel is.'
'Bedoel je dat iemand mijn man vermoord heeft?'
'Op de een of andere manier, ja,' antwoordde Jennifer, heel goed beseffend hoe paranoïde die bewering klonk.
'Waarom? Niemand kent ons hier. Er is niemand die hiervan zou profiteren.'
'Ik heb geen idee, helaas. Maar morgenavond komen twee pathologen-anatomen aan, vrienden van mij, die me komen helpen met mijn grootmoeder. Ik kan hun vragen om ook naar jouw man te kijken.' Jennifer wist dat ze een risico nam door de diensten van Laurie en Jack aan te bieden zonder er eerst met hen over te spreken, maar ze dacht dat ze wel bereid zouden zijn om te helpen. En ze wist ook dat er bij het oplossen van een samenzwering een grotere kans op succes zou zijn naarmate er meer lichamen waren.
Jennifer kon horen hoe Rita haar neus snoot voor ze weer aan de telefoon kwam. Haar stem stokte terwijl ze haar verdriet onder controle probeerde te krijgen.

'Alsjeblieft, Rita. Laat hen geen mogelijk bewijs vernietigen. We zijn het aan onze geliefden verplicht. En je zou ook aan degene die je man vond kunnen vragen of hij blauw was. Zowel mijn oma als meneer Benfatti was blauw.'
'Wat maakt dat uit?' vroeg ze vechtend tegen haar tranen.
'Ik weet het niet. In dit soort situaties, als wat ik vrees waar is, is niet te zeggen welke feiten het mysterie kunnen oplossen. Dat heb ik geleerd als ik tijdens mijn studie medicijnen een diagnose moest stellen. Je weet gewoon niet wat belangrijk zou kunnen zijn.'
'Ben jij arts?'
'Nog niet. Ik zit in mijn laatste jaar. Ik hoop in juni af te studeren.'
'Waarom heb je me dat niet verteld?' vroeg ze aanzienlijk minder scherp.
'Ik dacht dat het er niet toe deed,' zei Jennifer hoewel het, toen ze er even over nadacht, inderdaad voorgekomen was dat mensen meer waarde leken te hechten aan haar mening, zelfs over onderwerpen die niets met geneeskunde te maken hadden, als ze erachter kwamen dat ze medicijnen studeerde.
'Ik beloof niks,' zei Rita. 'Maar ik ga nu naar het ziekenhuis en ik zal nadenken over wat je hebt gezegd. Ik bel morgenochtend.'
'Heel graag,' zei Jennifer.
Het feit dat Rita afscheid nam gaf Jennifer een optimistisch gevoel. De vrouw zou niet alleen weer contact met haar opnemen, ze zou ook meewerken. Maar toen Jennifer nadacht over dit derde sterfgeval in evenzoveel nachten en de implicaties ervan, moest ze denken aan een uitspraak van Shakespeare: '*Something is rotten in the State of Denmark.*' Tegelijkertijd ging het door haar heen dat ze deze complottheorie misschien ook wel gebruikte om de werkelijke impact van haar grootmoeders overlijden van zich af te zetten.

22

17 oktober 2007
woensdag 22.11 uur
New Delhi, India

Ramesh Srivastava moest zijn uiterste best doen om zich te beheersen. Het was al over tienen en er werd alweer gebeld. Het leek wel of hij de hele avond aan de telefoon was geweest. Eerst zijn plaatsvervanger van het departement van Medisch toerisme om te zeggen dat zijn assistent hem een paar minuten eerder had gebeld met het teleurstellende nieuws dat via CNN opnieuw een bericht was verspreid over de dood van een Amerikaanse patiënt in een Indiase privékliniek. Het was de derde in drie dagen, deze keer in het Aesculapian Medical Center. Wat het bijzonder nieuwswaardig maakte was dat de patiënt, David Lucas, nog maar in de veertig was. Dit onrustbarende telefoontje was nog niet beëindigd toen Ramesh werd gebeld door Khajan Chawdhry, de algemeen directeur van het betrokken ziekenhuis, met alle details voor zover die hem bekend waren. En nu rinkelde de telefoon al weer.

'Wat is er?' vroeg Ramesh, zonder een poging te doen vriendelijk over te komen. Als Indiase ambtenaar met een hoge functie verwachtte hij niet zo hard te moeten werken.

'Met Khajan Chawdhry weer, meneer,' zei de directeur. 'Het spijt me u te moeten storen, maar er is een klein probleempje ontstaan wat betreft een van uw specifieke opdrachten, namelijk uw eis dat er geen autopsie zou komen.'

'Waarom is dat een probleem?' vroeg Ramesh. 'Het is een heel simpele eis.'

Eerder had Khajan de bizarre reeks gebeurtenissen omtrent de dood van David Lucas verteld, beginnend met de cyanose zonder luchtwegobstructie, gevolgd door de veranderingen in het geleidingssysteem van het hart en een plotselinge verhoging van de temperatuur van de patiënt en van zijn kaliumgehalte. Als niet-medicus had Ramesh gevraagd om een vertaling van dat irritante dokterstaaltje, waarop hem was meegedeeld dat de man hoogstwaarschijnlijk was overleden aan een soort combinatie van een hartaanval en een beroerte. Ramesh had geantwoord dat de dienstdoende chirurg de overlijdensverklaring met die tekst moest ondertekenen, en dat hij onder geen beding mocht vragen om toestemming voor een autopsie.

'Het probleem is de echtgenote,' antwoordde Khajan schaapachtig. 'Ze zei dat ze misschien een autopsie wilde.'

'Mensen willen over het algemeen geen autopsie,' antwoordde Ramesh geïrriteerd. 'Heeft de chirurg haar dat aangepraat nadat ik hem dat uitdrukkelijk heb verboden?'

'Nee, de chirurg was heel goed op de hoogte van uw mening over autopsies in de privésector en in deze specifieke zaak. De vrouw heeft het niet met hem over een autopsie gehad, maar ze had gesproken met een andere Amerikaanse, Jennifer Hernandez, die haar belde voordat de vrouw nog maar iets over het overlijden van haar man had gehoord. Het was dat mens van Hernandez die haar vertelde dat ze een paar Amerikaanse pathologen-anatomen naar haar grootmoeder wilde laten kijken, en dat die ook naar haar echtgenoot konden kijken, vooropgezet dat zijn lichaam niet was gecremeerd of gebalsemd.'

'Niet zij weer!' gromde Ramesh luid. 'Die Hernandez wordt onverdraaglijk.'

'Wat moet ik doen als mevrouw Lucas een autopsie eist?'

'Hetzelfde als wat ik Rajish Bhurgava in het Queen Victoria al gezegd heb. Zorg ervoor dat het autopsieverzoek terechtkomt bij een van de rechters waar we gewoonlijk mee werken, en vertel hem dat er geen autopsie mag komen. Blijf ondertussen je best doen mevrouw Lucas over te halen tot crematie of balseming. Voer druk op haar uit! Is ze nog in het ziekenhuis?'

'Ja, meneer.'

'Doe je best.'

'Ja, meneer.'

Ramesh hing op en belde direct Naresh Prasad.

'Goedenavond Ramesh,' zei Naresh. 'Soms hoor ik maanden niets van je en nu twee keer op een dag. Wat kan ik voor je doen?'

'Wat heb je uitgevonden?'

'Waarover?'

'Over de mol in het Queen Victoria Hospital en de doorn in mijn vlees, Jennifer Hernandez.'
'Je maakt een grapje. We hebben elkaar net gesproken. Ik ben er nog niet mee begonnen. Ik ben net bezig een team voor morgen samen te stellen.'
'Nou, beide problemen worden steeds groter en ik wil een beetje actie.'
'Hoezo worden ze groter?'
'Er was weer een sterfgeval en ook nu heeft CNN het weer bijna direct uitgezonden. Ik heb het gehoord van een plaatsvervanger wiens assistent het toevallig op tv zag, heel kort nadat de directeur van het ziekenhuis het rechtstreeks van een van de artsen van zijn medische staf hoorde. Het was dezelfde arts die geprobeerd heeft om de patiënt te reanimeren, maar zonder succes.'
'Moet ik aannemen dat dat in hetzelfde ziekenhuis was, het Queen Victoria?'
'Nee, deze keer was het in het Aesculapian Medical Center.'
'Interessant! Verandering van ziekenhuis kan helpen als de schuldige een staflid is. Hij of zij moet toegang hebben tot beide ziekenhuizen. Dat zou de lijst met verdachten kunnen inkorten.'
'Een goed idee. Dat was niet bij me opgekomen.'
'Misschien ben jij daarom een ambtenaar en ik een politie-inspecteur. En hoe zit het met die vrouw? Wat heeft zij gedaan om je nog meer te irriteren?'
Ramesh vertelde Naresh over het feit dat Jennifer mevrouw Lucas had overgehaald om een autopsie te vragen nog voor het ziekenhuis haar had verteld dat haar man was gestorven.
'Hoe wist die Hernandez dat de man was gestorven?'
'Ik weet het niet zeker, maar ik denk dat ze het op CNN International heeft gezien.'
'Misschien kent ze iemand bij CNN die haar op de hoogte stelt. Wat denk je daarvan?'
Even zweeg Ramesh. Het begon hem steeds meer tegen te staan dat hij zijn tijd moest verdoen met dit soort hersengymnastiek. Dat was Naresh' taak, niet de zijne. Wat hij wilde waren resultaten. Hij wilde van de hele rotzooi af zodat de schade voor de pr volledig zou kunnen worden opgemaakt en, naar hij hoopte, worden gerepareerd.
'Luister!' zei Ramesh plotseling, Naresh' vraag negerend. 'Uiteindelijk komt het allemaal hierop neer. Jennifer Hernandez is een ongelooflijke

lastpak aan het worden en daarmee brengt ze de toekomst van het medisch toerisme naar India ernstig in gevaar. Vooral dat vanuit de Verenigde Staten, wat onze grootste potentiële markt leek te worden vanwege hun idiote gezondheidszorgsysteem en de medische inflatie die daar het gevolg van is. Ik wil dat je deze vrouw voor je rekening neemt, jijzelf of een agent die je vertrouwt. Volg haar een paar dagen en hou me steeds op de hoogte wie ze ontmoet, met wie ze praat en waar ze naartoe gaat. Ik wil een volledig verslag en ik wil bovenal een reden om haar het land uit te zetten zonder een scène of publiciteit of iets dergelijks te veroorzaken. Als ze niets verkeerds doet, verzin je maar wat. Maar maak in godsnaam geen martelares van haar, en daarmee bedoel ik geen geweld. Begrepen?'

'Volledig,' zei Naresh. 'Ik begin morgenvroeg met juffrouw Hernandez, en ik zal er zelf voor zorgen. Ik zal ook een betrouwbare agent op de vraag zetten wie CNN tipt.'

'Perfect,' zei Ramesh. 'En zoals ik al zei, hou me op de hoogte.'

Terwijl hij ophing, ademde Ramesh hoorbaar uit van frustratie. Hoewel hij er een goed gevoel bij had dat hij het vuurtje onder Naresh wat had opgestookt en de man op zijn woord geloofde dat hij morgenvroeg zou beginnen met Jennifer Hernandez te volgen, bleef het de vraag of het genoeg en snel genoeg zou zijn. Naar zijn idee was Naresh betrouwbaar en redelijk competent, maar niet heel erg pienter.

Tegelijkertijd maakte Ramesh zich zorgen over het effect van een volgend door CNN gemeld sterfgeval op zijn meerderen, die hem die middag al hadden gebeld om te klagen over de andere twee. Ze zouden hier niet blij mee zijn, en daardoor ontstond bij hem nog meer twijfel over de effectiviteit van Naresh' methodische maar trage werkwijze. Zijn gedachten gingen terug naar zijn telefoontje van die middag met Shashank Malhotra, die allesbehalve traag en methodisch was. In de overtuiging dat het geen kwaad kon de driftige zakenman nog een beetje kwader te maken, pakte Ramesh de telefoon weer en pleegde wat hij hoopte dat het laatste telefoontje van die dag zou worden.

'Bel je me deze keer met goed nieuws?' vroeg Shashank zodra hij hoorde wie hij aan de lijn had.

'Ik wilde dat dat zo was,' antwoordde Ramesh. 'Helaas is er vanavond weer een medische toerist overleden en heeft CNN International dat al gemeld.'

'Was het weer in het Queen Victoria?' vroeg Shashank. Het was duidelijk dat hij niet in de stemming was voor gebabbel.
'Dat is het enige positieve aan het gebeuren,' antwoordde Ramesh. 'Het was in het Aesculapian Medical Center dit keer.' In zekere zin was Ramesh hiermee Shashank aan het tarten, omdat hij wel wist dat het Aesculapian Medical Center net zozeer deel uitmaakte van Shashanks zakenimperium als het Queen Victoria Hospital. 'Het negatieve is dat de patiënt jong was en een vrouw en twee kinderen achterlaat. Een dergelijk verhaal veroorzaakt doorgaans meer media-aandacht vanwege de sympathieke invalshoek.'
'Jij hoeft me niks te vertellen wat ik al weet.'
'Het andere probleem is deze Jennifer Hernandez. Op de een of andere manier bemoeit ze zich ook met dit geval, net als de vorige keer, hoewel het in een ander ziekenhuis was.'
'Wat heeft ze gedaan?'
'U weet dat we bij gevoelige zaken zoals deze een autopsie willen vermijden, omdat een autopsie meestal het vuurtje nog wat verder opstookt. Hoe minder aandacht hoe beter, zodat we de media erbuiten kunnen houden en vooral kunnen voorkomen hun iets van grotere nieuwswaarde te geven.'
'Ik begrijp het. Dat is logisch. Ik vraag het nu voor de laatste keer,' gromde Shashank. 'Wat heeft ze gedaan?'
'Ze heeft er beide weduwes van weten te overtuigen om een autopsie te vragen.'
'Shit!' snauwde Shashank.
'Ik vraag me af,' zei Ramesh, in een poging nonchalant te klinken. 'Ik heb u vanmiddag gevraagd of u iemand kon vinden die met haar kon praten en haar ervan kon overtuigen dat wat ze aan het doen is niet in haar belang is en dat het misschien, heel misschien, veel beter voor haar zou zijn om haar grootmoeders lichaam mee naar Amerika te nemen voor ze het Indiase medische toerisme ernstige schade toebrengt. Later vanmiddag heb ik gehoord dat er al heel wat patiënten zijn die hun geplande operaties op het laatste moment afzeggen, niet alleen vanuit Amerika maar ook vanuit Europa.'
'Afzeggen?'
'Ja, afzeggen,' herhaalde Ramesh, heel goed wetend dat volgens Shashanks zakeninstinct afzeggingen vrijwel gelijk stonden aan winstverlies.
'Ik moet bekennen dat ik vanmiddag niet verder over je voorstel heb

nagedacht,' gromde Shashank, 'maar ik zal me er nu direct over buigen.'
'Ik denk dat u het Indiase medische toerisme een grote dienst verleent. En voor het geval u het mocht zijn vergeten: ze logeert in het Amal Palace Hotel.'

23

17 oktober 2007
woensdag 22.58 uur
New Delhi, India

'Neem me niet kwalijk, meneer,' zei de stewardess terwijl ze zachtjes aan Neil McCulgans schouder schudde. 'Wilt u de rugleuning van uw stoel even rechtop zetten? De daling is ingezet en we zullen over een paar minuten op het Indira Gandhi-vliegveld landen.'

'Dank u,' zei Neil en deed wat hem gevraagd was.

Hij geeuwde, schoof achteruit in zijn stoel en wiebelde wat heen en weer om prettig te zitten. Hoewel ze bijna anderhalf uur te laat uit Singapore waren vertrokken, kwamen ze maar een uur te laat aan. Ze waren er kennelijk in geslaagd een halfuur in te halen hoewel ze in de jetstream hadden gevlogen.

'Ik ben onder de indruk van hoe goed jij kunt slapen in een vliegtuig,' zei de man in de stoel naast die van Neil.

'Ik heb geluk, denk ik,' antwoordde Neil. Hij had het eerste uur met de man gesproken en gehoord dat hij Viking keukenapparatuur verkocht in Noordwest-India. Neil had de man interessant gevonden en het gesprek had hem doen beseffen hoe weinig hij, als SEH-arts, wist over de wereld in het algemeen.

'Waar logeer je in Delhi?' vroeg de man.

'Het Amal Palace Hotel,' zei Neil.

'Wil je een taxi delen? Ik woon in de buurt.'

'Er komt een auto van het hotel om me op te halen. Je kunt wel meerijden, vooropgesteld dat je niet op je bagage hoeft te wachten. Ik heb alleen maar handbagage.'

'Ik ook.' Hij stak zijn hand uit. 'Ik heet Stuart. Ik had mezelf eerder voor moeten stellen.'

'Neil. Leuk kennis met je te maken,' zei Neil en schudde de hand van de man kort.

Hij leunde voorover en probeerde uit het raampje te kijken.
'Nog niks te zien,' zei Stuart, die bij het raampje zat.
'Geen lichtjes of zoiets?'
'Niet in deze tijd van het jaar, niet met deze mist. Je zult op weg naar de stad wel zien wat ik bedoel. Het lijkt op een dikke mist maar het is hoofdzakelijk luchtvervuiling.'
'Dat klinkt lekker,' zei Neil sarcastisch.
Hij leunde weer achterover tegen de hoofdsteun en sloot zijn ogen. Nu hij bijna op zijn bestemming was aangekomen, begon hij te bedenken hoe hij Jennifer moest benaderen. Tijdens de twee stops die hij onderweg had moeten maken, had hij overwogen om haar te bellen. Hij kon maar niet beslissen of het het beste was om haar persoonlijk te verrassen of via de telefoon. Het voordeel van een telefoongesprek was dat ze wat tijd kreeg om aan het idee te wennen. Het probleem was echter dat er een goede kans was dat ze hem zou zeggen dat hij gelijk weer kon vertrekken. Die angst was uiteindelijk de reden dat hij besloot niet te bellen.
De enorme wielen van het vliegtuig raakten met een plof de grond waardoor Neils ogen verrast openschoten. Hij greep de armleuningen om zich achter in zijn stoel te drukken terwijl het vliegtuig remde.
'Hoe lang blijf je in Delhi?' vroeg Stuart.
'Niet lang,' zei Neil ontwijkend. Hij vroeg zich kort af of hij de man moest uitnodigen met hem mee te rijden. Hij was niet in de stemming voor persoonlijke gesprekken.
De hint kennelijk begrijpend vroeg Stuart niets meer tot ze zowel de paspoortcontrole als de douane waren gepasseerd. 'Ben je hier voor zaken?' zei hij, terwijl ze wachtten tot de auto van het hotel voorreed.
'Een beetje van beide,' loog Neil niet erg toeschietelijk. 'En jij?'
'Hetzelfde,' zei de man. 'Ik ben hier vaak en heb hier een appartement. Het is een mooie stad maar voor mijn zaken geef ik de voorkeur aan Bangkok.'
'O, ja?' zei Neil weinig geïnteresseerd, hoewel hij zich vaag afvroeg wat de 'zaken' van de man waren.
'Als je vragen hebt over Delhi, bel je me maar,' zei de man en overhandigde Neil een kaartje van Viking keukenapparatuur.
'Dat zal ik doen,' zei Neil uit beleefdheid, en stak het kaartje in zijn zak na er snel een blik op geworpen te hebben.
De twee vermoeide reizigers gingen achterin zitten. Neil sloot zijn ogen

en dacht verder na over hoe hij contact op zou nemen met Jennifer. Nu hij in dezelfde stad was als zij, merkte hij dat hij meer opgewonden was dan hij had verwacht. Hij zag er heel erg naar uit om haar te zien en zich te verontschuldigen voor zijn eerdere weigering haar te helpen.
Neil deed zijn ogen lang genoeg open om te kijken hoe laat het was. Het was vijf over twaalf, en hij besefte dat hij, hoe opgewonden hij ook was om Jennifer te zien, zou moeten wachten tot morgen. Maar toen begon hij zich af te vragen hoe hij haar zou verrassen, wat nog werd gecompliceerd doordat hij geen idee had van haar programma. Plotseling voelde hij een onverklaarbare angst. Hoewel het zo onwaarschijnlijk leek dat hij er nog niet eerder aan had gedacht, zou ze natuurlijk in de loop van woensdag, haar eerste volle dag, alles voor haar grootmoeder hebben kunnen afhandelen, en misschien vertrok ze op dit moment wel weer. Misschien zelfs wel met het vliegtuig waarmee hij zojuist aangekomen was.
Terwijl hij zijn ogen opende schudde hij de gedachte van zich af. Hij lachte om zichzelf en keek uit het raampje naar de mist die zijn medereiziger eerder had beschreven. De aanblik was genoeg voor de zo op gezondheid gerichte Neil om het benauwd te krijgen.
Kort daarna stopte de auto op het bordes voor de hoofdingang van het hotel. Verschillende kruiers en portiers omringden de auto en openden deuren.
'Bel me maar als ik je ergens mee kan helpen,' zei Stuart terwijl hij Neil de hand schudde. 'En bedankt voor de rit.'
'Komt voor elkaar,' antwoordde Neil. Hij ontfutselde met enige moeite zijn handbagage aan een kruier, omdat hij hem liever zelf meenam. Hij was niet alleen licht, er zaten ook wieltjes onder.
Inchecken werd zittend aan een bureau geregeld, en toen Neil zijn paspoort overhandigde vroeg hij de formeel geklede medewerker die zich had voorgesteld als Arvind Sinha of er een Jennifer Hernandez bij het hotel stond ingeschreven. Onder de tafel kruiste hij zijn vingers.
'Dat kan ik voor u nakijken, meneer,' zei Arvind. Hij gebruikte een toetsenbord dat hij van onder het bureaublad naar voren trok. 'Ja, dat is inderdaad het geval.'
Yes, zei Neil tegen zichzelf. Vanaf het moment dat hij dacht aan de mogelijkheid dat Jennifer al vertrokken zou zijn, had hij zichzelf gemarteld. 'Kunt u me haar kamernummer geven?'
'Het spijt me, dat kan ik niet,' verontschuldigde Arvind zich. 'Om veilig-

heidsredenen geven we de kamernummers van onze gasten niet. Maar de telefoniste kan u met de kamer verbinden, mits mevrouw Hernandez haar telefoon niet geblokkeerd heeft en vooropgesteld dat u dit een passend moment vindt om te bellen. Het is na middernacht.'
'Ik begrijp het,' zei Neil. Hoe opgewonden hij ook was nu hij wist dat ze hier logeerde, hij was toch een beetje teleurgesteld. Hij had minstens gepland om naar haar deur te gaan en zijn oor ertegenaan te leggen. Als hij de tv dan hoorde, zou hij kloppen. 'Kunt u me zeggen of ze van plan is morgen of de dag erna uit te checken?' vroeg Neil.
Arvind ging terug naar zijn toetsenbord en keek op de monitor. 'Er staat geen vertrekdatum aangegeven.'
'Goed,' zei Neil.
Na nog een paar formaliteiten rolde Arvind zijn stoel achteruit en stond op. 'Kan ik u naar uw kamer brengen?'
Neil stond eveneens op.
'Hebt u een bagageticket?'
'Nee, dit is alles,' zei Neil, zijn trolley achter zich aan slepend. 'Ik reis met weinig bagage.' Terwijl hij de man langs de deuren van de hoofdingang volgde naar de liften, vroeg hij zich af hoe hij Jennifer 's morgens zou verrassen. Omdat hij niet wist wat haar plannen waren was het moeilijk om te beslissen, en uiteindelijk bedacht hij dat hij het maar op het toeval moest laten aankomen.
'Neem me niet kwalijk, meneer Sinha,' zei Neil toen ze omhoog gingen met de lift. 'Kunt u ervoor zorgen dat ik om kwart over acht gewekt word?'
'Natuurlijk, meneer!'

24

18 oktober 2007
donderdag 7.30 uur
New Delhi, India

Jennifer zat verstrikt in een nachtmerrie over haar vader die ze vaak had als ze gespannen was. Ze had er nooit iemand over verteld omdat ze bang was wat mensen van haar zouden denken. Ze wist zelfs niet helemaal zeker wat ze er zelf van dacht. In de droom achtervolgde haar vader haar met een wrede uitdrukking op zijn gezicht terwijl ze hem toeschreeuwde te stoppen. In de keuken gekomen greep ze een slagersmes en hief het boven haar hoofd. Maar hij bleef op haar af komen, haar tergend dat ze het toch nooit zou gebruiken. Dat deed ze wel. Ze bleef op hem in steken, maar hij lachte alleen maar. Altijd werd ze op dat moment wakker, badend in het zweet, net als nu. Ze was zo in de war dat het even duurde voor ze besefte dat ze in India was en dat de telefoon rinkelde.

Lichtelijk in paniek pakte ze de hoorn op, met de irrationele gedachte dat degene die belde getuige was geweest van haar moorddadige gedrag. Maar het bleek Rita Lucas te zijn, die de angst in Jennifers stem kennelijk kon horen. 'Ik hoop niet dat ik op een slecht moment bel?'

'Nee, het is prima,' zei Jennifer, terwijl ze steeds meer tot de realiteit terugkeerde. 'Ik had een nachtmerrie.'

'Het spijt me dat ik je zo vroeg bel, maar ik wilde je beslist niet missen. Ik heb zelfs nog gewacht. Ik heb geen oog dichtgedaan, ik was het grootste deel van de nacht in het ziekenhuis.'

Jennifer keek op de wekker. Het duurde even voor de tijd tot haar doordrong, omdat de grote en de kleine wijzer bijna even groot waren.

'Ik hoopte dat we samen zouden kunnen ontbijten.'

'Heel graag.'

'Kan het vroeg? Ik ben uitgeput. En kan ik je vragen om naar het Imperial te komen? Ik ben bang dat ik me niet alleen een wrak voel, maar dat ik er ook zo uitzie.'

'Ik vind het prima om te komen. Ik kan binnen een halfuur klaar zijn. Hoe ver is het Imperial Hotel van het Amal Palace? Weet je dat?'
'Het is heel dichtbij. Aan het begin van Janpath.'
'Ik ben bang dat ik Janpath niet ken.'
'Het is heel dichtbij. Misschien vijf minuten met een taxi.'
'Dan kan ik er tegen acht uur zijn,' zei Jennifer terwijl ze de dekens van zich afgooide en haar benen uit bed zwaaide.
'Ik zie je straks dan wel in de ontbijtzaal. Loop als je de voordeur binnen gekomen bent recht door de lobby. De ontbijtzaal ligt dan aan de rechterkant.'
'Ik zie je over een halfuur,' zei Jennifer.
Nadat ze opgehangen had begon ze zich te haasten. Als student was ze heel bedreven geworden in het snel aankleden want een kwartier langer slapen was best de ergernis van een beetje haasten waard.
Ze was blij dat Rita Lucas haar wilde ontmoeten, want ze was heel benieuwd naar wat er gebeurd was en hoeveel overeenkomsten er waren met de eerste twee sterfgevallen.
Tijdens het douchen en aankleden dacht ze na over de rest van de dag. Ze wilde uit de buurt blijven van het Queen Victoria Hospital om zich niet weer te hoeven ergeren aan die vervelende zorgmanager. Dat betekende dat ze iets moest bedenken om te doen voor de rest van de ochtend, de lunch, de middag en het diner zodat ze niet al te gefrustreerd zou raken omdat ze niet verder kon met de situatie rond haar grootmoeder tot Laurie er was. Voor later op de avond wist ze precies wat ze ging doen en ze keek met veel enthousiasme uit naar haar tripje naar het internationale vliegveld.
Toen ze met een van haar reisgidsen in de hand haar kamer uitliep, was ze trots op zichzelf. Het was nog maar zeven minuten voor acht, misschien had ze wel een nieuw record gevestigd. Op weg naar beneden in de lift dacht ze opnieuw na over de plannen voor die dag. Ze had besloten om Lucinda Benfatti uit te nodigen voor de lunch of het diner of misschien wel allebei. 's Ochtends, mits het ontbijt niet te lang duurde, kon ze wat gaan sightseeën, ook al was ze daar meestal niet zo dol op. Het was natuurlijk jammer om zo'n verre reis gemaakt te hebben zonder iets van de stad te zien. 's Middags was ze van plan om een beetje te gaan trainen in de gymzaal en daarna een beetje te luieren bij het zwembad, iets waar ze maar zelden tijd voor had.

Toen ze zei dat ze alleen maar naar het Imperial Hotel ging, adviseerde een van de portiers van het Amal Palace haar de oprit van het hotel af te lopen en een geel met groene motorriksja aan te houden als ze zich avontuurlijk voelde. Omdat ze het advies als een uitdaging zag deed ze dat dus, vooral nadat hij haar zei dat het aanmerkelijk sneller zou zijn tijdens de ochtendspits dan een gewone taxi.
Aanvankelijk vond Jennifer het maar een sloom geval, met zijn drie wielen en open zijkanten. Maar toen ze op het gladde, met vinyl beklede bankje was gaan zitten en het ding wegschoot alsof het aan een race meedeed, begon ze er anders over te denken. Ze zocht wanhopig naar iets om zich aan vast te houden terwijl ze naar voren en naar achteren werd gegooid als de bestuurder snel schakelde. Zodra hij snelheid had gemaakt werd ze van links naar rechts geslingerd toen ze tussen de uitlaatgassen uitbrakende bussen begonnen te zigzaggen. Haar laatste restje waardigheid verdween toen Jennifer door een groot gat in het wegdek met zoveel vaart omhoog schoot dat ze met haar hoofd het dak van fiberglas raakte.
Maar het allerergste was het moment waarop de bestuurder vaart maakte tussen twee bussen die steeds dichter naar elkaar toe kwamen. Zich kennelijk niet bewust van de mogelijkheid om te worden geplet tussen twee voertuigen van vijftig keer het formaat van de motorriksja, minderde hij ondanks de snel kleiner wordende ruimte zijn vaart in het geheel niet, zodat de mensen die aan de zijkanten van de bussen hingen Jennifer de hand hadden kunnen schudden.
Ervan overtuigd dat de motorriksja en de bussen elkaar zouden raken liet Jennifer de handrail los, trok haar armen in en greep zich vast aan de rand van het bankje. Ze sloot haar ogen en klemde haar kiezen op elkaar, wachtend op het schurende geluid van de botsing. Maar dat gebeurde niet. In plaats daarvan hoorde ze het oorverdovende gepiep van de remmen van de bussen die moesten stoppen voor een opdoemend rood stoplicht. Jennifer deed haar ogen weer open. De bestuurder van de motorriksja, die een veel kortere remweg had, racete naar voren en schoot tussen de remmende bussen door voor hij zelf op de rem trapte.
Op het moment dat het voertuig slingerend tot stilstand kwam werd het omringd door een kleine horde vuile, in lompen geklede kinderen op blote voeten, van ongeveer drie tot twaalf jaar, die hun linkerhand naar Jennifer uitstaken en met de rechter een eetgebaar maakten. Sommige van

de oudere meisjes droegen een baby op de heup, in doeken gewikkeld. Jennifer schoof achteruit en keek in de droevige, donkere ogen, waarvan een aantal vol korsten door een duidelijke infectie. Bang om hun geld te geven uit angst dat ze een opstootje zou veroorzaken, keek Jennifer naar de bestuurder om hulp. Maar hij bewoog zich niet en draaide zich zelfs niet om. Afwezig speelde hij met de versnelling van de kleine motor van het voertuig waarbij hij de koppeling ingetrapt hield.

Bijna misselijk bij het zien van zoveel hartverscheurende armoede was Jennifer enerzijds ontmoedigd en anderzijds met ontzag vervuld dat de aanhangers van het hindoeïsme, met zijn overtuigingen van punarjanma en karma, dergelijke contrasten en onrechtvaardigheden konden tolereren.

Tot Jennifers opluchting werd het stoplicht groen en schoot de zwerm riksja's, scooters, bromfietsen, bussen, vrachtwagens en personenauto's voorwaarts, zonder zich iets aan te trekken van de kinderen die de voertuigen snel moesten ontwijken om zichzelf in veiligheid te brengen.

Zoals beloofd was de rit van het Amal Palace naar het Imperial kort, maar toen Jennifer had betaald en de oprit van het hotel opliep, omdat de bestuurder haar had verteld dat hij niet op het terrein van het Imperial mocht komen, voelde ze zich zowel fysiek als mentaal alsof ze een marathon had gelopen. Daarbij had ze een lichte hoofdpijn gekregen van alle dieseluitlaatgassen die ze had ingeademd.

Terwijl ze het hotel naderde genoot ze van de schoonheid van het gebouw met zijn koloniale uitstraling, maar niet van de plek. Het stond net als het Queen Victoria Hospital midden tussen onaantrekkelijke commerciële gebouwen.

Dhaval Narang vond dat hij de beste baan van de wereld had, want de meeste tijd hing hij maar wat rond en speelde kaartspelletjes met andere mensen die voor Shashank Malhotra werkten. En als hij werd opgeroepen om iets te doen, was het altijd interessant en vaak uitdagend, zoals de opdracht die hij nu had gekregen. Hij moest een jonge Amerikaanse vrouw die Jennifer Hernandez heette uit de weg ruimen. Het spannende was dat hij geen idee had hoe ze eruitzag. Hij wist alleen dat ze in het Amal Palace Hotel logeerde. Hoe lang ze daar nog zou blijven was ook onbekend, dus hij had niet de luxe om lang naar haar te kunnen zoeken, haar te observeren en haar gewoonten te leren kennen. Shashanks bevel was geweest om ervoor te zorgen, en een beetje snel.

Terwijl de radio moderne, op Bollywood geïnspireerde muziek speelde stuurde Dhaval, gekleed in een zwart shirt met openstaand boord en een paar gouden kettingen om zijn nek, zijn geliefde zwarte Mercedes E-klasse sedan de oprit naar het Amal Palace op, tot onder de overkapping. In het afgesloten handschoenenkastje lag een automatische Beretta uitgerust met een geluiddemper, een van de vele vuurwapens die hij had. Het was Dhavals gewoonte om het vuurwapen waarmee hij iemand had omgelegd te laten verdwijnen of ter plekke achter te laten. In het verleden, toen hij pas was ingehuurd, had Shashank geklaagd dat deze gewoonte te duur was maar Dhaval had volgehouden, en zelfs gedreigd op te stappen als hij zich er niet aan mocht houden. Shashank had uiteindelijk toegegeven. In India was het veel makkelijker om een vuurwapen te kopen dan mensen te vinden met Dhavals ervaring.

Dhaval kwam uit een klein dorp in Rajasthan en was in het leger gegaan om aan de onverbiddelijke greep van het platteland te ontsnappen. Door deze beslissing was zijn situatie drastisch veranderd. Hij hield van het leven in het leger en van de kick van het met toestemming te kunnen doden. Hij werd aangenomen bij de nieuw opgerichte Indiase Special Forces, en eindigde uiteindelijk als Black Cat in de elitetroepen van de National Security Guards. Zijn carrière verliep voorspoedig. Althans, tot hij zijn ware aard liet zien tijdens de campagnes van 1999 in Kashmir. Tijdens een nachtelijke overval op een groep opstandelingen die ervan werden verdacht door Pakistan te worden gesteund, toonde hij een ongebreidelde wreedheid door zeventien verdachten te doden die bereid waren zich over te geven. Daarop besloot het commando dat hij een te groot risico vormde en werd hij uitgesloten van de operatie. Een maand later werd hij ontslagen uit de dienst.

Gelukkig voor Dhaval kwam zijn verhaal, dat de National Security Guards stil probeerden te houden, Shashank Malhotra ter ore, die in hoog tempo zijn zakenbelangen aan het uitbreiden was en daarbij de nodige vijanden maakte. Omdat hij iemand nodig had met Dhavals training en instelling had Shashank de ex-special forces agent opgezocht en zo was het balletje gaan rollen.

Dhaval liet zijn raampje zakken toen de hoofdportier van het Amal Palace naderde, met zijn boekje met parkeertickets in de ene hand en een potlood in de andere. 'Hoe lang wilt u blijven?' vroeg de portier. Hij had het

druk omdat op dit moment veel zakenlieden arriveerden voor ontbijtvergaderingen.
Dhaval hield een rol roepies in de palm van zijn hand en stak hem die toe. Ze verdwenen snel in de rode tuniek van de portier. 'Ik wil graag parkeren bij de ingang. Ik zal ongeveer een uur weg zijn, maximaal.'
Zonder iets te zeggen wees de portier op de laatste parkeerplaats recht tegenover de ingang van het hotel, en gebaarde naar de volgende auto om naar voren te komen. Dhaval reed om de buitenste kolommen heen die de overkapping ondersteunden en reed naar de aangewezen plek. Hij was perfect. Dhaval had ongehinderd zicht op de hotelingang en de neus van zijn auto wees in de richting van de straat.
Nadat hij uit de auto was gestapt liep Dhaval de lobby in en probeerde met een van de huistelefoons Jennifer Hernandez te bellen. Hij liet de telefoon een paar keer overgaan maar hing op zodra hij de voicemail kreeg. Vervolgens liep hij naar het restaurant waar het ontbijt werd geserveerd en vroeg de gerant of mevrouw Jennifer Hernandez al verschenen was die ochtend.
'Nee, meneer,' zei de man.
'Ik zou haar hier ontmoeten, maar ik heb geen idee hoe ze eruitziet. Kunt u me dat vertellen?'
'Een heel aantrekkelijke jonge vrouw, van gemiddelde lengte. Donker, dik, schouderlang haar en een fraai figuurtje. Ze draagt meestal een strakke spijkerbroek en een katoenen polo.'
'Ik ben onder de indruk,' zei Dhaval. 'Dat is een betere beschrijving dan ik had verwacht. Dank u.'
'Ik moet toegeven dat ik me de aantrekkelijke vrouwen het beste kan herinneren, en dat is ze zeker.'
Dhaval slenterde een beetje verbaasd het restaurant uit. Het was nog maar iets over achten, en Jennifer was niet in haar kamer en niet in de ontbijtzaal. Dhaval bleef midden in de lobby staan en keek om zich heen om te zien of er iemand was die voldeed aan de beschrijving van de gerant, maar dat was niet zo. Toen gleden zijn ogen naar de grote ramen en zag hij een paar mensen baantjes trekken in het zwembad.
Dhaval liep het hotel uit en bekeek de zwemmers. Er waren twee jongere vrouwen. Een had middelbruin haar maar je kon niet spreken van een fraai figuurtje. De tweede zwemster was blond, dus zij was het ook niet. Terugkerend naar het hotel gebruikte Dhaval de lagergelegen ingang om

in de spa en de gymzaal te kijken. Er was iemand aan het gewichtheffen en er zat iemand op een hometrainer, maar het waren beiden mannen. Licht ontmoedigd liep Dhaval terug naar de lobby en zocht daar de balie op waar vervoer geregeld kon worden. De hotelemployé die er de leiding had was Samarjit Rao. Sam, zoals hij werd genoemd, stond op de geheime loonlijst van Shashank Malhotra. Zakenlieden die Shashank in Delhi uitnodigde werden altijd ondergebracht in het Amal, en vaak vond hij het belangrijk te weten waar deze mensen naartoe gingen.
'Meneer Narang,' zei Sam respectvol. 'Namaste.' Sam wist wie Dhaval was en was terecht bang voor hem.
'Er logeert hier een jonge, volgens de gerant aantrekkelijke vrouw, die Jennifer Hernandez heet. Ken je haar?'
'Jawel,' zei Sam, nerveus om zich heen kijkend. Er waren nog verschillende andere hotelemployés die wisten wie Dhaval was.
'Ik heb iemand nodig die haar kan aanwijzen. Kun jij dat doen?'
'Natuurlijk, meneer. Als ze terugkomt.'
'Is ze al weg?'
'Ja, ik zag haar iets voor acht uur vertrekken.'
Dhaval zuchtte. Hij had gehoopt vroeg genoeg te zijn, zodat hij haar kon volgen als ze wegging.
'Goed, dan wacht ik wel,' zei Dhaval. 'Ik pak een krant en ga daar aan de overkant tegen de muur zitten.'
Hij wees naar een paar lege fauteuiltjes. 'Laat het me weten als ze binnenkomt.'

Het geluid van de telefoon wekte Neil om kwart over acht uit een diepe slaap en hij beantwoordde hem in paniek, nog niet helemaal beseffend waar hij was. Maar zijn hoofd klaarde snel op en hij bedankte de telefoniste voor hij uit bed sprong. Het eerste wat hij deed was de gordijnen opentrekken en naar buiten kijken, naar de gesluierde zonneschijn. Direct onder hem was het zwembad waar een handjevol mensen baantjes trok. Neil keek ernaar uit om dat ook te gaan doen die dag. Het zou weleens een goede remedie kunnen zijn tegen zijn bezorgdheid en de jetlag. Opgewonden haastte hij zich naar de badkamer en sprong onder de douche. Hij poetste zijn tanden, fatsoeneerde zijn haar enigszins en trok een schoon shirt en een schone spijkerbroek aan. Aldus voorbereid ging hij op de rand van zijn bed zitten en drukte met een trillende vinger op de knop voor de telefoniste. Zij idee was om net te doen alsof hij vanuit LA belde en in de loop van het gesprek uit te vinden wat Jennifers plannen voor die dag waren. Met die informatie wilde hij bedenken hoe hij haar kon verrassen.

Het leek wel of het een eeuwigheid duurde voor de telefoniste opnam. 'Kom op!' drong hij ongeduldig aan. Toen de telefoniste eindelijk antwoordde gaf hij Jennifers naam. Daarop hoorde hij de telefoon in haar kamer overgaan. Opgewonden wachtte hij, verwachtend elk moment haar stem te zullen horen.

Nadat de telefoon een keer of vijf was overgegaan, was Neil ervan overtuigd dat ze niet zou opnemen, dus legde hij de hoorn weer op de haak. Vervolgens probeerde hij haar mobieltje, maar hij kreeg vrijwel meteen haar voicemail. Het leek erop dat ze haar telefoon niet aan had gezet. Hij hing op. Een beetje teleurgesteld overdacht hij zijn volgende stap. Het zou natuurlijk kunnen dat ze onder de douche stond en dan zou hij over vijf of tien minuten nog eens kunnen bellen, maar hij was zo opgewonden dat hij geen zin had daar maar te blijven zitten. Neil pakte zijn sleutelkaart, ging zijn kamer uit en liep de trap af naar de lobby. Het kon natuurlijk ook zijn dat ze zat te ontbijten.

Het restaurant was bijna vol en terwijl hij in de rij wachtte om met de gerant te spreken liet hij zijn ogen door de hele ruimte, die verschillende niveaus had, glijden. Aan de linkerkant, op het hoogste niveau tegen de achtermuur, stond een uitgebreid buffet.

Rechts, een paar niveaus lager, waren de enorme ramen met uitzicht op de tuinen en het zwembad. Opnieuw werd Neil teleurgesteld. Hij zag haar niet.

'Hoeveel personen?' vroeg de gerant toen het Neils beurt was.

'Slechts een,' zei Neil.

Toen de gerant een menu pakte om het aan een van de gastvrouwen te geven, vroeg Neil: 'Kent u misschien een hotelgast die Jennifer Hernandez heet? Ze is...'

'Jawel,' zei de gerant. 'En u bent de tweede heer die haar vanmorgen zoekt. Ze is hier nog niet geweest voor het ontbijt.'

'Dank u,' zei Neil bemoedigd. Ze had dus waarschijnlijk onder de douche gestaan toen hij eerder had gebeld. Neil liet zich door de gastvrouw naar een tafeltje voor twee bij het raam brengen maar ging niet zitten. 'Waar is de dichtstbijzijnde telefoon?'

'Er zijn er een paar in de hal in de richting van de toiletten,' wees de jonge vrouw.
Neil bedankt haar en haastte zich ernaartoe. Zijn hart begon tot zijn verrassing weer te bonken. Hij had niet verwacht zo opgewonden te zullen zijn, en hij begon zich af te vragen of hij niet meer voor Jennifer voelde dan hij had gedacht. Toen de telefoniste aan de lijn kwam vroeg Neil weer naar Jennifers kamer. Hij voelde zich zo zeker dat hij haar deze keer aan de lijn zou krijgen dat hij zelfs al begon na te denken over een openingszin. Maar dat was niet nodig. Net als eerder bleef de telefoon maar rinkelen.
Uiteindelijk hing Neil op. Omdat hij er zo zeker van was geweest dat ze zou opnemen, was de teleurstelling nu nog groter. Hij begon zich zelfs een beetje irrationeel af te vragen of ze gewaarschuwd was dat hij kwam en hem nu opzettelijk meed. 'Dat is volslagen belachelijk,' mompelde hij toen zijn gezonde verstand weer de overhand kreeg.
Besluitend dat een goed ontbijt op zijn plaats was liep Neil terug naar zijn tafeltje. Hij vroeg zich ondertussen af of haar afwezigheid iets te maken kon hebben met de man die haar ook gezocht had en toen hij daarover nadacht besefte hij nog iets anders. Hij was jaloers.
Nadat hij zo was gaan zitten dat hij de ingang kon zien pakte hij het menu en wenkte de ober.

Inspecteur Naresh Prasad stuurde zijn oude, witte Ambassador dienstwagen de oprit van het Amal Palace Hotel op en reed met een vaartje omhoog naar de ingang van het hotel. Omdat het al bijna negen uur was kwamen er nog meer auto's met zakenlieden, die voor de deur uitstapten.
Toen het de beurt van Naresh was wenkte een van de fantastisch geklede en met een tulband getooide portiers hem naar voren en hief toen zijn hand op om hem te laten stoppen. Hij opende de deur van de Ambassador, ging rechtop staan en salueerde toen Naresh uitstapte.
Omdat hij dit ritueel al eerder had meegemaakt sloeg Naresh zijn portefeuille open om zijn politie-identificatie te laten zien. Hij hield hem bijna op armlengte zodat de indrukwekkend lange portier hem kon lezen en de foto kon controleren als hij dat wilde. Naresh zag de humor van het geheel wel in omdat hij een stuk kleiner dan de man was. Naast zijn een meter zestig leek de bijna twee meter lange sikh een reus.

'Ik wil dat de auto hier bij de deur geparkeerd wordt en wel zo dat ik, mocht het nodig zijn, snel kan vertrekken,' zei Naresh.
'Heel goed, inspecteur Prasad,' zei de portier, aantonend dat hij Naresh' identificatie goed had bekeken. Hij knipte met zijn vingers en wees een van zijn geüniformeerde ondergeschikten waar de auto geparkeerd moest worden.
Naresh probeerde zich bewust zo lang mogelijk te maken terwijl hij de paar treden naar de dubbele deuren van het hotel opliep, langs een groepje hotelgasten dat wachtte op vervoer. Binnen keek Naresh de indrukwekkende lobby door en probeerde te bedenken hoe hij verder zou gaan. Na enig nadenken besloot hij dat het het beste zou zijn om de hulp van de conciërge in te roepen. Omdat hij niet wilde opvallen wachtte hij op zijn beurt, terwijl de conciërges druk bezig waren om voor een paar gasten reserveringen te maken voor het diner.
'Wat kan ik voor u doen, meneer?' vroeg een van de formeel geklede conciërges met een vriendelijke glimlach. Naresh was onder de indruk. De man en zijn collega toonden een enthousiasme waaruit bleek dat ze echt van hun werk genoten, iets wat Naresh maar zelden zag in de enorme Indiase ambtenarij waar hij dagelijks mee te maken had.
Omdat hij geen scène wilde maken zwaaide Naresh onopvallend met zijn identificatie. 'Ik ben geïnteresseerd in een van uw hotelgasten. Niets ernstigs. Alleen maar een formaliteit. Het gaat om haar veiligheid.'
'Waarmee kunnen we u helpen, inspecteur?' vroeg de conciërge, terwijl hij zijn stem liet dalen. Zijn naam was Sumit.
De tweede conciërge, die een andere gast had geholpen, leunde naar voren om ook deel te nemen aan het gesprek nadat hij Naresh' identificatie had gezien. Zijn naam was Lakshay.
'Kent een van jullie een jonge Amerikaanse vrouw die hier in het hotel te gast is, Jennifer Hernandez?'
'O, ja!' zei Lakshay. 'Een van onze aardigste en aantrekkelijkste gasten kan ik wel zeggen. Maar tot nu toe heeft ze alleen nog maar om een plattegrond van de stad gevraagd, meer niet. Ik heb haar geholpen.'
'Het lijkt een heel vriendelijke vrouw te zijn,' voegde Sumit eraan toe. 'Ze glimlacht altijd als ze voorbijloopt en probeert altijd oogcontact te maken.'
'Hebben jullie haar vandaag al gezien?'
'Ja, ik wel,' zei Sumit. 'Ze heeft het hotel ongeveer veertig minuten gele-

den verlaten. Jij was net even weg,' zei hij tegen Lakshay, in reactie op de vragende gezichtsuitdrukking van zijn collega.
Naresh zuchtte. 'Dat is jammer. Was er iemand bij haar of was ze alleen?'
'Ze was alleen, hoewel ik niet weet of er buiten iemand op haar wachtte.'
'Wat had ze aan?'
'Iets gemakkelijks: een felgekleurd poloshirt en een spijkerbroek.'
Naresh knikte en overwoog de mogelijkheden.
'Ik kan het wel even aan de portiers gaan vragen. Misschien kunnen zij zich haar herinneren.' Sumit kwam achter de balie vandaan en liep snel naar buiten.
'Het lijkt of hij er veel zin in heeft,' merkte Naresh op, terwijl hij door het raam naar de conciërge keek en de jaspanden van de man zag wapperen in de wind.
'Altijd,' zei Lakshay. 'Heeft de jongedame iets verkeerd gedaan?'
'Daar kan ik helaas niets over zeggen.'
Lakshay knikte, een beetje verlegen door zijn duidelijke nieuwsgierigheid. Ze zagen dat Sumit en een van de sikhs kort en geanimeerd met elkaar stonden te praten. Daarna kwam hij weer binnen.
'Het schijnt dat ze alleen maar naar het Imperial Hotel is, mits we het over dezelfde vrouw hebben, waar ik vrij zeker van ben.'
Een Brits echtpaar van middelbare leeftijd kwam naar de balie van de conciërges. Naresh deed een stap opzij. Terwijl het stel informeerde naar een aanbeveling voor de lunch in het oude deel van Delhi, dacht Naresh na over wat hij zou kunnen doen. Even overwoog hij snel naar het Imperial Hotel te gaan, maar toen veranderde hij van gedachten. Hij besefte dat Jennifer al bijna een uur weg was en dat hij haar daar kon mislopen, vooral omdat niemand haar daar kon aanwijzen. Hij besloot in het Amal te blijven in de hoop dat ze niet de hele dag op stap was en snel terug zou komen. In het Amal waren er tenslotte conciërges die haar aan konden wijzen.
'Dank u voor uw hulp,' zei de Britse vrouw nadat Sumit haar een lunchreservering had overhandigd. Zodra het Britse stel zich omdraaide om te vertrekken, liep Naresh weer naar voren.
'Ik heb het volgende besloten,' zei hij. 'Ik ga hier midden in de lobby zitten. En ik wil graag dat u mij een teken geeft als juffrouw Hernandez binnenkomt.'
'Met alle plezier, inspecteur,' zei Sumit, en Lakshay knikte.

Jennifer keek over de ontbijttafel naar Rita Lucas en was onder de indruk van hoe goed de vrouw zich hield. Toen Jennifer in het Imperial Hotel was aangekomen had Rita zich verontschuldigd voor haar uiterlijk, en ze had uitgelegd dat ze niet in de spiegel had willen kijken omdat ze de hele nacht op was geweest: eerst een paar uur in het ziekenhuis en daarna aan de telefoon met familie en vrienden.
Ze was een slanke, bleke vrouw, het tegenovergestelde van haar echtgenoot. Ze straalde een soort verlegen, wanhopige kracht uit ondanks de tragedie die haar getroffen had.
'Hij was een goede man,' zei ze. 'Hoewel hij zijn eetlust niet kon beheersen. Hij heeft het geprobeerd, dat moet ik hem nageven, maar hij kon het niet, ook al schaamde hij zich over zijn uiterlijk en over zijn beperkingen.'
Jennifer knikte, aanvoelend dat de vrouw behoefte had om te praten. Ze kreeg de indruk dat Rita zich meer had geschaamd dan haar man en dat zij had aangedrongen op de maagverkleining die nu zijn dood tot gevolg had gehad.
Eerder had Rita verteld dat het ziekenhuis had geprobeerd haar over te halen tot het nemen van een beslissing over het lichaam. Ze vertelde dat ze het eerst brachten als een voorstel maar dat ze steeds vasthoudender werden. Rita erkende dat ze zeker zou hebben toegegeven als ze niet eerst met Jennifer had gesproken, en het lichaam zou hebben laten cremeren.
'Ik vond het vreemd dat ze niet in staat waren me uit te leggen hoe hij is gestorven,' zei Rita. 'Eerst was het een gewone hartaanval, toen een beroerte en een hartaanval, en toen was het een hartaanval die een beroerte had veroorzaakt. Ze leken het niet eens te kunnen worden. Toen ik een autopsie voorstelde vielen ze me bijna aan. Nou ja, in elk geval werd de zorgmanager boos. De chirurg leek het niet uit te maken.'
'Hebben ze verteld of hij blauw werd toen hij zijn hartaanval kreeg?' had Jennifer gevraagd.
'Dat heeft hij inderdaad gezegd,' had Rita geantwoord. 'Hij zei dat hij, omdat die blauwe kleur zo snel verdween tijdens de beademing, optimistisch geworden was dat hij het zou halen.'
Rita zweeg even voor ze vroeg: 'Hoe zit het met je vrienden, de pathologen-anatomen, die op weg zijn om je te helpen met je grootmoeder? Je zei dat ze ook de dood van mijn man zouden kunnen onderzoeken. Is dat nog steeds mogelijk?'
'Ze zijn onderweg, dus ik heb nog geen kans gehad om het ze te vragen.

Maar ik weet zeker dat het goed zal zijn.'
'Dat zou ik heel erg op prijs stellen. Hoe meer ik heb nagedacht over je opmerking dat we het aan onze geliefden verplicht zijn, hoe meer ik het met je eens ben. Door alles wat je me hebt verteld, ben ik ook wantrouwig geworden.'
'Ik zal het ze vanavond vragen als ze aankomen en het je morgen laten weten,' zei Jennifer.
Rita zuchtte en drukte zachtjes een tissue tegen haar ogen toen de tranen opnieuw opwelden. 'Ik denk dat ik uitgepraat ben en ik weet dat ik uitgeput ben. Misschien kan ik beter naar boven gaan. Gelukkig heb ik nog een paar oude slaaptabletten. Als ik er ooit een nodig heb gehad dan is het nu wel.'
De twee vrouwen stonden op en omhelsden elkaar spontaan. Jennifer was verbaasd hoe broos Rita aanvoelde. Ze was bang dat haar botten zouden breken als ze te hard kneep.
Ze namen afscheid in de lobby. Jennifer beloofde de volgende morgen te bellen en Rita bedankte haar voor het luisteren. Toen vertrokken ze allebei.
Terwijl Jennifer het hotel uitliep beloofde ze zichzelf een echte taxi, en geen motorriksja om terug naar het Amal te rijden.

25

18 oktober 2007
donderdag 9.45 uur
New Delhi, India

Tijdens het relatief korte ritje van het Imperial Hotel naar het Amal Palace Hotel, besloot Jennifer dat een gewone taxi niet veel beter was dan de motorriksja, behalve dan dat hij aan de zijkanten gesloten was waardoor ze in elk geval de indruk had dat het veiliger was. De taxichauffeur reed net zo agressief als de riksjabestuurder, maar zijn auto was iets minder makkelijk te manoeuvreren.

Nadat ze op haar horloge had gekeken besloot Jennifer nogmaals om 's morgens wat sightseeing te gaan doen en 's middags te gaan trainen en daarna bij het zwembad te gaan liggen. Na het ontbijt met Rita was ze er nog meer van overtuigd dat er rare dingen gebeurden en ze wilde niet te obsessief worden. Toen ze uit het raampje van de taxi keek, was ze al zo gewend aan het verkeer in Delhi, dat ze kon zien dat het spitsuur begon af te nemen. In plaats van stoppen-en-gaan was het kruipen-en-gaan, en het was dus een uitstekend moment om door de stad te rijden.

Terug in het hotel nam ze niet de moeite om naar haar kamer te gaan. Met de huistelefoon belde ze Lucinda Benfatti.

'Ik hoop dat ik je niet te vroeg bel?' vroeg Jennifer verontschuldigend.

'Nee, hoor,' zei Lucinda.

'Ik heb net ontbeten met een vrouw van wie de echtgenoot vannacht is overleden, niet in het Queen Victoria maar in een ander, vergelijkbaar ziekenhuis.'

'We weten hoe ze zich voelt.'

'Dat is zeker zo. De hele toestand lijkt op onze ervaring. Opnieuw wist CNN het eerder dan zij.'

'Dat zijn dus drie sterfgevallen,' riep Lucinda uit. Ze was geschokt. 'Twee zou toeval kunnen zijn, maar drie in drie dagen niet.'

'Dat is precies wat ik dacht.'

'Ik ben ontzettend blij dat jouw vrienden komen.'
'Ik ook, maar ik heb het gevoel dat ik de zaak beter even kan laten rusten tot ze hier zijn. Vandaag ga ik proberen om er niet aan te denken. Misschien ga ik wel de toerist uithangen. Wil je met me mee? Het kan me echt niet schelen wat ik zie, ik wil gewoon even alles vergeten.'
'Dat is waarschijnlijk een goed idee, maar niet voor mij. Ik kan het nu gewoon niet aan.'
'Weet je het zeker?' vroeg Jennifer, zich afvragend of ze moest aandringen voor Lucinda's bestwil.
'Ik weet het zeker.'
'Nu zeg ik net dat ik even alles wil vergeten, maar ik heb toch een paar vragen voor je. Als eerste, heb je je vriend in New York nog gevraagd hoe laat hij het nieuws over Herberts overlijden hoorde op CNN?'
'Ja,' zei Lucinda. 'Ik heb het ergens opgeschreven. Wacht even!'
Jennifer kon horen dat Lucinda, al mompelend, wat dingen heen en weer schoof op het bureau. Het duurde ongeveer een minuut voor ze weer aan de lijn was. 'Hier is het. Ik had het op de achterkant van een envelop geschreven. Het was iets voor tien uur. Hij wist het nog omdat hij de televisie had aangezet om naar iets te kijken wat om tien uur zou beginnen.'
'Oké,' zei Jennifer en schreef het tijdstip op. 'Nu heb ik nog een andere vraag. Vind je het erg?'
'Helemaal niet.'
'Bel je vriendin Varini en vraag haar wat het tijdstip op de overlijdensverklaring is, of, als je ernaartoe gaat, vraag om de overlijdensverklaring zelf te mogen zien, daar heb je recht op. Ik wil graag de tijd weten en ik zal je zeggen waarom. Ik hoorde om ongeveer kwart voor acht plaatselijke tijd in Los Angeles over het overlijden van mijn oma, dat is ongeveer kwart over negen 's avonds plaatselijke tijd in New Delhi. Toen ik hier in New Delhi vroeg de overlijdensverklaring te mogen zien, stond er tweeëntwintig uur vijfendertig op, en dat is op zijn zachtst gezegd vreemd. Het tijdstip van haar overlijden was later dan het moment dat het werd aangekondigd op televisie.'
'Dat is vreemd! Je zou haast denken dat iemand wist dat ze zou overlijden voor het gebeurde.'
'Precies,' zei Jennifer. 'Nu zou er natuurlijk hier in India iets fout gegaan kunnen zijn waardoor de afwijking verklaard kan worden, bijvoorbeeld dat iemand tweeëntwintig uur vijfendertig opschrijft terwijl dat eenen-

twintig uur vijfendertig zou moeten zijn, maar zelfs dat is te kort voor CNN om de tip binnen te krijgen, hem op de een of andere manier te verifiëren, een stuk te schrijven over medisch toerisme en het uit te zenden.'

'Dat ben ik met je eens. Ik zal mijn best doen om erachter te komen.'

'En dan nog iets,' zei Jennifer. 'Toen mijn oma na haar overlijden werd gevonden was ze blauw. Dat heet cyanose. Ik kan het niet fysiologisch verklaren. Na een hartaanval kan een patiënt soms een beetje blauw zijn, misschien de extremiteiten zoals de vingertoppen, maar niet het hele lichaam. Vanwege alle andere overeenkomsten tussen oma en Herbert, wil ik graag weten of hij ook blauw was.'

'Wie kan ik dat vragen?'

'De verpleegsters. Die weten wat er omgaat in een ziekenhuis. Of medische studenten als die er zijn.'

'Ik zàl het proberen.'

'Het spijt me dat ik dit allemaal van je vraag.'

'Dat is prima. Ik wil graag wat doen. Het voorkomt dat ik mijn emoties niet meer in bedwang kan houden.'

'Als je niets voelt voor sightseeing, hoe zit het dan met het diner? Ga je naar het vliegveld om je zoons op te halen of wacht je hier op hen?'

'Ik ga naar het vliegveld. Ik verlang er heel erg naar om ze te zien. En wat betreft het diner, kan ik je dat later laten weten?'

'Natuurlijk,' zei Jennifer. 'Ik bel je vanmiddag.'

Na elkaar gegroet te hebben hing Jennifer op en haastte zich naar de balie van de conciërge. Nu ze had besloten dat ze ging sightseeën, wilde ze vertrekken. Helaas stond er een rij bij de balie en moest ze wachten. Toen het haar beurt was en ze naar de balie toeliep, viel de reactie van de conciërge haar op. Het was of hij een oude vriendin herkende. En wat het zo bijzonder maakte was dat het niet eens de conciërge was die haar de vorige dag de plattegrond van de stad had gegeven.

'Ik wil graag wat advies,' zei Jennifer terwijl ze de man in zijn donkere ogen keek. In plaats van direct oogcontact te maken leek hij af en toe langs haar heen de lobby in te kijken, zodat Jennifer zich wel even moest omdraaien om te kijken of er iets aan de hand was, maar ze zag niks ongewoons.

'Waarover?' vroeg de man, terwijl hij Jennifer eindelijk normaal aankeek.

'Ik wil vanochtend wat sightseeing doen,' zei ze. Ze zag dat de naam van de man Sumit was. 'Wat zou u aanbevelen voor een uur of twee, drie?'

'Hebt u Old Delhi al gezien?' informeerde Sumit.
'Ik heb nog niks gezien.'
'Dan zou ik zeker Old Delhi aanbevelen,' zei Sumit terwijl hij een plattegrond van de stad pakte. Hij opende hem met een geoefend gebaar en spreidde hem uit op de balie. Jennifer keek ernaar. Het was dezelfde plattegrond als die ze de dag ervoor had gekregen.
'Dit is Old Delhi,' wees Sumit met zijn linkerhand. Jennifer volgde zijn vinger maar zag uit haar ooghoek dat hij met zijn rechterhand boven zijn hoofd zwaaide alsof hij iemands aandacht probeerde te trekken. Jennifer draaide zich weer om naar de lobby om te zien naar wie Sumit zwaaide, maar niemand leek op het gebaar te reageren. Ze keek weer naar de conciërge die een beetje beschaamd keek en zijn hand liet zakken als een kind dat betrapt is terwijl het de koekjestrommel wil pakken.
'Sorry,' zei Sumit. 'Ik probeerde naar een oude vriend te zwaaien.'
'Dat geeft niet,' zei Jennifer. 'Wat moet ik zien in Old Delhi?'
'In elk geval het Rode Fort,' zei hij terwijl hij het tikkend met zijn vinger aanwees op de kaart. Hij pakte haar reisgids en sloeg die open op de juiste bladzijde. 'Het is misschien wel, na de Taj Mahal in Agra, het interessantste bouwwerk van India. Ik hou vooral van de Diwan-i-Aam.'
'Dat klinkt interessant,' zei Jennifer, blij dat de man niet langer afgeleid leek te zijn.
'Goedemorgen, juffrouw Hernandez,' zei de tweede conciërge toen hij klaar was met zijn laatste klant en wachtte tot de volgende naar voren kwam. Hij was degene die haar de vorige dag de plattegrond had gegeven.
'Ook goedemorgen,' antwoordde Jennifer.
'Juffrouw Hernandez gaat een bezoek brengen aan Old Delhi,' zei Sumit tegen Lakshay.
'U zult het prachtig vinden,' zei Lakshay terwijl hij gebaarde dat de volgende hotelgast naar voren kon komen.
'En na het Rode Fort?' vroeg Jennifer.
'Dan zou ik zeggen dat u een bezoek moet brengen aan de Jama Masjid moskee, gebouwd door dezelfde Mogolkeizer. Het is de grootste moskee van India.'
'Is dit gedeelte bij de twee monumenten een bazaar?' vroeg Jennifer.
'Niet alleen een bazaar maar dé bazaar. Het is een fantastisch labyrint van nauwe *galis* en zelfs nog nauwere *katras* waar je van alles en nog wat kunt kopen. De winkeltjes zijn piepklein en eigendom van de verkopers, dus

u moet afdingen. Het is geweldig. Ik raad u aan om door de bazaar te wandelen, wat te winkelen als u dat wilt, en dan hier naar een restaurant te gaan dat Karim heet om te lunchen,' zei Sumit, wijzend op de plattegrond. 'Het is het meest authentieke restaurant met Mogolgerechten in New Delhi.'
'Is het veilig?' vroeg Jennifer. 'Ik wil niet graag dat mijn darmen van streek raken.'
'Heel veilig. Ik ken de eigenaar. Ik zal hem bellen en zeggen dat u misschien komt. Als u dat doet, vraag dan naar Amit Singh. Hij zal goed voor u zorgen.'
'Dank u,' zei Jennifer. 'Dat klinkt goed.' Ze probeerde de plattegrond weer op de oorspronkelijke manier op te vouwen.
Sumit nam hem van haar over en vouwde hem met een ervaren gebaar dicht. 'Mag ik vragen hoe u naar Old Delhi denkt te gaan?'
'Daar heb ik nog niet over nagedacht.'
'Misschien mag ik u een van de auto's van het hotel aanraden. We kunnen zorgen voor een Engels sprekende chauffeur en de auto heeft airconditioning. Het is wat duurder dan een taxi, maar de chauffeur blijft bij u, behalve als u de monumenten bezoekt en in de bazaar. Veel van onze vrouwelijke gasten vinden het erg prettig.'
Jennifer vond het direct een prima idee. Omdat het uitstapje misschien wel haar enige zou zijn moest ze het maar goed doen en voor een onervaren toerist zou de rit het verschil kunnen maken tussen veel plezier hebben of niet. 'Het is volgens u niet veel duurder dan een taxi?' vroeg Jennifer ter bevestiging.
'Dat klopt. Het is een service voor onze gasten.'
'Hoe regel ik dat? Het kan alleen als er nú een auto beschikbaar is.'
Sumit wees naar de hoofdingang van het hotel waar een vergelijkbare balie was. 'Daar is de balie waar het vervoer geregeld wordt en mijn collega, in hetzelfde uniform als ik, is de manager. Ik verzeker u dat hij u van dienst zal kunnen zijn.'
Jennifer baande zich een weg door de mensen die het hotel in- en uitliepen en ging naar de aangewezen balie. Ze was zich niet bewust van een kalende man met een rond gezicht, meer dan tien centimeter kleiner dan zij, die achter haar opstond uit een fauteuiltje in het midden van de lobby en op de conciërges afstapte. Even later zag ze hem toevallig wel terwijl de vervoersmanager een telefoongesprek beëindigde. Hij viel haar alleen

maar op omdat hij met een van de reusachtige portiers stond te praten, en daardoor aanmerkelijk kleiner leek dan hij eigenlijk was.
'Kan ik u helpen?' vroeg de vervoersmanager terwijl hij ophing.
Toen ze begon te praten merkte ze dat de man op dezelfde manier op haar reageerde als de conciërge: een soort afgeleide herkenning. Jennifer voelde zich onmiddellijk een beetje opgelaten en vroeg zich af of er iets mis was met haar uiterlijk, bijvoorbeeld of ze iets tussen haar tanden had. In een reflex liet ze haar tong daarom over haar voortanden glijden.
'Kan ik u helpen?' herhaalde de man. Jennifer zag dat zijn naam Samarjit Rao was. Ze kon zich beslist niet herinneren dat ze hem eerder had ontmoet.
'Hebben we elkaar al eens ontmoet?' voeg Jennifer.
'Helaas niet, in elk geval niet persoonlijk. Maar ik heb voor u het vervoer van de luchthaven geregeld dinsdagavond, en ik weet dat u vanavond mee zult rijden naar het vliegveld om mensen af te halen. We worden door de directie aangemoedigd om de namen en gezichten van onze gasten te onthouden.'
'Geweldig,' zei Jennifer. Daarna vroeg ze hoeveel het zou kosten om een auto met chauffeur te huren voor ongeveer drie uur en of er op dit moment een auto beschikbaar was met een chauffeur die Engels sprak. Samarjit noemde een prijs die lager was dan ze had verwacht. Zodra hij haar kon vertellen dat er inderdaad een auto met een Engels sprekende chauffeur beschikbaar was, zei Jennifer dat ze hem nam. Vijf minuten later werd ze naar buiten gestuurd naar het bordes met de mededeling dat er spoedig een Mercedes uit de garage voor zou rijden. De chauffeur heette Ranjeet Basoka en de sikh-portiers waren op de hoogte en zouden haar naar de juiste auto begeleiden.
Terwijl ze op haar auto stond te wachten, amuseerde ze zich door naar de mix aan nationaliteiten te kijken. Daardoor merkte ze niet dat een in het zwart geklede man met een paar gouden kettingen om het hotel verliet, zich door de menigte wurmde en in een zwarte Mercedes stapte. Ook zag ze niet dat de man de auto niet startte maar bleef wachten, met zijn vingers trommelend op het stuur.

'Wilt u nog wat koffie?' vroeg de ober.
'Nee, dank u,' zei Neil. Hij vouwde de krant die hij had gekregen dicht, stond op, en rekte zich uit. Het ontbijt was fantastisch geweest. Het buf-

fet was een van de uitgebreidste die hij ooit gezien had en hij had van ongeveer alles geproefd. Omdat hij de rekening al had getekend liep hij de drukke lobby in, zich afvragend wat hij zou doen. Toen hij de balie van de conciërge zag bedacht hij dat hij daar weleens kon beginnen.

Het duurde even voor hij aan de beurt was. 'Ik ben gast hier in het hotel...' begon hij.

'Natuurlijk,' zei Lakshay. 'U bent meneer Neil McCulgan, neem ik aan.'

'Hoe weet u mijn naam?'

'Als ik 's morgens begin, en ik heb tijd, dan probeer ik de namen van de nieuwe gasten uit mijn hoofd te leren. Soms heb ik het mis, maar meestal klopt het.'

'Dan moet u juffrouw Jennifer Hernandez kennen.'

'Jazeker. Bent u een kennis?'

'Ja. Ze weet niet dat ik hier ben. Het is een verrassing.'

'Een moment,' zei Lakshay terwijl hij achter de balie vandaan kwam. 'Wacht hier,' voegde hij eraan toe terwijl hij de deur uit rende.

Verwonderd zag Neil door het raam dat hij recht op een van de kleurig geklede portiers af liep. Ze spraken even snel met elkaar en toen rende Lakshay weer naar binnen. Hij was een beetje buiten adem. 'Sorry,' zei hij. 'Juffrouw Hernandez was hier twee minuten geleden. Ik dacht dat ik haar nog te pakken kon krijgen, maar ze is net in de auto gestapt.'

Neils gezicht klaarde op. 'Ze was hier een paar minuten geleden aan de balie?'

'Ja. Ze vroeg wat advies om te gaan sightseeën. We hebben haar naar Old Delhi gestuurd, naar het Rode Fort, de Jama Masjid moskee en de bazaar, met misschien een lunch bij restaurant Karim.'

'In die volgorde?'

'Ja, dus ik denk dat u haar wel bij het Rode Fort kunt inhalen als u snel bent.'

Neil wilde al naar de uitgang lopen toen de tweede conciërge riep: 'Ze is met een auto van het hotel. Een zwarte Mercedes. Vraag de vervoersmanager maar naar het kentekennummer. Dat kan handig zijn.'

Neil knikte en zwaaide dat hij het gehoord had. Bij de genoemde balie kreeg hij het kentekennummer en het mobiele telefoonnummer van de chauffeur en daarna rende hij naar buiten om een taxi aan te houden.

Jennifer was dolblij dat ze zich door de conciërge had laten overhalen een auto van het hotel te huren voor haar uitstapje. Door het comfort van de airconditioning leek het of ze op een ander planeet was vergeleken met de motorriksja en de gewone taxi. De eerste vijftien minuten keek ze alleen maar naar buiten, naar het schouwspel van de Indiase straten met de fantastische mengelmoes van voertuigen, mensenmassa's en allerlei dieren, van heen en weer rennende apen tot slome koeien. Ze zag zelfs haar eerste Indiase olifant.
De chauffeur, Ranjeet, droeg een keurig geperst donkerblauw uniform. Hij sprak weliswaar Engels maar zijn accent was zo zwaar dat Jennifer moeite had hem te verstaan. Ze deed haar best toen hij verschillende interessante plekken aanwees maar uiteindelijk gaf ze het op en knikte alleen nog maar en zei dingen als 'Heel interessant' en 'Dat is prachtig'. Ten slotte opende ze haar reisgids en bladerde naar het deel over het Rode Fort. Na een paar minuten zag de chauffeur dat ze geconcentreerd zat te lezen en zweeg verder. Bijna een halfuur was ze zo verdiept in de architectuur en de geschiedenis van het fort dat ze zich niet langer bewust was van het verkeer of hun route. Ook was ze zich niet bewust van de twee auto's die hen volgden: een witte Ambassador en een zwarte Mercedes. Soms van heel dichtbij, vooral als ze allemaal moesten stoppen voor een rood licht of stilstaand verkeer. Soms waren ze heel veraf, maar nooit uit het zicht.
'U kunt zo het Rode Fort zien liggen aan de rechterkant,' zei Ranjeet, 'vlak na het volgende stoplicht.'
Jennifer keek op uit haar boek dat net van het Rode Fort was overgegaan op de Jama Masjid. Ze zag direct dat Old Delhi veel drukker en voller was dan New Delhi, met zowel mensen als voertuigen, en vooral meer fietsriksja's en door dieren voortgetrokken karren. Er lag ook veel meer afval. En er was meer activiteit, zoals mensen die werden geschoren of geknipt, medische behandelingen ondergingen, een hapje zaten te eten, gemasseerd werden, hun oren lieten reinigen, hun kleren lieten wassen, hun schoenen lieten repareren en hun kiezen lieten vullen, allemaal in de openlucht, met heel weinig middelen. Het enige wat de kapper had was een stoel, een kleine gebarsten spiegel, een paar instrumenten, een emmer water en een grote lap.
Jennifer was gebiologeerd. Alles wat in het Westen achter gesloten deuren werd gehouden, werd hier in het openbaar gedaan. Er was gewoon te veel te zien. Elke keer als ze mensen bezig zag en aan haar chauffeur wilde

vragen wat ze aan het doen waren en waarom ze het buiten deden, zag ze weer iets anders of iets wat haar nog meer verbaasde.
'Daar is het Rode Fort,' zei Ranjeet trots.
Jennifer keek door het raampje naar een reusachtig, ommuurd gebouw van rood zandsteen, veel groter dan ze verwacht had. 'Het is enorm,' wist ze uit te brengen. Ze was diep onder de indruk. De westelijke muur waar ze langsreden leek maar niet op te houden.
'De ingang is hierboven aan de rechterkant,' zei Ranjeet, al wijzend. 'Hij heet de Lahore Gate. Daar spreekt de premier op Onafhankelijkheidsdag de parade toe.'
Jennifer luisterde niet. Het Rode Fort was overweldigend. Toen ze erover las had ze zich iets voorgesteld van het formaat van de New York Public Library, maar het was veel groter en exotischer. Om het goed te kunnen bekijken zou ze een dag nodig hebben, en niet het ene uur dat ze ervoor uitgetrokken had.
Ranjeet draaide de parkeerplaats voor de Lahore Gate op, reed langs een paar enorme touringcarbussen en stopte bij een paar souvenirwinkeltjes.
'Ik zal daar op u wachten,' zei hij, wijzend op een paar armetierige bomen die een beetje schaduw boden. 'Als u me niet ziet als u buiten komt, moet u me bellen en dan kom ik heel snel terug.'
Jennifer nam het visitekaartje aan dat de chauffeur haar aanreikte, maar antwoordde niet. Ze staarde naar de immense omvang van het fort en besefte hoe onzinnig het was om een beroemd bouwwerk met de omvang van het Rode Fort in een uur te willen bekijken. Het zou het zeker geen recht doen. Ze voelde zich nog doodmoe door de jetlag, wat nog was verergerd door het wiegen van de auto. Daarbij wist ze dat ze niet echt dol was op het bekijken van oude gebouwen. Jennifer was een mensenmens. Als ze al de moeite nam, gaf ze er de voorkeur aan om mensen te zien en geen vervallen architectuur. Ze was veel meer geïnteresseerd in het Indiase straatleven, waar ze vanuit de auto getuige van had kunnen zijn.
'Is er iets mis, juffrouw Hernandez?' vroeg Ranjeet. Hij bleef haar aankijken nadat hij haar zijn kaartje had gegeven. Ze bewoog zich niet.
'Nee,' zei Jennifer. 'Ik ben van gedachten veranderd. Ik geloof dat we in de buurt van de bazaar zijn?'
'Ja, dat klopt,' zei Ranjeet. Hij wees de straat door die evenwijdig aan het Rode Fort liep. 'Het hele gebied ten zuiden van Chandni Chowk, de hoofdweg naar het Rode Fort, is bazaar.'

'Is er een plek waar je kunt parkeren zodat ik door de bazaar kan lopen?'
'Jazeker. Er is een parkeergelegenheid bij de Jama Masjid moskee, aan de zuidelijke kant van de bazaar.'
'Laten we daarnaartoe gaan,' zei Jennifer.
Ranjeet keerde snel de auto en reed met een vaart de weg die ze gekomen waren weer terug, daarbij een gele stofwolk opwerpend. Hij drukte op zijn claxon toen ze in sneltreinvaart op een in het zwart geklede man afgingen met een jasje over zijn arm. De kleine man bij een stalletje die een blikje frisdrank wegsmeet en naar zijn auto rende, zag hij niet.
'Is Chandni Chowk zowel een straat als een district?' vroeg Jennifer. Ze had haar reisgids weer gepakt. 'Het is een beetje verwarrend.'
'Het is allebei,' gaf Ranjeet toe. Hoewel hij stopte bij het stoplicht drukte hij weer op zijn claxon toen een taxi sneller dan verstandig was de parkeerplaats voor de Lahore Gate opdraaide en op een paar centimeter afstand voorbij scheurde. Ranjeet schudde zijn vuist en schreeuwde een paar woorden in het Hindi waarvan Jennifer veronderstelde dat die niet werden gebruikt in net gezelschap.
'Sorry,' zei Ranjeet.
'Geen probleem,' zei Jennifer. Zij was ook geschrokken van de taxi.
Het licht sprong op groen en Ranjeet reed de brede, uit meerdere rijstroken bestaande Netaji Subhash Marg op die voor het Rode Fort langs liep, in zuidelijke richting. 'Hebt u al eens in een fietsriksja gezeten, juffrouw Hernandez?'
'Nee, nog nooit,' moest Jennifer bekennen. 'Wel in een motorriksja.'
'U moet eigenlijk ook eens een fietsriksja proberen en vooral hier in Chandni Chowk. Ik kan er een voor u regelen bij de Jama Masjid, en hij kan u door de bazaar rijden. De straatjes worden galis genoemd en ze zijn heel druk en smal. De katras zijn zelfs nog smaller. U hebt een fietsriksja nodig want anders zult u verdwalen. Hij kan u terugbrengen zodra u dat wilt.'
'Misschien moet ik dat dan maar doen,' zei Jennifer zonder veel enthousiasme. Ze hield zich voor dat ze wat avontuurlijker moest zijn.
Ranjeet sloeg rechts af en zat prompt vast in het zich met horten en stoten voortbewegende verkeer in een smalle straat. Dit was nog niet echt de bazaar, maar aan weerszijden van de straat waren winkels die allerlei dingen verkochten, van roestvrij stalen keukenattributen tot bustochten door Rajasthan. Terwijl de auto langzaam voortreed, kon Jennifer naar de talloze gezichten van de plaatselijke bevolking kijken, die een weerspiege-

ling vormden van de verbijsterende variatie in etnische groepen en culturen die in een eeuw waren samengesmolten tot het land dat India werd genoemd.
De smalle straat eindigde bij de exotisch uitziende Masjid moskee, waar Ranjeet linksaf een drukke parkeerplaats opreed. Hij sprong uit de auto en zei tegen Jennifer dat ze even moest wachten.
Terwijl Jennifer wachtte ving ze een glimp op van het Indiase temperament. Hoewel Ranjeet de auto midden op de drukke parkeerplaats had laten staan, scheen geen van de parkeerwachten dat iets te kunnen schelen. Het was alsof zij en de auto onzichtbaar waren ondanks het feit dat ze de weg blokkeerden. Ze kon zich niet voorstellen wat voor storm zoiets zou hebben veroorzaakt in New York.
Ranjeet kwam terug met een fietsriksja achter zich aan. Jennifer was geschokt. De bestuurder was graatmager met ingevallen wangen, alsof hij ondervoed was. Hij zag er niet uit of hij ver zou kunnen lopen, laat staan dat hij een driewieler voort kon trappen met Jennifers zevenenvijftig kilo erin.
'Dit is Ajay,' zei Ranjeet. 'Hij zal u door de bazaar rijden, waar u maar naartoe wilt. Ik heb de Dariba Kalan met zijn gouden en zilveren ornamenten voorgesteld. Er zijn ook een paar tempels die u misschien wilt zien. U kunt hem zeggen wanneer u weer terug wilt naar de auto.'
Jennifer stapte uit de auto en klom met wat tegenzin op de harde bank van de fietsriksja. Er was niet veel waar ze zich aan vast kon houden waardoor ze zich kwetsbaar voelde. Ajay boog en begon zonder iets te zeggen te trappen. Tot haar verbazing was hij staand op de pedalen in staat de fiets te keren. Ze reden langs de voorkant van de Jama Masjid en verdwenen al spoedig in de uitgestrekte bazaar.

Tegen de tijd dat Dhaval Narang weer bij zijn auto was bij de Lahore Gate van het Rode Fort, was Ranjeet het groene stoplicht al gepasseerd en had hij zich tussen het verkeer gevoegd dat van de Chandni Chowk boulevard kwam. Dhaval bereikte nog net het stoplicht voor het weer rood werd. Stevig gas gevend reed hij achter de auto van het hotel aan, wanhopig proberend hem in het zicht te houden. Vanwege het drukke verkeer was dat niet makkelijk, ook al reed hij heel agressief in een poging de auto in te halen. Het ging hem goed af totdat er vlak voor Dhaval een bus van de halte optrok en het zicht volledig blokkeerde.
Nog meer risico nemend drukte Dhaval het gaspedaal verder in, schoot

hij langs een vrachtwagen en wist hij de overvolle bus in te halen. Helaas was Ranjeet tegen die tijd verdwenen. Terwijl hij een beetje vaart minderde, keek Dhaval de straatjes in die in westelijke richting liepen. Al snel moest hij stoppen toen een licht voor hem op rood sprong en massa's mensen in beweging kwamen om de Netaji Subhash Marg over te steken. Dhaval ergerde zich en zat ongeduldig op het stuur te trommelen tot het licht weer groen werd. Hij was blij geweest met het Rode Fort, omdat het groot en doorgaans vol toeristen was, waardoor het volgens hem makkelijk was iemand neer te schieten zonder bang te hoeven zijn gepakt te worden. Maar toen was Ranjeet plotseling weggereden, terwijl Dhaval geen idee had waar hij naartoe ging en waarom.
Toen het licht op groen sprong was Dhaval genoodzaakt te wachten tot de voertuigen voor hem langzaam op gang kwamen. Op de hoek keek hij naar de Jama Masjid moskee en nam razendsnel een beslissing. Halverwege de weg naar de moskee, vastzittend in het verkeer, dacht hij een auto te zien die op de Mercedes van het Amal leek.
Dhaval gooide snel het stuur naar rechts en slaagde erin voor het oprukkende verkeer langs te rijden, waardoor verschillende voertuigen moesten remmen. Dhaval klemde zijn kaken op elkaar en verwachtte elk moment het geluid van een botsing, maar gelukkig hoorde hij alleen maar piepende banden, claxons en woedend geschreeuw. Of de auto voor hem die van het hotel was of niet, hij besloot in de moskee te gaan kijken. Als Jennifer Hernandez daar niet was, dan ging hij terug naar het hotel.
Het duurde even voor hij de voorkant van de moskee had bereikt, waar Dhaval linksaf een parkeerplaats opreed. Op dat moment zag hij de auto van het hotel die daar geparkeerd stond. Terwijl hij snel achteromkeek ving hij nog net een glimp op van Jennifer in een fietsriksja, voor ze in een van de drukke galis verdween.

Omdat hij wist in welke volgorde Jennifer Old Delhi wilde gaan bekijken, nam inspecteur Naresh Prasad aan dat ze van gedachten was veranderd over het Rode Fort en nu naar de Jama Masjid ging. Hoewel hij toch een beetje moest opschieten, had hij niet het gevoel dat hij zichzelf in gevaar hoefde te brengen. Tegelijkertijd wilde hij haar niet kwijtraken, ook al begon hij zich steeds meer af te vragen of het nodig was om haar te volgen terwijl ze toeristje speelde. Hij had veel liever willen zien met wie ze die ochtend had ontbeten.

Terwijl hij de parkeerplaats opreed en stopte, zag hij een man in het zwart uit een Mercedes stappen. Het was dezelfde man die Naresh slechts een paar minuten eerder had gezien terwijl hij naar zijn auto rende toen Jennifer Hernandez de parkeerplaats bij het Rode Fort afreed. Vreemd, dacht Naresh, en stapte snel zelf uit.

Neil moest om zichzelf lachen toen hij de parkeerplaats bij de Jama Masjid moskee oprende. Het kostte wel veel moeite om Jennifer te verrassen en hij vroeg zich af wat er was gebeurd bij het Rode Fort. Toen hij India vijf maanden geleden had bezocht was het Rode Fort een van zijn favoriete plekjes geweest, maar kennelijk dacht Jennifer daar anders over. Kort daarvoor had Neil bij toeval een glimp van Jennifer in een fietsriksja opgevangen, net toen ze in het drukke Delhi dreigde te verdwijnen. Toen hij eindelijk weer verder kon, was Jennifer verdwenen. Toen Neil de bazaar in liep, moest hij langzamer gaan lopen. Eerst wist hij niet welke kant ze uit was gegaan, maar even later kreeg hij haar weer in het vizier. Op dat moment reed ze ongeveer vijftien meter voor hem uit.

Jennifer vond het niet leuk. Het bankje van de riksja was hard en het straatje hobbelig. Een paar keer, toen de wielen door kuilen reden, was ze bang dat ze eruit zou vallen. De weggetjes, straatjes en nog nauwere katras waren ongelooflijk druk, lawaaiig, jachtig, levendig en chaotisch tegelijk. Een wirwar aan elektrische draden hing als spinnenwebben boven haar hoofd, net als de pijpen van de waterleiding. Er hingen allerlei zowel heerlijke als walgelijke geuren, onder andere specerijen en urine, dierenpoep en jasmijn.

Terwijl ze zich uit alle macht probeerde vast te houden bedacht ze dat ze het gebeuren vermoedelijk leuker had gevonden als ze hier niet vanwege haar grootmoeders dood was geweest. Hoewel ze veel beter met de tragedie omging dan ze had verwacht voor ze in India arriveerde, had het uiteraard wel een negatief effect op haar. Ze kon moeilijk genieten, het leek haar dat het deel van de bazaar dat ze zag smerig was, met te veel afval en rioolwater, en met veel te veel mensen. De meeste winkels leken haar niet meer dan gaten in de muren, waar de troep tot op straat uitpuilde. Hoewel ze weliswaar het deel waar goud, zilver en specerijen werden verkocht nog moest zien, had ze er genoeg van.

Jennifer stond op het punt de fietser te vertellen dat ze terug wilde. Ze

leunde naar voren, waarbij ze zich met haar linkerhand vasthield en probeerde, met haar schoudertas op haar schoot, de aandacht van de man te trekken, toen ze uit een ooghoek enige commotie opmerkte. Op het moment dat ze zich naar links draaide, keek ze regelrecht in de loop van een pistool. Daarboven zag ze het harde, smalle, uitdrukkingsloze gezicht van een man.
Het volgende moment hoorde iedereen in de overvolle galis de keiharde knal van een vuurwapen dat twee keer afging. De mensen in de buurt van het slachtoffer, die toevallig ook zijn kant opkeken, waren bovendien getuige van het verwoestende effect van een kogel die zich in een schedel boort en er aan de linkerkant van het gezicht weer uit komt. Het grootste deel van de linkerkant van het gezicht was volkomen weggeblazen, waardoor de linkerkaak bloot kwam te liggen.

26

18 oktober 2007
donderdag 10.52 uur
Delhi, India

Even stond de tijd stil. Alle geluid verstomde. Iedereen in de onmiddellijke omgeving bleef een fractie van een seconde als bevroren staan. Door het lawaai van het vuurwapen in het smalle, ingesloten straatje tuitten hun oren. Het volgende moment was het of er een tornado opstak. Iedereen begon volledig in paniek te schreeuwen en weg te rennen.

De ondervoede bestuurder van Jennifers riksja was een van de eersten die op de vlucht sloeg. Hij sprong letterlijk van zijn driewieler en ging ervandoor, de galis in, terwijl hij zelfs zijn *dhoti* niet vasthield. Hij mocht er dan ondervoed uitzien, maar hij had een sterk gevoel voor zelfbehoud.

Op het moment dat de man van de riksja sprong en zich daarbij krachtig afzette met zijn voeten, draaide het voorwiel scherp en viel de driewieler door zijn vaart voorover. Daarbij werd Jennifer op het smerige asfalt geworpen. Haar schoudertas bleef gelukkig om haar schouder hangen toen ze languit op de grond terechtkwam, waarbij ze ook nog haar neus en haar rechterelleboog schaafde. Ze besefte nauwelijks waar ze in gevallen was. Bijna op hetzelfde moment dat ze de grond raakte stond ze weer overeind en rende ze net als iedereen weg. Binnen een paar seconden ontstond er een ware vloedgolf aan mensen die op de winkels afgingen. Die reageerden als mosselen: zodra ze de meute aan zagen komen gingen de deuren ogenblikkelijk van binnenuit dicht en op slot, terwijl de koopwaar op straat bleef staan.

Jennifer had geen idee waar ze heen ging maar ze liet zich leiden door haar op hol geslagen voeten. Het maakte niet uit waarnaartoe, als ze maar wegkwam van de plaats waar het pistool was afgegaan. Het enige waar ze nog aan kon denken was het vluchtige beeld van de man in het zwart die een pistool op haar gezicht richtte. In de volgende nanoseconde zag ze zijn linkerwang letterlijk verdwijnen. Het ene moment was hij er nog, het

andere niet meer. Op dat moment had de man de verpersoonlijking van de dood zelf geleken.
Jennifer werd zich bewust van andere rennende mensen, iedereen in een andere richting, hoewel de meesten de straat door gingen en bij de eerste hoek rechts afsloegen. Ze werd al snel moe van het op topsnelheid rennen, maar toen zag ze een aantal mensen verdwijnen door de deur van een van de grotere winkels om de hoek. De eigenaar klaagde en probeerde zijn deur te sluiten, maar de mensen negeerden hem. Jennifer schoot achter de andere mensen de winkel in, omdat ze in de verte twee politiemensen in slordige kaki-uniformen aan zag komen, die de paniek onder controle probeerden te krijgen door met lange bamboestokken op de toestromende mensenmassa in te slaan.
Toen ze de winkel in rende en om zich heen keek naar de koopwaar, zag ze dat het een slagerij was. In het voorste deel stonden stapels kleine kratten vol met levende, kakelende kippen en een paar eenden. Iets verder naar achteren stonden een paar varkens en een lam. Het stonk en het was er ongelooflijk smerig. De vloer was bedekt met gedroogd bloed. Overal zaten vliegen. Jennifer had moeite om ze uit haar gezicht te houden.
Terwijl de eigenaar ruziede met de andere vreemdelingen die naar binnen waren gerend, zocht Jennifer naar een schuilplaats waar ze op adem kon komen en haar hoofd even helder kon maken. Ze was nog steeds verdoofd van angst. Omdat ze wist dat ze niet te kieskeurig kon zijn liep ze op een smerig gordijn af. Zonder aarzelen trok ze het opzij en stapte erachter.
Toen ze haar voet neerzette, besefte Jennifer te laat dat ze hem op een van twee stenen had moeten zetten. Hetzelfde gold voor de andere voet. Ze was per ongeluk in een geïmproviseerd toilet gestapt. Zichzelf in evenwicht houdend trok ze het gordijn weer op zijn plaats. Daarna slaagde ze erin zich om te draaien zonder van de stenen te stappen. Het toilet bestond slechts uit een gat, twee stenen en een kraan.
De ruzie tussen de eigenaar en de indringers ging onverminderd door in de kleine winkel. Jennifer veronderstelde dat het in het Hindi was. Ze probeerde niet door haar neus in te ademen. De geur was walgelijk.
Nu ze stilstond begon Jennifer te rillen. Ze keek naar haar handen en rook er voorzichtig aan. Ze roken niet lekker, naar wat het ook maar was geweest waar ze in was terechtgekomen toen ze uit de driewieler viel, maar het was tenminste geen poep. Ze keek naar de kraan, haalde haar schou-

ders op en boog zich voorover om haar handen te wassen. Plotseling hoorde ze een nieuwe stem ruziën met de eigenaar. Nu in het Engels. Maar deze persoon zei weinig. Het was vooral de eigenaar die woedend van leer trok. Toen klonk er een bons, begonnen de varkens te krijsen en zette het lam het op een blaten.
Bang voor wat er gebeurde, stond Jennifer op, draaide zich om en luisterde. Het klonk alsof de eigenaar probeerde op te staan. Net toen Jennifer de moed had opgebracht om langs het gordijn te kijken, werd het ruw opzij gerukt, waardoor ze een schreeuw niet kon onderdrukken, evenmin als degene die aan het gordijn had getrokken.
Het was Neil McCulgan.
'God, ik schrik me half dood,' klaagde Neil met een hand op zijn borst.
'Jij?' klaagde Jennifer met evenveel kracht. 'En ik dan? Wat doe jij in godsnaam hier?'
'Daar kunnen we het later wel over hebben,' zei Neil. Hij stak een hand uit zodat Jennifer van de stenen kon stappen. Achter hem maakte de eigenaar zich los uit een stapel kratten met kippen waar hij kennelijk tegenaan gevallen was. Er waren er een paar gebroken en de ontsnapte kippen renden nerveus heen en weer.
Ze schudde haar hoofd en hief waarschuwend haar handen op. 'Je kunt me beter niet aanraken. Ik ben van een driewieler gegooid in een of ander...'
'Ik weet het. Ik heb het gezien.'
'O, ja?' Jennifer stapte van de stenen. Ze staarde kort naar het groepje dat ze de winkel in was gevolgd.
'Zeker weten.'
'Ik wil dat jullie Amerikanen ophoepelen,' schreeuwde de eigenaar nadat hij de kippen had gevangen en de arme vogels weer in de veel te volle kratten propte. 'Ik wil iedereen hier weg hebben!'
'Laten we gaan!' zei Neil, terwijl hij tussen Jennifer en de eigenaar bleef staan. 'Je hoeft nergens meer bang voor te zijn.'
Buiten was alles weer vrijwel normaal. De mensen waren niet langer in paniek en keerden op straat terug. Winkels gingen weer open en de twee politieagenten sloegen niemand meer. En het fijnste was dat er niemand gewond was, behalve de man die was doodgeschoten.
'Goed, dit is ver genoeg!' zei Jennifer, terwijl ze midden in het steegje bleef staan. Ze trilde nu ze de tijd had gehad om te bedenken wat ze had

meegemaakt. Het was allemaal zo vreselijk snel gegaan. 'Weet je wat er is gebeurd?'
'Min of meer,' zei Neil. 'Ik liep achter je in een poging je in te halen toen er werd geschoten. Ik probeer je al te pakken te krijgen vanaf het moment dat je het hotel verliet. Ik heb je net gemist bij het Rode Fort.'
'Ik kon het niet aan. En het bleek dat ik de bazaar ook niet aankon. Ik probeerde de bestuurder te zeggen dat hij om moest keren en me terug moest brengen naar de auto toen er werd geschoten.'
'Hoe dan ook, ik kwam bij de moskee en ik kon nog net zien dat je vertrok in een riksja. Ik moest tussen al die mensen voor de moskee door rennen om je niet kwijt te raken in dit labyrint.' Neil maakte een gebaar met zijn hand om zich heen. 'Ik wist zelfs niet zeker welke kant je uit was gegaan, maar ik liep zo hard mogelijk. En toen, net op het moment dat ik je zag, zag ik dat er iemand achter je opdook en een pistool pakte. Ik heb keihard geschreeuwd en begon nog harder te rennen, maar een klein mannetje vlak voor me was sneller. Het was net een gangster. Hij greep zijn eigen revolver en schoot twee keer. Toen schreeuwde hij 'Politie!' en hield een penning omhoog. Dat was het. Ik zag je uit de riksja vallen en wegrennen. Ik had de grootste moeite je in te halen. Je bent echt snel.'
'Denk je dat die vent met dat pistool me wilde vermoorden?' vroeg Jennifer nerveus. Ze hief haar hand naar haar gezicht maar bedacht zich op tijd.
Neil drukte zijn lippen op elkaar en haalde zijn schouders op. 'Het zag er wel naar uit. Misschien was hij wel van plan om je te beroven, maar eigenlijk betwijfel ik dat. Hij handelde te doelgericht. Is er iemand die jou zou willen doden?' vroeg Neil op ongelovige toon.
'Ik heb nogal wat mensen dwarsgezeten, maar niet genoeg om me te willen doden. Dat dacht ik althans.'
'Misschien werd je voor iemand anders aangezien?'
Jennifer keek opzij, schudde haar hoofd en lachte hol. 'God, dit is niet de moeite waard om voor vermoord te worden. Absoluut niet. Als het geen vergissing was ben ik weg hier, ondanks oma en alles.'
'Weet je zeker dat er niet iemand heel, heel erg kwaad op je is?'
'Mijn oma's zorgmanager, maar dat hoort verdomme bij haar werk. Het is niet iets waarvoor je iemand vermoordt.'
'Nou ja, in elk geval heb je ongelooflijk veel geluk gehad dat die politieman in burger ter plekke was.'

'Je hebt absoluut gelijk,' zei Jennifer. 'Kom op! Laten we die vent opzoeken. Misschien volgde hij die andere wel. Nu ze het lichaam hebben weten ze misschien of hij achter me aan zat of niet. Het is de moeite waard om te proberen een paar antwoorden te krijgen.'
Maar Neil stak zijn hand uit om Jennifer tegen te houden. 'Dat raad ik je af.'
'Waarom?' zei Jennifer terwijl ze haar arm lostrok uit Neils greep.
'Toen ik hier een tijd geleden was voor dat medische congres ben ik van mijn gastheren een heleboel te weten gekomen over de Indiase regering en de politie. Het is het beste, tenzij het absoluut noodzakelijk is, om bij beide uit de buurt te blijven. Corruptie is hier een manier van leven. Er wordt niet vanuit hetzelfde morele perspectief tegenaan gekeken als in het Westen. Als je met hen te maken krijgt, kost het je geld. De CBI, het equivalent van de FBI, is kennelijk heel anders, maar in dit geval zul je te maken krijgen met de reguliere, plaatselijke politie. Ik weet zelfs niet of ze je niet in de gevangenis zullen gooien omdat je iemand ertoe hebt aangezet een pistool te trekken.'
'Doe niet zo raar,' zei Jennifer. Ze begon terug te lopen naar de plek waar het allemaal gebeurd was. 'Je overdrijft.'
'Ik overdrijf misschien een beetje,' gaf Neil toe, toen hij Jennifer had ingehaald. 'Maar dat de plaatselijke politie corrupt is, is voor iedereen duidelijk, geloof me. Net als het grootste deel van de ambtenaren. Het is het beste om niets met hen te maken te krijgen. Als je een specifieke vraag hebt over een misdrijf, moeten ze een EIR invullen, ofwel een Eerste Informatie Rapport, en, natuurlijk, moeten er vijf miljoen kopieën van zijn. Dat levert hen werk op en daar hebben ze een hekel aan, en dan hebben ze ook een hekel aan jou.'
'Er is eén man gedood. Er moet een EIR opgemaakt worden.'
'Ja, maar het is zíjn EIR.'
'Hij zat om de een of andere reden achter mij aan.'
'Misschien, misschien niet,' zei Neil. 'Maar je neemt een risico. Dat is mij heel erg duidelijk geworden.'
Het was moeilijk om in de menigte naast elkaar te lopen, vooral toen het steeds drukker werd naarmate ze de plaats van de schietpartij naderden. Neil liet Jennifer voor zich uit lopen. Plotseling bleef ze staan en draaide zich om. 'O, ja,' zei ze. 'Hoewel ik helemaal in de war ben van wat er is gebeurd, zou ik toch wel willen weten wat je hier in godsnaam doet! Die

vraag is al een paar keer bij me opgekomen, het is alleen zo dat een mogelijke aanslag op mijn leven nou eenmaal al mijn aandacht opeist.'

'Ongetwijfeld,' zei Neil, terwijl hij probeerde te bedenken wat hij nu zou kunnen zeggen. Als dit allemaal niet gebeurd was, zou hij er eerlijk voor uitkomen en meteen zijn excuses aanbieden. Hij haalde zijn schouders op en dacht: wat maakt het ook uit. 'Ik ben hier omdat je me hebt gevraagd mee te gaan en omdat je zei dat je me nodig had. Ik heb dat niet helemaal serieus genomen. Ik was meer bezig met een surfbijeenkomst die vandaag in La Jolla is. Maar toen je meteen wegliep werd ik, stom genoeg, kwaad en het duurde even voor dat over was, en tegen die tijd was je al weg.'

'Wanneer ben je hier aangekomen?' vroeg Jennifer.

'Gisteravond. Ik wilde je niet storen terwijl je sliep. Ze wilden me je kamernummer niet geven, dus ik kon ook niet mijn oor tegen je deur houden.'

'Waarom heb je me niet gebeld dat je kwam?'

'Tja,' zei Neil met een lachje vol zelfspot. 'Ik was bang dat je zou zeggen dat ik maar op moest hoepelen. Ik wist zelfs niet zeker of je de telefoon wel op zou nemen of, jou kennende, als je hem wel opnam zou zeggen dat ik dood kon vallen.'

'Misschien wel,' gaf Jennifer toe. 'Ik was ontzettend teleurgesteld over je reactie, dat klopt.'

'Sorry dat ik de situatie niet zo goed heb ingeschat op dat moment,' zei Neil.

Jennifer dacht even na, kauwend op haar wang. Toen draaide ze zich weer om en duwde zich door de menigte. De riksja lag nog op zijn kant. Het lichaam lag er ook nog, niet afgedekt. Nu de linkerkant van het gezicht weg was en de tanden zichtbaar waren, leek het te grijnzen.

'Dat is de bestuurder,' fluisterde Jennifer, terwijl ze met haar kin naar de uitgemergelde man wees die op zijn hurken op de grond zat. Aan weerszijden van hem stonden een paar politiemensen in kaki-uniformen.

'Zie je wat ik bedoel!' fluisterde Neil terug. 'Die arme kerel is waarschijnlijk gearresteerd.'

'Denk je dat echt?'

'Het zou me niets verbazen.'

'Volgens mij heeft die kleine vent de leiding. Wat denk jij?'

Naresh Prasad stond te praten met een paar andere geüniformeerde politiemensen naast het lichaam.

'Hij is waarschijnlijk een politieman in burger of zo.'
'Denk je echt niet dat ik met hem moet gaan praten?' vroeg Jennifer.
'Bekijk het op deze manier: wat weet je ervan? Niets. Je weet zelfs niet of die vent je heeft gevolgd vanaf het Amal of dat hij je misschien alleen maar hier gezien heeft en heeft gedacht: daar heb je weer zo'n steenrijke westerling.'
'Ga weg!' zei Jennifer.
'Je weet het gewoon niet. Dat is het juist. Zij weten het ook niet. Ook al ga je je ermee bemoeien, je zult niets te weten komen, en het zal jou misschien wel geld gaan kosten. Als je van gedachten verandert, dan kun je hen dat morgen of vanmiddag ook nog wel vertellen. Niemand kan het je kwalijk nemen dat je hier onder deze omstandigheden als de donder bent vertrokken.'
'Oké,' zei Jennifer. 'Je hebt me overtuigd, tenminste tot voor nu. Laten we maar teruggaan naar het hotel. Ik geloof dat ik iets te drinken moet hebben. Ik sta nog te trillen.'
'Prima idee!' reageerde Neil. 'Wat we wel kunnen doen is een keer naar de Amerikaanse ambassade gaan, vandaag of morgen of zo, en hun mening vragen. Als zij denken dat je een EIR moet schrijven dan doen we dat, omdat zij er dan bij betrokken zijn zodat ons geen loer gedraaid kan worden.'
'Lijkt me goed,' zei Jennifer.
De menigte rond het lijk blokkeerde bijna de hele galis. Aan één kant hielden een paar politiemensen een looproute open langs de muur. Daarom hadden ze de winkeliers gevraagd hun koopwaar van de straat te halen. Jennifer en Neil moesten opnieuw achter elkaar lopen.
Terwijl Jennifer voorbijliep keek ze weer naar de riksja die nog steeds op zijn kant lag. Ze kon zien waar ze op straat was gevallen. Ze keek kort naar de bestuurder. Hij mocht zich nog steeds niet bewegen, waardoor Neils argument dat ze er beter niet bij betrokken kon raken tenzij er een dwingende reden was, zwaarder leek te wegen. Toen haar ogen ook kort over de kleine politieman in burger gleden, kreeg ze de schrik van haar leven. De man keek naar haar.
Een paar tellen keken Jennifer en inspecteur Naresh Prasad elkaar recht aan, voor Jennifer zelfbewust de andere kant op keek.
'Niet omdraaien,' zei Jennifer zacht over haar schouder tegen Neil, 'maar die kleine politieman stond naar me te kijken.'

'Doe niet zo raar.'
'Echt. Denk je dat hij weet dat ik in de riksja zat?'
'Ik heb geen flauw idee. Stop eens en keer je dan nog eens om. Laten we kijken wat hij doet. Als hij je herkent en weet dat je erbij betrokken bent, hebben we geen keus. Dan moeten we met hem praten.'
Jennifer bleef staan maar draaide zich niet direct om. 'Ik ben bang,' zei ze.
'Draai je om!' zei Neil achter zijn hand. Ze waren nog maar een meter of vijf van de politieman verwijderd. Als er niet zoveel lawaai in de bazaar was geweest hadden ze delen van elkaars gesprekken kunnen verstaan.
Jennifer haalde diep adem en draaide zich langzaam om. Ze had geen direct zicht op inspecteur Prasad. Toen Neil en zij abrupt waren blijven stilstaan, blokkeerden ze de plaats van de schietpartij en er hadden zich steeds meer mensen verzameld die wilden passeren. Toch kon Jennifer de zijkant van zijn gezicht zien en als hij zijn hoofd negentig graden zou draaien, zou hij haar rechtstreeks aankijken. Maar hij draaide zijn hoofd niet om en hij onderbrak zijn gesprek met de geüniformeerde politieagenten ook niet.
'Hij kijkt niet naar jou,' zei Neil.
'Kennelijk niet,' gaf Jennifer toe.
'Laten we maken dat we hier wegkomen voor hij het wel doet,' zei Neil terwijl hij een ruk aan haar arm gaf.
Toen de menigte wat minder dicht werd konden ze een beetje vaart maken en al snel liepen ze de schaduw en de tunnelachtige sfeer van de bazaar uit. De enorme Jama Masjid was nu rechts voor hen. Jennifer keek over haar schouder terug naar de donkere bazaar maar ze kon niet veel zien.
'Ik voel me buiten de bazaar onveiliger dan erin,' zei ze. 'Laten we hier weggaan.'
'Goed plan,' zei Neil instemmend.
Ze begonnen allebei te rennen, maar Jennifer bleef omkijken om te zien of ze werden gevolgd.
'Je wordt echt paranoïde, ben ik bang,' zei Neil hijgend.
'Jij zou ook paranoïde worden als iemand een pistool op je zou richten, die dan zelf doodgeschoten werd.'
'Dat is waar.'
Aan de voorkant van de moskee moesten ze langzamer lopen vanwege de

menigte toeristen en de verkopers die hen belaagden. Jennifer bleef over haar schouder kijken, en toen ze vlak bij de parkeerplaats waren zag ze het.
'Niet kijken!' zei ze. 'Maar die kleine politieman volgt ons inderdaad.'
Neil stopte zonder zich om te draaien. 'Waar is hij?'
'Achter ons. Kom op! Laten we weggaan.'
'Nee. Laten we eens zien of hij op ons af komt,' zei Neil. 'Hé. Het is mijn schuld dat je de plaats delict hebt verlaten. Ik wil niet dat je daar moeilijkheden door krijgt.'
'Dat zeg je nu pas!'
'Nee, zeker niet. Zoals ik al zei, als hij weet dat jij in die riksja zat moeten we met hem praten. Kun je hem nog zien?'
Jennifer draaide zich om en liet haar ogen over de menigte glijden. 'Nee, niet meer.'
Neil draaide zich om en keek ook. 'Daar is hij. Hij loopt weg van de moskee. Opnieuw vals alarm.'
'Waar?'
Neil wees.
'Je hebt gelijk.'
Ze keken hoe inspecteur Prasad verdween in de straat die uitkwam bij de Jama Masjid.
Jennifer keek Neil aan en haalde haar schouders op. 'Sorry!'
'Doe niet zo raar. Totdat hij die straat in ging, leek het echt of hij ons volgde.'
Ze liepen door naar de parkeerplaats. Omdat Neil langer was kon hij op zijn tenen staand over de massa auto's heen kijken. De eerste zwarte Mercedes die hij zag was niet die van het Amal Palace, maar de tweede wel. Daarna duurde het nog bijna twintig minuten voor alle auto's die hem blokkeerden weg waren. Vijf minuten later reden Jennifer en Neil weer op de hoofdweg in zuidelijke richting naar het Amal Palace.
'Ik dacht dat u naar Karim zou gaan,' zei de chauffeur tegen Jennifer terwijl hij in het achteruitkijkspiegeltje naar haar keek.
'Ik had geen honger meer,' riep Jennifer vanaf de achterbank. 'Ik wilde alleen maar terug naar het hotel.'
'Heb je eigenlijk al iets gezien hier in Delhi?' vroeg Neil.
'Nee,' zei Jennifer. 'Dit was mijn eerste poging. Helaas was het een grandioze mislukking.' Ze stak haar hand uit. Hij trilde. Niet zo erg meer als vlak na de schietpartij maar toch nog steeds flink.

'Ondanks deze mislukking neem ik aan dat het regelen van de zaken rond je grootmoeder je beter afgaat dan je had verwacht.'
Jennifer haalde diep adem en liet de lucht door gedeeltelijk op elkaar geklemde lippen ontsnappen. 'Ik denk dat ik niet beseft heb hoezeer ik mijn grootmoeders lichaam en haar ziel of geest van elkaar zou scheiden. Misschien is dat wel een neveneffect van een medische studie en het werken met lijken of zoiets. Natuurlijk, toen ik de eerste keer naar oma's lichaam keek was dat heel aangrijpend. Maar sindsdien denk ik eraan als een lichaam, en aan de potentiële gebruikswaarde, in de zin van wat het ons zou kunnen vertellen over de manier waarop ze stierf. Op dit moment wil ik echt dat er een autopsie komt.'
'Zullen ze dat voor je doen?'
'Was dat maar zo. Nee, geen autopsie. Ze hebben een getekende overlijdensverklaring en nu willen ze het lichaam cremeren of balsemen. De zorgmanager van mijn grootmoeder is vastbesloten om van het lichaam af te komen en valt me al vanaf de eerste dag daarmee lastig.'
'Waar is het lichaam? In een mortuarium?'
'O, ja,' zei Jennifer met een spottend lachje. 'Oma's lichaam en dat van een man die Benfatti heet liggen in de koelcel van het personeelsrestaurant. Gisterochtend ben ik wezen kijken. Het is om allerlei redenen geen perfecte locatie, maar het voldoet wel. Het is er koud genoeg.'
'Wat is er met dat andere lichaam dat je noemde?'
'Er zijn nog twee mensen op een vergelijkbare manier overleden. De eerste situatie lijkt zo op die van mijn grootmoeder dat het bijna griezelig is. De tweede lijkt er ook op, maar ik denk dat deze man direct nadat hij hetzelfde heeft gekregen als de andere twee is ontdekt, want ze hebben nog geprobeerd hem te reanimeren.'
'Hoe weet je dat allemaal?'
'Ik heb hun echtgenotes ontmoet. Ik heb ze ook allebei overgehaald om geen toestemming te geven voor het balsemen of cremeren van hun echtgenoten. Ik denk dat we drie lichamen hebben van mensen die overleden zijn door een of andere fatale medische fout. De ziekenhuizen willen het een hartaanval noemen, of dat nu terecht is of niet, omdat ze alle drie een soort hartaandoening hebben gehad. Om je de waarheid te zeggen heb ik steeds het gevoel gehad dat de ziekenhuizen gewoon zo snel mogelijk van deze lichamen afwillen en dat heeft me, vanaf de allereerste dag, wantrouwig gemaakt.'

'Zou dit voor jou een soort afweer kunnen zijn vanwege het verlies van je grootmoeder?'
Jennifer staarde even uit het raampje. Dat was een goede vraag, ook al was ze in eerste instantie geïrriteerd dat Neil kon denken dat ze dit allemaal verzon. Ze draaide zich weer naar hem om. 'Ik denk dat er iets niet klopt aan deze drie sterfgevallen. Ik denk dat ze niet natuurlijk waren. Echt.'
Nu was het Neils beurt om te staren, uit de voorruit in zijn geval. Toen hij zich weer naar Jennifer omdraaide zat ze nog steeds naar hem te kijken. 'Dat is moeilijk te bewijzen zonder een autopsie. Ik neem aan dat je al geprobeerd hebt er een te regelen.'
'Tot op zekere hoogte,' gaf Jennifer toe. 'Zoals ik al zei, de verklaring is getekend, ze denken niet aan een autopsie. Ze willen het lichaam gewoon uit die koelcel hebben. Maar ik hou me vandaag rustig omdat er vanavond iets gaat gebeuren waardoor alles zou kunnen veranderen.'
'Moet ik gaan gokken wat?' klaagde Neil toen Jennifer zweeg.
'Ik wil alleen maar zeker weten dat je luistert,' zei Jennifer. 'Heb ik je ooit verteld dat oma het kindermeisje is geweest van een vrouw die heel bekend is geworden als lijkschouwer?'
'Ik geloof het wel, maar je moet me even een beetje helpen.'
'Ze heet Laurie Montgomery. Ze werkt in New York als lijkschouwer, samen met haar echtgenoot, Jack Stapleton.'
'Ik kan me herinneren dat je Laurie Montgomery hebt genoemd, maar Jack zegt me niks.'
'Ze zijn een paar jaar geleden getrouwd. Ik heb haar dinsdag gebeld, direct nadat ik oma had gezien. Ik wilde een paar dingen aan haar vragen en tot mijn verbazing bood ze direct aan te komen. Ik denk dat ik niet heb beseft dat oma zoveel voor haar betekende. Dat effect had Maria op mensen. Maar toen bleek er een probleem te zijn: zij en Jack zitten midden in een vruchtbaarheidscyclus, wat betekent dat Jack in de buurt moet zijn om zijn bijdrage te leveren.'
Neil rolde met zijn ogen.
'Hoe dan ook, om me te helpen komen ze samen en ze zullen vanavond landen.'
'Het feit dat ze komen kan geen kwaad,' zei Neil. 'Maar ik weet niet of je er zoveel van moet verwachten. Als jij de autoriteiten hier niet in beweging hebt kunnen krijgen, zou ik er niet op rekenen dat het een paar lijk-

schouwers wel lukt. Ik weet toevallig dat forensische pathologie niet bepaald populair is hier in India, en of er wel of geen autopsie wordt uitgevoerd is niet aan de artsen.'
'Dat heb ik ook gehoord. En om het nog ingewikkelder te maken, er bestaat onenigheid over welk ministerie de leiding heeft over wat. De mortuaria vallen onder het ministerie van Binnenlandse Zaken, terwijl de lijkschouwers die er gebruik van maken onder het ministerie van Gezondheid vallen. En de beslissing of er een autopsie aan de orde is, wordt door de politie en de rechters genomen en niet door de artsen.'
'Dat bedoel ik. Dus ik zou niet te veel hoop koesteren alleen omdat er een paar goede lijkschouwers op komen draven. Ik krijg het gevoel dat je al bijna alles hebt gedaan wat mogelijk was.'
'Misschien, maar ik geef het niet op, hoewel het wel verleidelijk is na het gebeuren van vandaag. Als Laurie en Jack vanavond niet kwamen, zou ik direct vertrekken.'
'Ik ga in elk geval mijn best doen om je daartoe over te halen, want misschien is dat toch het verstandigst.'
Ze reden zwijgend, in gedachten verzonken verder en keken uit het raampje naar het bonte gewoel in de straten van Delhi. Na een tijdje waagde Jennifer een blik in Neils richting. Ze was nog steeds geschokt door zijn aanwezigheid. Hij was de laatste die ze verwacht had terwijl ze zich probeerde te verstoppen in die smerige slagerij. Ze bestudeerde zijn profiel. Hij had een klein deukje op de plek waar zijn neus en zijn voorhoofd samenkwamen, als een kop op een Griekse munt. Zijn lippen waren vol en hij had een grote adamsappel. Ze vond hem knap om te zien en was gevleid dat hij was gekomen. Maar wat betekende dat? Ze had hem eigenlijk al afgeschreven vanwege de manier waarop hij haar in de steek had gelaten. Hoewel Jennifer niet gewend was om ergens op terug te komen, zou Neils bereidheid om dertienduizend kilometer te reizen weleens kunnen betekenen dat ze daar nu maar mee moest beginnen.
'Ben je van plan je vrienden af te gaan halen van het vliegveld?' vroeg Neil plotseling.
'Ja. Wil je mee?'
'Denk je niet dat het veiliger voor je zou zijn om in het hotel te blijven?'
'Misschien wel, maar er zijn zowel op het vliegtuig als in het hotel uitgebreide veiligheidsmaatregelen. Ik denk dat ik niet bang hoef te zijn.'
'Ik wil wel met je meegaan, als dat mag.'

'Natuurlijk,' zei Jennifer.
Ze hield haar hand omhoog. Hij trilde nog steeds alsof ze tien koppen koffie had gehad.
Af en toe keek Jennifer door de achterruit. Ze was bang dat ze werd gevolgd, zoals kennelijk ook was gebeurd toen ze uit het hotel vertrok. Helaas was het moeilijk te zeggen door het drukke verkeer en de algehele chaos op straat. Maar toen ze het Amal Palace bereikten en de lange oprit opreden gebeurde er iets ongewoons.
Ze keek opnieuw achterom toen ze omhoog reden en stond net op het punt zich weer om te draaien toen er een kleine, witte auto achter hen aan de oprit opreed. Maar toen stopte hij, de doorgang blokkerend. Jennifer probeerde te zien hoeveel mensen er in de auto zaten, maar dat lukte niet omdat de zon weerkaatste op de voorruit.
Toen ze naar voren keek zag ze dat ze de overkapping naderden. Weer omkijkend zag ze de kleine witte auto achteruit de oprit afrijden en wegrijden, wat een heleboel geclaxonneer en boze kreten veroorzaakte. Waarschijnlijk iemand die een verkeerde afslag had genomen, dacht Jennifer, maar het leek wel vreemd.
'Hebt u de auto nog nodig?' vroeg de chauffeur toen Jennifer uitstapte.
'Nee, hoor,' zei Jennifer, die zo snel mogelijk naar het hotel wilde.
'Ik ben onder de indruk dat je een auto hebt gehuurd,' zei Neil, toen ze naar de ingang liepen.
'Ik weet niet hoe het met de kosten zit,' zei Jennifer. 'De organisatie, Foreign Medical Solutions uit Chicago, betaalt mijn hotelrekening maar ik weet niet of dat ook voor extra's geldt. Zo niet, dan moet het via mijn creditcard.'
In de lobby aarzelden ze. 'Heb je honger?' vroeg Neil.
'Helemaal niet. Ik heb het gevoel of ik een overdosis cafeïne heb gehad.'
'Wat zou je dan willen gaan doen? Of wil je dat ik iets bedenk omdat jij zo opgefokt bent?'
'Graag,' antwoordde Jennifer zonder aarzelen. Ze voelde zich niet in staat om over praktische zaken na te denken.
'Toen ik gisteravond hier incheckte hoorde ik dat ze een complete sportruimte hebben met gewichten, hometrainers en dat soort dingen. Heb je sportkleren bij je?'
'Ja.'
'Perfect. Misschien moet je een beetje sporten. Als we dat gedaan hebben

heb je misschien wel trek en dan kunnen we wat eten bij het zwembad. En dan kunnen we later vanmiddag, als je je ertoe in staat voelt, naar de consulaire afdeling van de Amerikaanse ambassade gaan. Zij kunnen hun mening geven over het gebeuren in de bazaar en zeggen wat je moet doen.'

'Ik weet niet of ik naar de ambassade wil, maar ik had zelf ook al het plan om een beetje te sporten en naar het zwembad te gaan. Ik ben er absoluut voor.'

'Juffrouw Hernandez!' riep een stem. Jennifer draaide zich om. Ze zag een van de conciërges met een stukje papier zwaaien. Ze excuseerde zich en liep naar de balie.

'U bent vroeg terug,' zei Sumit. 'Ik hoop dat u genoten hebt van de tocht.'

'Het was niet helemaal wat ik in gedachten had,' zei Jennifer, omdat ze geen zin had hem te vertellen wat er was gebeurd.

'Dat spijt me heel erg,' zei Sumit. 'Is ons voorstel niet in goede aarde gevallen?'

'Ik denk dat het aan mij lag,' gaf Jennifer toe en veranderde van onderwerp. 'U hebt iets voor mij?'

'Ja. We kregen deze dringende boodschap voor u. U moet Kashmira Varini bellen, hier is het bericht en het telefoonnummer.' Jennifer nam het papiertje aan. Het irriteerde haar dat ze werd gestoord. Teruglopend naar Neil vouwde ze het papiertje open. 'We hebben iets heel speciaals geregeld voor uw grootmoeder. Bel alstublieft, Kashmira Varini.' Jennifer stond stil en las de boodschap nog eens. Het eerste wat door haar hoofd schoot was dat ze misschien overstag waren gegaan en van plan waren een autopsie te verrichten. Ze liep verder en liet het bericht aan Neil zien.

'Dit is de vrouw die mij steeds zo dwarszit,' zei Jennifer.

'Bel haar!' antwoordde Neil, terwijl hij het papiertje teruggaf.

'Vind je? Ik kan niet geloven dat ze iets goeds zal doen.'

'Er is maar één manier om daarachter te komen.'

Ze liepen samen weer naar de balie van de conciërge. Jennifer vroeg of er een telefoon in de hal was waarmee ze lokaal kon bellen. Zonder een seconde te aarzelen greep Sumit een van zijn telefoons, zette hem op de balie en duwde hem naar Jennifer. En alsof dat nog niet genoeg was pakte hij de hoorn van de haak, overhandigde hem aan haar en drukte de knop voor de buitenlijn in. En dat alles met een vriendelijke glimlach.

Jennifer toetste het nummer in en keek Neil aan terwijl de telefoon overging. Ze wist niet wat ze ervan moest verwachten.
'Ah, ja,' zei Kashmira nadat Jennifer haar naam genoemd had. 'Dank u voor het terugbellen. Ik heb fantastisch nieuws. Onze directeur, Rajish Bhurgava, heeft iets heel uitzonderlijks voor uw grootmoeder georganiseerd. Hebt u ooit gehoord van de crematie-ghats van Varanasi?'
'Ik geloof het niet,' antwoordde Jennifer.
'De stad Varanasi, of Banaras, zoals de Engelsen hem noemden, of Kashi, zoals men in de klassieke oudheid zei, is de heiligste hindoestad, met een religieuze geschiedenis die meer dan drieduizend jaar teruggaat.'
Jennifer haalde haar schouders op naar Neil, aangevend dat ze nog steeds geen idee had wat het ziekenhuis van plan was.
'De stad is gewijd door Shiva en de Ganges en is veruit de heiligste plaats voor begrafenisrituelen.'
'Misschien kunt u me zeggen wat dit allemaal met mijn grootmoeder te maken heeft,' zei Jennifer ongeduldig, want ze begon te vermoeden dat dit niks met een autopsie te maken had.
'Natuurlijk,' zei Kashmira enthousiast. 'Meneer Bhurgava heeft iets voor uw grootmoeder georganiseerd wat ongehoord is. Hoewel de crematie-ghats van Varanasi doorgaans voorbehouden zijn aan hindoes, heeft hij toestemming weten te krijgen dat uw grootmoeder haar overgangsrite in Varanasi kan krijgen. Het enige wat u hoeft te doen is naar het ziekenhuis te komen en een machtiging te tekenen.'
'Ik wil niemand tegen het hoofd stoten,' zei Jennifer, 'maar of mijn oma in Varanasi of in New Delhi wordt gecremeerd maakt voor mij niet zo heel veel uit.'
'U begrijpt het niet. Mensen die in Varanasi worden gecremeerd krijgen een bijzonder goed karma en een buitengewoon goede wedergeboorte in het volgende leven. We hebben alleen uw toestemming nodig.'
'Mevrouw Varini,' zei Jennifer langzaam. 'Morgenochtend komen we naar het ziekenhuis. Ik kom met mijn vrienden de lijkschouwers en dan zullen we iets afspreken.'
'Ik denk dat u een fout maakt als u deze speciale kans niet aanneemt. Er zijn geen kosten aan verbonden. We doen dit als een gunst tegenover u en uw grootmoeder.'
'Zoals ik al zei wil ik niemands gevoelens kwetsen. Ik waardeer uw pogingen, maar ik geef de voorkeur aan een autopsie. Het antwoord is nee.'

'Dan moet ik u meedelen dat het Queen Victoria Hospital naar de rechtbank is gegaan en dat we binnenkort, waarschijnlijk morgen rond het middaguur, op schrift een gerechtelijk bevel zullen ontvangen om het lichaam van uw grootmoeder, meneer Benfatti en meneer Lucas naar Varanasi te vervoeren en daar te cremeren. Het spijt me dat u ons hiertoe hebt gedwongen, maar het lichaam van uw grootmoeder en dat van de anderen is een bedreiging voor het welzijn van het ziekenhuis.'
De kracht waarmee de verbinding werd verbroken echode door Jennifers hoofd. Ze gaf de telefoon terug aan Sumit en bedankte hem. Tegen Neil zei ze: 'Ze hing op. Ze gaan een dwangbevel regelen om oma morgen daar weg te halen en haar te laten cremeren.'
'Dan is het maar goed dat je vrienden vanavond komen.'
'Zeg dat wel. Als ik hier alleen was, dan zou ik geen idee hebben wat ik moest doen.'
'Dan is het maar goed...' herhaalde Neil plagend.
'Zo is het wel genoeg!' zei ze met een onderdrukt lachje en schudde met beide handen zijn arm.
'Waarom gaan we onze sportkleren niet aantrekken?'
'Dat is het beste voorstel wat je tot dusverre hebt gedaan,' zei Jennifer, en ze liepen naar de liften.

27

18 oktober 2007
donderdag 14.17 uur
New Delhi, India

Inspecteur Naresh Prasad liep het ministerie van Gezondheid binnen en meteen viel hem het verschil op tussen dit gebouw en het gebouw waarin het hoofdkantoor van de politie van New Delhi gevestigd was. Terwijl in zijn gebouw afbladderende verf en een heleboel rommel de norm was, was het ministerie tamelijk schoon. Ook de veiligheidsvoorzieningen waren nieuw en de mensen die ermee werkten leken gemotiveerd. Zoals gewoonlijk moest hij zijn dienstrevolver bij de ingang achterlaten.

Nadat hij op de eerste verdieping uit de lift was gestapt, liep Naresh de lange, echoënde hal door naar het relatief nieuwe kantoor voor medisch toerisme. Hij liep zonder kloppen naar binnen. Het contrast tussen zijn kantoor en dat van Ramesh Srivastava was nog groter dan tussen hun twee gebouwen. Ramesh' kantoor was pas geschilderd en had nieuw meubilair. Het feit dat Ramesh deel uitmaakte van een aanzienlijk hoger niveau van de civiele ambtenarij bleek uit vrijwel alles, inclusief de uitrusting op de bureaus van de secretaresses.

Zoals hij al had verwacht moest Naresh een tijd wachten. Het was een methode die ambtenaren gebruikten om hun superioriteit over collega's uit te oefenen, zelfs als ze wel beschikbaar waren. Maar het kon Naresh niet schelen. Er was immers een wachtruimte met een nieuwe bank, een vloerkleed en tijdschriften, ook al waren ze oud.

'Meneer Srivastava kan u nu ontvangen,' zei een van de secretaresses een kwartier later en wees naar de deur van haar baas.

Naresh hees zichzelf overeind. Even later stond hij voor Ramesh' bureau. Ramesh vroeg hem niet te gaan zitten. De man zat met gevouwen handen en steunde met zijn ellebogen op zijn bureau. Zijn waterige ogen keken Naresh geïrriteerd aan. Het was duidelijk dat er deze keer geen sprake van een praatje zou zijn.

'Je zei aan de telefoon dat je me wilde zien omdat er een probleem was,' zei Ramesh nors. 'Wat is er aan de hand?'
'Ik ben vanmorgen direct achter juffrouw Hernandez aangegaan. Ik was er niet vroeg genoeg om haar te volgen toen ze naar het Imperial ging om te ontbijten, dus ik weet niet wie ze daar ontmoet heeft. Maar direct daarna, iets over negenen, kwam ze terug naar het Amal Palace en vertrok vervolgens in een auto van het hotel, kennelijk om te gaan sightseeën.'
'Moet ik dit allemaal horen?' klaagde Ramesh.
'Als u wilt weten hoe het probleem ontstond,' zei Naresh.
Ramesh draaide met zijn wijsvinger om aan te geven dat Naresh verder kon gaan.
'Ze stopte kort bij het Rode Fort, maar het leek haar blijkbaar toch niets. Toen ging ze naar de bazaar, parkeerde bij de Jama Masjid en huurde een riksja.'
'Kun je me niet gewoon vertellen wat het probleem is?' klaagde Ramesh weer.
'Op dat moment kwam ik op de parkeerplaats aan, vlak achter iemand in een nieuwe Mercedes E-klasse. Ik zag hem vaag want hij was ook vanaf het Rode Fort achter haar aangereden.'
Ramesh rolde met zijn ogen vanwege Naresh' langdurige beschrijving.
'Hij ging achter juffrouw Hernandez aan, wat ik vreemd vond, dus ik verdubbelde mijn inspanningen en rende achter beiden aan. Vanaf dat moment is alles in een flits gegaan. Zonder aarzelen rende hij op juffrouw Hernandez af en trok een vuurwapen. Midden in de drukke bazaar, met overal mensen om hem heen. Hij was van plan om te schieten, zonder enige twijfel. Ik had twee seconden om te besluiten of ik zou ingrijpen. Ik hoorde u nog zeggen dat ze geen martelares mocht worden. Nou, dat dreigde ze te worden en daarom heb ik de man doodgeschoten.'
Ramesh' mond viel langzaam open. Toen sloeg hij een hand tegen zijn voorhoofd en leunde op zijn elleboog terwijl hij zijn hoofd schudde. 'Nee!' riep hij uit.
Naresh haalde zijn schouders op. 'Het gebeurde allemaal heel snel.' Hij stak een hand in zijn zak en pakte er een stukje papier uit. Daarop stond *Dhaval Narang*. Hij legde het op het bureau voor Ramesh neer.
Zonder zijn hoofd op te tillen pakte Ramesh het papiertje en keek naar

de naam. 'Weet je wie dit is?' riep hij uit, woedend naar Naresh kijkend.
'Nu wel. Het is Dhaval Narang.'
'Dat klopt. Het is Dhaval Narang, en weet je voor wie hij werkt?'
Naresh schudde zijn hoofd.
'Hij werkt voor Shashank Malhotra, stomme idioot. Malhotra wilde van het meisje af. Het zou worden toegeschreven aan diefstal. Dat martelaresverhaal geldt alleen maar als wij, de Indiase regering, haar zouden doden en niet voor Malhotra.'
'Wat had ik moeten doen? Ik probeerde uw orders op te volgen. Waarom hebt u me niet verteld dat Malhotra ervoor zou zorgen?'
'Omdat ik dat niet wist. Tenminste niet zeker.' Ramesh wreef hard over zijn gezicht. 'Nou is het allemaal nog veel erger geworden. Nu is ze gewaarschuwd dat ze een doelwit is. Waar is ze?'
'Ze ging terug naar haar hotel.'
'Wat is er ter plekke gebeurd?'
'Het schot veroorzaakte een enorme paniek. Ze sloeg samen met iedereen op de vlucht. Ik bleef ter plekke om de plaatselijke politie te helpen orde op zaken te stellen en het slachtoffer te identificeren.'
'Is ze teruggekomen om met de politie of met jou te praten?'
'Ze kwam terug in gezelschap van een Amerikaanse man. Ik weet niet hoe of waar ze elkaar gevonden hebben. Maar ze heeft niet met de politie gepraat, wat wel een beetje vreemd is. Ik heb erover gedacht haar te arresteren maar ik wilde eerst met u praten.'
'Dat toont wel aan hoe wantrouwig ze is.'
'Misschien vertrekt ze wel na deze gebeurtenis.'
'Dat zou mooi zijn, maar onwaarschijnlijk, als ik de zorgmanager van haar grootmoeder of de directeur van het ziekenhuis moet geloven. Deze jongedame is om de een of andere reden heel vasthoudend, wat er ook gebeurt.'
'Wat wilt u dat ik doe?'
'Heb je al geluk gehad met het vinden van de bron die het materiaal aan CNN levert?'
'Ik heb er vanmorgen twee mensen op gezet. Ik heb nog niet met hen gesproken.'
'Bel ze terwijl ik Shashank Malhotra bel. Er was ook nog een ander sterfgeval, maar nu in het Aesculapian Medical Center. Opnieuw was CNN bijzonder snel op de hoogte.'

Ramesh pakte zijn telefoon. Hij keek niet uit naar het gesprek met Shashank Malhotra. Ondanks wat hij gezegd had tegen Naresh, wist hij dat hij uiteindelijk verantwoordelijk was voor Dhaval Narangs dood. Zoals Naresh al zei, hij had op de hoogte gesteld moeten worden.
'Ik hoop dat je me belt om me te bedanken dat ik je probleem heb opgelost,' zei Shashank toen hij aan de lijn kwam. Zijn toon was neutraal. Hij was niet zo opgewekt als de dag ervoor, maar ook niet zo dreigend.
'Ik ben bang van niet. Ik ben bang dat er een nieuw probleem is ontstaan en dat het oude alleen maar groter is geworden.'
'Wat?' vroeg Shashank.
'Ten eerste heeft juffrouw Hernandez de echtgenote van de derde patiënt ertoe overgehaald een autopsie te eisen. En ten tweede is Dhaval Narang vanochtend in de bazaar van Old Delhi doodgeschoten.'
'Dat meen je niet?'
'Hebt u hem gestuurd om met die vrouw van Hernandez te praten, om ervoor te zorgen dat ze vertrok uit India?' vroeg Ramesh.
'Is hij echt dood?' vroeg Shashank, vol woede en ongeloof.
'Ik heb het uit betrouwbare bron.'
'Hoe kon dit gebeuren? Hij was een professional. Geen amateur.'
'Mensen maken fouten.'
'Dhaval niet,' klaagde Shashank. 'Hij was de beste. Luister, ik wil dat die vrouw verdwijnt.'
'Dat wil ik ook, maar nu is ze gewaarschuwd dat iemand haar dood wil hebben. Ik denk dat we het probleem beter van deze kant kunnen oplossen.'
'Als je er maar voor zorgt!' gromde Shashank. 'Je wilt niet steeds over je schouder hoeven kijken als je van en naar je werk gaat.' En na die woorden hing hij op.
Ramesh liet de hoorn weer op de haak vallen. Hij keek Naresh aan die zijn gesprek ook had beëindigd.
'Nog niks,' zei hij. 'Maar ze zijn nog maar net met het onderzoek begonnen. Het zal niet makkelijk worden. Er zijn een heleboel privéartsen die toegang hebben tot andere, niet-academische privéziekenhuizen, en de meeste hebben toegang tot meer dan één ziekenhuis. Het is meer voor het gemak van de patiënten wat betreft de locatie, en kennelijk laten ze er niet zoveel toe. Ze mogen namelijk geen eigen patiënten hebben.'
'Jouw mensen blijven eraan werken, neem ik aan?'

‘Absoluut. Wat wil je dat ik doe?’
‘Hou die Hernandez in de gaten. Kennelijk komt er vanavond een vriend die patholoog-anatoom is. Denk eraan, er mogen geen autopsies komen. Gelukkig hebben we wat dat betreft de wet aan onze kant.’

28

18 oktober 2007
donderdag 16.32 uur
New Delhi, India

Cal zat met gekruiste benen op een hoek van de tafel in de bibliotheek. Santana had hem een stapel artikelen over medisch toerisme gegeven die in Amerikaanse kranten waren verschenen. Ze waren allemaal gebaseerd op de drie uitzendingen van CNN over de sterfgevallen in New Delhi, en op de drie nieuwsuitzendingen van het netwerk. De mensen smulden ervan. Cals favorieten waren de artikelen doorspekt met persoonlijke verhalen van mensen die geplande trips annuleerden, vooral naar India maar ook naar Thailand.

Nu alles plotseling zo goed ging zou Cal dolgelukkig moeten zijn, maar hij was het niet. De toestand rond dat mens van Hernandez knaagde de hele dag al aan hem. Eerder die ochtend had hij de anesthesioloog en de patholoog weer gebeld en nog eens het hypothetische scenario met succinylcholine doorgenomen. Als de twee artsen al wantrouwig waren geworden, dan hadden ze dat absoluut niet laten merken. Ze hadden zelfs op bepaalde punten met elkaar gewedijverd om duidelijk te maken dat het duivelse plan niet kon mislukken.

Toen hij de telefonische vergadering had beëindigd was hij gerustgesteld geweest. Helaas had dat niet lang geduurd en had hij het gebeuren opnieuw niet uit zijn hoofd kunnen zetten. Wat had die verduivelde medisch studente ontdekt waardoor ze zo wantrouwig was geworden? Zelfs na haar vertrek zouden er vermoedelijk weer andere mensen komen die net zo nieuwsgierig waren en dezelfde mysterieuze en mogelijk fatale miskleun op zouden merken.

'Hé, man!' riep Durell vanuit de deuropening.

Cal zwaaide. 'Wat is er?'

'Kom je even naar de nieuwe auto kijken?'

'Waarom niet.' Hij liet zijn voeten met een plof op de vloer vallen en stond op.

Op dat moment sloeg de voordeur van het huis dicht.
'Kunnen we even wachten?' vroeg Cal. 'Als dat Veena en Samira zijn wil ik even overleggen. Ik heb me de hele dag al druk gemaakt over die Hernandez-griet, al vanaf het moment dat je zei dat we moesten uitvinden waardoor ze zo wantrouwig is geworden. Ik denk dat het feit dat ze medicijnen studeert er iets mee te maken heeft, maar ik kan met geen mogelijkheid bedenken wat het zou kunnen zijn. Ik heb zelfs die twee artsen weer gebeld in Charlotte, North Carolina, die we oorspronkelijk ook hebben geconsulteerd. Voor zover ik het kan nagaan hebben we overal aan gedacht.'
'Ik vind ook dat we dat moeten uitzoeken,' gaf Durell toe. 'Anders blijven we ons daar maar zorgen om maken, begrijp je wat ik bedoel?'
'Helemaal,' gaf Cal toe, terwijl Veena, Samira en Raj de bibliotheek binnenkwamen. Ze waren in een goede stemming en zongen een liedje dat ze allemaal kenden uit hun jeugd. Samira zweeg en liep naar Durell voor een knuffel en een kus. Veena liep naar Cal maar volstond met een prikzoen op elke wang.
Raj liet zich op de bank vallen terwijl hij het laatste refrein van het kinderliedje zong.
'Wat zijn jullie vrolijk,' zei Cal, op een toon die aangaf dat hij het niet was.
'Het was een makkelijke dag voor ons allemaal,' zei Veena. 'Raj was de enige die een patiënt toegewezen heeft gekregen en dat was alleen maar een hernia. Samira en ik moesten werk zoeken.'
'Hoe kwam dat?'
Veena en Samira keken elkaar aan. 'We weten het niet zeker. Misschien door een paar annuleringen. Misschien doet Nurses International haar werk te goed.' Ze lachten.
'Zou dat niet ironisch zijn?' vroeg Cal. 'Hoe dan ook, hoe staat het ervoor met de zaak-Hernandez? Nog wat nieuws?'
'Ik was rond halfdrie klaar,' zei Veena, 'en toen ben ik naar de zorgmanager gegaan. Ik heb naar Maria Hernandez gevraagd om te horen of het lichaam al weg was. Ze krijste bijna en zei: "Natuurlijk niet". Kennelijk hebben ze aangeboden om het lichaam naar Varanasi te brengen en het daar te laten cremeren aan de oever van de Ganges, maar de kleindochter wilde dat niet. Morgen komt haar vriendin de lijkschouwer, wat helemaal niks zal uitmaken want ze weigeren pertinent een autopsie. Maar het eind is in zicht. De zorgmanager vertelde me dat er morgen een

dwangbevel komt van een rechter om het lichaam te verwijderen en te cremeren. Dus morgen is het voorbij.'
'Hetzelfde geldt voor Benfatti,' zei Samira.
'En voor David Lucas,' zei Raj. 'Het dwangbevel geldt voor alle drie de lichamen.'
'Hebben jullie alle drie navraag gedaan naar de lichamen?' vroeg Cal enigszins gealarmeerd.
'Ja,' zei Samira. 'Is dat een probleem? We zullen ons allemaal beter voelen als ze weg zijn.'
'Alsjeblieft, niet meer! Vestig niet de aandacht op jezelf door zulke vragen te stellen.'
De drie haalden hun schouders op. 'Ik geloof niet dat we extra de aandacht op ons gevestigd hebben,' zei Samira. 'Het ziekenhuis gonst van de geruchten. Wij zijn niet de enigen die erover praten.'
'Doe me een lol en doe er niet aan mee,' zei Cal.
'De overlijdensverklaring van mijn patiënt is vandaag getekend,' zei Raj. 'Maar zijn vrouw wil nog steeds een autopsie, op advies van Jennifer Hernandez.'
'Wat is de doodsoorzaak?' vroeg Cal.
'Een hartaanval,' zei Raj. 'Een hartaanval met een embolie en een beroerte.'
'Zolang de drie lichamen er nog zijn,' zei Cal, 'moeten we misschien een paar dagen wachten voor we weer een patiënt doen.'
Veena ging rechtop zitten in de leren fauteuil waar ze zich in had laten vallen. 'Daar ben ik het volledig mee eens. Geen sterfgevallen meer tot de chaos die Jennifer Hernandez heeft veroorzaakt is opgelost.'
'Iemand moet dat Petra gaan vertellen,' zei Cal. 'Een van haar verpleegsters belde vandaag om te zeggen dat ze een goede kandidaat had.'
Veena sprong van haar stoel. 'Dat zal ik haar wel zeggen. Ik vond dat we het gisteravond al niet hadden moeten doen.' Zonder op antwoord te wachten verliet ze de kamer.
Raj stond op van de bank. 'Ik denk dat ik maar eens een douche ga nemen,' zei hij.
'Ik ook,' zei Samira. Ze gaf Durell nog een knuffel en volgde Raj de kamer uit.
Cal keek naar Durell. 'Laten we eens naar die kar gaan kijken,' zei hij.
'Oké,' antwoordde Durell.
'Ik begin te denken dat we zelf iets aan die Jennifer Hernandez moeten

doen,' zei Cal toen ze de bibliotheek uitliepen naar de voordeur.
'Dat bedoelde ik net. Als we er niet achter komen waardoor ze wantrouwig is geworden, zullen we ons altijd zorgen blijven maken. Iemand anders kan het ook opmerken en ons ter verantwoording roepen.'
'Dat is precies waar ik me zorgen om maak. Het is klote dat het nu moet, net nu alles zo gesmeerd loopt.'
'Waar denk je aan?' vroeg Durell. Hij opende de deur en liet Cal voorgaan.
'Ik dacht dat ik Sachin, meneer Motorjack, maar eens moest bellen. Hij heeft Veena's vader perfect aangepakt. Ik dacht aan hem omdat hij me gisteren belde om te zeggen dat hij maandag naar Basant Chandra was geweest en dat die kerel helemaal in paniek raakte. Hij denkt dat hij hem een paar weken lang niet meer hoeft op te zoeken. Ik denk dat hij Jennifer Hernandez prima aankan. Dat is een veel makkelijkere opdracht.'
'Wat wil je dat hij doet?'
'Haar oppakken en hier brengen. We kunnen haar in die kamer onder de garage opsluiten tot ze begint te praten.'
'En dan?' vroeg Durell. Hij bleef naast een bordeauxrode Toyota Land Cruiser staan. Hij had al heel wat kilometers op de teller en een paar flinke deuken, maar de slijtage leek hem alleen maar meer karakter te geven. Cal legde zijn hand lichtjes op de auto en liep er helemaal omheen, terwijl hij zijn vingers over het metaal liet glijden. Daarna opende hij het portier aan de chauffeurskant en keek naar binnen. Het interieur was net zo versleten.
'Ik vind hem prachtig,' zei Cal. 'Hoe loopt ie?'
'Prima. Hij is het werkpaard geweest van een architectenbureau.'
'Perfect,' zei Cal. Hij sloot de deur stevig en er klonk een duidelijke klik.
'En wat ga je met Hernandez doen nadat je hebt gehoord wat je wil?'
'Niets. Ik betaal Sachin om haar te laten verdwijnen. Ik wil niet weten waar, maar ik kan me voorstellen dat ze ergens op de vuilstort eindigt.'
Durell knikte. Hij vroeg zich af hoeveel mensen daar al verdwenen waren. Het was verrekte handig.
'Hé, man! Die wagen is tof,' zei Cal terwijl zijn humeur opklaarde. Hij schopte tegen een van de voorbanden. 'Hij zal perfect zijn als we hem nodig hebben. Goed gedaan.'
'Bedankt.'

29

18 oktober 2007
donderdag 22.32 uur
New Delhi, India

Goochelend met al haar injectieparafernalia liep Laurie naar een van de toiletten in het vliegtuig. Nadat ze de deur had gesloten vulde ze handig de spuit met de voorgeschreven hoeveelheid follikelstimulerend hormoon en gaf zichzelf net zo handig de subcutane injectie in de buitenkant van haar dij. Halfelf Indiase tijd was maar een uur later dan twaalf uur 's middags in New York, het tijdstip waarop ze zichzelf elke dag injecteerde. Op dat moment vlogen ze over Noordwest-India, en ze zouden spoedig beginnen aan de daling naar New Delhi.
Toen ze klaar was keek Laurie in de spiegel. Ze zag er vreselijk uit. Haar haar was een puinhoop en de donkere kringen onder haar ogen breidden zich uit in de richting van haar mondhoeken. Het ergste van alles was dat ze zich heel vies voelde. Maar dat was geen wonder. Eerst was er de nachtvlucht naar Parijs geweest, waarbij ze maar een paar uur had kunnen slapen. Toen hadden ze drie uur de tijd gehad om over te stappen, tijd die grotendeels nodig was geweest om bij de vertrekgate te komen. En toen deze acht uur durende marathon. Wat haar het meest irriteerde was dat Jack helemaal geen moeite had met slapen. Het was gewoon niet eerlijk.
Laurie raapte de spullen van haar injectie bij elkaar en stopte ze in de afvalbak. De gebruikte naald ging weer in haar tas, waar ze de medicatie en de schone spuiten bewaarde. Ze wilde niet onverantwoordelijk zijn.
Ze waste haar handen en keek weer naar zichzelf in de spiegel. Dat was nauwelijks te vermijden, want vrijwel de hele wand achter de wastafel in de piepkleine ruimte was bedekt met een spiegel. Ze kon niet nalaten zich af te vragen wat voor effect deze onverwachte reis zou hebben op haar onvruchtbaarheid. Ze had absoluut geen idee waarom ze tot dusver nooit zwanger was geworden en hoopte dat de reis het probleem, wat dat dan ook mocht zijn, niet erger maakte.

Ze opende de deur en liep naar buiten. Ze besefte dat ze door haar slaapproblemen en het gepieker over het maar niet zwanger worden steeds gestrester werd, en ze deed een poging te kalmeren. Ze hoopte dat ze haar emoties zou kunnen beheersen zodat ze in staat zou zijn Jennifer de steun te bieden die nodig had. Dat was immers de belangrijkste reden geweest voor deze reis. Tegelijkertijd moest Laurie erkennen dat ze hier ook was om haar eigen geweten te sussen. Maria's overlijden had haar beslist een schuldgevoel bezorgd.

Weer terug op haar stoel keek Laurie naar Jack. Hij was nog vast in slaap, in dezelfde houding als toen ze hem vijf minuten eerder had verlaten. Hij was een toonbeeld van ontspanning, met een lichte, zorgeloze glimlach op zijn aantrekkelijke gezicht. Zijn haar was ook een puinhoop, maar omdat hij het kort droeg, in een soort Julius Caesar-model, zag het er niet zo slecht uit als haar eigen verwarde ragebol.

Net zo snel als de irritatie over Jacks vermogen om te slapen een paar minuten eerder was opgekomen, overspoelde haar nu het tegenovergestelde en verscheen er een waarderende glimlach op haar eigen gezicht. Laurie hield meer van Jack dan ze voor mogelijk had gehouden en voelde zich gezegend.

Op dat moment begon de intercom van het vliegtuig te kraken. De gezagvoerder heette iedereen welkom in India en meldde dat de landing naar het Indira Gandhi International Airport was ingezet en dat ze daar over twintig minuten zouden aankomen.

In een vlaag van liefde boog Laurie zich voorover, nam Jacks hoofd tussen beide handen en drukte een lange kus op zijn lippen. Zijn ogen vlogen open en knipperden, en toen beantwoordde hij haar kus. Laurie lachte hem breed toe. 'We zijn er,' zei ze.

Jack ging rechtop zitten, strekte zich uit en probeerde uit het raampje te kijken. 'Ik zie geen bal.'

'Dat klopt ook wel. Het is tien over halfelf 's avonds. We zullen rond elf uur landen.'

De landing verliep vlekkeloos. Zowel Laurie als Jack was een beetje opgewonden toen ze uit het vliegtuig stapten en door de terminal liepen. Er waren geen problemen bij de paspoortcontrole en ze hoefden ook niet op bagage te wachten omdat ze die niet hadden ingecheckt. Ze werden zonder oponthoud door de douane gestuurd.

Toen Laurie en Jack door de gang van de aankomsthal omhoog kwamen

lopen, begon Jennifer woest te zwaaien en te roepen. Ze was zo ongeduldig dat ze een stuk naar beneden rende om hen tegemoet te lopen waarna ze haar beide armen om Laurie heen sloeg. 'Welkom in India,' zei Jennifer opgetogen. 'Dank je, dank je dat je gekomen bent. Je hebt geen idee wat dat voor me betekent.'
'Geen dank,' zei Laurie lachend maar een beetje verbaasd door Jennifers uitgelatenheid. Tot Jennifer haar losliet kon ze geen stap verzetten.
Daarna omhelsde Jennifer Jack met evenveel enthousiasme. 'Jij ook,' zei ze.
'Dank je,' wist Jack uit te brengen terwijl hij probeerde te vermijden dat zijn Boston Red Sox-baseballcap, die hij van zijn zus had gekregen, van zijn hoofd viel.
Jennifer sloeg zowel een arm om Lauries schouder als om die van Jack en zo liepen ze de rest van de gang door naar Neil, die in tegenstelling tot Jennifer niet naar beneden was gerend. Jennifer stelde hen aan elkaar voor en ze schudden elkaar de hand.
Laurie begreep absoluut niet wie Neil was en zei dat ook. Ze dacht dat Jennifer alleen in India was.
'Neil is een vriend uit LA,' legde Jennifer uit, nog steeds door het dolle heen door Lauries en Jacks aankomst. 'Ik heb hem in mijn eerste jaar ontmoet. Hij was toen de hoofd-artsassistent van de SEH. Nu is hij al een van de hoofdartsen. Een bliksemcarrière om zo te zeggen.'
Neil bloosde. Laurie glimlachte maar begreep het nog steeds niet.
'Luister, jongens,' zei Jennifer geanimeerd. 'Ik moet dringend naar het toilet. Het is ongeveer een uur naar het hotel. Moet er nog iemand anders?'
'Wij zijn aan boord al geweest,' zei Laurie.
'Fantastisch. Ik ben zo terug,' zei Jennifer. 'Ga niet weg! Blijf hier staan! Anders raken we elkaar kwijt.'
Jennifer rende weg. De andere drie keken haar na. 'Ze is behoorlijk opgewonden,' zei Laurie.
'Je hebt geen idee,' zei Neil. 'Ze was zo blij dat jullie kwamen. Ik heb haar nog nooit zo gezien. Nee, dat is niet waar, de laatste keer dat haar grootmoeder naar LA kwam was ze ook zo. Ik was toen ook met haar op het vliegveld.'
'Het is fantastisch om naar de mensen te kijken,' zei Jack. 'Ik wandel een beetje rond, goed?'

'Goed, maar verdwaal niet. Wij blijven hier staan. Maar ik denk niet dat het lang duurt voor Jennifer terug is.'
'Ik ook niet. Kan ik mijn tas hier laten staan?'
'Natuurlijk,' zei Laurie. Ze pakte de tas van Jack aan en zette hem naast die van haar. Ze zagen Jack verdwijnen in de menigte.
'Leuk je eindelijk te ontmoeten,' zei Neil. 'Behalve over haar grootmoeder heeft ze het alleen over jou als ze over haar jeugd praat. Je kent haar vast erg goed.'
'Ik denk het wel.'
'Zoals ik al zei,' voegde Neil toe, 'leuk je te ontmoeten.'
'Jennifer heeft me niet verteld dat jij hier was,' zei Laurie. Ze wist niet goed wat ze ervan moest denken dat Jennifer gezelschap had.
'Dat weet ik,' zei Neil. 'Ze wist namelijk niet dat ik kwam. Ik ben gisteravond gearriveerd en heb haar pas vandaag gevonden.'
'Ik wist niet dat ze een serieuze relatie had.'
'Nou, loop niet te hard van stapel. Ik weet zelf ook niet hoe serieus het is. Dat is denk ik een van de redenen dat ik hier ben, om mijn schepen niet achter me te verbranden. Ik geef echt om haar. Ik ben helemaal hiernaartoe gekomen voor een grootmoeder. Maar ik denk dat je Jennifer wel kent en weet hoe moeilijk ze kan zijn, gezien de relatie met haar vader.'
'Ik begrijp je niet.'
'Je weet wel, haar gebrek aan zelfvertrouwen.'
'Ik heb nooit gedacht dat Jennifer problemen met haar zelfvertrouwen had. Ze is slim, aantrekkelijk, een prima meid.'
'O, ja. Problemen heeft ze echt wel en daardoor kan een relatie met haar soms wat ingewikkeld zijn. Ze vindt zichzelf beslist niet zo mooi als andere mensen denken dat ze is, absoluut niet. Ze is het ultieme voorbeeld van een complexe persoonlijkheid, maar er is nog hoop.'
'Waar heb je het over?' vroeg Laurie, terwijl ze deze onbekende, die zo openlijk kritiek had op iemand waar ze heel veel om gaf, recht aankeek.
'Ze heeft me alles toevertrouwd, dus je hoeft niet te doen alsof. Ik heb het over het misbruik door haar misdadige vader waar ze na de dood van haar moeder onder te lijden heeft gehad. Ik bedoel, ze heeft het uitzonderlijk goed gedaan dankzij haar intelligentie en haar sterke karakter. Ze is heel taai en haar vader mag van geluk spreken dat ze hem niet heeft vermoord, zo eigenzinnig als ze is.'
Laurie was perplex. Ze had geen idee dat Jennifer was misbruikt. Even

vroeg ze zich af hoe ze moest reageren. Ze besloot eerlijk te zijn. 'Ik had hier geen idee van,' zei Laurie.
'O, mijn god!' zei Neil, bleek wegtrekkend. 'Kennelijk had ik niks mogen zeggen. Maar uit de manier waarop Jennifer altijd over jou praat, als haar enige en beste mentor, meende ik te kunnen opmaken dat je, naast mij, de enige was die het wist.'
'Jennifer heeft me dat nooit verteld. Zelfs nooit een hint gegeven.'
'God, ik had dat niet zomaar moeten aannemen. Het spijt me.'
'Je hoeft je tegenover mij niet te verontschuldigen, maar wel tegenover Jennifer.'
'Niet als jij er niets over zegt. Mag ik je dat vragen?'
Laurie dacht na en probeerde te bedenken wat het beste was voor Jennifer. 'Ik wil het haar wel kunnen vertellen, als ik denk dat dat in haar belang is.'
'Prima,' zei Neil. 'Maar ik ben hier omdat ze me dat gevraagd heeft. In eerste instantie heb ik geweigerd. Ik had geen zin om alles opzij te zetten en naar India te gaan. Toen is ze weggelopen. Ik dacht dat alles voorbij was. Ik heb er een paar uur over nagedacht, kon haar niet bereiken en besloot toen toch te komen.'
'Was ze blij?'
Neil haalde zijn schouders op. 'Tja, ze heeft me niet gezegd dat ik moest vertrekken.'
'Dat is alles, nadat je de halve wereld over bent gevlogen?'
'Ze is prikkelbaar. Maar het is goed dat ik er ben. Vandaag in de bazaar van Old Delhi, toen ik probeerde haar in te halen om haar te laten weten dat ik er was, zag ik een man die haar om zeep probeerde te helpen. Hij was te goed gekleed om een stereotype dief te zijn, zelfs niet een die rondhangt in vijfsterrenhotels.'
'Wat bedoel je, hij probeerde haar om zeep te helpen?'
'Ik bedoel met een handvuurwapen met geluiddemper, alsof hij een moordenaar was.'
Lauries mond viel open. 'Wat is er gebeurd?' vroeg ze dringend.
'We hebben geen idee wat zijn bedoelingen waren want, zomaar uit het niets, bijna recht voor me, verscheen een andere vent van wie we later ontdekten dat het een agent in burger was, en die heeft die eerste vent van dichtbij omgelegd.'
'En wat gebeurde er toen?' vroeg Laurie. Ze was geschokt. Ze had Jennifer

gewaarschuwd over te veel gewroet, en het scheen dat ze gelijk had gehad. Neil vertelde haar hoe Jennifer van de riksja was gevallen, hoe ze met de mensenmassa op de vlucht was geslagen en hoe hij erin geslaagd was haar terug te vinden in een slagerij.

'Goeie god,' mompelde Laurie. Ze sloeg een hand voor haar mond.

'Het was me het dagje wel,' zei Neil. 'De rest van de dag hebben we ons verstopt in het hotel. Ik wilde zelfs niet hiernaartoe komen vanavond, maar ze stond erop.'

'Jack!' gilde Laurie zo plotseling dat Neil ervan schrok.

Ze had hem uit de menigte zien komen en hun kant uit zien kijken. Laurie zwaaide. 'Kom terug, Jack.'

'Dit verandert alles,' zei Laurie tegen Neil, terwijl Jack naar hen toe kwam lopen.

'We zijn bang dat het misschien een aanslag op haar leven is, vanwege haar acties omtrent de dood van haar grootmoeder.'

'Precies,' zei Laurie zwaaiend naar Jack dat hij moest opschieten.

'Neil heeft me iets heel engs verteld wat vanmiddag is gebeurd,' zei Laurie tegen Jack toen hij hen bereikt had. 'Iets wat ons bezoek zal gaan veranderen, denk ik.'

'Wat?' vroeg Jack.

Voor Laurie kon beginnen verscheen Jennifer uit de menigte en haastte zich naar hen toe. 'Sorry, mensen. Het was zo druk bij de eerste damestoiletten dat ik een andere moest zoeken. Maar hier ben ik weer.' Ze zweeg en keek van Laurie naar Jack naar Neil. 'Wat is er? Waarom die lange gezichten?'

'Neil heeft me net verteld wat je vandaag in de bazaar hebt meegemaakt.'

'O, dat,' zei Jennifer met een handgebaar. 'Ik moet je een heleboel vertellen. Dat is gewoon het meest dramatische.'

'Volgens mij is het heel ernstig en heeft het nogal wat gevolgen,' zei Laurie serieus.

'Fantastisch,' zei Jennifer. 'Ik hoopte al dat je dat zou vinden. Sorry, maar hier zijn de Benfatti's, waar ik je over heb verteld.'

'Goedenavond, mensen,' zei Jennifer toen Lucinda haar twee zoons naar Jennifer en haar groepje loodste.

Iedereen stelde zich voor en er werden handen geschud.

Jennifer keek naar de twee jongens. Louis was de oudste, de oceanograaf. Tony was de reptielendeskundige en de jongste en leek het meest op zijn moeder.

'Jennifer heeft me over u verteld,' zei Lucinda tegen Laurie en Jack. 'Ze zei dat u misschien ook wel naar mijn man, Herbert, wilde kijken voor we toestemming geven om hem te laten cremeren.'
'Op dit moment begrijp ik dat de situatie rond uw man en Jennifers grootmoeder opvallend vergelijkbaar is,' zei Laurie. 'Als dat het geval is willen we het heel graag onderzoeken. Of er een autopsie mogelijk is, kan ik niet zeggen. Wacht in elk geval voor u hun toestemming geeft voor de crematie tot u van ons gehoord hebt. We zullen morgenvroeg in het ziekenhuis zijn.'
'Dat doen we graag,' zei Lucinda. 'Heel erg bedankt.'
'Er komt geen autopsie,' zei Jennifer. 'Mevrouw Varini zei dat vanmiddag nog eens tegen mij in niet mis te verstane bewoordingen. Niet tenzij er iets heel ongewoons gebeurt. Hier in India kunnen de artsen die beslissing niet nemen. Het is aan de politie of de rechters. Heb je vandaag nog iets van haar gehoord, Lucinda?'
'Ja. Ze bood aan om Herbert naar Varanasi te laten brengen als ik instemde. Maar ik heb haar eraan herinnerd dat mijn jongens kwamen en ik heb haar gezegd dat ze morgen van me zou horen.'
'Heeft ze je ook nog gedreigd over morgen?' vroeg Jennifer.
'Ja, dat er een gerechtelijk bevel zou komen, maar pas 's middags. Ik heb alleen maar herhaald dat mijn jongens haar voor het middaguur zouden bellen en heb opgehangen. Ze is heel vasthoudend.'
Jennifer lachte. 'Dat is een understatement.'
Nadat ze hadden afgesproken de volgende ochtend verder te praten, liepen ze naar de plek waar de mensen van het Amal Palace Hotel stonden die de nieuwe gasten opvingen. Zij op hun beurt belden de respectievelijke chauffeurs en samen ging het gezelschap naar buiten om op hun auto's te wachten.
In de SUV ging Jennifer op de passagiersstoel zitten, Laurie en Jack in het midden en Neil klom achterin. Hoewel ze haar gordel omhad, draaide Jennifer zich om en keek naar achteren.
'Oké, mensen,' zei Jack zodra ze op weg waren. 'Jullie hebben me nu lang genoeg in spanning gehouden over wat er vandaag gebeurd is.'
Jennifer rolde met haar ogen in de richting van de chauffeur, aangevend dat het beter zou zijn om niet over gevoelige zaken te spreken voor ze terug waren in het hotel. Laurie begreep het onmiddellijk en gaf de boodschap fluisterend aan Jack door. In plaats daarvan voerden ze een geani-

meerd gesprek over India en New Delhi in het bijzonder. Ze spraken ook over Jennifers aanstaande afstuderen en over haar overwegingen om chirurgie te kiezen met het New York Presbyterian als mogelijk opleidingsziekenhuis. Jack vond het uitzicht op het verkeer tijdens de vijftig minuten durende rit fascinerend.

Toen ze voor het hotel stopten zei Neil: 'Laten we een kring om Jennifer vormen als veiligheidsmaatregel.'

'Waarom?' vroeg Jack.

'Dat is deels om wat ik je zo zal vertellen,' zei Laurie. 'Het is geen slecht idee. We kunnen niet voorzichtig genoeg zijn.'

Laurie, Jack en Neil stapten voor Jennifer uit de auto. Daarna gingen ze om het portier staan terwijl zij uitstapte. Dicht bij elkaar lopend gingen ze naar binnen.

'Als jullie je nu eens gingen inchecken, dan kunnen we daarna samen iets gaan drinken,' zei Jennifer. 'Neil en ik zullen op jullie wachten.'

Omdat het al ver na middernacht was zaten er niet veel mensen in de bar. Er was nog wat livemuziek maar de band stond op het punt te stoppen. Jennifer en Neil kozen een tafeltje dat zo ver mogelijk van de muziek af stond, een beetje achteraf in een hoek. Zodra ze gingen zitten, verscheen er een serveerster. Ze bestelden voor iedereen Kingfishers en lieten zich achterover zakken in de comfortabele stoelen.

'Dit is voor het eerst dat ik me vandaag ontspannen voel,' zei Jennifer. 'Ik heb misschien zelfs wel een beetje trek.'

'Je vrienden zijn aardig,' zei Neil. Hij dacht er even over na of hij zou bekennen dat hij per ongeluk haar geheim aan Laurie had verteld, maar hij durfde niet. Door de stress van die dag vreesde hij voor haar emotionele gesteldheid. Het probleem was dat hij niet wilde dat het van iemand anders kwam dan van hemzelf, maar hij had het gevoel dat hij Laurie kon vertrouwen. Neil dacht niet dat hij ooit iets zou doen om Laurie het gevoel te geven dat ze het moest vertellen.

'Ik ken Jack niet zo goed, maar omdat Laurie denkt dat hij geweldig is, zal dat wel kloppen.'

De serveerster bracht het bier.

'Hebt u misschien ook wat hapjes?' vroeg Jennifer.

'Jawel. Ik zal u wat te eten brengen.'

Een kwartier later had Jennifer een grote schaal exotische hapjes voor zich staan, en een paar minuten daarna voegden Laurie en Jack zich bij hen.

Jack nam een paar slokken en leunde achterover. 'Oké,' zei hij. 'Jullie hebben me nu wel genoeg in spanning gehouden over die enge gebeurtenis. Vertel.'
'Laat mij het maar vertellen,' zei Laurie. 'Als ik iets verkeerd zeg of het verkeerd begrepen heb, kunnen jullie me corrigeren. Ik wil zeker weten dat ik precies heb begrepen wat er is gebeurd.'
Jennifer en Neil knikten beiden dat ze verder kon gaan.
Daarna vertelde Laurie het verhaal over het gebeuren in de bazaar, waarbij Jennifer en Neil slechts een paar keer wat extra informatie en correcties moesten geven. Toen Laurie klaar was, keek ze vragend naar de anderen of het zo goed was.
'Dat is het,' knikte Jennifer. 'Bedankt.'
'En jullie zijn niet naar de politie gegaan?' vroeg Jack.
Jennifer schudde haar hoofd. 'Neil is hier eerder geweest voor een medisch congres, en hij heeft het me sterk afgeraden.'
'De plaatselijke politie is vaak corrupt,' legde Neil uit. 'En er is nog iets wat ik nog niet tegen je gezegd heb, Jennifer. De tweede reden waarom ik niet wilde dat je met de politie ging praten is dat ik denk dat ze er om de een of andere reden actief bij betrokken zijn.'
'Hoezo?' vroeg Jennifer verbaasd.
'Ik kan me niet voorstellen dat het toeval was dat die agent in burger achter je liep. Daarvoor is het té toevallig. Ik denk dat hij jou of het slachtoffer volgde. Maar ik durf te wedden dat het om jou ging.'
'Echt?' riep Jennifer ongelovig uit. 'Ik wed dat die politieagent ons dus toch volgde toen we wegliepen.'
'Wie weet. Het punt is dat de politie er op de een of andere manier mee te maken heeft, wat niet zo'n prettig idee is want, zoals ik al zei, corruptie is hier beslist niet ongewoon.'
'Nou,' zei Jack. 'Een doodsbedreiging voor Jennifer verandert de situatie rond haar oma's overlijden en onze rol daarbij volkomen.'
'Denk je dat die bedreiging ermee te maken heeft?' vroeg Laurie.
'Dat zou ik wel denken,' zei Jack, 'en, zoals Neil al zei, een bedreiging waar mogelijk corrupte agenten bij betrokken zijn is heel riskant.'
'Ik zal even uitleggen wat de voornaamste reden is waarom ik zo wantrouwig ben geworden over het hele gebeuren,' zei Jennifer. 'Deze aanslag, of wat het maar was vandaag, is slechts de slagroom op de taart. Wat me eerder opviel, niet alleen bij oma maar ook bij de twee andere slachtoffers,

is het verschil tussen het tijdstip van overlijden dat op hun overlijdensverklaring wordt vermeld en het tijdstip waarop het nieuws over het overlijden uitgezonden werd door CNN. Neem oma bijvoorbeeld! Ik zag de uitzending om ongeveer kwart voor acht 's morgens in LA, dat is ongeveer kwart over negen 's avonds hier in India. Toen ik de verklaring onder ogen kreeg zag ik dat erop stond dat ze om vijf over halfelf overleden was, een uur en twintig minuten later.'
'De overlijdensverklaring vermeldt het tijdstip waarop een arts de patiënt doodverklaart,' zei Laurie. 'Het hoeft niet het tijdstip te zijn waarop de patiënt werkelijk overleed.'
'Dat weet ik,' zei Jennifer. 'Maar toch. Het is een verschil van een uur en twintig minuten, maar je moet daar de tijd aan toevoegen die iemand nodig heeft om het verhaal te schrijven, CNN te bellen en het te rapporteren. Je moet ook de tijd eraan toevoegen die CNN nodig heeft om het te verifiëren, het verhaal te schrijven en in te plannen. Dat kost allemaal ook nog tijd.'
'Ik snap wat ze bedoelt,' zei Jack. 'Is dat ook zo gegaan in de andere twee gevallen?'
'Precies hetzelfde bij de tweede, Benfatti. De eerste keer dat het in New York op tv was, was tien uur, dat is halfnegen 's avonds in India. De tijd op de akte is één minuut over halfelf 's avonds. Dat is twee uur verschil. Het lijkt bijna of iemand het overlijden al aan CNN doorgeeft voordat het gebeurt.'
'En hoe zit het met de derde?' vroeg Laurie.
'De derde is een beetje anders omdat het slachtoffer niet koud en blauw is gevonden zoals de andere twee. Maar verder is alles hetzelfde. Hij werd gevonden door zijn chirurg toen hij nog leefde en ze hebben uitgebreid geprobeerd hem te reanimeren, wat helaas mislukt is. Ik heb de uitzending van CNN toevallig hier even na negen uur 's avonds gezien, en de presentatoren meldden dat de man enige tijd daarvoor was overleden. Vanmiddag heb ik met zijn vrouw gesproken. Op de akte staat een minuut over halftien 's avonds.'
'Het lijkt erop of iemand CNN inlicht lang voordat anderen zelfs nog maar van het overlijden weten, vooral in de eerste twee gevallen,' zei Jack. 'Dat is echt vreemd.'
'Wij alle drie – Lucinda Benfatti, Rita Lucas en ik – hebben via CNN gehoord over de dood van onze geliefden terwijl het netwerk het al lang

genoeg wist om er een verhaal over te maken, het in te plannen en uit te zenden, en kennelijk nog voor het ziekenhuis het wist. Als die vreemde tijdsverschillen er niet waren geweest had ik mijn grootmoeders lichaam misschien al laten cremeren. Maar zoals de zaken nu liggen, kan ik niet anders dan denken dat deze sterfgevallen niet natuurlijk zijn. Ze zijn moedwillig veroorzaakt. Iemand doet dit en wil het vervolgens heel graag aan de hele wereld laten weten.'

Toen Jennifer haar verhaal had gedaan, zweeg iedereen minutenlang.

'Ik ben bang dat ik het met Jennifer eens moet zijn,' zei Laurie, de stilte verbrekend. 'Het begint te klinken als een Indiase versie van de engel des doods. Daar hebben we er een paar van gehad in de Verenigde Staten, gezondheidswerkers die helemaal doordraaien. Dit moet van binnenuit gebeuren. Maar meestal is er een overeenkomst tussen de slachtoffers. Uit wat jij me hebt verteld, lijkt dat hier niet zo te zijn.'

'Dat klopt,' zei Jennifer. 'Ze variëren in leeftijd van vierenzestig tot in de veertig. Terwijl er twee in hetzelfde ziekenhuis lagen, lag de derde in een ander ziekenhuis. Twee waren orthopedische ingrepen, de derde was een operatie wegens obesitas. De enige overeenkomst is dat het allemaal Amerikanen waren.'

'Het lijkt erop dat het tijdstip van overlijden ongeveer gelijk is,' voegde Laurie eraan toe. 'En kennelijk de manier waarop, met kleine individuele variaties.'

'Is er een relatie tussen de twee ziekenhuizen?' vroeg Jack.

'Het zijn vergelijkbare ziekenhuizen,' zei Jennifer. 'Er zijn eigenlijk twee soorten ziekenhuizen in India: de vervallen openbare ziekenhuizen en deze nieuwe, fantastisch uitgeruste privéklinieken die werden gebouwd voor de medisch toerisme-industrie en voor de nieuwe, opkomende Indiase middenklasse.'

'Hoe belangrijk is medisch toerisme in India?' vroeg Jack.

'Het is heel groot aan het worden,' zei Jennifer. 'Uit het weinige wat ik ervan heb kunnen zien denk ik dat sommige mensen verwachten dat het uiteindelijk de IT zal overtreffen als het gaat om buitenlandse inkomsten. In 2010 wordt een omzet van twee-punt-twee miljard verwacht. Sinds de laatste keer dat er nauwkeurige cijfers bekend zijn gemaakt is het met ongeveer dertig procent per jaar gegroeid. Het is interessant om te zien of deze recente sterfgevallen een impact zullen hebben op die indrukwekkende groei. Er zijn recentelijk een aantal annuleringen geweest.'

'Misschien is dat de reden waarom degenen die het voor het zeggen hebben, zo graag van deze lichamen afwillen,' suggereerde Jack.
'Jack vroeg of er een relatie was tussen de twee ziekenhuizen,' zei Laurie. 'Je hebt de vraag nog niet beantwoord.'
'Sorry,' zei Jennifer. 'Ik dwaalde af. Ja. Ik heb op internet gevonden dat ze beide eigendom zijn van dezelfde holdingmaatschappij. Er kan enorme winst gemaakt worden in de Indiase gezondheidszorg, vooral omdat de regering grote aanmoedigingspremies biedt, zoals een aantal belastingvoordelen. Er raken steeds meer grote concerns bij betrokken vanwege deze hoge winsten en de hoge startkosten.'
'Jennifer,' zei Jack, 'toen je ons begon te vertellen over dat tijdsverschil zei je dat het de belangrijkste reden was dat je je begon af te vragen of deze sterfgevallen wel natuurlijk waren. Dat wil zeggen dat je ook nog andere redenen had. Wat waren die?'
'Nou, als eerste dat ze veel te veel aandrongen op een beslissing over cremeren of balsemen, vanaf het allereerste moment. Omdat ik weet dat autopsies niet kunnen worden gedaan of veel minder betrouwbaar zijn na een dergelijke procedure, gingen door hun aandringen bij mij de alarmbellen rinkelen. En daarnaast die vreemde diagnose van een hartaanval, zo kort nadat oma in het UCLA Medical Center was onderzocht en een heel positieve uitslag had gekregen, met name voor haar hart.'
'Ze hebben geen angiografie of zoiets gedaan, of wel?' vroeg Jack.
'Nee, geen angiografie, maar wel een stresstest.'
'Wat heeft je nog meer wantrouwig gemaakt?' vroeg Jack.
'De cyanose waar zowel bij oma als bij Benfatti melding van werd gemaakt toen ze werden gevonden.'
'Dat is interessant,' zei Laurie.
'Niet bij de derde patiënt?' vroeg Jack.
'Bij hem ook,' zei Jennifer. 'Ik heb Rita, de vrouw van Lucas, gevraagd ernaar te informeren. Er was sprake van cyanose toen ze hem vonden, en hij was nog in leven maar stervend. Toen ze begonnen met reanimeren verdween de cyanose heel snel, waardoor ze de indruk kregen dat de reanimatie effectiever was dan hij uiteindelijk bleek te zijn.'
'Hoe lang zijn ze daarmee doorgegaan?'
'Dat weet ik niet precies, maar ik dacht niet zo lang. Er was al sprake van rigor mortis toen ze nog bezig waren om hem weer tot leven te wekken.'
'Rigor mortis?' vroeg Laurie. Ze keek naar Jack. Ze waren allebei heel ver-

baasd. Normaal gesproken duurde het uren voordat er sprake was van rigor mortis.
'Zijn vrouw zei dat de chirurg haar dat had verteld, zodat ze niet zou denken dat ze te snel gestopt waren. Ze zei dat hij het toeschreef aan de hyperpyrexie, de hoge koorts.'
'Hyperpyrexie?' vroeg Jack.
'Het was een heel moeilijke reanimatiepoging. De temperatuur van de patiënt schoot razendsnel omhoog, evenals zijn kaliumgehalte. Ze hebben beide geprobeerd te verlagen maar zonder resultaat.'
'Goeie god,' zei Jack. 'Wat een nachtmerrie.'
'Dus ze hadden alle drie centrale cyanose, wat me niet logisch lijkt bij een diagnose van een generieke hartaanval.'
'Daar snap ik ook helemaal niks van,' zei Neil, die voor het eerst iets zei. 'Dan is het eerder een ademhalingsprobleem dan een hartprobleem.'
'Of een rechts-links shunt,' zei Laurie.
'Of vergiftiging,' zei Jack. 'Het is geen rechts-links shunt. Niet bij drie patiënten. Een, misschien. Maar niet drie. Ik denk dat we hier te maken hebben met een toxicologisch probleem.'
'Daar ben ik het mee eens,' zei Laurie. 'En ik dacht nog wel dat ik alleen maar hiernaartoe kwam om je te steunen.'
'Je steunt me ook,' antwoordde Jennifer.
Jack keek naar Laurie. 'Je weet wat dit betekent, hè?'
'Natuurlijk,' antwoordde Laurie. 'Het betekent dat er absoluut een autopsie moet komen.'
'Dat gebeurt niet,' viel Jennifer in. 'Dat weet ik zeker. En ik zal je nog iets vertellen, iets waar ik het met mevrouw Benfatti over had. Vanmiddag kreeg ik een telefoontje van mijn favoriete zorgmanager, Kashmira Varini, met een nieuw aanbod waarmee zij en de directie van het ziekenhuis me over dachten te kunnen halen om in te stemmen met crematie. Ze zei dat de directeur van het ziekenhuis aan wat touwtjes had getrokken en toestemming had gekregen om oma, samen met Benfatti en Lucas, naar Varanasi te laten brengen om daar gecremeerd te worden, waarna haar as over de Ganges zou worden uitgestrooid.'
'Waarom Varanasi?' vroeg Jack.
'Ik heb het opgezocht in mijn reisgids,' zei Jennifer. 'Het is heel interessant. Het is de heiligste hindoestad en ook de oudste. Hij is meer dan drieduizend jaar bezet geweest. Als je daar wordt gecremeerd krijg je extra

karma voor je volgende leven. Toen ik niet dol van vreugde was en het Varanasi-voorstel afwees, dreigde ze me met hetzelfde als waarmee ze mevrouw Benfatti had gedreigd. Ze zei dat het ziekenhuis van plan was om een gerechtelijk bevel te krijgen om met oma's lichaam te mogen doen wat zij nodig achten en dat ze dat dwangbevel morgen om twaalf uur zullen hebben.'

'Dat betekent dat we de autopsie 's morgens moeten doen,' zei Laurie. Ze keek naar Jack.

'Daar ben ik het mee eens,' zei hij. 'Het ziet ernaar uit dat we morgen een drukke dag gaan krijgen.'

'Maar je krijgt geen toestemming,' hield Jennifer vol. 'Dat heb ik Laurie aan de telefoon al verteld. De Indiase gang van zaken bij een autopsie is vreselijk. Het is wettelijk heel slecht geregeld en de pathologen-anatomen zijn niet onafhankelijk. De politie en de rechters beslissen of en wanneer er een autopsie uitgevoerd mag worden, niet de doktoren of de pathologen.'

'Het komt voort uit het Britse gerechtelijk onderzoekssysteem,' zei Laurie. 'Heel erg achterhaald. Het is moeilijk voor lijkschouwers om onpartijdig te blijven, terwijl de ordehandhavers en de rechterlijke macht hen op de vingers kijken, vooral als de politie en de rechters onder een hoedje spelen.'

'We moeten daar rekening mee houden,' zei Jack. 'Je had het over een overlijdensverklaring. Is er een getekende overlijdensverklaring voor je grootmoeder?'

'Ja,' zei Jennifer. 'De chirurg was kennelijk maar al te blij om het af te doen als een hartaanval.'

'Dat was het uiteindelijk waarschijnlijk ook,' zei Jack. 'En hoe zit het bij de andere twee?'

'Zoals ik al zei is er voor alle drie een overlijdensverklaring,' zei Jennifer. 'Dat is deels de reden waarom ik denk dat het ministerie van Gezondheid dit zo snel mogelijk achter de rug wil hebben.'

'Dat is eigenaardig, als het waar is,' zei Laurie tegen Jack. 'Waar we nu aan denken is een Indiase engel des doods. Waarom zouden de ziekenhuizen en zelfs het ministerie van Gezondheid willen meehelpen om de zaak in de doofpot te stoppen? Want dat doen ze als ze een autopsie weigeren. Het lijkt allemaal niet logisch.'

'Ik denk niet dat we deze vragen kunnen beantwoorden tot we er redelijk zeker van zijn dat onze hypothese, dat er hier sprake is van moord, is

bevestigd,' zei Jack. 'Laten we het dus maar eens over morgen hebben.'
Iedereen keek op zijn of haar horloge.
'O mijn god,' zei Jennifer. 'Het is al morgen. Het is al over enen. Jullie kunnen beter nog proberen wat te slapen.'
'Ik heb een afspraak voor mijn vruchtbaarheidsbehandeling om acht uur,' zei Laurie.
'In het Queen Victoria Hospital,' zei Jack. 'We zijn er dus al vroeg.'
'Ik heb de afspraak daar gemaakt zodat we een ingang hebben.'
'Dat was een prima idee,' zei Jennifer.
'Ik begrijp dat het lichaam van je grootmoeder in een koelruimte in het souterrain ligt?' vroeg Jack aan Jennifer.
'Dat klopt. Dicht bij het personeelsrestaurant.'
Jack knikte, diep in gedachten.
'Hoe laat zullen we elkaar morgenvroeg treffen voor we op pad gaan?' vroeg Jennifer. 'En waar? Zullen we samen ontbijten?'
'Jij, jongedame,' zei Jack met nadruk, 'blijft hier in het hotel. Na wat jij vandaag hebt meegemaakt is het te gevaarlijk voor jou om buiten rond te lopen. Je had zelfs niet naar het vliegveld moeten komen om ons op te halen.'
'Wat!' riep Jennifer uit. Ze sprong overeind en keek Jack uitdagend aan.
'Toegegeven,' zei Jack kalm. 'Het lijkt erop dat je verdenkingen en je vasthoudendheid een wespennest in beroering hebben gebracht hier in New Delhi, maar daardoor heb je jezelf in gevaar gebracht. Ik denk dat Laurie het met me eens zal zijn.'
'Dat klopt, Jennifer.'
'Je moet ons de gelegenheid geven te bewijzen wat jij inmiddels hebt ontdekt,' ging Jack verder. 'Ik kan hier niet mee doorgaan tenzij jij bereid bent een stap terug te doen. Ik weiger om jouw leven op mijn geweten te hebben vanwege deze mogelijke samenzwering.'
'Maar ik heb...' probeerde Jennifer nog, maar ze wist dat Jack gelijk had.
'Geen gemaar!' zei Jack. 'We weten niet eens zeker of wij wel iets kunnen doen. Is dat het je waard om je leven voor te riskeren?'
Jennifer schudde haar hoofd en ging langzaam weer zitten. Ze keek naar Neil, maar Neil knikte dat hij het eens was met Jack.
'Oké,' zei ze met tegenzin.
'Dat is het dan,' zei Jack terwijl hij op zijn dijen sloeg. 'We houden jullie op de hoogte. Ik zou graag willen dat je in je kamer bleef, maar ik weet

dat dat een beetje veel gevraagd is, en dat is waarschijnlijk ook niet nodig. Maar blijf wel in het hotel.'

'Kan ik helpen?' vroeg Neil.

'Dat zullen we je laten weten,' zei Jack. 'Geef me je mobiele nummer. In de tussentijd moet je Jennifer bezighouden zodat ze niet in de verleiding komt het terrein te verlaten.'

'Doe niet zo bevoogdend,' klaagde Jennifer.

'Sorry,' zei Jack. 'Dat klonk een beetje neerbuigend. Sarcasme is mijn humor. Zoals ik al zei, ik vind het ontzettend goed dat je het onderzoek tot dit punt helemaal hebt doorgezet, ondanks je verdriet. Ik betwijfel of ik dat had kunnen doen.'

Nadat ze elkaar goedenacht hadden gewenst, stonden Jack en Laurie op en lieten de andere twee achter om hun bier op te drinken. Terwijl ze de lobby uitliepen zei Jack dat hij langs de balie van de conciërge wilde gaan om voor de volgende ochtend een busje te reserveren.

'Wat wil je met een busje?' vroeg Laurie.

'Als we een lichaam van A naar B willen vervoeren, wil ik daarop voorbereid zijn.'

'Goed idee,' zei Laurie glimlachend.

Een paar minuten later, in de lift op weg naar de zesde verdieping, zei Laurie: 'Ik heb vanavond iets gehoord waar ik nog niks van wist. Jennifers vader heeft haar als kind kennelijk misbruikt.'

'Dat is afschuwelijk,' zei Jack, 'maar ze heeft zich daar kennelijk overheen gezet.'

'Zo lijkt het wel.'

'Heeft zij het jou verteld?'

'Nee, Neil. Het was per ongeluk. Tenminste dat denk ik. Hij was ervan overtuigd dat ik, door mijn mentorschap, ervan op de hoogte was, maar dat was niet zo. Vertel het dus aan niemand.'

Jack keek haar overdreven vragend aan. 'Aan wie zou ik het moeten vertellen?'

'Ben je klaar?' vroeg Neil, nadat Jennifer de laatste slok van haar bier had genomen. Ze knikte en zette het lege flesje weer op tafel. Ze stond op, stak haar hand uit en hees hem overeind. Ze liepen naar de lift.

'Ik vind het idee om in het hotel te moeten blijven helemaal niet leuk.'

'Maar het is wel het verstandigst. Waarom zou je nu risico lopen? Ik had

eraan gedacht maar durfde het niet voor te stellen.'
Jennifer wierp hem een korte, geprikkelde blik toe.
Ze stapten in de lift. 'Verdieping, alstublieft,' vroeg de liftjongen.
Jennifer en Neil wisselden een blik, niet zeker wie er iets zou gaan zeggen.
'Acht,' zei Jennifer, toen Neil bleef zwijgen.
Ze zeiden niets terwijl ze naar boven gingen, en ook niet toen ze naar Jennifers kamer liepen. Voor haar deur stonden ze stil.
'Ik hoop niet dat je verwacht om binnen te mogen komen,' zei Jennifer. 'Niet om halftwee 's nachts.'
'Wat jou betreft, sta ik mijzelf niet toe ook maar iets te verwachten. Het is altijd een verrassing.'
'Goed. Ik ben behoorlijk kwaad op je geweest in LA. Ik had een andere reactie verwacht.'
'Dat besefte ik achteraf. Maar we hadden er natuurlijk een beetje langer over kunnen praten.'
'Waarom? Ik begreep dat je niet mee zou gaan, zelfs niet nadat ik uitgelegd had hoezeer ik je nodig had.'
'Maar je hebt je prima gered zonder mij. Verandert dat de zaak voor je gevoel niet een beetje?'
'Nee,' zei Jennifer zonder te aarzelen.
'Hoe vind je het dan dat ik toch ben gekomen, ook al zei ik van niet? Dat heb je nog niet gezegd.'
'Ik stel het op prijs, maar het verwart me ook. Ik denk dat ik nog niet weet of ik je echt kan vertrouwen, Neil. Ik moet je kunnen vertrouwen. Voor mij is dat essentieel.'
Neil kromp inwendig in elkaar toen hij eraan terugdacht hoe hij die avond haar geheim aan Laurie had verteld. Hij wist zeker dat ze zou besluiten dat hij niet te vertrouwen was als hij dat nu aan haar zou bekennen. Er overspoelde hem een gevoel van vermoeidheid. Was het dit allemaal waard? Hij wist het niet, want er was geen garantie dat ze ooit in staat zou zijn tot een normale relatie van geven en nemen. Hij was bang dat hij in haar ogen altijd alleen maar goed of alleen maar slecht zou zijn, terwijl hij in werkelijkheid ergens ertussen zat, net als iedereen.
'Wie belt wie morgenvroeg?' vroeg Neil, in een poging de stemming wat te verlichten. Elke vage gedachte aan mogelijke intimiteiten waren verdwenen op het moment dat ze zei dat ze hoopte dat hij niet verwachtte in haar kamer te mogen komen.

'Waarom spreken we geen tijd af?' vroeg Jennifer. 'Wat vind je ervan om om negen uur samen te ontbijten in de ontbijtzaal?'
'Klinkt goed,' zei Neil. Hij stond op het punt om weg te lopen toen Jennifer hem omhelsde.
'Eigenlijk,' zei Jennifer, terwijl ze haar hoofd tegen zijn borst legde, 'vind ik het fantastisch dat je hier bent. Ik ben alleen bang om het te tonen uit angst dat ik teleurgesteld zal worden. Het spijt me dat ik zo sceptisch ben.' Met die woorden liet ze hem los, drukte een snelle kus op zijn lippen en verdween in haar kamer.
Een seconde lang bleef Neil staan, volkomen verrast door haar actie. Zoals hij al had gezegd, het was altijd weer een verrassing.

30

19 oktober 2007
vrijdag 7.45 uur
New Delhi, India

Inspecteur Naresh Prasad reed de oprit van het Amal Palace Hotel op. Ondertussen keek hij op zijn horloge. Het was vroeger dan het tijdstip waarop hij gisteren was gearriveerd, maar niet zo vroeg als zijn bedoeling was geweest. Hij was gemakshalve vergeten dat het verkeer tijdens de spits op vrijdagochtend altijd nog een beetje erger was dan op andere dagen, en het had hem meer tijd gekost om naar zijn kantoor en vandaar naar het hotel te komen dan hij had gepland.
De sikh-hoofdportier herkende hem en wees met zijn stapeltje parkeertickets naar dezelfde plek als de dag tevoren. Naresh reed onder de overkapping door, draaide eromheen en parkeerde. Hij zwaaide naar de portier toen hij het hotel in liep. De portier salueerde.
'Weer terug, inspecteur?' vroeg Sumit vrolijk toen Naresh bij de balie van de conciërge kwam.
'Helaas wel,' antwoordde Naresh kribbig. Om eerlijk te zijn was hij niet gelukkig met zijn opdracht. Zijn instructies waren hopeloos vaag, net als de dag ervoor, wat toen tot een ramp had geleid. Wat betekende het nou eigenlijk dat hij Jennifer Hernandez in de gaten moest houden? Het leek op babysitten. En hoe langer Naresh nadacht over het drama van de vorige dag, des te meer hij ervan overtuigd was dat de schuld volledig bij Ramesh lag.
'U hebt geluk, vandaag,' zei Sumit. 'Ik heb juffrouw Hernandez nog niet gezien, maar haar begeleider wel.'
'Logeert hij hier ook?'
'Zeker.'
'Hoe heet hij?'
'Neil McCulgan.'
'Logeren ze in dezelfde kamer?'

'Nee, gescheiden kamers.'
'Is hij al weg?'
'Nee. Hij droeg sportkleding. Hij is beneden in de fitnessruimte.'
'Ik geloof dat juffrouw Hernandez me gisteren gezien heeft, dus ik denk dat ik in de auto moet wachten.'
'Heel goed, ' zei Sumit. 'We zullen ons best doen u op de hoogte te houden.'
'Dank je,' zei Naresh. 'Ondertussen zou ik het op prijs stellen als je me wat thee zou kunnen laten brengen.'
'Natuurlijk. Het komt eraan.'

'Het is onvoorstelbaar dat de Indiase rijksambtenaren rustig kunnen slapen terwijl al die kinderen hier op straat staan te bedelen,' zei Laurie verontwaardigd terwijl zij en Jack het Queen Victoria Hospital binnenliepen. Tijdens de rit naar het ziekenhuis was ze heel boos geworden over de vreselijke situatie waarin de kinderen verkeerden die ze zag. Rekening houdend met haar hormonale gevoeligheid, had Jack ervoor gezorgd dat hij volledig instemde met haar reactie.
'Wat vind jij van dit ziekenhuis?' vroeg Jack in een poging van onderwerp te veranderen.
Laurie liet haar blik door de grote, luxueuze lobby met het moderne meubilair en de marmeren vloer glijden. 'Het is heel fraai.' Ze keek in de koffiehoek. 'Heel erg fraai.'
'Oké,' zei Jack. 'Terwijl jij naar je afspraak met dokter Ram gaat, ga ik Maria Hernandez' lichaam eens bekijken.'
'Ga je niet mee om de echo te zien?' vroeg Laurie klagend. 'Die heb je nog nooit gezien.'
'Ik kom eraan,' stelde Jack haar gerust. 'Ik wil alleen maar even naar het lichaam kijken zodat we weten waar we mee te maken krijgen. Dan kom ik naar de echo kijken. Dat beloof ik.'
Aarzelend zag Laurie Jack naar de liften lopen terwijl zij naar de drukke hoofdbalie van het ziekenhuis ging.
Jack was heel erg onder de indruk van het ziekenhuis. Naar zijn mening was het niet alleen modern, maar ook met veel zorg en met superieure materialen gebouwd. Kennelijk was er niet beknibbeld op het geld toen het ziekenhuis werd ontworpen. Terwijl hij stond te wachten op de lift zag hij dat de verpleegsters ouderwetse witte uniformen met een kapje

droegen. Het zag er een beetje nostalgisch uit. Omdat de meeste mensen met de lift omhoog gingen, had Jack op weg naar beneden een hele lift voor zichzelf.
Nadat hij was uitgestapt in de kelder liep hij de hal door en wierp een blik in het moderne restaurant. Er zat een handjevol artsen en verpleegsters koffie te drinken. Niemand besteedde enige aandacht aan hem. Teruglopend naar de lift opende hij de eerste van de twee inloopkoelcellen. Er lagen geen lichamen. Jack sloot de zware deur en liep door naar de volgende. De tamelijk sterke geur vertelde hem dat hij op de juiste plek was.
Er stonden twee brancards met een lichaam erop, beide afgedekt met een laken. Gelukkig voor iedereen was de temperatuur tamelijk laag, rond het vriespunt, veronderstelde Jack. Hij greep het laken over de eerste brancard en sloeg het terug. De patiënt was een dikke man van midden vijftig. Jack veronderstelde dat het Herbert Benfatti was.
Nadat hij Benfatti weer had toegedekt, liep Jack naar de tweede brancard. Hij sloeg het laken terug en keek neer op Maria Hernandez. Haar brede, volle gezicht was een beetje ingevallen, waardoor haar mond in een grimas naar beneden werd getrokken. Ze had een vlekkerige, vaag blauwgroene kleur. Toen hij het laken nog verder wegtrok zag Jack dat ze nog steeds haar operatieschort droeg. Zelfs haar infuus was nog niet verwijderd. Jack trok het laken weer over haar heen. Even overwoog hij hoe hij de hele toestand aan zou pakken. Volgens hem was er niet veel keus.
Jack liep de koelcel weer uit. Hij keek de lange gang door en zag een bewaker in een veel te groot uniform op een stoel zitten naast een dubbele deur. Zonder zich te haasten liep Jack naar de oudere man toe, die hem zag naderen maar verder niet bewoog.
'Hallo,' zei Jack met een glimlach. 'Ik ben dokter Stapleton.'
'Ja, dokter,' zei de bewaker. Behalve zijn mond en ogen bewoog er niets. Hij zag eruit als een standbeeld tot Jack een deels onderdrukte trilling zag. Jack veronderstelde dat de man parkinson had.
Hij duwde de deuren open en stapte naar buiten het laadbordes op. Er stond een bestelwagen op de kleine parkeerplaats, met op de zijkant in keurige letters QUEEN VICTORIA HOSPITAL FOOD SERVICE. Tevreden liep Jack weer naar binnen. Hij glimlachte naar de bewaker die terug lachte. Jack vertrouwde erop dat ze nu oude vrienden waren.
Weer terug in de lift drukte hij op de knop voor de derde verdieping. Het

maakte hem niet veel uit, hij wilde gewoon naar een patiëntenverdieping, en toen de deur openging wist hij dat hij goed gegokt had. Hij liep naar de drukke balie. De eerste groep patiënten was al iets langer dan een uur geleden naar de ok's gestuurd, en de tweede groep werd voorbereid. Het was een beetje een chaos.

'Neem me niet kwalijk,' zei Jack tegen de geplaagde afdelingsreceptionist. 'Ik heb een rolstoel nodig voor mijn moeder.'

'De ruimte naast de liften,' zei de receptionist, wijzend met de pen in zijn hand.

Zonder zich te haasten liep Jack naar de aangewezen ruimte en rolde een van de stoelen naar buiten. De opgevouwen wafeldeken die op de zitting lag nam hij ook mee. Hij reed de stoel naar de lift en ging terug naar de kelder. Daar reed hij de rolstoel de koelcel met de twee lichamen in en liet hem daar staan.

Nadat hij terug was gegaan naar de hoofdingang, liep Jack naar de parkeerplaats, stapte in het bestelbusje dat de conciërge van het Amal Palace Hotel voor hem geregeld had en reed het naar de achterkant van het ziekenhuis. Hij parkeerde het naast de bestelwagen van de catering van het ziekenhuis, met de achterkant tegen het laadbordes.

Toen hij het ziekenhuis via het laadbordes binnenliep, glimlachte en groette hij de oudere bewaker weer. Nu waren ze nog betere vrienden. De glimlach van de tandeloze bewaker was zelfs nog breder. Terwijl hij de hal doorliep naar de lift die hem naar de lobby zou brengen zodat hij de weg naar dokter Rams spreekkamer kon vragen, pakte hij zijn mobiele telefoon en het papiertje met Neil McCulgans nummer erop, en toetste het in.

'Ik hoop dat ik jullie niet wakker maak,' zei Jack toen Neil antwoordde.

'Helemaal niet,' zei Neil. 'Ik zit in de gymzaal op de hometrainer. Ik heb om negen uur met Jennifer afgesproken.'

'Je vroeg gisteravond of je kon helpen.'

'Graag,' zei Neil. 'Wat heb je nodig?'

'Ik veronderstel dat ze Jennifer al de spullen van haar grootmoeder hebben gegeven. Wat ik moet hebben is een stel kleren. Kun je er Jennifer om vragen en ze dan snel hier naar het Queen Victoria Hospital komen brengen? Laurie en ik zullen bij dokter Arun Ram zijn. Ik weet niet waar zijn spreekkamer is.'

'Kleren? Waar heb je kleren voor nodig?'

'Maria heeft ze nodig, ik niet. Ze wordt over ongeveer een uur ontslagen.'

Toen Veena die dag de bungalow verliet om naar haar werk te gaan, had Cal haar instructies gegeven om voorzichtig te achterhalen wat er met Maria Hernandez' lichaam was gebeurd. Ook al had hij de avond ervoor haar, Samira en Raj uitdrukkelijk gezegd dat ze niet de aandacht op zichzelf mochten vestigen door zulke vragen te stellen. Maar nu de Amerikaanse pathologen-anatomen kwamen was hij van gedachten veranderd.

Terwijl hij zijn joggingschoenen dichtknoopte ter voorbereiding op een stukje hardlopen, liet hij zijn gedachten gaan over wat Veena hem die avond zou kunnen vertellen. Hij hoopte, en hij was redelijk optimistisch, dat de gebeurtenissen van die dag het eind van het probleem zouden zijn. Hij wilde horen dat het lichaam was gecremeerd of op zijn minst was gebalsemd.

Terwijl hij nadacht over Maria Hernandez, kon hij echter niet nalaten zich druk te maken over Jennifer Hernandez en over wat haar wantrouwen had gewekt. Tijdens de ochtendvergadering in de serre had hij bijna verteld wat zijn plannen waren, maar op het laatste moment was hij van gedachten veranderd. Hij was bang voor de reactie van Petra en Santana, vooral die van Santana, wat betreft de noodzaak Jennifer Hernandez te laten verdwijnen nadat hij had gehoord wat hij wilde horen.

Cal sprong een paar keer op en neer. Zijn schoenen waren nieuw en hij wilde zeker weten dat ze goed zaten. Hij pakte zijn waterfles en liep naar de deur. Maar het aanhoudende gerinkel van zijn telefoon hield hem tegen en hij overlegde even snel met zichzelf. Neem ik hem aan of laat ik hem op het antwoordapparaat overgaan?

Nu er zoveel tegelijk gebeurde, kon hij hem misschien maar beter aannemen, maar hij raakte er wel door geïrriteerd. 'Ja!' riep hij nors.

'Met Sachin,' antwoordde een even norse stem.

'O, ja, meneer Gupta,' zei Cal op een wat zakelijker toon.

'Je hebt gisteravond gebeld.'

'Ja. We hebben weer een klus. Ben je beschikbaar?'

'Dat hangt af van de klus en van wat er tegenover staat.'

'Er staat meer tegenover dan de laatste keer.'

'Geef me een idee van het soort klus.'

'Het gaat om een Amerikaanse. Een jonge vrouw. We willen haar hier misschien vierentwintig uur bezighouden en dan willen we graag dat ze vertrekt.'

'Voorgoed?'
'Ja, voorgoed.'
'Weten jullie waar ze zich bevindt, of hoort het bij de opdracht dat uit te zoeken?'
'We weten waar ze is.'
'Dat wordt het dubbele van de laatste keer.'
'Wat vind je van anderhalf keer?' stelde Cal voor. Hoewel hij niet geïnteresseerd was in de kosten, had hij een niet te onderdrukken neiging om te onderhandelen.
'Het dubbele,' zei Sachin.
'Oké, het dubbele,' antwoordde Cal. Hij wilde gaan hardlopen. 'Maar ik wil dat het vandaag gebeurt, als dat kan.'
'Ik kom zo langs voor de helft van het geld en vanavond voor de rest.'
'Ik ga nu even joggen. Geef me een halfuur.'
'Hoe heet ze en waar kan ik haar vinden?'
'Jennifer Hernandez en ze logeert in het Amal Palace Hotel. Is dat een probleem?'
'Nee. Dat hoeft niet. We hebben vrienden bij de onderhoudsdienst. We zullen het je laten weten. Ik zal je bellen voor we je gast afleveren voor haar bezoek.'
'Het is prettig zakendoen met jou.'
'Van hetzelfde,' zei Sachin voor hij ophing.
'Dat was makkelijk,' zei Cal tegen zichzelf terwijl hij de hoorn op de haak legde.

'Natuurlijk kan ik ze zien,' zei Jack. Hij boog zich over Laurie, die half achterover lag op de onderzoekstafel. Dokter Arun Ram stond tussen haar met een laken bedekte benen met zijn ene hand de ultrasone transducer te besturen en met de andere naar het scherm te wijzen. Hij was een kleine man met een honingkleurige huid en opvallend donker, dik, halflang goed geknipt haar. Hij was ook jong. Jack dacht begin dertig. Wat Jack het meest opviel was de rust die hij uitstraalde.
'Ik ben verbaasd dat ik ze zo goed kan zien,' voegde hij er opgewonden aan toe. 'Laurie, kun jij ze zien?'
'Als jij eens voor het scherm weg zou gaan.'
'O, sorry,' zei Jack. Hij ging wat achteruit. Met zijn wijsvinger telde hij er vier alleen al in de linkereierstok.

'Het is een prachtige oogst,' stemde Arun in. Zijn stem kwam overeen met zijn gedrag.
'Hoe lang moet ze nog door gaan met de injecties?' vroeg Jack.
'Ik zal ze eens meten,' zei Arun, en voegde eraan toe: 'Kunt u de transducer vasthouden terwijl ik een liniaal pak?'
'Dat denk ik wel,' zei Jack, niet helemaal zeker wetend of hij wel doktertje wilde spelen bij zijn eigen vrouw. Maar hij nam de transducer van Arun aan zonder te kijken. Het beeld werd onmiddellijk verstoord.
'Voorzichtig!' klaagde Laurie.
'Sorry,' zei Jack verontschuldigend. Kijkend naar het scherm probeerde hij de transducer weer terug te brengen naar het punt waar hij was geweest. Hij was nerveus.
Arun trok de la in de onderzoekstafel open en haalde er een liniaal uit. Hij legde hem op het scherm en las de diameters van de eitjes af. 'Zeventien, achttien, zestien en zeventien millimeter. Dat is fantastisch!' Hij legde de liniaal weer weg. 'Ik denk dat we uw hormooninjectie van vandaag kunnen vervangen door de HCG-injectie,' voegde hij eraan toe. Hij nam de transducer weer over van Jack en haalde hem weg. Hij gaf Laurie een geruststellend klopje tegen haar knie. 'We zijn klaar. U kunt opstaan, en we zien elkaar in mijn spreekkamer.' Hij gebaarde Jack hem te volgen.
'De HCG-injectie is vandaag?' vroeg Laurie. 'Fantastisch!'
'Ze hoeven niet veel groter te zijn,' voegde Arun eraan toe, vanuit de deuropening van zijn spreekkamer. In zijn spreekkamer trok hij een paar stoelen naar zijn bureau. Jack nam er een van. Arun ging zitten en schreef zijn bevindingen op een statusformulier dat hij voor Laurie was begonnen. 'Dit ziet eruit als een gunstige cyclus, met vier zulke gezond uitziende follikels bij de functionerende eileider. Dokter Schoener zal heel tevreden zijn. Als de HCG-injectie vandaag wordt gegeven, en dat zou ik willen aanbevelen, dan moet de bevruchting morgen zijn. Gaan we over tot intra-uteriene inseminatie of wat is uw voorkeur?'
'Ik denk dat we op Laurie moeten wachten,' zei Jack.
'Met plezier,' zei Arun terwijl hij de status afmaakte en opzij legde. 'Heeft uw vrouw verteld dat ik ooit ook de wens heb gekoesterd forensisch patholoog-anatoom te worden hier in India?'
'Ik geloof het niet. Ik kan het me niet herinneren.'
'Het is ook niet belangrijk. De reden dat ik het niet heb gedaan is dat de

faciliteiten voor forensische pathologie van oudsher heel slecht zijn, om bureaucratische redenen.'

'Ik heb gemerkt dat er zelfs in een ziekenhuis als dit geen mortuarium is.'

'Dat klopt,' zei Arun. 'Er is weinig behoefte aan. Hindoe- en moslimfamilies claimen hun doden direct vanwege religieuze redenen.'

'Hier ben ik,' zei Laurie vrolijk, de kamer in stappend. 'Ik ben zo blij dat we aan de HCG-injectie toe zijn. Ik kan je niet zeggen hoe vreselijk ik het vond om die hormonen te moeten nemen.'

'Ik heb uw man gevraagd naar IUI,' zei Arun tegen Laurie. 'Hij wilde op u wachten.'

Laurie keek naar Jack. 'Waarom wilde je op mij wachten?'

Jack haalde zijn schouders op. 'Hij vroeg waar onze voorkeur naar uitging.'

'Nou, de natuurlijke manier is natuurlijk veel prettiger. Zonder enige twijfel. Maar door het intra-uterien te doen komen al die kleine kereltjes wel precies op de plek waar ze moeten zijn. Na al onze moeite kunnen we geen risico nemen. Ik ben bang dat het IUI zal moeten worden.'

'Prima,' zei Jack, zijn handen heffend.

'Laten we een afspraak maken voor morgen. Wat vindt u van twaalf uur?'

Laurie en Jack keken elkaar aan en knikten. 'Dat is goed,' zei Laurie.

'Om twaalf uur dus,' zei Arun. 'We zullen doen wat we kunnen om ervoor te zorgen dat uw kleintje hier in India verwekt wordt. Nu we dat geregeld hebben, vraag ik me af wat u hier in het Queen Victoria Hospital te doen hebt. Is er iets waarmee ik u kan helpen? Ik ben nu vrij. Vandaag is mijn onderzoeksdag.'

'Hebt u vrienden die patholoog-anatoom zijn?' vroeg Laurie.

'Ja. Een heel goede vriend zelfs: dokter Vijay Singh. We zijn al sinds onze jeugd bevriend. We wilden allebei forensische geneeskunde studeren. Hij heeft het gedaan en doceert nu aan een van de medische privéscholen hier in New Delhi.'

'Hebben ze pathologiefaciliteiten bij die opleiding?' vroeg Jack optimistisch.

'Zeker. Er is een klein ziekenhuis bij.'

'En hoe zit het met autopsiefaciliteiten?' vroeg Laurie.

'Natuurlijk. Zoals ik al zei, het is een medische opleiding. Ze doen een heleboel academische autopsies.'

Jack en Laurie keken elkaar aan en knikten toen. Ze kenden elkaar goed

genoeg om een belangrijke hoeveelheid communicatie non-verbaal te kunnen uitwisselen.
'Arun, mogen we je Arun noemen?' vroeg Jack.
'Graag zelfs,' zei Arun.
'Denk je dat je vriend Vijay bereid zou zijn om ons zijn faciliteiten te laten gebruiken?' vroeg Jack. 'We zouden graag een autopsie willen uitvoeren.'
'Je moet toestemming hebben hier in India om een autopsie te mogen uitvoeren.'
'Dit is een speciaal geval,' zei Jack. 'Het gaat niet om een Indiase maar om een Amerikaanse vrouw, het meest naaste familielid is hier en ze geeft toestemming.'
'Dat is een ongewoon verzoek,' zei Arun. 'Om eerlijk te zijn ken ik de wettelijke regels hiervoor niet.'
'Wij zijn van mening dat het heel belangrijk is dat er een autopsie komt.'
'Het zou een mogelijke seriemoordenaar tegen kunnen houden,' zei Laurie. 'Waar we bezorgd om zijn is dat er misschien een Indiase engel des doods aan het werk is, een gezondheidszorgmedewerker die Delhi nog niet in beeld heeft, en die Amerikaanse medische toeristen als doelwit heeft. We waren van plan naar de ziekenhuisdirectie te gaan maar we hebben na onze aankomst hier gehoord dat de directie, om de een of andere onverstandige reden, absoluut tegen een onderzoek is.'
'Hoe hebben jullie hierover gehoord?' vroeg Arun.
'Puur toevallig is een jonge vrouw die ik al heel lang ken hier omdat haar grootmoeder waarschijnlijk het eerste slachtoffer is.'
'Ik denk dat jullie me beter het hele verhaal kunnen vertellen,' zei Arun.
Samen vertelden Laurie en Jack alles wat ze de avond tevoren van Jennifer en Neil hadden gehoord, inclusief de vermoedelijke aanslag op Jennifers leven. Arun was geboeid door het verhaal en luisterde geconcentreerd terwijl hij nauwelijks met zijn ogen knipperde. 'Dat is het,' zei Jack en Laurie knikte. 'Als er ooit een sterfgeval was waarbij een autopsie noodzakelijk was, dan is het dat van Maria Hernandez en van de twee anderen,' voegde Jack eraan toe. 'Wij zien het als een mogelijke vergiftiging of een toxicologisch probleem, maar er zijn gevallen waarbij de autopsie toxicologische middelen kan aantonen. We moeten beslist een autopsie uitvoeren.'
'De enige toxicologielaboratoria hier in India zijn in de openbare zieken-

huizen, zoals het All India Institute of Health Sciences waar ik ben afgestudeerd, maar u kunt daar geen autopsie doen. Vijays instituut zou de beste keus zijn, en hij zou kunnen regelen dat het toxicologisch onderzoek wordt uitgevoerd. Ik heb over deze gevallen gehoord, moet je weten. Er wordt niet veel over gepraat, maar ik weet er wel iets van. Er zijn namelijk maar heel weinig gevallen in het Indiase medisch toerisme die verkeerd aflopen, en als het al zo is dan gaat het altijd om een zaak met een verhoogd risico.'

'Normaal gesproken is er bij dit soort seriemoorden in de gezondheidszorg sprake van een zekere rationaliteit,' begon Laurie, 'zoals een verkeerd geïnterpreteerde wens om lijden te voorkomen of het in gevaar brengen van mensen en ze dan redden om de credit te krijgen. Kun je bedenken wat hierachter zou kunnen zitten, het doden van Amerikaanse medische toeristen? Wij in elk geval niet.'

'Ik wel,' zei Arun. 'Niet iedereen in de gezondheidszorg in India is gelukkig met deze plotselinge explosie in de privésector, waarvoor uitzonderlijk goed geoutilleerde plekken worden gecreëerd als het Queen Victoria Hospital, waardoor twee sterk verschillende systemen ontstaan. Op dit moment wordt meer dan tachtig procent van het budget voor de gezondheidszorg gespendeerd aan deze relatief kleine sector, terwijl het veel grotere algemene gezondheidssysteem financieel in de problemen komt, vooral op het gebied van overdraagbare ziekten in plattelandsgebieden. Ik ken een aantal academische types die radicaal tegen het subsidiëren van het medisch toerisme door de Indiase regering zijn, zelfs al is het uiteindelijk goed voor India vanwege het geld. Om dit te begrijpen hoef je alleen maar van dit ziekenhuis naar een openbaar ziekenhuis te gaan. Het is het verschil tussen een medisch nirvana en een medische onderwereld.'

'Fascinerend,' zei Laurie. 'Ik heb het nooit gezien als een geldprobleem.'

'Ik ook niet,' zei Jack. 'Dat betekent dat er waarschijnlijk radicale studenten zijn die hier ook op tegen zijn.'

'Ongetwijfeld. Het is een gecompliceerd probleem, net als alle andere problemen in een land met een miljard inwoners.'

'Maar waarom wil de directie van het ziekenhuis een onderzoek tegenhouden?' vroeg Laurie.

'Dat kan ik niet zeggen. Ik denk dat het weer een of andere ongefundeerde bureaucratische beslissing is. Dat is meestal de verklaring voor irrationeel gedrag in India.'

'En waarom nou juist Amerikanen? Er komen toch ook medische toeristen uit andere landen?'
'Absoluut. Volgens mij komen de meeste zelfs uit de rest van Azië, het Midden-Oosten, Europa en Zuid-Amerika. Maar toch richt men zich op dit moment speciaal op de VS. Ik geloof dat het departement voor medisch toerisme van de regering specifiek naar de VS kijkt als een belangrijke groeibron om boven de dertig procent per jaar uit te komen. We hebben de capaciteit. De bestaande privéziekenhuizen zijn momenteel onderbezet.'
'Wat is jouw mening over het medisch toerisme?' vroeg Laurie.
'Persoonlijk ben ik ertegen, tenzij de hele gezondheidszorg zou profiteren van de winst. Maar dat is niet het geval en dat zal ook nooit gebeuren. De winsten worden afgeroomd door de nieuwe megazakenlieden, waarvan we er meer dan genoeg hebben. Bovendien is het systeem met twee verschillende lagen dat wordt gecreëerd in mijn optiek ethisch niet te verdedigen.'
'Maar toch gebruik je de privéziekenhuizen,' zei Laurie hem.
'Dat klopt. Dat geef ik ronduit toe, maar ik doe ook mijn deel in de openbare ziekenhuizen. Ik verdeel mijn tijd, door pro bono te werken in het openbare ziekenhuis als gynaecoloog, en ik onderhoud mijzelf en mijn gezin met mijn privépatiënten. Omdat we met niet zoveel zijn, heb ik ervoor gezorgd dat ik in de staf van de meeste privéziekenhuizen zit ten gunste van mijn patiënten, hoewel ik slechts in twee ervan een spreekkamer heb.'
'Zit je ook in de staf van het Aesculapian Medical Center?'
'Ja. Waarom vraag je dat?'
'Er was een derde sterfgeval in dat ziekenhuis dat overeenkomt met de twee hier. Wij denken dat degene die erbij betrokken is een relatie met beide instellingen moet hebben. Daarom denken we dat we te maken zouden kunnen hebben met een arts.'
'Dat is een goed punt,' zei Arun.
'Omdat je geen voorstander bent van medisch toerisme, wil je ons misschien niet helpen om een mysterie op te lossen dat het medisch toerisme in een kwaad daglicht stelt. Het zou een van jouw collega's of een van je radicale studenten kunnen zijn die erachter zit.'
'Ik kan deze situatie niet zomaar op z'n beloop laten,' zei Arun vastbesloten. 'Ik wil jullie heel graag helpen. Door mijn interesse in forensische

geneeskunde vind ik het zelf ook intrigerend. Wat zullen eerst doen?'
'De autopsie, zonder enige twijfel,' zei Jack.
'Ik ga Vijay bellen,' zei Arun en pakte zijn telefoon.

31

19 oktober 2007
vrijdag 9.45 uur
New Delhi, India

Inspecteur Naresh Prasad verveelde zich en zat niet lekker. Hij had zijn thee gehad en hij had de krant van voor tot achter gelezen. Hij zat al bijna drie uur in zijn Ambassador, zonder een teken van Jennifer Hernandez en geen woord van de balie van de conciërges. Hoewel hij er zeker van was dat hij waarschijnlijk tegen haar aan zou lopen op het moment dat hij de auto uitstapte, deed hij dat toch. Hij liet de deur op een kier staan.

Naast de auto rekte hij zich uit en boog zich daarna voorover tot hij bijna zijn tenen raakte. Het was het enige wat hij kon doen. De sikh-portier wuifde en glimlachte. Naresh wuifde terug. Nog steeds geen juffrouw Hernandez. Hij keek in de auto. Hoewel hij wist dat hij geduld hoorde te hebben en weer in de auto moest stappen, kon hij zich er niet toe zetten. Het was te warm in de auto zo pal in de zon.

Hij keek weer in de richting van het hotel. Wat deed ze toch? Waarom was ze nog niet naar beneden gekomen? Maar toen besefte hij dat hij alleen maar aannam dat ze nog niet naar beneden was gekomen, en als dat wel zo was dat Sumit hem dat dan zou hebben laten weten. Naresh besloot dat het tijd was om zelf uit te vinden of ze al gezien was.

Hij sloot de deur van de auto en liep onder de overkapping door, voortdurend rondkijkend of hij juffrouw Hernandez zag. Hij liep het hotel in en ging naar de balie.

'Goedemorgen inspecteur,' zei Lakshay. Sumit was bezig met een gast.

'Is ze nog niet verschenen?' vroeg Naresh op boze toon, alsof het de schuld van de conciërges was.

'Niet dat ik weet. Ik zal het even aan mijn collega vragen.' Lakshay tikte Sumit op zijn arm en fluisterde hem discreet iets toe achter zijn hand.

'Nee, mijn collega bevestigt het. We hebben juffrouw Hernandez nog niet gezien vandaag.'

'Kun je een reden bedenken om haar kamer te bellen?' vroeg Naresh. 'Ik wil weten of ze daar nog is.'
'Nee, dat kan ik niet,' zei Lakshay.
'Geef me de telefoon,' beval Naresh. 'Hoe krijg ik de telefoniste?'
Zodra hij de telefoniste aan de telefoon had, vroeg Naresh om doorverbonden te worden met Jennifer Hernandez. De telefoon ging maar een paar keer over. Een slaperige stem antwoordde.
'Het spijt me,' zei Naresh. 'Ik denk dat ik het verkeerde nummer heb.'
'Maakt niet uit,' zei Jennifer en hing op.
Naresh deed hetzelfde. Ze lag in haar kamer te slapen en hij vroeg zich af wat hij zou doen.

Sachin Gupta liet zijn chauffeur via de dienstingang naar binnen rijden. Er was een hek en een portiersloge. Sachin opende het raampje aan de passagierskant. Hij kon merken dat de portier onder de indruk was van de stralend schone, zwarte Mercedes.
'We zijn hier om Bhupen Chaturvedi te spreken,' zei Sachin. 'Hij werkt bij onderhoud. Hij is vanochtend zijn medicijnen vergeten en die komen we hem brengen.'
De portier sloot zijn deur. Sachin zag hem een telefoontje plegen. Even later opende hij de deur weer. 'U kunt daar bij die muur parkeren,' zei hij. 'Bhupen komt bij het laadbordes naar u toe.'
Sachin bedankte de man maar zei Suresh rechtstreeks naar het laadbordes te rijden. Bhupen stond al te wachten. Hij gebaarde dat ze de auto achterwaarts in de naastgelegen garage moesten rijden die was gereserveerd voor de afdeling onderhoud. De identificatiekaart die hij had meegebracht gooide hij op het dashboard. Als een van de onderhoudschefs was hij gekleed in een schoon donkerblauw uniform met een bijpassende baseballcap. Hij was een licht getinte, gedrongen man met een dikke nek. Hij en Sachin waren vrienden geweest op de middelbare school.
'Ga je hiermee akkoord?' vroeg Sachin. 'Er zal een enorme rel van komen en een onderzoek: Amerikaanse toeriste ontvoerd uit vijfsterrenhotel!'
'Wat ik wil weten is of je het geld hebt meegebracht,' zei Bhupen.
Sachin haalde een flinke rol roepies tevoorschijn en gooide hem naar Bhupen die hem snel in zijn zak stopte.
'Ik zou denken dat jij je zorgen zou moeten maken door hier in die opvallende auto naartoe te komen,' zei Bhupen.

'Er rijden duizenden van dit type zwarte Mercedessen in Delhi en de nummerplaten zijn vals. Wat is eigenlijk dat medicijn dat ik je zogenaamd breng?'
'Mijn astma-inhaler.'
'En hoe zit het met dat meisje? Is ze nu in het hotel?'
'Direct nadat je belde vanochtend heb ik het gecontroleerd. Ze was nog in haar kamer want de veiligheidsketting zat er nog op. De jetlag heeft haar waarschijnlijk te pakken.'
'Dat is mazzel. Dus we doen het op dezelfde manier als de laatste keer?'
'Dat klopt. Ik heb het karretje met de grote instrumentenkist al op de verdieping gezet. Haar kamer is dicht bij de dienstliften. Heb je je eigen tape meegebracht?'
Sachin hield een nieuwe rol omhoog. Ook haalde hij rubberhandschoenen tevoorschijn die hij zijn twee handlangers gaf. Bhupen had zijn eigen handschoenen.
'Zijn we klaar?' vroeg Bhupen.
'Laten we gaan,' zei Sachin.
Ze namen de dienstlift. Niemand sprak. Door de opwinding was iedereen gespannen. Toen ze op de achtste verdieping uitstapten zagen ze dat ze niet alleen waren. Bij de gastenlift stonden vier mensen, maar tegen de tijd dat Sachin en de anderen zich hadden verzameld bij de deur van kamer 812, waren de gasten weg. Bhupen had het karretje opgehaald dat hij had achtergelaten in het halletje bij de dienstlift.
Nadat hij had gecontroleerd of de gang leeg was, legde Bhupen zijn oor tegen de deur. 'Het klinkt alsof ze in de douche is. Dat zou mooi zijn.' Hij pakte zijn loper, controleerde de hal nogmaals en opende Jennifers deur. Bijna direct voorkwam de veiligheidsketting dat hij nog verder geopend kon worden. Iedereen kon het onmiskenbare geluid van de douche horen. 'Perfect,' fluisterde Bhupen. Hij zette zijn schouder tegen de deur, ging even achteruit en liet vervolgens zijn schouder met een keiharde stoot tegen de deur neerkomen. De vier schroeven die de behuizing van de veiligheidsketting tegen de deurpost hielden vlogen er helemaal uit. Een seconde later stonden de vier mannen in het piepkleine halletje van de kamer en werd de deur weer gesloten.
De badkamer was direct links. De deur stond op een kier en er kwam stoom door naar buiten. Sachin gebaarde naar Suresh, de reus, om met hem van plaats te wisselen. Sachin wilde dat Suresh als eerste de badka-

mer in zou gaan. Daarna kwam Sachin, gevolgd door Subrata.
Suresh sloeg zijn grote hand om de rand van de deur, zwaaide hem plotseling open en sprong de badkamer in. Daar was nog veel meer stoom, die hij met zijn hand voor zijn gezicht weg probeerde weg te wuiven terwijl hij door zijn vaart midden in de badkamer belandde.
Maar de haast was onnodig. De douche was achter in de badkamer en dankzij het ruisen van het stromende water en de dichte mist was Jennifer zich nog niet bewust van hun aanwezigheid.
Sachin duwde Suresh opzij en rukte de douchedeur open. Suresh stak zijn handen in de waterstroom en de mist en greep wat hij kon, een bovenarm, zoals bleek. Met al zijn kracht tilde en trok hij, en sleurde Jennifer de badkamer in. Ze schreeuwde maar de schreeuw werd afgebroken toen drie mannen op haar vielen en er een hand over haar mond werd geslagen.
Jennifer probeerde zich los te worstelen maar tevergeefs. Ze probeerde te bijten maar slaagde er niet in haar tanden ergens in te zetten, voor er snel een doek in haar mond werd gestopt. De rol tape werd om haar hoofd gewikkeld om de prop op zijn plaats te houden. Daarna werd de tape om haar bovenlichaam, polsen en op diverse plaatsen om haar benen gewikkeld. Een paar seconden later stonden de drie mannen op en keken neer op hun handwerk.
Op de vloer van de badkamer lag een gekneveld, naakt, nat meisje met doodsbange ogen die van de ene naar de andere overvaller schoten. Het was allemaal in een oogwenk gebeurd.
'Het is een schoonheid,' zei Sachin. 'Wat zonde.'
Vanuit de badkamer konden ze horen hoe Bhupen het karretje de kamer in manoeuvreerde.
'Oké,' zei Sachin. 'Laten we haar in de instrumentenkist stoppen en wegwezen.'
De drie mannen grepen verschillende lichaamsdelen en droegen Jennifer met enige moeite de badkamer uit. Ze probeerde zich te verzetten, maar het was zinloos. In de kamer had Bhupen het deksel van de grote instrumentenkist geopend.
'Leg haar neer,' instrueerde Sachin. Hij keek in de kist, verdween weer in de badkamer en kwam terug met twee dikke badjassen. Bhupen greep er een en drapeerde hem in de kist.
'Perfect,' zei Sachin. Hij wees naar Jennifer en de drie pakten haar weer

op. Jennifer probeerde opnieuw zich te verzetten. Doodsbang probeerde ze te voorkomen dat ze in de kist werd gestopt door zich achterover te buigen, maar het hielp allemaal niks. Ze probeerde weer te schreeuwen maar door de prop kwam alleen maar gedempt gegrom. Bhupen sloot het deksel.
'Ik zal even de gang controleren,' zei Bhupen. Hij was direct terug. 'Niemand te zien.'
Ze manoeuvreerden het karretje de gang in terwijl Suresh de douche dichtdraaide. Daarna sloot hij de deur van de kamer voor hij achter de anderen aanliep. Bhupen duwde het karretje met de instrumentenkist.
'Het zou mooi zijn als we een lege lift zouden kunnen regelen naar beneden,' zei Sachin.
'Dat kan,' zei Bhupen. Hij pakte een liftsleutel en hield hem omhoog. 'Hij hoeft alleen maar leeg te zijn als hij komt.'
De lift was leeg en nadat hij het karretje erin geduwd had zorgde Bhupen er met zijn sleutel voor dat de lift zonder te stoppen doorging naar de kelder. Jennifer bonkte een paar keer tegen de wand maar was toen stil. Ze stapten uit in de kelder en brachten de instrumentenkist naar de onderhoudsgarage. Het duurde maar een paar minuten om Jennifer met de badjassen van de kist over te hevelen naar de kofferbak van de Mercedes. Opnieuw probeerde ze weerstand te bieden, maar niet voor lang.
Toen ze de dienstparkeerplaats verlieten keek de portier niet eens op van zijn krant.
'Ik denk dat dit een van onze succesvolste acties is,' pochte Sachin.
'Vlekkeloos,' stemde Subrata in.
Sachin toetste Cal Morgans nummer in op zijn mobiele telefoon. 'We hebben je gast,' zei hij toen Cal opnam. 'We zijn onderweg. Dat is een beetje eerder dan we verwachtten. Ik hoop dat je het geld hebt. Het was geen goedkope opdracht.'
'Fantastisch,' zei Cal. 'Maak je niet druk. Het geld wacht op je.'
Krap een halfuur later stond Cal te wachten op de oprit toen Sachins Mercedes aan kwam rijden. Hij stak zijn hand op en Suresh bleef pal naast hem staan.
'Juffrouw Hernandez zal in de garage aan het eind van het terrein verblijven. Kan ik meerijden om je te laten zien waar het is?'
'Natuurlijk,' zei Sachin. 'Spring maar achterin.'
Cal stapte in de auto. 'Direct achter het huis,' zei hij tegen Suresh, wij-

zend door de voorruit. En toen Suresh optrok voegde hij eraan toe: 'Ik moet het jullie nageven. Dit is heel wat sneller dan ik had verwacht. Ik dacht dat het wel het grootste deel van het weekend zou duren.'
'We hadden geluk. Ze bleef uitslapen voor ons. En als extraatje leveren we haar heel schoon af.'
'Wat bedoel je?'
'Dat zul je zo wel zien. Gaan we hier links of rechts?'
'Links,' zei Cal. 'De garage staat tussen dat groepje bomen.'
Een paar minuten later stopte Suresh bij een stenen garage met vier autoboxen en dakkapellen op de eerste verdieping. Het gebouw was hermetisch afgesloten.
'Het ziet eruit of dit in jaren niet gebruikt is,' zei Sachin. Het onkruid tussen het grint voor de garagedeuren was tientallen centimeters hoog.
'Dat klopt,' stemde Cal in. Hij haalde een overdreven grote sleutel tevoorschijn. 'De kelder is net een middeleeuwse kerker. Hier is de sleutel.'
'Wat toepasselijk. Hoe lang wil je dat je gast hier blijft?'
'Dat weet ik niet zeker. Dat ligt aan haar. Ik zal je wel bellen.'
''s Nachts is het makkelijkst.'
'Dat vermoedde ik al,' zei Cal.
Ze stapten allemaal uit. Cal liep naar een stevige zijdeur en opende hem met de sleutel. Achter de deur was een stenen trap en op de muur zat een ouderwetse lichtschakelaar met een draaiknop. Hij draaide eraan en de lichten gingen aan op de trap. 'Ik zal het licht beneden ook even aan doen,' zei Cal en haastte zich de trap af. Onderaan was net zo'n stevige deur als boven. Cal opende hem met dezelfde sleutel en draaide het licht binnen aan. Achter hem kwam ook Sachin de trap af.
'Waar werd dit in de tijd van de raj voor gebruikt?' vroeg Sachin.
'Geen idee.' Cal liep naar de gootsteen om te controleren of er water was. De ruimte was vochtig en kil en het rook er muf. Een paar spinnenwebben hingen van het plafond. Er was een grote kamer met een gootsteen en twee kleinere slaapkamers met bedden, bedekt met dunne, kale matrassen. Er was ook een kleine badkamer met een ouderwets toilet en een waterreservoir hoog tegen de muur. Het houten meubilair was heel eenvoudig, zonder versieringen.
'Oké,' zei Cal. 'Laten we haar naar beneden brengen.'
'Er is een klein probleempje. Ze heeft geen kleren behalve een paar badjassen.'

'Hoe kan dat nou?' vroeg Cal.
'Ze stond onder de douche toen we haar uitnodigden.'
Even vroeg Cal zich af hoe hij aan kleren voor Jennifer moest komen, maar toen besloot hij dat het niet nodig was.
'Ze zal het met die badjassen moeten doen,' zei Cal.
Teruggekomen bij de auto vroeg Sachin Subatra de kofferbak te openen. Toen het deksel omhoog ging knipperde Jennifer tegen het zonlicht. In haar ogen was een combinatie van woede en angst te zien. Sachin gaf Suresh en Subrata de opdracht haar eruit te tillen en de trap af te dragen. Sachin en Cal volgden. Cal droeg de badjassen.
'Waarheen?' vroeg Sachin.
'Op de bank,' wees Cal. 'En verwijder de tape.'
Het duurde een beetje langer om de tape te verwijderen dan het had gekost om het aan te brengen, en het was af en toe pijnlijk, maar Jennifer gaf geen kik tot ze de prop verwijderden.
'Rotzakken,' snauwde ze zodra ze kon praten. 'Wie zijn jullie godverdomme?'
'Dit gedrag belooft niet veel goeds voor je bezoek,' zei Sachin tegen Cal.
'Ze kalmeert wel,' zei Cal vol zelfvertrouwen.
'Dat dacht je maar,' sneerde Jennifer. Toen Suresh het laatste stukje tape van haar benen haalde sprong ze overeind en rende naar de trap. Suresh slaagde erin haar bij de arm te grijpen maar ze draaide zich razendsnel om en krabde hem met haar vingernagels. Daarop sloeg hij haar keihard met de achterkant van zijn hand tegen de grond. Het was duidelijk dat ze duizelig was toen ze rechtop ging zitten. Licht heen en weer zwaaiend en met een wezenloze uitdrukking op haar gezicht bleef ze even zitten.
'Ze is waarschijnlijk niet de prettigste gast,' zei Sachin.
Cal drapeerde een van de badjassen over haar schouders. 'Je hoeft hier niet zo lang te blijven,' zei hij tegen Jennifer. 'We willen alleen maar met je praten en daarna kun je gaan. Ik zal je zelfs vertellen waar het om gaat. Op de een of andere manier ben je wantrouwig geworden over die drie sterfgevallen van maandag-, dinsdag- en woensdagavond. Er is iets waardoor je bent gaan twijfelen over de diagnose van alledrie. We willen weten wat dat is. Dat is alles.' Cal spreidde zijn handen uit en haalde zijn wenkbrauwen op. 'Dat is alles wat we willen weten. Zodra je het ons verteld hebt, brengen we je weer terug naar je hotel. Ik zeg je dit maar vast zodat je erover na kunt denken.'
Jennifer keek hem woedend aan. 'Ik vertel je geen ene moer.'

'Wat denk je?' vroeg Jack. Hij stapte achteruit. Samen met Laurie, Neil en Arun stond hij in de koelcel in het souterrain van het Queen Victoria Hospital. Met enige moeite hadden ze samen Maria Hernandez de kleren aangetrokken die Neil had gebracht. Jack had net het puntje op de i gezet: zijn Yankees baseballcap. Hij had hem zo geplaatst dat de klep een beetje naar beneden wees en het grootste deel van Maria's gezicht bedekte om haar onaardse kleur te camoufleren.
'Ik weet het niet,' zei Laurie.
'Hé, ze hoeft niet mee te doen aan een schoonheidswedstrijd,' zei Jack. 'Ze moet alleen maar langs die bewaker aan het eind van de hal.'
Ze hadden Maria vastgebonden in de rolstoel en zo goed mogelijk ondersteund.
'Ik maak me zorgen om de geur,' zei Neil terwijl hij een gezicht trok.
'Daar kunnen we niks aan doen,' zei Jack. Hij liep naar voren en trok de klep nog wat verder naar beneden. 'Laten we gaan. Als de bewaker protesteert moeten we gewoon een beetje sneller lopen. Zodra ze hier naar binnen kijken weten ze immers dat ze verdwenen is.'
'Staat de bestelwagen al aan de achterkant?' vroeg Laurie.
'Ja,' zei Jack. 'Nou, dit gaan we doen. Arun, jij vertrekt door de hoofdingang. Ik wil voorkomen dat jij problemen krijgt, wat ons misschien wel zal gebeuren omdat we er stiekem vandoor willen gaan met dit lijk.'
'Dat begrijp ik,' zei Arun. 'Ik ga naar buiten en loop dan om naar de achterkant. Ik wil met jullie meerijden zodat je op weg naar het Gangamurthy Medical College niet verdwaalt.'
'Zal je vriend Singh ons daar opwachten?' vroeg Laurie.
'Ja,' zei Arun.
'Oké, dan zien we je buiten,' zei Jack toen Arun de zware, geïsoleerde deur opende. Daarop richtte Jack zijn aandacht op Neil. 'Jij duwt de schoonheidskoningin.' En, kijkend naar Laurie: 'Jij loopt aan de linkerkant tussen Maria en de bewaker. Let ook goed op dat je haar ondersteunt als ze dreigt om te vallen. Ik knoop een gesprekje met de bewaker aan. Hij en ik zijn oude vrienden, want ik ben hem al twee keer gepasseerd. Heeft iedereen het begrepen?'
'Laten we gaan,' zei Laurie. Ze keek naar Neil, die achter de rolstoel was gaan staan.
'Ik zal even in de hal kijken,' zei Jack. Hij duwde de deur open en liep half naar buiten. Toen hij in de richting van de lift keek zag hij Arun net

instappen. Aan de andere kant kon hij de bewaker in zijn stoel zien zitten. Verder was er niemand.
Jack opende de deur helemaal en gebaarde naar de anderen om te komen. 'De kust is vrij,' zei hij.
Neil had de rolstoel nog niet over de drempel van de koelcel geduwd of er kwamen een paar doktoren uit het restaurant.
'Jezus...' bracht Jack uit. De doktoren knikten naar Jack toen ze, diep in gesprek, passeerden. Jack was bang om om te kijken maar hij dwong zich ertoe. De doktoren waren Maria al gepasseerd. Neil haalde zijn schouders op. Kennelijk was er niks aan de hand. Jack gebaarde naar Neil en Laurie het tempo te verhogen, zodat ze de ingang van het restaurant snel voorbij waren om verdere confrontaties te vermijden.
De bewaker zag hen aankomen. Jack bereikte hem iets eerder dan de anderen. 'Hallo daar,' zei hij. 'Heb je het druk hier beneden vandaag? We gaan door deze deur. Mijn moeder maakt zich er zorgen over hoe ze eruitziet en wil geen oude vrienden tegenkomen.' Jack babbelde voort terwijl hij tussen de bewaker en Maria probeerde te blijven terwijl ze passeerden. De bewaker keek vaag hun kant uit, maar dat was alles. 'Tot ziens,' zei Jack, terwijl hij achterwaarts de dubbele deuren doorging.
'Een fluitje van een cent,' mompelde Jack toen hij de anderen voorbijliep om de achterdeuren van de bestelwagen te openen. Een deel van het ontsnappingsplan was haar snel los te maken door aan het eind van een verborgen koord te trekken, zodat haar bovenlichaam vrijkwam van de rolstoel. Met zijn drieën hesen ze Maria in de bestelwagen waarna de deuren in recordtijd werden gesloten.
Arun verscheen om de hoek van het gebouw.
'Rij jij maar,' zei Jack, terwijl hij hem de sleutels toegooide. 'Jij weet waar we moeten zijn.'
Ze stapten allemaal in de auto, Arun achter het stuur, Jack voorin en Laurie en Neil op de achterbank.
'Laten we de raampjes opendraaien!' zei Neil, onder de indruk dat de anderen zo stoïcijns konden zijn.
'Laten we niet doen of we net een bank beroofd hebben!' zei Jack. 'Maar we moeten ook niet treuzelen. Ik bedoel, laten we maken dat we wegkomen.'
Arun startte de motor, maar liet hem weer afslaan omdat hij te weinig gas gaf. Jack rolde met zijn ogen, denkend dat het maar goed was dat ze geen bank hadden beroofd.

'Wat doet Jennifer vandaag?' vroeg Laurie aan Neil. 'Vond ze het erg toen Jack belde dat je Maria's kleren moest brengen?'
'Ze was maar al te blij dat ik vertrok,' vertelde Neil. 'Ik denk dat ze nu pas een beetje bijkomt van haar jetlag. Ze zei dat ze waarschijnlijk wel bleef slapen tot twaalf uur of later zelfs, en dat ik me geen zorgen over haar hoefde te maken. Ze was van plan om wat hoognodige oefeningen te gaan doen zodra ze wakker werd.'

32

19 oktober 2007
vrijdag 11.05 uur
New Delhi, India

De enorme sleutel maakte een geweldige herrie toen Cal hem omdraaide in het slot. 'We zullen haar nooit kunnen besluipen.' Hij lachte over zijn schouder naar Durell, die achter hem liep. Hij trok de deur open en hield hem vast tot hij voelde dat Durell hem over kon nemen. 'Doe hem achter je dicht en draai hem voor alle zekerheid op slot,' voegde hij eraan toe terwijl hij de trap afliep. Onderaan draaide hij zich om en wachtte tot Durell hem ingehaald had.

'Het is een tijgerin,' zei Cal. 'We moeten dus voorzichtig zijn. Ze was ook poedelnaakt toen ze haar brachten, wat me nogal van mijn stuk bracht.'

'Ik ben een en al aandacht,' zei Durell. 'Doe de deur open!'

Cal stak de sleutel in het slot, draaide hem om en duwde de deur open. Jennifer was nergens te zien.

Cal en Durell keken elkaar aan. 'Waar is ze?' fluisterde Durell.

'Hoe weet ik dat nou verdomme,' antwoordde Cal. Hij duwde de deur verder open tot de kruk tegen de deur sloeg. 'Juffrouw Hernandez?' riep hij. 'Dit zal je niet helpen.'

De twee mannen luisterden. Er klonk geen geluid.

'Shit,' zei Cal. 'We kunnen geen complicaties gebruiken.' Hij liep de kamer in. Durell volgde.

'Laten we deze deur ook afsluiten,' zei Cal. Hij liet Durell verder lopen zodat er ruimte was om de deur achter hen te sluiten en schoof de grendel erop. 'Ze moet in een van de slaapkamers of de badkamer zijn,' zei Cal. Dat hoopte hij tenminste. Wat hij vooral vreemd vond, was dat hij beide badjassen op de bank kon zien liggen.

'We kunnen het grootste deel van de badkamer zien,' merkte Durell op.

'Oké, een van de slaapkamers dan. Kom op!'

Cal liep de kamer door naar de deuropening. Hij duwde de deur hele-

maal open. Het enige meubilair bestond uit het ledikant, een klein nachtkastje met een ouderwetse lamp erop en een stoel met een rechte rug. Er was ook een kleine kast waarvan de deur op een kier stond. Geen Jennifer. Hij draaide zich om, liep het halletje door, voor de badkamer langs, en controleerde de tweede slaapkamer. Deze kamer was het spiegelbeeld van de eerste, behalve dat er geen stoel stond.
Durell, die achter Cal aan was gekomen en over zijn schouder keek, merkte op dat de stoel weg was. De woorden waren nauwelijks zijn mond uit toen er een oorverdovende kreet klonk, waardoor beide mannen verstijfden. Jennifer sprong uit de schaduw van de kleine kast tevoorschijn met een van de poten van de verdwenen stoel boven haar hoofd geheven. Cal kon zijn hoofd snel genoeg wegtrekken zodat de klap op zijn schouder kwam, maar Durell had niet zoveel geluk. De klap kwam hard op zijn hoofd terecht en hij struikelde achteruit.
Schreeuwend keerde Jennifer zich weer om naar Cal, maar die was genoeg hersteld om naar voren te schieten en zich tegen Jennifers naakte lichaam te gooien alsof hij een rugby-aanvaller was die haar wilde tackelen. En dat was precies wat hij deed, terwijl ze hem wanhopig probeerde te raken met de stoelpoot. Ze kwamen tussen de muur en het ledikant op de vloer terecht, terwijl Jennifer naar Cal bleef uithalen zonder echte schade te kunnen toebrengen. Durell was ondertussen voldoende bijgekomen om naar voren te lopen en de stoelpoot te grijpen. Hij trok hem uit haar handen. Net zo snel als het gevecht begonnen was, was het al weer voorbij. Cal en Durell hielden Jennifer met kracht in bedwang.
'Godverdomme,' zei Cal. Hij liet Jennifer los. Durell eveneens. Ze krabbelden alle drie overeind en keken elkaar woedend aan. Durell hield de stoelpoot vast en overwoog even er Jennifer een mep mee te verkopen, zoals ze ook bij hem had gedaan. Er sijpelde bloed uit zijn haar.
'Dat was niet nodig,' snauwde Cal.
'Jullie zijn degenen die me hier vasthouden in dit hol,' snauwde Jennifer terug.
Durell liet zijn wapen zakken toen zijn verstand weer de overhand kreeg. Maar hij keek Jennifer nog steeds woedend aan. Cal liep terug naar de andere kamer, kreunend toen zijn vingers de uiterst gevoelige plek raakten waar Jennifer hem op zijn schouder had geraakt. Hij greep een van de badjassen die hij op de bank had gezien en nam hem mee naar de slaapkamer. Hij gaf hem aan Jennifer en zei haar dat ze hem aan moest trekken.

Toen liep hij weer terug en ging voorzichtig op de bank zitten, proberend een prettige houding te vinden voor zijn schouder. Durell hield ermee op Jennifer uit te dagen hem opnieuw aan te vallen zodat hij een excuus had haar met de stoelpoot te slaan. Hij volgde Cal en ging ook op de bank zitten. Jennifer stevende de kamer in. Ze had de badjas aangetrokken en hield haar armen uitdagend gekruist. 'Verwacht van mij niet dat ik last ga krijgen van het Stockholm-syndroom.'
'Ik heb het licht aangelaten uit vriendelijkheid,' zei Cal, haar opmerking negerend. 'De volgende keer dat je geweld gebruikt, gaat het uit.'
Jennifer antwoordde niet.
'We zijn teruggekomen om te horen of je nagedacht hebt over wat ik zei toen ik vertrok,' zei Cal met een vermoeide stem. 'We willen weten waarom je wantrouwig bent geworden na de hartaanval van je grootmoeder. Dat is alles. Vertel het en je kunt weer terug naar je hotel.'
'Ik vertel jullie klootzakken noppes,' zei Jennifer. 'Als jullie slim zijn, laat je me nu gaan.'
Cal keek naar Durell. 'Ik denk dat ze nog wat over haar situatie moet nadenken voor ze een beetje meewerkt. En ik moet ijs hebben voor op mijn schouder.'
'Dat geloof ik ook,' zei Durell, opstaand. 'Ik krijg een bult op mijn hoofd, dus ijs zou heel prettig zijn.'
'We komen terug,' zei Cal tegen Jennifer. Met zijn rechterhand proberend zijn schouder te immobiliseren stond hij eveneens op. Hij kreunde. Jennifer zweeg terwijl ze naar de deur strompelden.
Nadat Cal de buitendeur had afgesloten vroeg Durell hem of het wel de juiste tactiek was om aardig tegen haar te zijn.
'Je hebt gelijk,' zei Cal. Hij liep de eerste autobox in en opende het kastje met de stroomonderbreker. Hij moest even zoeken naar het circuit voor de kelder, maar toen hij het eenmaal had gevonden draaide hij de stoppen los. 'Een beetje duisternis moet helpen,' zei Cal.
Later, toen de twee gewonde mannen over het grasveld naar de bungalow liepen, zei Cal: 'Ik zei je al dat het een tijgerin was.'
'Dat klopt!' zei Durell. 'Ze verraste me volkomen. Ik dacht dat ze het in haar broek zou doen. Maar wat is in godsnaam het Stockholm-syndroom?'
'Geen idee,' zei Cal. 'Hoe groot is de kans dat ze gaat praten? Ik heb er niet zoveel vertrouwen in als eerst.'

'Als je het mij vraagt, bijna nul.'
'Misschien moeten we Veena weer vragen om ons te helpen,' zei Cal. 'Zij heeft al eerder met haar gepraat.'
'Dat is een idee. Zij zou de "good cop" kunnen zijn en jij en ik de "bad cop", als je begrijpt wat ik bedoel.'
'Volkomen,' antwoordde Cal. 'En ik denk dat het een fantastisch idee is.'

33

19 oktober 2007
vrijdag 11.35 uur
New Delhi, India

'Dit zijn betere faciliteiten dan we in New York hebben,' zei Laurie terwijl ze haar ogen door de autopsieruimte in het Gangamurthy Medical College liet gaan. 'Onze autopsieruimte is meer dan vijftig jaar oud. Hij ziet eruit als het decor voor een oude griezelfilm.'
Laurie, Jack, Neil, Arun en dokter Singh stonden in de postmortale ruimte van de afdeling pathologie van de medische opleiding. Alles was nieuw en ultramodern. Het ziekenhuis, het Gangamurthy Medical Center, speelde een grote rol in de medische toeristenindustrie, vooral wat betreft hartproblemen en met name voor patiënten uit Dubai en andere steden in het Midden-Oosten. Een buitengewoon dankbare meneer Gangamurthy uit Dubai was de grootste geldschieter, hij had wel honderd miljoen dollar gedoneerd.
'Helaas heb ik over een paar minuten een college en daarom moet ik jullie alleen laten,' zei dokter Vijay Singh. Hij was een man met een lichte huidskleur en een flinke omvang. Hij droeg een westers jasje met das, maar de knoop van de das verdween onder een enorme onderkin. 'Volgens mij is alles wat u nodig hebt voorhanden. Mijn digitale camera staat op de balie. We hebben zelfs vriescoupes beschikbaar, omdat we ze aan het ziekenhuis leveren. Jeet, mijn assistent, is hier als jullie iets speciaals nodig hebben. Arun weet hoe hij hem kan bereiken, en dan komt hij direct.'
Arun drukte zijn handen tegen elkaar, boog en zei: 'Namaste.'
'Dan ga ik maar,' zei Vijay. 'Veel plezier.'
'Ik voel me een beetje schuldig,' zei Jack op het moment dat Vijay vertrokken was. 'Denk je niet dat we hem hadden moeten vertellen dat we dit lijk gestolen hebben en dat we geen officiële toestemming voor een autopsie hebben?'

'Nee, want dat zou zijn beslissing moeilijker gemaakt hebben,' zei Arun. 'Op deze manier draagt hij geen enkele verantwoordelijkheid. Hij kan zeggen dat hij niets weet, wat waar is. Laten we nu zo snel mogelijk doorgaan.'
'Oké, laten we beginnen,' zei Laurie. Zij en Jack hadden passende pakken en handschoenen aangetrokken. Arun en Neil alleen jassen. Maria's achtergrond kennende droegen ze geen van allen een beschermkap.
'Jij of ik?' vroeg Jack terwijl hij naar Maria's naakte lichaam wees dat op de autopsietafel lag.
'Ik zal het doen,' zei Laurie. Ze nam de scalpel en begon de traditionele Y-vormige incisie te maken.
'Oké, laten we alles nog eens doornemen,' zei Arun. 'Ik ben heel geïnteresseerd. Je zei dat je aan vergiftiging dacht.'
'Ja, dat klopt,' gaf Jack toe. 'Vanwege de beperkte tijd benaderen we dit geval anders dan gewoonlijk. We beginnen met een hypothese en proberen dan te bewijzen of die goed of fout is. Normaal gesproken proberen we bij een autopsie de zaak onbevooroordeeld te benaderen zodat we niks over het hoofd zien. Nu gaan we kijken of er iets specifieks is dat vergiftiging bevestigt, terwijl we tegelijkertijd de eerdere diagnose van een hartaanval bevestigen of uitsluiten.'
'We hebben zelfs al een idee over het mogelijke middel,' zei Laurie, terwijl ze weer rechtop ging staan nadat ze de eerste incisie had gemaakt. Ze verruilde de scalpel voor de stevige beentang.
'Echt?' riepen Arun en Neil tegelijk uit.
'Ja,' gaf Jack toe, terwijl Laurie de ribben doorknipte. 'Als eerste verdenken we er een gezondheidsmedewerker van de dader te zijn. Omdat de sterfgevallen in meer dan een ziekenhuis waren, denken we dat het een arts is. Omdat we een arts verdenken moesten we denken aan medicijnen, omdat artsen toegang hebben tot medicijnen en omdat alle drie de patiënten een infuus hadden. En omdat er sprake was van cyanose, vooral cyanose die snel verdween tijdens de reanimatie van de derde overledene, moeten we denken aan een curare-achtige substantie die wordt gebruikt bij de anesthesie om de spieren te verslappen.'
Laurie was klaar met de beentang en verwijderde met Jacks hulp het borstbeen.
'Laten we beginnen met het hart,' zei Laurie. 'Als er bewijs is voor een flinke hartaanval moeten we onze ideeën volkomen herzien.'

'Dat ben ik met je eens,' zei Jack.
'Er zijn een heleboel medicijnen die respiratoire verlamming kunnen veroorzaken,' zei Neil. 'Heb je iets specifieks in gedachten?'
Laurie en Jack werkten snel, steeds anticiperend op elkaars bewegingen. Jack reikte naar een bekken op een bijzettafel, en het hart en de longen ploften erin.
'Er is een middel waar we specifiek op zullen testen,' zei Jack tegen Neil, terwijl hij toekeek hoe Laurie het hart losmaakte. 'Opnieuw vanwege de reanimatiepoging van het derde slachtoffer, waarbij sprake was van hyperpyrexie en een verbazingwekkend verhoogd kaliumgehalte, concentreren we ons op succinylcholine, waarvan bekend is dat het deze twee bijwerkingen veroorzaakt. Tenzij we iets heel onverwachts vinden, lijkt dat op dit moment het meest waarschijnlijke middel te zijn.'
'Mijn hemel,' zei Arun. 'Fascinerend.'
'Er is absoluut geen sprake van een hartaandoening hier,' merkte Laurie op. Ze had een aantal incisies gemaakt in de hartspier en langs de voornaamste hartaders. 'En zijn geen vernauwingen.'
De andere drie keken over haar schouder. 'Er zijn een paar mogelijke bloedingen op het pericard,' zei Jack.
'En ook een paar op de longvliezen,' zei Laurie.
'Arun, kun je hiervan wat foto's maken met Vijays camera?' vroeg Jack.
'Natuurlijk.'
Nadat de foto's waren genomen, nam Laurie de monsters voor de toxicologie. Gebruikmakend van verschillende injectiespuiten, begon ze urine, bloed, speeksel en cerebrospinaal vocht af te nemen.
'Er zijn nog twee redenen waarom we denken dat het succinylcholine is,' zei Jack, terwijl Laurie bezig was met haar monsters. 'Het is het meest logisch als er kwade opzet in het spel is. Als het een arts is, zoals we denken, dan zal hij of zij een middel gebruiken met de kleinste kans op ontdekking, en dat is bij succinylcholine zeker het geval. Ten eerste werd het waarschijnlijk al gebruikt tijdens de anesthesie van de patiënt, dus zelfs als het wordt aangetroffen door mensen als wij, dan zou de aanwezigheid verklaard kunnen worden. En ten tweede, het lichaam breekt succinylcholine heel snel af, waardoor je in het geval van een overdosis alleen maar even de ademhaling van de patiënt hoeft over te nemen en het is weer goed.'
'Maar toch neem je monsters?' vroeg Arun. 'Ook als het lichaam snel succinylcholine metaboliseert?'

'Jazeker,' zei Laurie terwijl ze het derde buisje vulde met speeksel. 'Iemand die succinylcholine gebruikt om misdadige redenen, injecteert altijd een hoge dosis, uit angst dat hij niet genoeg geeft. Daardoor ontstaan reacties als hyperpyrexie en verhoogd kalium. Daarmee wordt ook het vermogen van het lichaam om het te metaboliseren overschat. Je vindt dan niet alleen een hoop succinylcholine-metabolieten in de urine maar ook een beetje van het middel zelf.'

'Succinylcholine is gebruikt bij een paar bekende forensische gevallen in de Verenigde Staten,' zei Jack. 'In Nevada was er een verpleger, Higgs, die zijn vrouw ermee vermoord heeft en hetzelfde is gebeurd in Florida door een anesthesioloog, Coppolino. Ik weet dat Higgs is veroordeeld omdat een toxicoloog het in de urine van de vrouw vond. Bij Coppolino is het volgens mij gevonden in de spieren en andere organen, na een intramusculaire injectie.'

'Nou, we zullen eens kijken wat onze toxicologen in het All India Institute of Medical Sciences kunnen vinden. Het hoofd van de afdeling heeft een internationale reputatie.'

'Is er een manier om die monsters daar te krijgen?' vroeg Laurie toen ze klaar was met het laatste.

'Vast wel,' zei Arun. 'Ik zal het Jeet laten regelen. Ik neem aan dat het klinisch laboratorium hier in het Gangamurthy Hospital een transportservice heeft.'

Met twee vakkundige onderzoekers aan het werk, vorderde de autopsie snel tot Laurie bij de nieren kwam. Nadat ze ze bekeken had en vastgesteld had dat ze op de normale plaats lagen, sneed ze ze eruit met het mes dat wordt gebruikt voor grove ontleding. Met hetzelfde mes sneed ze er één open met een bifurcerende coronale snede, waardoor het parenchym en de calix zichtbaar werden.

'Jack, moet je dit eens zien!' riep ze opgewonden.

Jack keek over haar schouders. 'Dat ziet er vreemd uit,' zei hij. 'Het parenchym lijkt een beetje wasachtig.'

'Precies,' zei Laurie nog opgewondener. 'Ik heb dit eerder gezien. Weet je wat dat was?'

'Amyloïd?' raadde Jack.

'Nee, sufferd. Dat roze spul zit in de tubuli. Het zit in het lumen, niet in de cellen. Maria is overleden aan acute rhabdomyolysis!'

'Arun,' riep Jack. 'Haal Jeet. We willen een vriescoupe. Als dit myosine is

en als we te maken hebben met intoxicatie, dan is dit vrijwel pathognomonisch voor succinylcholinevergiftiging.'
Een halfuur later wierp Laurie als eerste een blik op de coupes van de nieren. De autopsie was voltooid en beschreven. Er waren monsters genomen, vooral van de nieren en het hart, en foto's waren gemaakt. Tot slot was het lichaam in een echte mortuariumkoelcel geplaatst.
'Nou,' vroeg Jack ongeduldig. Laurie leek langer dan gebruikelijk door de microscoop te turen.
'Er zitten beslist roze sporen in de tubuli,' zei ze. Ze leunde achteruit zodat Jack kon kijken.
'Rhabdomyolysis, zonder enige twijfel!' riep hij uit. Hij ging weer rechtop staan. 'Gezien de voorgeschiedenis accepteer ik dit als bewijs, zelfs zonder toxicologie.'
Laurie stond op zodat Arun en vervolgens Neil ook konden zien dat de niertubuli werden geblokkeerd door myosine.
'Wat gaan we nu doen?' vroeg Arun. Hij was opgetogen dat hij meedeed aan een forensisch pathologisch onderzoek, iets waar hij altijd al van gedroomd had sinds hij op de middelbare school zat.
'Dat moeten we jou eigenlijk vragen,' zei Jack. 'In de Verenigde Staten zouden onafhankelijke lijkschouwers contact opnemen met de politie of de officier van justitie of met allebei. Hier is duidelijk sprake van een misdrijf.'
'Ik weet niet wat er gedaan moet worden,' gaf Arun toe. 'Misschien moet ik het een van mijn juridische vrienden vragen.'
'Ondertussen moeten we snel zijn om de zaak te onderbouwen. Hopelijk krijgen we wetenschappelijk bewijs uit de urine die we naar de toxicologische afdeling van het All India Institute of Health Sciences sturen, maar dit is maar één geval. We moeten terug naar het Queen Victoria Hospital en het tweede lichaam te pakken zien te krijgen of op zijn minst een urinemonster, en hetzelfde geldt voor het lichaam in het Aesculapian Medical Center. Drie gevallen zijn beter dan één. En we moeten opschieten. Jennifer zei dat twaalf uur vanmiddag de deadline was.'
'Goed, laten we dat eerst doen,' zei Jack. 'We hebben bewijs nodig van meer dan één lichaam. Je hebt gelijk, vooral als het gaat om succinylcholinevergiftiging. Want, een lichaam kan zelf ook een kleine hoeveelheid succinylcholine produceren tijdens de ontbinding.'
'Ik zal een paar injectiespuiten van hier meenemen zodat we die kunnen gebruiken voor onze monsters,' zei Laurie.

'Goed idee,' zei Jack.
Met onmiskenbare opwinding en een sterk gevoel van saamhorigheid stapten de vier weer in de bestelwagen, om snel terug te rijden naar het Queen Victoria Hospital, met Arun achter het stuur. Neil haalde zijn mobiele telefoon tevoorschijn.
'Het is inmiddels middag, ik zal Jenn eens bellen,' zei hij. 'Ik kan me niet voorstellen dat ze nog steeds slaapt.'
'Goed idee,' zei Laurie. 'Ik wil haar ook even spreken.'
Neil liet de telefoon rinkelen tot de voicemail het overnam. Hij liet een kort bericht achter voor Jennifer dat ze hem terug moest bellen. 'Ze is vermoedelijk aan het sporten of aan het zwemmen. Ik probeer het later nog wel een keer.'
'Misschien is ze aan het lunchen,' bedacht Laurie.
'Je hebt gelijk,' zei Neil en stopte zijn telefoon weer weg.
Toen ze bij het Queen Victoria Hospital waren reed Arun direct naar de achterkant en nam de tijd om achteruit te parkeren voor de ingang. 'Voor het geval we geluk hebben en het lichaam te pakken kunnen krijgen.'
Ze liepen samen naar binnen. De stoel van de oudere man was leeg.
'Misschien is hij aan het lunchen,' bedacht Laurie.
'Ik hoop het,' zei Jack. 'Ik zou me schuldig voelen als hij hierdoor zijn baan verliest.'
Arun liep voorop. Ze moesten achter elkaar lopen omdat de rij voor het personeelsrestaurant tot in de hal doorliep. Ze stopten bij de koelcel waar Maria had gelegen.
'Zullen we iedereen negeren en gewoon naar binnen gaan?' stelde Arun voor.
Jack en Laurie keken elkaar aan. 'Ga jij maar naar binnen, Arun,' zei Laurie. 'Laten we geen scène maken.'
Laurie, Jack en Neil liepen een klein stukje door.
Arun hoefde niet eens helemaal naar binnen te gaan om te zien dat Benfatti weg was. Er lag geen lijk in de koelcel. Hij liep weer achteruit, sloot de deur en vertelde de anderen het slechte nieuws.
'Daar gaat onze kans op een drievoudig bewijs,' zei Jack.
'Ik kan wel naar boven gaan om uit te vinden wat er is gebeurd,' zei Arun.
'Waarom gaan wij ondertussen niet iets eten in het restaurant?' stelde Laurie voor. 'Afhankelijk van wat hij ontdekt, hebben we misschien geen andere keus.'

'Goed idee,' zei Arun. 'Ik zie jullie dan hier wel weer.'
Het duurde langer dan Arun verwacht had, maar hij ontdekte ook meer dan waar hij op gehoopt had. Tegen de tijd dat hij in het restaurant kwam hadden de anderen hun sandwiches al gekregen. Zodra hij ging zitten verscheen de serveerster. Hij bestelde ook een sandwich.
Toen de serveerster weg was leunde hij over de tafel naar voren. De anderen ook. 'Dit is ongelooflijk,' zei hij zacht, ervoor zorgend dat niemand hem kon horen. Hij keek van de een naar de ander. 'Ten eerste, het ziekenhuis is woedend dat Maria Hernandez is verdwenen. Ze zijn zo kwaad dat de oude man beneden is ontslagen.'
'Verdomme,' bromde Jack. 'Daar was ik al bang voor.'
'Ze zijn er ook van overtuigd dat de lijkschouwers uit New York haar meegenomen hebben. Vreemd genoeg, echter, hebben ze geen EIR tegen jullie ingediend.'
'Wat is een EIR?' vroeg Laurie.
'Het is een Eerste Informatie Rapport,' legde Arun uit. 'Dat is het eerste wat je moet doen als je de politie wilt inschakelen. De politie heeft er een geweldige hekel aan, want het betekent werk.'
'Van wie heb je dit gehoord?' vroeg Jack.
'Van de ziekenhuisdirecteur,' zei Arun. 'Hij heet Rajish Bhurgava. We kunnen redelijk met elkaar opschieten. Ik ken hem al vanaf mijn schooltijd.'
'Als zij weten wie het lichaam hebben meegenomen, waarom dienen ze dan geen EIR in?' vroeg Laurie.
'Ik weet niet of ik het goed begrepen heb, maar hij zei dat het iets te maken had met een hele hoge piet op het ministerie van Gezondheid, een zekere Ramesh Srivastava, die hem heeft opgedragen dat niet te doen. Ze zijn bang voor de media.'
Laurie, Jack en Neil keken elkaar aan om te zien of iemand iets had toe te voegen aan wat Arun zei. Laurie was de enige die reageerde. 'Misschien is deze Ramesh op het spoor van de seriemoordenaar en is hij bang dat de media hem of haar te vroeg tijdens het onderzoek zullen waarschuwen.'
Jack keek schuin naar Laurie.
'Het is maar een gok,' zei Laurie verdedigend.
'Laten we het eens hebben over het andere, nog belangrijker nieuws,' zei Arun. 'Zowel Benfatti als het lichaam uit het Aesculapian Medical Center, Lucas, is weggehaald met een dwangbevel dat de ziekenhuizen

niet alleen het recht geeft om ze uit het ziekenhuis te halen maar ook om zich ervan te ontdoen, omdat ze beschouwd worden als een last en een gevaar voor de gemeenschap. Maar het vreemdste is dat ze op de een of andere manier hebben geregeld dat ze gecremeerd worden in de crematie-ghat van Varanasi.'

'Dat woord "ghat" heb ik eerder gehoord,' zei Jack. 'Wat betekent het?'

'In dit geval betekent het stenen treden op een rivieroever,' zei Arun. 'Maar het betekent ook een reeks heuvels.'

'We kennen dit Varanasi-plan,' zei Laurie. 'Ze hopen dat het bijzonder genoeg is om de getroffen families te sussen. Maar ik kan je vertellen dat het niet het geval is, tenminste niet voor twee van de families.'

'Waar ligt Varanasi?' vroeg Jack.

'Zuidoostelijk van Delhi, ongeveer halverwege Calcutta,' zei Arun.

'Hoe ver?'

'Zeven- tot achthonderd kilometer,' zei Arun. 'Allemaal snelweg.'

'Worden de lichamen in een vrachtwagen vervoerd?' vroeg Jack.

'Zeker weten,' zei Arun. 'Het duurt maar elf uur of zo. Ze zullen hoogstwaarschijnlijk vanavond laat of vroeg in de ochtend worden gecremeerd. De crematie-ghats werken vierentwintig uur per dag. Ik vind het wel ongebruikelijk. Gecremeerd worden in Varanasi is doorgaans voorbehouden aan hindoes. Voor hen betekent het een uitzonderlijk goed karma. Als hindoes overlijden in Varanasi en daar worden gecremeerd ontvangen ze onmiddellijk *moksha*, ofwel verlichting.'

'Ze moeten iemand hebben omgekocht,' bedacht Laurie.

'Ongetwijfeld,' zei Arun. 'Waarschijnlijk een van de belangrijkste Doms. De Doms behoren tot de kaste die de exclusieve rechten over de crematie-ghats hebben. Of misschien een van de hindoe-brahmanen. De ziekenhuizen moeten een van die twee hebben omgekocht.'

'Hoe ziet de stad eruit?' vroeg Jack.

'Het is een van de interessantste steden in India,' zei Arun. 'En een van de oudste ter wereld. Sommige mensen geloven dat er al vijfduizend jaar mensen leven. Voor hindoes is het de heiligste stad, vooral heel belangrijk voor overgangsrituelen, zoals mijlpalen voor kinderen, huwelijken en de dood.'

'Hoe groot zou de kans zijn dat we de twee lijken kunnen onderscheppen als we naar Varanasi vliegen?' vroeg Jack.

'Die vraag kan ik niet beantwoorden,' zei Arun. 'Ik denk redelijk groot, vooral als je bereid bent hier en daar een beetje extra te betalen.'

'Wat denk je?' vroeg Jack aan Laurie. 'Het zou goed zijn om ten minste een paar urinemonsters te krijgen, zelfs als we geen volledige autopsie kunnen uitvoeren.'

'Zijn er vluchten naar Varanasi?' vroeg Laurie aan Arun. De gedachte aan een reis van bijna twaalf uur was niet bijzonder aanlokkelijk.

'Ja, maar ik heb geen idee hoe laat ze vertrekken. Dat ga ik wel even uitzoeken.'

Terwijl Arun belde, keerde Laurie zich naar Neil. 'Onder normale omstandigheden zou ik vragen of jullie meekwamen. Maar ik denk dat Jennifer beter in het hotel kan blijven.'

'Daar ben ik het mee eens,' zei Neil.

Arun klapte zijn telefoon dicht. 'Er zijn al verschillende vluchten vertrokken. De laatste is om kwart voor drie.'

Laurie en Jack keken allebei op hun horloge. Het was kwart voor een.

'Dat is al over twee uur. Redden we dat?' vroeg Laurie.

'Ik denk het wel,' zei Arun. 'Als we opschieten.'

'Ga je mee?' vroeg Laurie Arun toen ze opstond, haar servet op het restant van haar sandwich gooide en een fooi neerlegde.

'Ik heb meer lol dan ik in jaren heb gehad,' zei Arun. 'Ik zou het niet willen missen.'

Terwijl hij opstond, klapte hij zijn telefoon weer open en belde opnieuw zijn reisagent. 'Bedankt voor de sandwich,' zei hij tegen Laurie terwijl de telefoon overging. Op weg naar de lift gaf hij instructies om drie businessclasstickets voor de vlucht naar Varanasi te regelen en twee kamers te boeken in het Taj Ganges. Toen ze de bestelwagen bereikten, was Arun net klaar. Nadat ze hadden afgesproken dat hij Jack en Laurie zou ontmoeten bij de balie van Indian Airlines op het vliegveld, rende hij naar zijn auto.

Jack, Laurie en Neil stapten snel in de bestelwagen met Jack achter het stuur. Met piepende banden reden ze de oprit naar het Queen Victoria af, maar bij de straat moest Jack abrupt inhouden. Ze waren het drukke middagverkeer vergeten.

'Als we bij het hotel zijn, moet ik even de tijd nemen om mijzelf die HCG-injectie te geven,' zei Laurie.

'O, natuurlijk,' zei Jack. 'Het is goed dat je eraan denkt. Ik was het totaal vergeten.'

'En je moet vooral ook niet vergeten deze spuiten mee te nemen,' zei Neil. De tas met de steriele injectiespuiten lag naast hem vastgeklemd tussen de toel en de leuning.
'Goed punt,' zei Laurie. 'Ik was ze misschien wel vergeten. Geef ze maar hier!'
Neil gaf de tas aan Laurie. 'Sorry dat jij en Jennifer niet mee kunnen,' zei Laurie over haar schouder.
'Dat is wel goed. Ik zal de middag gebruiken om te kijken naar reserveringen voor de terugreis. Ik denk dat Jennifer hier zo snel mogelijk weg moet.'
'Laat haar direct beslissen wat ze met haar grootmoeders lichaam wil,' zei Laurie. 'En bel dan naar het Gangamurthy Medical College om het te laten regelen.'
'Ze was vrij zeker van cremeren, dus dat zullen we direct doen.'
Omdat Jack en Laurie gespannen waren over hun aanstaande reisje, viel het gesprek stil tijdens de twintig minuten durende rit naar het hotel. Ook toen ze snel de lobby in liepen zwegen ze.
'Ga jij maar naar boven,' zei Jack tegen Laurie. 'Ik zal vervoer naar het vliegveld regelen en dan kom ik ook.'
'Komt in orde,' zei Laurie en haastte zich weg.
'Wij zien jullie morgen dan weer,' zei Jack tegen Neil. 'Je hebt gehoord dat we in Varanasi blijven en ik weet dat Jennifer Lauries telefoonnummer heeft. Hou ons dus op de hoogte en zorg dat ze hier in het hotel blijft!'
'Komt voor elkaar,' zei Neil.

Omdat het al iets na één uur was liep Neil de lobby door en keek in het restaurant of hij Jennifer daar misschien zag.
Terwijl hij rondkeek zag de gerant hem. 'Uw vriendin is vandaag nog niet geweest,' zei hij tegen Neil.
Neil bedankte hem. Het Amal Palace Hotel bleef hem verbazen door hun service. Hij was nog nooit in een hotel geweest waar de medewerkers zich de gasten leken te herinneren.
Zich afvragend of ze in de fitnessruimte zou kunnen zijn, en omdat de lift ernaartoe naast het restaurant was, ging Neil meteen naar beneden. De lift gleed open bij de balie en Neil informeerde of Jennifer Hernandez op dit moment misschien een massage of zoiets kreeg. Omdat het ant-

woord nee was, liep Neil de hal door en keek op de hometrainers. Maar geen Jennifer. Hij liep de ruimte aan de tuinkant weer uit en ging naar het zwembad.
Met een wazig zonnetje en een temperatuur van rond de vijfendertig graden was het zwembad een populaire plek. Een aantal mensen zat te eten naast het zwembad. Neil was verbaasd dat hij Jennifer ook daar niet zag. In de veronderstelling dat ze nog in haar kamer moest zijn en mogelijk nog sliep, misschien met haar telefoon uit, vroeg Neil zich af wat hij zou doen. Als ze nog sliep, had ze dat hard nodig, en dan was hij zeker niet van plan haar wakker te maken. Uiteindelijk besloot hij te doen wat hij ook had willen doen op de avond dat hij aankwam, namelijk een oor tegen haar deur houden. Als hij haar hoorde rondlopen of de televisie hoorde, dan zou hij kloppen. Als alles stil was, dan zou hij haar laten slapen.
Na deze beslissing liep Neil weer terug naar de ingang van de fitnessruimte. Hij was in elk geval van plan om zelf even te gaan zwemmen.

34

19 oktober 2007
vrijdag 16.02 uur
New Delhi, India

In plaats van direct naar haar kamer te gaan nadat ze de bungalow binnengekomen was, liep Veena regelrecht naar de bibliotheek. Ze was nerveus en zocht geruststelling, en er was er maar een die haar dat kon geven en dat was Cal Morgan. Ze rekende erop dat hij haar ook nu weer zou kunnen geruststellen, hoewel de situatie deze keer volgens haar nog ernstiger was.

Toen ze door de open deur naar binnen liep zag ze tot haar opluchting dat hij aan tafel wat administratie zat te doen. Ze aarzelde toen ze Durell languit op de bank zag liggen met een boek op zijn borst en een ijskompres tegen zijn hoofd. Op dat moment drong haar aanwezigheid tot Cal door en keek hij op. Beiden begonnen tegelijk te praten, maar geen van tweeën kon de ander verstaan.

'Het spijt me,' zei Veena zenuwachtig, haar hand naar haar gezicht brengend.

'Nee, het is mijn schuld,' zei Cal terwijl hij zijn pen neerlegde en een grimas trok. Op zijn linkerschouder balanceerde een ijszak.

Even viel er een ongemakkelijke stilte, tot ze beiden voor de tweede keer gelijk begonnen te praten. Cal grinnikte. 'Jij eerst,' zei hij.

'Er is iets heel vervelends gebeurd vanochtend,' zei Veena. 'Ik ben er heel erg van geschrokken.'

Durell zwaaide zijn benen van de bank en ging rechtop zitten. Hij had geslapen en wreef zijn ogen uit.

'Wat was er dan?' vroeg Cal.

'Aan het eind van de ochtend is het lichaam van Maria Hernandez verdwenen. Het ziekenhuis is ervan overtuigd dat de twee pathologen-anatomen die Jennifer Hernandez naar India heeft gehaald het meegenomen hebben. Ze zijn beslist van plan om een autopsie uit te voeren of ze hebben het al gedaan. Wat als ze ontdekken dat ze door succinylcholine is overleden?'

'We hebben het hier al eerder over gehad,' zei Cal een beetje ongeduldig. 'Het lichaam breekt de succinylcholine af waardoor die heel snel verdwijnt. En het is al een paar dagen geleden.'

'En zelfs als ze wat van het afgebroken spul vinden, dan doet dat er niet toe,' voegde Durell eraan toe. 'Die vrouw heeft ook succinylcholine toegediend gekregen tijdens de operatie.'

'Ik heb het opgezocht op Google,' zei Veena. 'Er zijn gevallen geweest waar mensen veroordeeld zijn voor het vermoorden van hun vrouw met succinylcholine.'

'Daar heb ik ook over gelezen,' zei Cal. 'Een van hen had het middel geïnjecteerd waarna het op de plaats van de injectie werd gevonden. In het andere geval had de verdachte het spul zelf in zijn bezit. Kom op, Veena! Doe niet zo paranoïde! Durell en ik hebben het onderzocht. In ons geval kan het niet misgaan. Daarbij heb ik onlangs gelezen dat het niet makkelijk is om het middel te isoleren. Tot op heden denken veel mensen dat het een verzinsel was van de toxicoloog van een van die zaken, dat hij het gevonden heeft op de plaats van de injectie.'

'Zijn jullie er allebei absoluut van overtuigd dat deze twee pathologen-anatomen uit New York het niet zullen vinden?' drong Veena aan. Ze wilde het geloven, maar haar schuldige geweten deed haar anders vrezen.

'Ik-ben-er-van-o-ver-tuigd,' zei Cal, elke lettergreep staccato benadrukkend.

'Ja, joh, dat gebeurt niet,' stemde Durell in.

Veena liet haar adem hoorbaar ontsnappen en zakte in een stoel. Ze was uitgeput door haar bezorgdheid.

'Nu willen wij jou een gunst vragen,' zei Cal. 'We hebben je hulp nodig.'

'Zoals ik me nu voel, kan ik me niet voorstellen dat ik iemand zou kunnen helpen.'

'Vast wel,' zei Cal. 'We denken zelfs dat jij misschien de enige bent die ons kan helpen.'

'Wat moet er gebeuren?'

'Vanochtend hebben dezelfde lieden die met jouw vader hebben gepraat ons Jennifer Hernandez gebracht,' zei Cal zonder verder uit te weiden. Hij zweeg en liet zijn mededeling tot Veena doordringen.

'Jennifer Hernandez is hier in de bungalow?' vroeg ze op haar hoede, alsof

ze bang was dat Jennifer haar heiligdom binnen zou vallen.
'Ze zit in de kamer onder de garage,' zei Durell.
'Waarom is ze hier?' vroeg Veena nerveus. Ze ging rechtop zitten.
'We wilden weten wat haar wantrouwen heeft gewekt,' zei Cal. 'Jij bent degene die zich daar het meest druk om heeft gemaakt. Al vanaf het begin wilde je dat we iets aan haar zouden doen.'
'Ik wilde niet dat je haar hier zou brengen. Ik wilde dat je haar uit India zou laten vertrekken.'
'Nou,' zei Cal, 'wij moeten erachter komen waardoor ze wantrouwig is geworden zodat we dat kunnen veranderen. We willen niet dat iemand verdenkingen gaat krijgen. Kijk maar eens wat dat met jou heeft gedaan! Je bent een wrak. We willen dat jij met Hernandez gaat praten, omdat je dat al eerder hebt gedaan. We denken dat ze tegen jou wel iets zal zeggen.'
'Nee,' zei Veena vastbesloten. 'Ik wil niet met haar praten. Ze heeft me een vreselijk gevoel gegeven. Ze herinnert me aan wat ik haar grootmoeder heb aangedaan. Dwing me niet om met haar te praten!'
'We hebben niet veel keus,' zei Durell. 'Je moet het doen. Zowel voor jouw eigen gemoedsrust als voor die van ons.'
'Het is waar, Veena,' zei Cal. 'Bovendien denk ik dat je niet wilt dat we onze vrienden terugroepen die je vader onder druk houden, zodat hij zich gedraagt en van jou en je zussen afblijft.'
'Dat is niet eerlijk!' schreeuwde Veena, terwijl er een blos naar haar wangen steeg. 'Je hebt beloofd dat het voor altijd zou zijn.'
'Wat is altijd?' vroeg Cal. 'Kom op, Veena. Zo moeilijk is het niet wat we van je vragen. Jezus, misschien vertelt ze het je zelfs wel niet. Dat zij dan zo. Maar we moeten het proberen. Wij denken dat jij het kunt.'
'En als ze het me verteld heeft, wat dan?' vroeg Veena. 'Wat gebeurt er dan met haar?'
Cal en Durell keken elkaar even aan. 'Dan bellen we die lui die haar hier gebracht hebben zodat ze haar terug kunnen brengen.'
'Terug naar haar hotel?' vroeg Veena.
'Dat klopt. Naar haar hotel,' stemde Durell in.
'Goed. Ik zal met haar praten,' besloot Veena plotseling. 'Maar ik kan niks beloven.'
'Dat verwachten we ook niet van je,' zei Cal. 'En we begrijpen wel dat het een beetje moeilijk voor jou is, omdat zij je aan haar grootmoeder

herinnert. Dat is normaal. Maar we willen in de toekomst geen hobbels als deze op onze weg, vooral nu alles zo goed gaat.'
'Wanneer wil je dat ik het probeer?'
Cal en Durell keken elkaar aan. Het was een vraag waarop ze niet voorbereid waren.
Cal haalde zijn schouders op. 'Geen beter moment dan nu.'
'Ik wil eerst even douchen en wat anders aantrekkken. Over een halfuur dan maar?'
'Een halfuur is oké,' zei Cal.
Veena stond op en liep naar de deur. Vlak voor ze bij de deur was riep Cal: 'Dank je, Veena. Je bent opnieuw onze redder in de nood.'
'Geen dank,' zei ze. 'We móéten erachter zien te komen waardoor ze verdenkingen kreeg. Ik wil dit niet nog eens meemaken.'

'Goed, zo gaan we het aanpakken,' zei Cal. Samen met Durell en Veena was hij van het huis naar de garage gelopen. 'Eerst draai ik de stoppen weer vast. Dan lopen we allemaal de trap af, ik voorop. Ik zal de deur van het slot draaien en dan stap jij, Veena, naar binnen en roept haar naam. Als ze geen antwoord geeft, zoals de laatste keer, zeg je dat je wel terug zult komen als ze meer zin heeft om te praten. Verontschuldig je dat je het licht weer uit moet doen maar zeg dat het die akelige mannen zijn die dat willen. En dan ga je weg. Misschien moeten we dit een paar keer doen. We denken dat ze gewelddadig kan zijn.' Cal wisselde weer een blik met Durell, die alleen maar instemmend zijn wenkbrauwen optrok.
Alles ging zoals gepland. Nadat Cal de deur had geopend, stapte Veena naar binnen. Ze stond op het punt Jennifers naam te noemen toen ze haar op de bank zag zitten. Ze greep de deur en sloot hem voor Cals neus. Toen liep ze naar Jennifer en ging naast haar zitten.
Ze spraken geen van tweeën. Ze keken alleen maar afwachtend naar elkaar. Op Jennifers gezicht was te zien dat ze Veena had herkend zodra ze de kamer in liep.
'Je beseft dat we specifieke informatie van je willen horen,' begon Veena. Ze bleef stokstijf zitten.
'Ik weet dat er iets is wat jullie graag zouden willen horen,' zei Jennifer. 'Breng me terug naar mijn hotel en ik zal het zeggen.'
'Het voorstel is dat je teruggaat naar je hotel nadat je het ons hebt verteld. Anders heb je geen reden om mee te werken.'

'Sorry. Je moet me maar vertrouwen.'
'Ik denk dat het beter voor je is om met mij te maken te hebben dan met de twee mannen die hier de leiding hebben.'
'Daar heb je waarschijnlijk gelijk in, maar het is nu eenmaal een feit dat ik geen van jullie ken. Ik ben wel geschokt dat jij erbij betrokken bent.'
'Dat is dus jouw standpunt. Jij weigert me te vertellen waardoor je het vermoeden hebt gekregen dat de dood van je grootmoeder niet natuurlijk was?'
'Ik weiger niet. Ik heb aangeboden het je te vertellen, maar op neutraal terrein. Ik hou er niet van opgesloten te zitten.'
Veena stond op. 'Ik denk dat je dan tot morgen zult moeten wachten. Ik heb sterk het gevoel dat je wel zult inzien dat het beter is om met mij te maken te hebben en niet met de anderen als je er een nachtje over geslapen hebt.'
'Daar zou ik maar niet op rekenen, zuster Chandra,' zei Jennifer zonder zich te verroeren.
Veena liep terug naar de deur en rukte die open. Cal viel bijna naar binnen omdat hij zijn oor ertegenaan gedrukt hield.
'Ze moet nog maar even in het donker zitten,' zei Veena. Ze liep de twee mannen voorbij en klom de trap op.
Cal greep de zware deur en trok hem, na nog even naar Jennifer gekeken te hebben, dicht, sloot hem af en volgde Durell de trap op. Nadat hij ook de buitendeur had afgesloten liep hij naar Durell en Veena die samen stonden te praten.
'Dat was verdomd snel,' zei Cal. 'Is het gelukt haar over te halen?'
'Niet echt. Kon je dat niet horen door de deur?'
'Niet goed.'
'Ze is vastbesloten. Op dit moment is het zinloos om te proberen haar over te halen. Ik heb het gevoel dat ze er morgen wel anders over zal denken, en dat heb ik haar ook gezegd. Nog vijftien of zestien uur opgesloten zitten in het stikdonker zal wonderen doen. Ik hoef morgen niet naar het ziekenhuis omdat het zaterdag is. Ik heb haar verteld wat de voorwaarden waren en gezegd dat ik weer terug zou komen.'
De twee mannen wisselden een blik en knikten. 'Klinkt goed,' zei Cal, maar op een toon die aangaf dat hij niet overtuigd was.
Ze liepen terug naar de bungalow. 'Zullen we vanavond een film kijken?' vroeg Veena.

'Ja, we hebben een goeie,' zei Durell. 'Clint Eastwood, *Unforgiven*.'
'Ik kan wel wat afleiding gebruiken,' zei Veena. 'Ik ben nog steeds bang dat er autopsie wordt uitgevoerd op Maria Hernandez. Ik kan het maar niet van me afzetten.'
Toen ze bij de bungalow waren, liep Veena naar haar kamer. 'Zie jullie aan tafel.'
Cal en Durell keken haar na.
'Ze is echt slim,' zei Durell. 'Ik denk dat ze groot gelijk heeft over die Hernandez.'
'Ze is inderdaad slim, maar ik maak me zorgen over haar gebrek aan emotie. Zo deed ze ook voor ze die overdosis nam. We moeten maar om de paar uur naar haar kamer gaan om te kijken of er niks aan de hand is. En als je Petra of Santana ziet, geef dan door dat zij dat ook doen.'

35

19 oktober 2007
vrijdag 16.40 uur
New Delhi, India

De voetbal was net een paar millimeter buiten bereik van de vingertoppen van de man in het zwembad. Omdat het een snoeiharde pass van een voormalige quarterback was, vloog hij door de lucht en ketste op het water van het zwembad. Toen hij voor de tweede keer naar beneden kwam, raakte hij Neils achterste. Die ontwaakte bruut uit een vaste slaap. Neil sprong op uit de ligstoel naast het zwembad, klaar om zijn aanvallers te weerstaan. De man in het zwembad die de pass had gemist schreeuwde naar Neil om de bal terug te gooien, terwijl de ex-quarterback aan de andere kant van het zwembad in de lach schoot. Woedend pakte Neil de bal en schopte hem zo hard als hij kon in de richting van de lachende quarterback, maar hij zeilde over zijn hoofd en verdween tussen de bomen die het terrein afbakenden.
'Bedankt, man,' zei de man in het zwembad sarcastisch.
'Graag gedaan,' antwoordde Neil. Hij was genoeg van de schrik bekomen om zich een beetje schuldig te voelen. Hij zocht zijn horloge. Hij was rond drie uur in slaap gevallen nadat hij verwacht had Jennifer elk moment te zien verschijnen. Hij had verschillende boodschappen achtergelaten op de voicemail van haar kamer. Het feit dat ze niet was komen opdagen begon hem zorgen te baren.
'Tien over halfvijf,' zei hij hardop. Geschrokken greep hij zijn spullen bij elkaar, trok zijn badjas aan en ging naar binnen. Toen hij door de gymzaal liep keek hij om zich heen: geen Jennifer. Hij liet zich met de lift naar de achtste verdieping brengen, want hij wilde in haar kamer kijken voordat hij zijn zwembroek uit ging trekken.
Toen hij bij kamer 812 was, drukte hij op de bel, bonsde op de deur en rammelde aan de deurknop zonder op antwoord te wachten. Hij legde zijn hoofd tegen de deur. 'Zo is het genoeg,' zei hij hardop toen hij niks hoorde.

Teruggekomen in zijn eigen kamer trok Neil snel zijn kleren aan. Daarna liep hij naar de receptiebalie en vroeg naar de manager. Zoals alle service in het Amal Palace Hotel verscheen de manager als bij toverslag. 'Goedemiddag meneer. Ik ben een van de gastheren. Mijn naam is Sidharth Mishra. Hoe kan ik u helpen?'

'Mijn vriendin, Jennifer Hernandez, in kamer 812, was van plan vandaag uit te slapen,' zei Neil dringend. 'Maar dit is belachelijk. Het is nu al over vijven en ze reageert niet op mijn telefoontjes en ook niet als ik op de deur bons.'

'Wat vervelend, meneer. Ik zal eens proberen te bellen.' Sidharth knipte met zijn vingers naar een vrouw die aan een van de incheckbalies zat. 'Damini, wil je even kijken of je antwoord krijgt in 812?'

'Heeft ze dit in het verleden ooit eerder gedaan?' vroeg Sidharth aan Neil terwijl Damini belde.

'Niet bij mij,' zei Neil.

'Als er geen antwoord komt gaan we direct naar boven.'

'Heel fijn,' zei Neil.

'Er wordt niet opgenomen,' zei Damini. 'De telefoon is overgegaan op de voicemail.'

'Laten we dan maar gaan kijken,' zei Sidharth. Hij vroeg aan Damini hen te vergezellen.

Terwijl ze naar boven gingen in de lift begon Neil zich zenuwachtig af te vragen of hij er wel goed aan had gedaan om Jennifer de dag tevoren te adviseren niet naar de politie te gaan. Hij wist dat er in Amerika in een vergelijkbare situatie consequenties zouden zijn wegens het verlaten van de plaats delict.

'Zou juffrouw Hernandez ergens naartoe gegaan kunnen zijn?' vroeg Sidharth. 'Winkelen misschien?'

'Ik weet zeker van niet,' zei Neil. Hij kwam even in de verleiding om de mogelijke aanslag op haar leven te noemen.

Ze arriveerden op de achtste verdieping en liepen snel naar kamer 812. Sidharth wees naar het niet-storen-bordje. Neil knikte en zei: 'Dat hangt er de hele dag al.'

'Juffrouw Hernandez,' riep Sidharth nadat hij op de bel gedrukt had. Hij klopte een paar keer, waarna hij de master keycard pakte. Hij opende de deur en deed een stap opzij zodat Damini hem kon passeren. De vrouw dook de kamer in maar kwam direct weer terug.

'De kamer is leeg,' zei Damini.
Nu ging Sidharth ook naar binnen. Ze keken in de kamer en in de badkamer. Alles leek normaal, behalve dat de douchedeur op een kier stond met een droge handdoek erover. Sidharth voelde er even aan.
'Het lijkt wel of ze gewoon even weg is,' zei Sidharth.
Neil moest het met hem eens zijn. Behalve de douchedeur en het niet-storen-bordje op de deur, leek alles normaal.
'Wat wilt u dat we doen, meneer McCulgan?' vroeg Sidharth. 'Het ziet er beslist niet erg verdacht uit. Misschien zal uw vriendin bij het diner wel weer terug zijn.'
'Er is iets mis,' zei Neil zijn hoofd schuddend. Hij was teruggelopen naar het halletje, en toen hij zich omdraaide om te vertrekken viel zijn oog op de beschadigde deurpost waar de veiligheidsketting aan vast had gezeten.
'Kijk hier eens,' zei hij. 'De veiligheidsketting en de behuizing zijn verdwenen.'
'U hebt gelijk,' zei Sidharth. Hij haalde zijn mobiele telefoon tevoorschijn en belde naar de receptiebalie. 'Stuur de bewakingsdienst zo snel mogelijk naar kamer 812.'
'Ik wil dat de politie gebeld wordt,' zei Neil. 'En wel nu. Ik denk dat ze ontvoerd is.'

36

19 oktober 2007
vrijdag 19.14 uur
Varanasi, India

'Ik kan niet ontkennen dat Varanasi een interessante stad is,' zei Laurie. 'Maar dat is dan ook alles.' Zij, Jack en Arun hadden net de Dasashvamedha ghat aan de Ganges bereikt, via een drukke winkelstraat die gesloten was voor verkeer.

De vlucht vanuit New Delhi was redelijk verlopen, hoewel hij meer dan een halfuur vertraging had gehad. Het vliegtuig was ook erg vol geweest. De rit van het vliegveld naar het hotel duurde bijna net zo lang als de vlucht. Zowel Laurie als Jack was betoverd door het uitzicht. Er was een constante stroom aan kleine, commerciële zaakjes van een verbijsterende variëteit, en hoe dichter ze bij het centrum van de stad kwamen, hoe smeriger het werd. Het was goed voor te stellen dat er een miljard mensen in India woonden, afgaand op de aantallen mensen die ze zagen.

Het inchecken bij het hotel verliep gladjes, vooral omdat de manager, Pradeep Bajpai, een bekende was van dokter Ram. Pradeep was heel behulpzaam geweest bij het in contact komen met een professor van de Banaras Hindu University, Jawahar Krishna, die bereid was om als hun gids te fungeren. Jawahar was direct naar het hotel gekomen, terwijl ze met zijn drieën ondertussen genoten van een vroeg diner. De verwachting was dat ze een groot deel van de avond op pad zouden zijn en het leek hun dus beter om te eten nu het kon.

'Het is een stad waar je aan moet wennen,' zei Jawahar, begrijpend waar Lauries opmerking vandaan kwam. Hij was eind veertig, misschien begin vijftig, had een breed gezicht, heldere ogen en krullend grijs haar. Met zijn westerse kleding en vlekkeloze Engels kon hij een professor van een Ivy League College zijn. Het bleek dat hij een paar jaar aan de Columbia University had gestudeerd.

'Ik ben onder de indruk van alle religieuze aspecten, maar tegelijk walg ik

van het vuil,' ging Laurie verder. 'Vooral alle uitwerpselen.' Ze waren talloze koeien, zwerfhonden, en zelfs een paar geiten gepasseerd die tussen de massa's mensen, het vuilnis en allerlei andere rotzooi doorliepen.
'Er is geen excuus voor,' zei Jawahar. 'Ik ben bang dat het al meer dan drieduizend jaar zo is en dat het de volgende drieduizend jaar ook wel zo zal blijven.'
Jawahar was ook zeer behulpzaam geweest met betrekking tot de echte reden waarom ze naar Varanasi waren gekomen, namelijk om de lichamen van Benfatti en Lucas te vinden. Als Shiva-wetenschapper was Jawahar persoonlijk bevriend met een van de belangrijkste brahmaanse priesters van de Manikarnika ghat. De Manikarnika was de belangrijkste van de twee crematie-ghats in Varanasi. Als bemiddelaar was hij bereid met zijn vriend te onderhandelen voor Jack en Laurie zodat ze via de mobiele telefoon op de hoogte gebracht zouden worden als de Amerikanen waren gearriveerd, en toegang plus genoeg tijd kregen om hun monsters te nemen. De prijs was tienduizend roepies, iets meer dan tweehonderd dollar. Jack had geprobeerd Jawahar te laten uitvinden hoeveel de ziekenhuizen betaalden, maar of de brahmaan het wist of niet, hij wilde het niet zeggen.
'Waar zijn we nu?' vroeg Jack, uitkijkend op de rijen traptreden naar de rivier. De zon was achter hen ondergegaan. In het afnemende licht zag de rivier eruit als een enorme, gladde moddervlakte die meer op ruwe olie dan op water leek. Aan de oever waren vijftien tot twintig mensen aan het baden. Allerlei bootjes lagen tegen de kant. De stroming was zwak, wat te zien was aan de langzaam voorbij drijvende rotzooi.
'Mijn god! Is dat een menselijk lichaam daar, en het karkas van een koe?'
Jawahar volgde Jacks wijzende vinger. De dingen waar hij op doelde, dreven ongeveer tweehonderd meter van de oever. 'Ik geloof dat je gelijk hebt,' zei hij. 'Dat komt voor, ja. Er zijn mensen die niet gecremeerd mogen worden. Ze worden gewoon in het water gegooid.'
'Wie dan bijvoorbeeld?' vroeg Laurie met een vies gezicht.
'Kinderen onder een bepaalde leeftijd, zwangere vrouwen, lepralijders, mensen die gebeten zijn door een slang, *sadhoes*, en...'
'Wat zijn sadhoes?' vroeg Laurie.
Jawahar draaide zich om en wees naar een rij oude mannen met baarden en dreadlocks, opgebonden in een knot, die met gekruiste benen langs de toegangsweg naar de ghat zaten. Sommigen droegen een gewaad, ande-

ren waren praktisch naakt en droegen alleen een lendendoek. 'Het zijn zelfbenoemde hindoemonniken,' legde Jawahar uit. 'Sommigen waren vroeger gerespecteerde zakenlieden.'
'Wat doen ze?' vroeg Laurie.
'Niets. Ze zwerven rond, drinken *bhang*, een mengsel van marihuana en een soort yoghurt, en mediteren. Alles wat ze bezitten hebben ze bij zich en ze leven van aalmoezen.'
'Ieder zijn ding,' zei Jack. 'Maar om even terug te komen op mijn vraag. Waar zijn we?'
'Dit is de belangrijkste, de beroemdste en de drukste ghat,' legde Jawahar uit. 'Het is ook het middelpunt van religieuze activiteiten in Varanasi, zoals je kunt zien aan al die hindoepriesters die hun eigen religieuze riten uitvoeren.'
Ongeveer halverwege de stenen treden die naar beneden liepen, en parallel aan de oever van de rivier, was een serie platformen. Bij elk platform stond een in een oranje gewaad geklede priester die ingewikkelde bewegingen uitvoerde met kandelaars, bellen en lampen. Luid gezang weerklonk door het hele gebied, afkomstig uit een rij speakers die over de volle lengte van de ghat waren opgehangen. Een paar duizend mensen krioelden door elkaar, onder wie andere hindoepriesters, sadhoes, kooplieden, zwendelaars, kinderen, zogenaamde gidsen, slenterende gezinnen, pelgrims vanuit heel India en toeristen.
'Ik denk dat we het beste een boot kunnen huren,' zei Jawahar. 'We hebben ruim de tijd voor we iets van de brahmaan zullen horen, maar dan kunnen we dichter bij de plaats van de crematie aanleggen.'
'Is dat de crematie-ghat die we daar zien?' vroeg Laurie, wijzend naar het noorden. Er was een vage gloed zichtbaar, en rook die tegen de donker wordende lucht vol schapenwolkjes omhoog kringelde.
'Dat is hem,' beaamde Jawahar. 'We kunnen hem beter zien vanaf het water. Ik zal een boot gaan zoeken. Als ik er een gevonden heb zal ik zwaaien.' Jawahar liep de treden naar de rivier af.
'Wat vind je van Varanasi?' vroeg Arun.
'Zoals ik al zei, interessant,' antwoordde Laurie. 'Maar het is overweldigend voor mijn westerse fijngevoeligheid.'
'Het lijkt wel of we in een paar eeuwen tegelijk zijn,' zei Jack, kijkend naar een man die vlakbij zijn mobiele telefoon openklapte.
De boottocht bleek een goed idee. Een paar uur lang, terwijl het lang-

zaam nacht werd, voeren ze rustig op en neer langs de kust, geboeid door de activiteiten bij alle ghats maar vooral aangetrokken door de Manikarnika met zijn tien of twaalf brandstapels. Er waren donkere figuren te zien die de vuren opstookten en uitbarstingen van vonken en rook de nachtlucht instuurden. Langs de oever lagen enorme hoeveelheden brandhout, waaronder zeldzaam sandelhout.
Iets boven het brandhout was de kuil waarin de brandstapels werden gebouwd. Boven de kuil waren treden die naar een loodrechte stenen muur leidden. Op de muur stak een balkon naar voren, een onderdeel van een groot tempelcomplex met een conische toren. Naast de tempel was een vervallen paleis met een niet-werkende torenklok. Door de vuren en de enorme drukte leek het gebeuren op een scène uit de Apocalyps.
Om vijf over halfelf begon Lauries telefoon te rinkelen. Ze kon zien dat het een Indiaas nummer was.
Jawahar sprak heel kort in het Hindi. Daarna gaf hij de telefoon terug aan Laurie.
'De lichamen zijn gearriveerd,' meldde hij. 'De brahmaan heeft ze in een kleine tempel laten zetten naast dat grote balkon wat je van hier kunt zien. Hij zei dat we direct moeten komen.'
'Laten we gaan,' zei Laurie.
Terwijl de bootsman hen naar de kust roeide, vertelde Jawahar dat ze zouden uitstappen bij de Scindia ghat, omdat vrouwen niet aan de oever bij de Manikarnika ghat of ter hoogte van de brandstapels mochten komen.
'Waarom is dat in hemelsnaam?' vroeg Laurie.
'Om te voorkomen dat vrouwen op de brandstapel van hun mannen springen,' zei Jawahar. 'In het traditionele India was het leven niet makkelijk voor weduwes.'
Toen ze landden waren Jack en Laurie gefascineerd door de enorme Shivatempel die gedeeltelijk in de Ganges stond. Samen met Arun liepen ze ernaartoe om te kijken, terwijl Jawahar afrekende met de bootsman.
Om van de Scindia ghat naar de Manikarnika ghat te komen, moesten ze het oude deel van de stad binnengaan dat aan de zes kilometer lange rij ghats grensde. Zodra ze van het open water weg liepen kreeg de stad een middeleeuwse uitstraling met zijn donkere, claustrofobische, kronkelende, smalle keiensteegjes. In tegenstelling tot de zijdeachtige koelte van de oever van de Ganges werden ze nu omringd door een stinkende hitte en de geur van oude urine en koeienpoep. De steegjes waren ook overvol

met mensen, koeien en honden. Laurie wilde zich wel terugtrekken als een slak in zijn huis om te vermijden dat ze iets aanraakte. De stank was zo sterk dat ze het liefst alleen door haar mond wilde ademen, maar vanwege de angst voor een besmettelijke ziekte ademde ze toch maar door haar neus. Zelden had ze zich zo slecht op haar gemak gevoeld als toen ze achter Jawahar aan strompelde, wanhopig trachtend te vermijden dat ze in poep stapte.
Af en toe verdween het gevoel van claustrofobie heel even als ze bij een verlicht restaurant, een open winkel of een bhang-stalletje verlicht door een enkel kaal peertje kwamen. Maar meestal was het donker en heet en stonk het.
'Goed, hier is de trap,' zei Jawahar. Hij stond zo plotseling stil dat Laurie, die achter hem liep, tegen hem op botste.
'Deze trappen gaan naar dat grote balkon. Ik adviseer jullie om bij elkaar te blijven. We willen niet dat er iemand verdwaalt.'
Laurie kon zich niet voorstellen dat hij dacht dat ze de neiging zouden hebben om af te dwalen.
'Er zijn hierboven diverse hospitiums,' ging Jawahar verder. 'Elk onder toezicht van een andere brahmaan. Zij zijn voor de stervenden. Ga er niet naar binnen. Er zullen een paar kaarsen zijn maar verder is het donker. Ik heb een zaklantaarn meegebracht maar die zullen we alleen gebruiken als jullie de monsters nemen. Is alles duidelijk?'
Jack en Arun zeiden ja. Laurie zweeg. Haar mond en keel waren droog.
'Gaat het goed met je, Laurie?' vroeg Jack. Ze konden elkaar nauwelijks zien.
'Ik geloof het wel,' wist Laurie uit te brengen, terwijl ze probeerde een beetje speeksel te verzamelen om haar lippen te bevochtigen.
'Heb je het geld?' vroeg Jawahar aan Jack.
'Ja, hier,' zei Jack en gaf een klap op zijn broekzak.
'Nog één ding,' zei Jawahar. 'Spreek niet tegen de Doms.'
'Wie zijn de Doms?' vroeg Laurie.
'De Doms zijn de onaanraakbaren die sinds onheuglijke tijden voor het vuur in de crematoria zorgen en de doden verplaatsen. Ze wonen hier in de tempel met het eeuwige vuur van Shiva. Ze zijn gekleed in witte gewaden en scheren hun hoofd kaal. Praat niet tegen hen. Ze nemen hun taak heel serieus.'
Maak je geen zorgen, dacht Laurie, maar ze zei het niet hardop. Ik praat met niemand.

Jawahar draaide zich om en liep de trap op, die naar links boog en oneindig leek. Toen ze boven waren kwamen ze uit op een balkon met een krakkemikkige reling. Vanaf daar hadden ze een weids uitzicht over de rivier, waarboven een bijna vollemaan opkwam. Onder hen schoten de razende vuren van de brandstapels vonken, as, droge hitte en rook de lucht in. De Doms waren zichtbaar als zwarte figuren die met lange stokken de brandstapels opstookten tot kleine hellevuren. De brandende lichamen waren goed te zien.

Op het balkon lagen ongeveer dertig lijken in witte mousseline lijkwaden. Achteraan op het balkon, in een brede, naar achteren gelegen ruimte, waren de donkere openingen van verschillende tempels. In de middelste gloeide het eeuwige vuur van Shiva.

'Geef mij het geld maar,' zei Jawahar en stak zijn hand uit in het maanlicht.

Jack deed wat hem gevraagd werd.

'Iedereen moet hier blijven. Ik ben zo terug.'

'Mijn god,' klaagde Laurie. 'Dit is vreselijk.'

'Dus mensen komen hier echt naartoe om in deze grotten te wonen tot ze sterven?' vroeg Jack aan Arun.

'Dat heb ik begrepen,' zei Arun.

Jawahar kwam teruglopen uit een van de twee koepels op de hoek van het balkon. 'De lichamen in kwestie liggen in de kleine tempel naast de trap waarover we naar boven gekomen zijn,' zei hij. 'De brahmaan heeft gezegd dat we snel moeten zijn en niet de aandacht op ons moeten vestigen. De Doms beschouwen het beschermen van de lichamen namelijk als een van hun belangrijkste taken.'

'Dat kan er ook nog wel bij,' mompelde Laurie terwijl ze allemaal terugliepen in de richting van waaruit ze gekomen waren. Ze merkte dat ze begon te trillen.

Toen ze de tempel hadden bereikt, doken ze er een voor een in. Ze wachtten tot hun ogen aan de duisternis gewend waren geraakt. Behalve de deur was er een raam zonder glas. Er scheen zoveel maanlicht naar binnen dat je de twee lichamen naast elkaar kon zien liggen. Ze waren ook in witte mousseline gehuld.

'Heb je de injectiespuiten?' vroeg Jack aan Laurie. Laurie had ze uit haar schoudertas gepakt en hield ze omhoog. Jack pakte er een. 'Ik doe de ene, jij de andere. Ik geloof niet dat we een zaklantaarn nodig hebben.'

Ze maakten het koord los dat wat mousselinen zakken bleken te zijn dichthield. Arun hielp Laurie terwijl Jawahar Jack hielp om de zakken zo ver naar beneden te schuiven dat de schaamstreek te zien was. Door de naalden net boven het schaambeen recht naar beneden in te brengen konden beide spuiten met urine worden gevuld.

'Een fluitje van een cent,' zei Jack blij.

Nadat ze zorgvuldig het beschermdopje op de beide injectiespuiten had aangebracht, stopte Laurie ze in haar schoudertas. Daarna moesten ze de lichamen weer in de lijkwaden zien te krijgen. Net toen ze bijna klaar waren verdween het maanlicht plotseling. Toen ze opkeken zagen ze dat de deuropening werd geblokkeerd door twee Doms. 'Wat is hier aan de hand?' vroeg de eerste.

Jack reageerde als eerste. Hij stond op en liep zo dicht naar de Doms toe dat ze achteruit moesten lopen. 'We zijn net klaar. We zijn artsen en we wilden alleen zeker weten of deze twee echt dood waren. Maar we zijn klaar.'

Jawahar, Laurie en Arun liepen dicht achter Jack aan de tempel uit.

Hoewel de Doms in eerste instantie in verwarring raakten door Jacks opmerking duurde dat niet lang. 'Lijkenpikkers!' schreeuwden ze keihard en probeerden Jack bij de voorkant van zijn overhemd te grijpen.

'Rennen!' riep Jack. Laurie had niet meer aanmoediging nodig. Ze holde zo snel als ze kon in de richting van de trap. Jawahar volgde en daarna Arun.

Jack gaf een karatetrap tegen de graaiende armen van de eerste Dom, maar de tweede greep hem van opzij beet. Daarop stompte Jack hem met een gesloten vuist recht in het gezicht. Op de achtergrond leek het of er overal Doms uit de stenen tevoorschijn kwamen. Jack gaf nog een stomp op het lichaam van de eerste Dom, die dubbelsloeg. Het volgende moment was hij op de trap.

Toen hij het smalle steegje onder aan de trap had bereikt duurde het even voor hij Arun zag, die was blijven staan om hem op te wachten. Jawahar leidde hen in tegenovergestelde richting dan van waaruit ze waren gekomen. Jack holde naar Arun, die weer door was gerend. Achter hen konden ze een luid schreeuwende horde Doms van de trap horen komen.

Jack was in prima conditie en haalde Arun al snel in. Maar al vlug stuitten ze op Laurie en Jawahar, die vastzaten in het voetgangersverkeer. Het donkere, lege, smalle steegje was uitgekomen op een grotere maar veel

drukkere straat, compleet met een op de grond liggende, herkauwende koe waar Laurie in de haast bijna over struikelde.
Nog vijf minuten duwde en wrong het groepje zich een weg om meer afstand te krijgen tussen hen en de woedende Doms. Toen ze er zeker van waren dat ze niet langer werden achtervolgd stopten ze, hijgend van de inspanning, met uitzondering van Jack. Ze keken elkaar aan en gedeeltelijk door de angst die de gebeurtenissen hadden veroorzaakt begonnen ze te lachen.
Nadat ze op adem waren gekomen leidde Jawahar hen door de labyrintachtige straatjes terug naar Vishwanath Gali, de winkelstraat vanwaar ze in eerste instantie naar de Dasashvamedha ghat waren gelopen. Daar slaagde Jawahar erin twee riksja's te huren die hen terugbrachten naar het Taj Ganges hotel.
'Wat ik het allerliefste zou willen,' zei Laurie toen ze bij de balie kwamen om hun sleutels te halen, 'is een heel lange douche nemen.'
'Bent u dokter Laurie Montgomery?' vroeg de receptionist voor Laurie de kans kreeg om nog meer te zeggen. Zijn toon was dringend, waardoor Lauries aandacht onmiddellijk werd getrokken.
'Ja, dat ben ik,' antwoordde ze bezorgd.
'U hebt enkele urgente berichten. De persoon in kwestie heeft drie keer gebeld, en hij heeft gevraagd of u onmiddellijk terug wilt bellen.'
Laurie schrok.
'Wie is het?' vroeg Jack, eveneens slecht op zijn gemak. Hij keek over haar schouder.
'Het is Neil,' zei Laurie. Ze keek Jack aan. 'Denk je dat het iets met Jennifer te maken heeft?'
Terwijl Laurie haar mobiele telefoon uit haar tas haalde liepen ze naar een zithoek met uitzicht over het uitgestrekte terrein van het hotel. Omdat ze Neils telefoonnummer niet had belde Laurie het Amal Palace Hotel en vroeg te worden doorverbonden met Neils kamer.
Neil nam direct op, alsof hij naast de telefoon zat.
'Jennifer is ontvoerd,' gooide hij eruit, nog voordat hij zeker wist dat het Laurie was.
'O, nee!' riep Laurie uit. Haastig herhaalde ze het nieuws voor Jack.
'Het moet vanmorgen gebeurd zijn toen ik bij jullie was,' zei Neil. 'Toen ik terugkwam dacht ik dat ze sliep. Ik merkte pas tegen zes uur dat ze er niet was. Ik ben zo kwaad op mezelf!'

Neil vertelde het hele verhaal, en ook dat de verdwenen veiligheidsketting de enige aanwijzing was. Dat en het feit dat er niets weg was uit haar kamer.
'Is er een briefje? Met eisen?' vroeg Laurie.
'Niets,' gaf Neil toe. 'Dat vind ik nog het engst.'
'Is de politie geroepen?'
Neil lachte minachtend. 'Ze zijn gebeld, maar dat heeft niet echt geholpen.'
'Waarom zeg je dat?'
'Ze weigeren de eerste vierentwintig uur een Eerste Informatie Rapport of EIR, in te vullen. En er moet een EIR ingevuld worden voor ze iets doen. Het is net een Indiase catch-22.'
'Waarom vullen ze geen EIR in?'
'Moet je nagaan! Ze willen er geen invullen omdat het te vaak voorgekomen is, vooral met Amerikanen, dat degene die vermist wordt, of hij nou ontvoerd of op eigen houtje op stap is, uiteindelijk wel weer boven water komt en dan is al hun werk voor niks geweest. Die luie donders zijn bereid de kidnappers een voorsprong van vierentwintig uur te geven omdat het papierwerk te veel van ze eist. Ik word er kotsmisselijk van.'
'Wat doet het hotel?'
'Het hotel is fantastisch. Ze zijn net zo van streek als ik en hebben er een heel privéteam op gezet. Ze bekijken ook alle bewakingsvideo's in de lobby en bij de voordeur.'
'O, laat ze in godsnaam iets vinden en een beetje snel ook,' zei Laurie. 'Het spijt me dat we daar niet zijn.'
'Mij ook. Ik ben ziek van bezorgdheid.'
'In elk geval hebben we de urinemonsters waar we voor gekomen zijn,' zei Laurie.
'Ik hoop dat je nu niet heel erg teleurgesteld bent, maar dat kan me even niks schelen.'
'Ik begrijp het volkomen,' zei Laurie. 'Ik voel hetzelfde. Ik zei het alleen maar omdat we morgen zo vroeg mogelijk naar Delhi terug zullen komen en dan zullen we zien of we je kunnen helpen om de plaatselijke politie er meer bij te betrekken. Wacht, Jack wil je nog spreken.'
'Luister, Neil,' zei Jack toen hij aan de telefoon kwam. 'Wat we morgen moeten doen is naar de Amerikaanse ambassade gaan en contact opnemen met een van de consulaire medewerkers. Hij of zij kan dan een ont-

moeting regelen met een regionale veiligheidsbeambte. Zij weten hoe ze de plaatselijke politie aan moeten pakken. Jij hebt waarschijnlijk slechts te maken met een gewone agent. We moeten zorgen dat de FBI erbij betrokken wordt. Die kunnen niks doen tot ze worden uitgenodigd.'
'Wanneer zijn jullie weer hier?'
'Terwijl jij met Laurie praatte heb ik het opgezocht. De eerste vlucht vertrekt om kwart voor zes morgenvroeg. Wij kunnen in het hotel zijn voor je wakker bent.'
'Reken daar maar niet op. Ik denk niet dat ik veel zal slapen.'
Jack gaf de telefoon terug aan Laurie.
'Dat heb ik gehoord,' zei Laurie. 'Je moet slapen. We zoeken dit tot op de bodem uit. Maak je geen zorgen.'
Na elkaar gegroet te hebben zette Laurie de telefoon uit. Ze keek Jack aan. 'Dit is een ramp.'
'Dat kun je wel zeggen,' zei Jack instemmend.

37

20 oktober 2007
zaterdag 3.00 uur
New Delhi

Tegen drie uur was het helemaal stil in de bungalow. Een uur eerder had Veena de flatscreen-tv in de woonkamer nog gehoord. Kennelijk was er iemand die niet kon slapen. Maar wie het ook was geweest, hij of zij had hem uitgezet en was naar zijn of haar kamer gegaan.
Zonder het licht aan te doen zocht Veena op de tast naar de kussensloop vol kleren die ze op haar nachtkastje had gelegd voor ze om middernacht haar licht had uitgedaan. Toen ze hem had gevonden pakte ze hem op en liep naar de deur. Gelukkig sliep Samira die nacht bij Durell. Dat was een van de dingen waar ze zich zorgen om had gemaakt en de drie uur die ze in bed had gelegen was Veena elke keer als ze een geluid hoorde, bang dat Samira terugkwam om de rest van de nacht in haar eigen bed, tegenover dat van Veena, door te brengen.
Een tweede zorg was de sleutel. Als hij niet was waar ze hoopte dat hij was, zou alles mislukken.
Veena opende de deur op een kier. Het huis was stil en er was opvallend veel licht door de vollemaan. Zachtjes, met haar schoenen in de ene hand en de kussensloop in de andere, sloop Veena van de gastenvleugel, waar de slaapkamers van de verpleegsters waren, naar het hoofdgedeelte van het huis. Ze probeerde in de schaduw te blijven. Toen ze bij de woonkamer kwam stond ze even stil en wierp voorzichtig een blik naar binnen. Ze wist maar al te goed dat als je met zestien mensen en vijf bedienden in een huis woonde, je op elk moment van de dag iemand tegen zou kunnen komen.
De woonkamer was leeg. Met hernieuwde moed rende Veena door de hal naar de bibliotheek. Net als de woonkamer was hij donker en leeg. Zonder een moment te verspillen liep Veena snel naar de haard. Nadat ze de kussensloop en haar schoenen had neergezet, pakte ze de Indiase

papier-maché doos. Omdat de deksel er heel strak op zat duurde het even voor ze hem zover open had dat ze haar vingernagels ertussen kon krijgen. Toen hij eindelijk met een harde plof opensprong bleef Veena doodstil zitten. Een paar minuten luisterde ze naar de geluiden in het huis. Alles bleef normaal.
Veena tilde de deksel eraf en legde hem op de schoorsteenmantel. Met ingehouden adem stak ze haar hand in de doos. Tot haar opluchting raakten haar vingers direct de grote sleutel, waarop ze Vishnu bedankte. Nadat ze de sleutel in haar zak had gestoken nam ze de tijd om de deksel weer op de doos te doen en de doos weer op dezelfde plek terug te zetten.
Veena pakte haar schoenen en de kussensloop, liep de bibliotheek uit en rende de hal weer door, nu in de richting van de serre. Op dat moment hoorde ze het geluid van de koelkastdeur die werd gesloten. In een reflex dook ze in de schaduwen van de hal en bleef doodstil staan. Dat was maar goed ook. Even later verscheen Cal in de hal met een flesje Kingfisher bier. Hij liep langs Veena naar de gastenvleugel.
Dat was op het nippertje. Veena begon in paniek te raken. Hoewel ze de hele avond zo gewoon mogelijk had proberen te doen, wist ze dat Cal het niet vertrouwde. Hij had haar meer dan eens gevraagd of het goed met haar ging. Later, nadat ze zich geëxcuseerd had en zei dat ze naar bed ging, was hij met een vaag excuus naar haar kamer gekomen en nu hij weer die kant uitliep begon ze te vermoeden dat hij haar opnieuw wilde controleren.
Zodra hij uit het zicht was, sloop Veena verder. Ze wist dat haar tijd beperkt was. Zachtjes liep ze via de serredeur de tuin in, waar ze haar schoenen aantrok. Toen rende ze snel het grasveld over. Net op het punt waar hij tussen de bomen verdween, bereikte ze de oprit. Tussen de bomen moest ze vanwege de duisternis langzamer lopen. Een paar minuten later was ze bij de garage.
Ze maakte de buitendeur open en liet hem helemaal openstaan om zo veel mogelijk profijt te hebben van het maanlicht dat door de bomen filterde, terwijl de bladeren ritselden in de nachtwind. Onder aan de trap was het bijna volledig donker en toen Veena omhoog keek naar de deur zag ze nog maar een klein beetje maanlicht.
Ze klopte met de sleutel op de deur. 'Juffrouw Hernandez,' riep ze. 'Ik ben het, zuster Chandra.' Pas toen probeerde ze hem open te maken. Achter de deur was het pikdonker.

'Juffrouw Hernandez,' riep Veena weer. 'Ik ben gekomen om je hier weg te halen. Het is geen truc, maar we moeten opschieten. Ik heb kleren en schoenen voor je.'
Veena voelde een hand die haar aanraakte. 'Waar zijn de schoenen?' vroeg Jennifer. Ze was op haar hoede, ook al zei Veena dat het geen truc was.
'De schoenen en de kleren zitten in een kussensloop. Laten we naar boven gaan, dan hebben we tenminste een beetje maanlicht.'
'Oké,' zei Jennifer.
Veena keerde zich om en liep de trap op, in de richting van het zwakke, zilvergrijze licht. Ze kon Jennifer op haar blote voeten nauwelijks achter zich aan horen komen. Toen ze de koele nacht in stapte keek ze naar het huis. 'O, nee!' riep ze uit. Door de bomen kon ze zien dat er nu licht aan was. Een seconde later schrok ze hevig. Ze hoorde hoe Cal haar naam schreeuwde.
Jennifer dook op uit het trapgat terwijl ze al bezig was de badjas uit te doen om zo snel mogelijk de kleren aan te trekken die Veena had meegebracht.
'Er is geen tijd voor het shirt en de broek,' riep Veena uit.'Maar je moet iets aan je voeten hebben.' Ze worstelde om de tennisschoenen uit de kussensloop te krijgen en gaf ze aan Jennifer. Jennifer trok de badjas weer aan en rukte de schoenen uit Veena's handen.
'Waarom hebben we zo'n haast?' vroeg ze snel.
'Cal Morgan, de man die de leiding heeft, heeft ontdekt dat ik weg ben. Hij zal waarschijnlijk snel bedenken dat ik hiernaartoe ben gegaan om jou te bevrijden.'
Jennifer trok de tennisschoenen aan. 'Waar moeten we naartoe?'
'Tussen de bomen door, weg van het huis. Er is een omheining, maar die is ergens omgevallen. We moeten die plek vinden en wegkomen van de bungalow, anders eindigen we allebei in die kelder.'
'Laten we gaan,' zei Jennifer terwijl ze de ceintuur van de badjas vastknoopte.
De twee vrouwen gingen op weg door de bomen. Hoe dichter het bladerdak, hoe moeilijker het was. Een meter of vijftien konden ze alleen op de tast verder. Het grootste probleem was het lawaai. Ze maakten een herrie als een paar olifanten in de jungle.
'Veena, kom terug! We moeten praten,' klonk het door de vochtige nachtlucht. Lichtbundels dansten in het duister en gleden over het grasveld voor de bungalow.

Nog haastiger strompelden de vrouwen voort tot ze uiteindelijk tegen een hek met een bijzonder stevig hangslot aanliepen, waar roestig prikkeldraad overheen liep.
'Welke kant op?' fluisterde Jennifer hijgend.
'Geen idee,' antwoordde Veena. De lichtbundels drongen nu door tot in het bos.
Jennifer nam snel een beslissing en ging naar rechts, met haar hand over het hek glijdend. Ze kon horen dat Veena haar volgde, waarbij ze samen meer lawaai maakten dan haar lief was. Nergens leek de omheining een zwakke plek te hebben. Net toen Jennifer begon te klagen dat het kapotte deel waarschijnlijk de andere kant op was, raakte haar hand het contact kwijt. Toen ze zich vooroverboog kon ze voelen dat de omheining plotseling horizontaal doorliep en naar buiten was omgevallen.
'Hier is het,' fluisterde ze luid. Ze ging op de omheining staan om hem nog verder naar beneden te drukken. Voorzichtig liep ze naar voren. Hoewel ze het niet kon zien, nam ze het risico en sprong. Gelukkig lukte het en ze riep Veena haar te volgen. Even later stond Veena naast haar en ze gingen haastig verder. Na een paar minuten kwamen ze uit op een van de brede maar verlaten straten van Chanakyapuri.
'We kunnen hier niet blijven,' zei Veena dringend. 'Ze kunnen hier elk moment zijn. Ze hebben vier auto's.'
Op hetzelfde moment kwam er een auto de bocht om. De vrouwen verstopten zich weer tussen de struiken en drukten zich tegen de grond. De auto minderde vaart en passeerde stapvoets. De vrouwen wachtten tot hij de volgende hoek om was en uit het zicht verdween. Op hetzelfde moment sprongen ze op en renden in de richting van waaruit de auto was gekomen. Bij het volgende blok staken ze de brede straat over en schoten een kleiner straatje in, weg van de bungalow.
'Dat was een van hun auto's,' zei Veena buiten adem. 'Ze zoeken ons.'
Even later verschenen er koplampen achter hen waardoor ze weg moesten duiken achter een muur langs een inrit. Weer drukten ze zich tegen de grond. Het was dezelfde auto, rijdend in hetzelfde tempo.
Het kat-en-muisspelletje duurde tot Jennifer en Veena bij een uitgestrekt daklozenkamp kwamen, langs een relatief drukke straat. Het was opgebouwd uit karton, stukken golfplaat, zeildoek en lappen en de aarde tussen de geïmproviseerde huizen was platgestampt. Het was duidelijk dat de leefgemeenschap al een tijd bestond.

'Hier!' zei Veena, buiten adem. Ze hadden meer dan een uur gerend. 'Hier zijn we veilig.' Zonder aarzelen liep ze tussen de eenvoudige onderkomens door het kamp in. Het was stil, afgezien van wat babygehuil zo nu en dan. Maar het huilen duurde nooit lang. Na een paar meter zagen ze een vrouw die terugkwam van een bijna droge rivierbedding die, afgaand op de geur, werd gebruikt als toilet. Veena sprak in het Hindi met haar en de vrouw wees. Na nog een paar vragen bedankte Veena haar. 'We hebben geluk,' zei ze nadat de vrouw verder gelopen was. 'Een van deze hutjes is leeg. Helaas is het dicht bij de latrine, maar we zijn er veilig.'

'Laten we het maar doen,' zei Jennifer. 'Ik geloof niet dat ik nog verder kan rennen.'

Vijf minuten later zaten ze in een soort tent gemaakt van een stuk touw dat tussen twee bomen was gespannen met een in felle kleuren bedrukte Indiase lap stof erover waarvan de uiteinden met zware stenen waren vastgezet op de grond. De vloer binnen was een legpuzzel van stukken vloerbedekking. Veena leunde tegen de ene boom, Jennifer tegen de andere. Ondanks de vreselijke stank van de vervuilde rivierbedding voelden de vrouwen zich veilig, in elk geval veiliger dan wanneer ze op de openbare weg een truck of een ander voertuig zouden aanhouden.

'Het is nog nooit zo fijn geweest om te kunnen gaan zitten,' zei Jennifer. Ze konden elkaar bij het zwakke licht van de maan nauwelijks zien. 'Ik zie dat je de kleren nog steeds bij je hebt.'

Veena hield de kussensloop omhoog alsof ze verbaasd was hem te zien. Ze gooide hem naar Jennifer en Jennifer trok het hemd en de broek eruit. Ze voelde aan de stof. 'Is dit een spijkerbroek?'

'Ja,' gaf Veena toe. 'Die heb ik in Santa Monica gekocht.'

'Dus je hebt in Santa Monica gewoond?' vroeg Jennifer terwijl ze de tent uit kroop. Ze deed de badjas en de gympen uit en trok de spijkerbroek en het shirt aan.

Nadat ze de badjas had opgerold als kussentje, kroop ze haar geïmproviseerde schuilplaats weer in. Ze wierp even een blik op Veena die bewegingloos, met haar ogen dicht zat. Nadat Jennifer het zich zo makkelijk mogelijk had gemaakt keek ze weer naar Veena. Met een schok zag ze dat haar ogen wijd open stonden en glinsterden als diamanten.

'Ik dacht even dat je sliep,' zei Jennifer.

'Ik moet met je praten,' zei Veena.

'Ga je gang,' antwoordde Jennifer. 'Ik sta beslist bij je in het krijt. Ik dank je vanuit de grond van mijn hart dat je me gered hebt. Maar wat deed jij in godsnaam bij die mensen?'
'Het is een lang verhaal,' zei Veena. 'En ik wil het je graag uitleggen, maar eerst moet ik je iets over mijzelf en mijn familie vertellen zodat je begrijpt hoe het allemaal zo gekomen is.'
'Ik ben een en al oor.'
'Wat ik je ga vertellen brengt grote schande over mijn familie, maar het is niet langer een geheim. Mijn vader heeft me mijn hele jeugd misbruikt en ik heb niks gedaan om het te stoppen.'
Jennifer deinsde achteruit alsof Veena haar had geslagen.
'Je kunt je afvragen waarom. Het probleem is dat ik in twee verschillende werelden leef. In het oude India ben ik verplicht om mijn vader te respecteren en hem hoe dan ook te gehoorzamen. Mijn leven is niet van mijzelf. Het is van mijn familie en ik mag niet praten over dingen die schande brengen, zoals het onthullen van zijn slechte gedrag. Mijn vader zei ook dat als ik hem niet gehoorzaamde, hij naar een van mijn zussen zou gaan.'
Veena vertelde daarna het hele verhaal over het louche Nurses International en de belofte naar Amerika te kunnen verhuizen. Ze vertelde over het stelen van de patiëntengegevens en dat dat niet bleek te helpen.
'Op dat moment besloot Cal Morgan de opdracht aan de verpleegsters te veranderen,' legde Veena uit. 'Hij zei dat hij ervoor kon zorgen dat mijn vader zich nooit meer zou misdragen tegenover mij, mijn zussen en mijn moeder en dat hij me naar Amerika zou brengen voor een nieuw leven als ik iets speciaals voor hem wilde doen.'
Veena zweeg en staarde Jennifer aan. De pauze duurde voort terwijl Veena de moed probeerde te vinden om verder te gaan.
'Wat moest je voor Cal Morgan doen als tegenprestatie om je te bevrijden uit de klauwen van je vader?' vroeg Jennifer. Ze was bang voor wat ze te horen zou krijgen.
'Hij wilde dat ik Maria Hernandez vermoordde. Ik heb je grootmoeder gedood.'
Jennifer deinsde voor de tweede keer achteruit, maar deze keer vanwege de intense woede die in haar opkwam. Even wilde ze opspringen en de vrouw voor haar wurgen. Ze had gelijk gehad over haar oma's dood, en hier was de dader, vlak voor haar neus. Maar toen schoot er een andere

gedachte door haar hoofd. Hier zat ook een jonge vrouw, gevangen in misschien wel de ergste psychologische val die Jennifer zich voor kon stellen. Ze had zelf immers ook in een soortgelijke situatie verkeerd, maar zonder de kans op vrijheid.
Jennifer haalde een paar keer diep adem om zichzelf onder controle te krijgen. 'Waarom heb je me vannacht bevrijd? Uit schuldgevoel?'
'Tot op zekere hoogte,' gaf Veena toe. 'Ik heb heel erg spijt gehad van wat ik je grootmoeder heb aangedaan. Ik heb zelfs geprobeerd zelfmoord te plegen, maar Cal Morgan heeft me gevonden.'
'Een echte of een neppoging?' vroeg Jennifer zonder sympathie en enigszins sceptisch.
'Echt,' zei Veena. 'Omdat ik werd gered dacht ik dat de goden tevreden waren. Maar ik voelde me slecht en dat bleef zo, dus heb ik geprobeerd om hen te laten stoppen. Toen kwam ik jou tegen en besefte ik dat ze je waarschijnlijk wilden laten verdwijnen. Dat was te veel. Deze mensen hebben geen geweten. Zij doden niet zelf, maar hebben er geen enkel probleem mee dat anderen dat voor hen doen. Het enige waar zij aan denken is succes behalen.'
'Omdat je mij jouw geheim hebt verteld, zal ik jou het mijne vertellen,' zei Jennifer plotseling. 'Ik ben ook misbruikt door mijn vader. Het begon op mijn zesde. Ik begreep er niets van.'
'Zo was het bij mij ook,' zei Veena. 'Ik heb me altijd schuldig gevoeld. Soms dacht ik dat ikzelf de oorzaak was.'
'Ik ook,' stemde Jennifer in. 'Maar toen ik ongeveer negen was wist ik plotseling dat het helemaal verkeerd was, en toen begon ik me tegen mijn vader te verzetten. Ik denk dat ik geluk heb gehad. Ik had geen last van culturele druk die bepaalde dat ik hem hoe dan ook moest respecteren. En natuurlijk hoefde ik me ook geen zorgen te maken over zussen. Ik kan me jouw situatie nauwelijks indenken. Het moet vreselijk geweest zijn. Meer dan vreselijk. Ik kan het me gewoon niet voorstellen.'
'Dat was het ook,' zei Veena. 'Als tiener probeerde ik zelfmoord te plegen, maar toen was het echt meer een gebaar. Ik probeerde aandacht te krijgen, maar het heeft niet gewerkt.'
'Arm kind,' zei Jennifer meelevend. 'Ik had altijd medelijden met mijzelf omdat ik dacht dat mijn vader me geruïneerd had en dat niemand me meer zou willen, maar ik heb nooit over zelfmoord gedacht.'
Iets meer dan een uur later begon het licht te worden aan de oostelijke

hemel, maar Jennifer en Veena merkten er niks van tot de zon echt opging. Plotseling beseften ze dat ze elkaar konden zien. Ze hadden twee uur non-stop gepraat.
Uit hun schuilplaats kruipend keken ze elkaar aan en ondanks de angst voor Cal en de zijnen begonnen ze te lachen. Ze zagen er niet uit, met hun haar in de war en vieze vegen op hun gezichten alsof ze commando's waren. 'Je ziet eruit of je hebt gevochten,' merkte Jennifer op, vooral omdat Veena's kleren net zo vuil waren als haar gezicht. Jennifer stak haar hand weer naar binnen en pakte de badjas. Toen ze hem uitschudde zag hij er net zo vies uit als Veena's kleren.
Terwijl ze terugliepen door het kamp, kwamen ook andere mensen uit de gammele, geïmproviseerde onderkomens tevoorschijn. Moeders met baby's, vaders met kleuters, kinderen en oude mensen.
'Word je er niet bedroefd van als je dit ziet?' vroeg Jennifer.
'Nee,' zei Veena. 'Het is hun karma.'
Jennifer knikte alsof ze het begreep, maar dat was niet zo.
Toen de vrouwen de straat naderden, waar het ochtendverkeer al op gang gekomen was, werden ze steeds voorzichtiger. Hoewel het ze beiden onwaarschijnlijk leek dat de mensen van Nurses International nog naar hen op zoek waren, bestond de kans natuurlijk wel. Daarom bleven ze uit voorzorg achter een paar bomen staan terwijl ze links en rechts de straat door keken, waar niet alleen een heleboel verkeer was te zien maar ook veel mensen die ofwel naar de stad liepen of in de ochtendzon zaten.
'Wat denk je?' vroeg Jennifer.
'Ik denk dat het ons gelukt is.'
'Wat ga je doen?' vroeg Jennifer. 'Waar ga je nu naartoe?'
'Ik weet het niet,' gaf Veena toe.
'Dan zal ik je dat vertellen. Je gaat met mij mee en je blijft in mijn kamer tot we iets hebben bedacht. Ben je het daarmee eens?'
'Daar ben ik het mee eens,' zei Veena.
Het duurde even voor ze een taxi hadden, maar eindelijk stopte er een chauffeur die op weg was naar de stad om zijn dag te beginnen. Bij het Amal Palace Hotel vroeg Jennifer of hij even kon wachten terwijl zij geld ging halen, maar Veena betaalde.
Sumit, de hoofdconciërge, was de eerste die haar zag. Dolblij riep hij: 'Welkom juffrouw Hernandez! Uw vrienden zijn net binnengekomen.' Hij haastte zich achter zijn balie vandaan en rende met wapperende jas-

panden naar de liften. Even later kwam hij weer terug met een triomfantelijke blik op zijn gezicht en Laurie en Jack achter zich aan. Hij had ze te pakken gekregen voor ze in de lift konden stappen.
Toen Laurie Jennifer zag begon ze te rennen met een brede lach op haar gezicht. 'Jennifer, mijn god!' schreeuwde ze terwijl ze Jennifer stevig omhelsde. Jack deed hetzelfde.
Jennifer stelde Veena voor als haar redster. 'We gaan douchen en komen dan terug voor een enorm ontbijt,' voegde ze eraan toe. 'Doen jullie mee?'
'Heel graag,' zei Laurie, nog steeds geschokt maar ongelooflijk blij door Jennifers onverwachte aankomst. 'Ik weet zeker dat dat ook voor Neil geldt.'
Met zijn vieren liepen ze verder naar de liften.
'Volgens mij heb je heel wat te vertellen,' zei Laurie.
'Ja, dankzij Veena,' zei Jennifer.
Ze stapten in de lift en de liftjongen drukte op zes voor Jack en Laurie en op acht voor Jennifer. Hij had een ongelooflijk goed geheugen.
'Ik heb vanochtend in de taxi een nieuwe Indiase legale term geleerd,' zei Jennifer. '*To turn approver.*'
'Dat klinkt bijzonder,' zei Laurie. 'Wat betekent het?'
'Getuige à charge, en dat is wat Veena zal worden.'

Epiloog

20 oktober 2007
zaterdag 11.30 uur
Raxaul, India

De sfeer in de Toyota Land Cruiser was wisselend gedurende de rit. Ze waren die ochtend vroeg bijna in paniek uit New Delhi vertrokken. Vooral Santana was opvallend gespannen geweest en had de anderen zenuwachtig aangespoord om zich te haasten. Ze wilde behalve Samira, die bij Durell geslapen had, geen andere verpleegsters wakker maken. Nadat ze drie uur in de auto hadden gezeten was iedereen een stuk kalmer, ook Santana. Cal begon zich zelfs af te vragen of ze niet overdreven gereageerd hadden. Veena zou zichzelf toch nooit in moeilijkheden brengen?

'Ik zit liever in Kathmandu omdat we overdreven gereageerd hebben dan in New Delhi om erachter te komen dat we te laat gereageerd hebben,' zei Petra.

Ze hadden geluncht in Lucknow, waar ze hadden geprobeerd erachter te komen of er die ochtend ook nieuws was over Nurses International. Maar er was niets geweest: ze werden helemaal niet genoemd, wat hen weer op de vraag bracht waar Veena naartoe was gegaan, en of ze met Jennifer Hernandez mee was gegaan nadat ze haar had bevrijd of dat ze in haar eentje was vertrokken. Ze hadden het er zelfs even over gehad wat die griet van Hernandez aan de autoriteiten kon vertellen. Ze wist in elk geval nauwelijks waar ze vast had gezeten, omdat ze midden in de nacht ontsnapt was, tenzij Veena het haar had verteld. Samira betwijfelde dat en benadrukte nog eens dat Veena een teamspeler was.

Uiteindelijk waren ze het erover eens dat ze de juiste beslissing hadden genomen door de stad en India te verlaten tot het stof weer was neergedaald en ze rationeel de schade konden overzien die was te verwachten na Veena's vlucht en Hernandez' ontsnapping.

'Ik heb altijd al een beetje mijn twijfels gehad over Veena,' gaf Cal toe

vanaf de derde rij. 'Achteraf bezien denk ik dat we haar hadden moeten laten vallen toen we haar verhaal hoorden. Man, zestien jaar op die manier leven, daardoor heeft ze ze vast niet meer op een rijtje.'
'Wat denk je dat SuperiorCare Hospital Corporation en directeur Raymond Housman zullen zeggen als Nurses International ophoudt te bestaan?' riep Petra vanaf haar plaats achter het stuur.
'Ik denk dat ze heel teleurgesteld zullen zijn,' zei Cal. 'Het programma heeft een fantastische impact gehad op het medisch toerisme deze week. Het moet een tragedie voor hen zijn dat ze niet meer waar voor hun geld krijgen. Helaas hebben we een flink bedrag uitgegeven om dit te bereiken.'
'Het is maar goed dat je dit ontsnappingsplan hebt geregeld, Durell,' zei Santana, 'anders zouden we nu nog in New Delhi zitten.'
'Het was Cals idee,' zei Durell.
'Maar jij hebt het werk gedaan,' zei Cal.
'We naderen Raxaul,' zei Santana.
Durell tuurde in het donker naar buiten. 'Het is hartstikke plat en tropisch, het tegenovergestelde van wat ik verwacht had toen ik het uitkoos als de plek waar we de grens over zouden kunnen gaan.'
'Hoe groot is de kans dat we hier problemen krijgen, denk je?' vroeg Petra. Het was de vraag die niemand uit had durven spreken, maar die steeds moeilijker te negeren was nu ze de plaats naderden.
'Minuscuul,' zei Cal ten slotte. 'Het is zo'n gat, mensen hebben zelfs geen visum nodig om het land in en uit te gaan. Dat zei je toch, Durell?'
'Het is een grensplaats, hoofdzakelijk voor vrachtverkeer,' zei Durell.
'Hoe lang moeten we in Kathmandu blijven, denk je?' vroeg Petra.
'Laten we eerst maar eens kijken hoe we ons voelen,' zei Cal.
'We zijn nu officieel in Raxaul,' riep Santana. Ze wees op een naambordje dat voorbij vloog.
Er viel een stilte in de SUV. Petra ging geleidelijk langzamer rijden. Er waren een heleboel bordjes. Overal stonden vrachtwagens geparkeerd. De stad zelf leek verwaarloosd en smerig. De enige mensen die op de donkere straten liepen, waren prostituees.
'Prachtige stad,' zei Durell, de stilte verbrekend.
'We naderen de douanepost,' zei Santana. Voor hen, midden op de straat, was een onopvallend gebouwtje met aan weerszijden ruimte voor voertuigen om te stoppen. Een paar geüniformeerde grensbeambten zaten op lege

kisten onder een kaal peertje. Een politieman zat in zijn eentje aan de zijkant. Zijn geweer leunde tegen het gebouw. Honderd meter achter het douanegebouwtje was een grote boog die de straat overspande en de grens markeerde. Een stuk of vijf mensen liepen ongehinderd beide kanten op. Toen de Land Cruiser naderde stond een van de geüniformeerde beambten op en gaf met opgeheven hand aan dat Petra moest stoppen. Ze liet het raampje zakken.
'Autopapieren,' zei de man verveeld, 'en paspoorten.'
Iedereen overhandigde zijn paspoort aan Petra. Santana pakte de autopapieren uit het handschoenenkastje. Petra gaf alles aan door het raampje. Zonder een woord te zeggen verdween de man in het gebouw. Een minuut ging voorbij, toen twee. Vijf minuten later deed Santana haar mond open. 'Denk je dat alles in orde is?'
Niemand zei iets. Met de minuut werd iedereen nerveuzer. Het aanvankelijke optimisme over een soepele grensovergang spoelde snel weg. Petra was de eerste die de politiejeeps zag in het achteruitkijkspiegeltje. Het waren er vier en ze reden heel snel. In een oogwenk hadden ze de Toyota omsingeld.
Uit elke jeep sprongen vier politieagenten. Op twee na hadden ze hun pistool getrokken. De laatste twee hadden een geweer.
'Uit de auto!' blafte degene die kennelijk de leiding had. Zijn linkerborst was behangen met lintjes. 'Handen omhoog! Jullie staan allemaal onder arrest.'

1 november 2007
donderdag 6.15 uur
New York City, VS

Vanuit Lauries perspectief was het ergste van de hele onvruchtbaarheidsnachtmerrie het wachten. In het eerste deel van de cyclus was je druk met het innemen van de pillen of het krijgen van de injecties en het controleren van de vooruitgang met de echo. Je was, hoe dan ook, bezig en had minder tijd om na te denken. Maar in de tweede helft van de cyclus was het anders. Het enige wat je kon doen was je afvragen: word ik tijdens deze cyclus zwanger, of is het mijn lot om onvruchtbaar te zijn? Zelfs de klank van het woord 'onvruchtbaar' was vreselijk, alsof er iets mis met je was, iets ontbrak.

Toen Laurie die novemberochtend vroeg wakker werd door het gekletter van de regen op het raam, vroeg ze zich af of ze zwanger was. Net als de ongeveer tien voorgaande cycli was ze zeer hoopvol. De hormooninjecties die ze zichzelf die maand gegeven had, hadden een geweldige oogst aan follikels opgeleverd. Tegelijkertijd voelde Laurie zich terneergeslagen. Ze was tijdens al die andere cycli die er even veelbelovend hadden uitgezien niet zwanger geworden. Waarom zou het nu anders zijn? Was het niet beter om de hoop en de verwachting wat te temperen? De vorige maand toen ze weer ongesteld was geworden, was ze bereid geweest om het helemaal op te geven. Ze was bang dat een zwangerschap er gewoon niet in zat voor Laurie Montgomery Stapleton van veertig plus.
Terwijl ze in haar warme bed lag kon ze Jack horen zingen onder de douche. Zijn zorgeloosheid maakte het nog moeilijker voor haar om vol te houden. 'Barst toch,' riep Laurie ten slotte uit. Ze had er genoeg van. Ze gooide de dekens van zich af en haastte zich naar de badkamer, waar het warm en nevelig was. Proberend haar hoofd leeg te houden en geen verwachtingen te koesteren pakte Laurie een van de verafschuwde zwangerschapstesten. Hurkend boven het toilet bevochtigde ze het staafje volgens de aanwijzingen. Ze zette de timer en legde het staafje op de porseleinen achterkant van het toilet.
Toen ze weer terugkwam in de badkamer nadat ze in de keuken het koffiezetapparaat had aangezet en een paar Engelse muffins in het broodrooster had gedaan, pakte Laurie het staafje weer op maar vermeed doelbewust ernaar te kijken, zodat ze meer aandacht kon besteden aan het afzetten van de irritant zoemende timer.
Nadat ze zichzelf ervan overtuigd had dat het negatief was, wierp Laurie een snelle blik op het afleesvenstertje. Ze moest een tweede keer kijken voor het tot haar doordrong dat het positief was. Voor de eerste keer was er, overduidelijk, een tweede streep te zien. Laurie slaakte een kreet. Intuïtief wist ze wanneer de conceptie had plaatsgevonden. In India, direct nadat Jennifer weer boven water was gekomen in het hotel, hadden Laurie en Jack de liefde bedreven, en ook al had ze later die dag de intra-uteriene inseminatie uitgevoerd, Laurie wist zeker dat het die vrijpartij was geweest die voor dit gelukkige resultaat had gezorgd.
Ze draaide zich om en rukte de douchedeur open. Toen sprong ze, in pyjama, bij een totaal verraste Jack naar binnen. 'Het is ons gelukt!' gilde ze. 'Ik ben zwanger!'

20 maart 2008
donderdag 11.45 uur
Los Angeles, VS

Jennifer nam haar envelop in ontvangst maar weerstond de sterke drang om hem ter plekke open te scheuren. De inhoud zou immers van grote invloed zijn op de rest van haar leven. Op de voorkant stond alleen maar JENNIFER M. HERNANDEZ, UCLA DAVID GEFFEN SCHOOL OF MEDICINE. In de envelop zat het resultaat van de match: het proces waarbij de wensen van de vierdejaars medisch studenten en die van de academische medische centra naast elkaar werden gelegd om voor beide partijen tot de meest bevredigende combinatie te komen.

De reden dat de match zo belangrijk was voor de studenten was omdat de plaats van de opleiding vaak bepaalde waar je de rest van je professionele leven zou doorbrengen.

Een paar van Jennifers vrienden, die al wisten waar ze naartoe gingen, probeerden haar over te halen de envelop te openen, maar ze weigerde. Ondanks alle smeekbeden maakte ze zich los uit de groep en liep snel het auditorium uit. Uit bijgelovigheid was ze vastbesloten om het openen van de uitslag te delen met haar beste vriend, Neil McCulgan.

Na hun terugkeer uit India was hun vriendschap opgebloeid. Jennifer had niet veel vrije tijd door haar verantwoordelijkheden als medisch student in combinatie met haar bijbaantjes, en de weinige tijd die ze had wilde ze doorbrengen met Neil, mits hij niet op de een of andere exotische plek aan het surfen was.

Terwijl de envelop een gat in haar hand leek te branden ging Jennifer op weg naar de SEH. Daar wist ze Neil op te sporen in een kamertje, waar hij een paar assistenten op een pas overleden patiënt liet oefenen hoe ze moesten intuberen. Omdat hij zich concentreerde op zijn studenten zag hij haar niet direct, maar zodra hij opkeek hield ze de envelop omhoog en zwaaide er verlegen mee. Hij wist wat het was en voelde een steek van spijt. Hij genoot van hun groeiende vriendschap, ook al was er op het fysieke vlak nog veel werk te verzetten. Hij wist dat vooruitgang en verandering noodzakelijk waren, maar hij was er niet blij mee dat ze terugging naar de oostkust. Maar hij wist dat ze daar al sinds haar eerste jaar in LA haar zinnen op had gezet.

De gedachte om het eens aan de oostkust te proberen was wel bij hem

opgekomen, maar hij vocht ertegen. Zoveel als zij van New York hield, hield hij van LA, vooral vanwege zijn intense liefde voor het surfen. Hij wist dat ze de match zou krijgen die ze wilde. Ze was een veel te goede student en had het heel goed gedaan tijdens de vierdejaars coassistentschappen bij chirurgie, die ze na hun terugkeer uit India had gelopen.
Achter zijn hand formuleerde hij geluidloos: 'Ga naar mijn kamer.'
Jennifer gebaarde dat ze het begrepen had. Ze verliet het kamertje en liep terug naar zijn kamer. Ze ging in een stoel zitten en hield de envelop tegen het licht om te zien of ze kon lezen wat er op de brief stond. Ze wist dat ze daarmee eigenlijk vals speelde, maar ze kon het niet helpen.
Neil kwam al na een paar minuten aanlopen. 'Nou, heb je Columbia gekregen?' vroeg hij.
'Ik heb hem nog niet opengemaakt. Ik ben bijgelovig. Ik wilde het doen waar jij bij was.'
'Raar mens! Je krijgt toch wel wat je wilt.'
'Ik wilde dat ik er net zoveel vertrouwen in had als jij.'
'Nou, maak open!'
Jennifer haalde diep adem en viel op de envelop aan. Ruw rukte ze het briefje eruit, vouwde het open en begon te juichen. Ze gooide het briefje in de lucht en liet het weer naar de grond zweven.
'Zie je wel!' zei Neil. 'Columbia mag blij zijn dat ze jou krijgen.' Hij bukte zich en raapt het briefje op, terwijl hij er tegelijk een blik op wierp. Geschokt moest hij nog een tweede keer kijken. UCLA MEDICAL CENTER, AFDELING CHIRURGIE stond er.
Neil keek verward van het briefje naar Jennifer. 'Wat is dit?' sputterde hij.
'O, ja, dat was ik vergeten je te vertellen. Ik heb de volgorde van mijn voorkeur veranderd. Ik besefte dat ik niet wilde vertrekken nu we elkaar net leren kennen, maar maak je geen zorgen, er is geen druk.'
Neil stak zijn handen uit, greep Jennifer in een enorme omhelzing en tilde haar van de grond. 'Ik ben ongelooflijk blij,' zei hij. 'Je zult er nooit spijt van krijgen.'

5 augustus 2008
woensdag 18.20 uur
Los Angeles, VS

Jennifer was zo opgewonden dat ze moeite had om stil te blijven staan. Ze liep heen en weer voor de douane in de aankomsthal van Los Angeles International Airport. Over een paar minuten zou ze het resultaat zien van maanden hard werk van haar kant, samen met de hulp van een aantal andere mensen.

'Het is moeilijk voor te stellen dat Veena straks door die deur zal komen,' zei Neil. Hij had Jennifer naar het vliegveld gereden.

'Er waren momenten dat ik ervan overtuigd was dat het niet ging lukken,' stemde Jennifer in. Bijna vanaf de dag dat ze waren teruggekeerd uit India was Jennifer een kruistocht begonnen om UCLA ervan te overtuigen Veena een beurs te geven voor een medische opleiding, en de Amerikaanse regering om haar een studentenvisum te verstrekken. Het was niet makkelijk geweest omdat beide instellingen in eerste instantie weigerden haar aanvraag in overweging te nemen.

De grootste horde was Veena's betrokkenheid bij het proces tegen Nurses International geweest, maar dat was uiteindelijk opgelost toen Veena en de andere verpleegsters immuniteit hadden gekregen door als getuige à charge op te treden tegen Cal Morgan, Durell Williams, Santana Ramos en Petra Danderoff.

Het volgende probleem was het regelen van het MCAT-examen dat Veena moest afleggen. Maar dat was beslist de moeite waard geweest, want Veena haalde de tests met vlag en wimpel. De bijna perfecte score had haar zaak extra goed gedaan en zodra de universiteit gunstig over haar aanvraag oordeelde was ook de regering bereid een andere toon aan te slaan.

Tot slot was er het probleem geweest om voldoende geld bijeen te brengen voor haar ticket en andere uitgaven. Een belangrijk deel van al deze dingen moest, ongelooflijk genoeg, worden geregeld terwijl Jennifer het razenddruk had met haar chirurgische coschappen.

'Daar is ze!' riep Neil opgewonden, wijzend in de richting waar Veena was verschenen. Ze droeg twee kleine tassen met al haar aardse bezittingen en was gekleed in een slecht passende spijkerbroek en een eenvoudige katoenen blouse. Maar ondanks dat zag ze er stralend uit.

Jennifer zwaaide woest om Veena's aandacht te trekken. Toen ze met een brede glimlach dichterbij kwam probeerde Jennifer zich voor te stellen wat er door haar heen moest gaan. Ze was eindelijk helemaal vrij van haar zelfzuchtige, weerzinwekkende en verdorven vader en kreeg de fantastische kans om geneeskunde te studeren, wat haar vader haar altijd had verboden. Daarvoor accepteerde ze een leven in een totaal verschillende, individualistische cultuur en gaf ze alles op wat ze had gekend sinds ze een kind was.
Er was weliswaar een kleine overeenkomst met Jennifers vertrek uit New York City om naar de westkust te verhuizen, maar Veena's beslissing was nog veel ingrijpender. Veena verhuisde van een sterke groepscultuur naar een cultuur die hoofdzakelijk gebaseerd was op het individu. Dat probleem had Jennifer niet gehad en ze was waarschijnlijk ook niet in staat om daarbij te helpen. Waar ze wel bij kon helpen waren hun vergelijkbare, afschuwelijke ervaringen met misbruik. Jennifer wist maar al te goed wat voor handicap dit betekende en ze hoopte dat ze in staat zou zijn om Veena wat van de overlevingsstrategieën bij te brengen die zij met vallen en opstaan had geleerd. Ze hoopte dat Veena daar open voor zou staan. Veena had haar tenslotte ook een paar belangrijke levenslessen geleerd. Hoewel de risico's heel hoog waren geweest, had Veena Jennifer iets geleerd over bevrijding en vergeving, iets wat ze anders misschien nooit zou hebben geleerd.

Dankbetuiging

Graag wil ik een paar Indiase artsen bedanken die me bijzonder gastvrij hebben ontvangen tijdens mijn bezoek aan India. Vooral dokter Gagan Gautam, die een hele dag in zijn drukke agenda vrijmaakte om me zowel privéklinieken als algemene Indiase ziekenhuizen te laten zien. Daarnaast dokter Ajit Saxena, die me niet alleen in zijn privékliniek rondleidde maar me ook bij hem thuis uitnodigde om zijn gezin te ontmoeten en te genieten van een heerlijk Indiaas diner. En tot slot dokter Sudhaku Krishnamurth, die me aan de twee hiervoor genoemde personen heeft voorgesteld.

Naast het uitspreken van mijn dank wil ik hen hierbij tevens ontslaan van elke verantwoordelijkheid met betrekking tot het verloop van het verhaal, de beschrijvingen of de lichte overdrijvingen in *Vreemd lichaam*, waarvoor ik zelf de volledige verantwoordelijkheid op me neem. Bij het lezen van het manuscript merkte dokter Gautam bijvoorbeeld op: 'Ik heb nog nooit gezien dat er mensen op het dak van een bus meereden in Delhi. Wel dat ze eraan hingen... maar niet op het dak.' Na enig nadenken besefte ik dat hij gelijk had. Ik had dit inderdaad buiten de stad gezien.

Ten slotte gaat mijn dank uit naar het land India zelf. Tijdens mijn bezoek kwam ik tot de ontdekking dat het een ongelooflijk fascinerende mengeling van contrasten is: rijk en toch arm, van een serene schoonheid maar ook verraderlijk, modern maar daarnaast middeleeuws. Het is een land dat in drie eeuwen tegelijk leeft, met een fascinerende geschiedenis waar ik maar weinig over wist, en waar creatieve, intelligente, mooie en gastvrije mensen wonen. Kortom, een land waar ik heel graag snel weer naar terug wil.

'Misschien is er nog een minuscule kans dat die sterfgevallen het gevolg waren van een vertraagde anesthetische complicatie of een onverwachte bijwerking van een geneesmiddel, maar daar geloof ik niet in. En als ik "minuscuul" zeg, bedoel ik oneindig klein, want onze toxicologische screening heeft tot nu toe niets opgeleverd.
Hoe dan ook, het komt hierop neer: ik hou ernstig rekening met de mogelijkheid dat die patiënten zijn vermoord.'

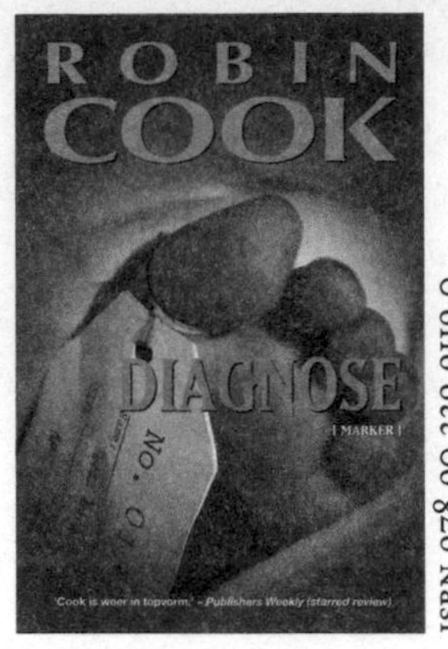

ISBN 978 90 229 9119 0

Robin Cook

Diagnose

Sean McGillin is achtentwintig en kerngezond totdat hij zijn been breekt tijdens een rondje skeeleren in Central Park. Binnen vierentwintig uur na de operatie overlijdt hij.
Darlene Morgan, een moeder van zesendertig, wacht hetzelfde lot. Een eenvoudige meniscusoperatie wordt haar fataal.

In *Ademnood* vormden de forensisch pathologen Laurie Montgomery en Jack Stapleton een toegewijd team, dat onwaarschijnlijke sterfgevallen onderzocht. Nu zijn ze terug in *Diagnose* en vragen ze zich af hoe het mogelijk is dat kerngezonde jonge mensen na afloop van een geslaagde routineoperatie overlijden. Zo op het eerste gezicht lijkt er geen enkel verband tussen de gevallen te zijn, maar Laurie heeft daar haar twijfels over. Ondanks de nodige tegenwerking van hun superieuren stellen ze een onderzoek in en komen ze tot schokkende conclusies…

'Robin Cook is de keizer van de medische thrillers.'
FLAIR

'Met glazige ogen keek Laurie niets ziend uit het zijraam van de taxi die in noordelijke richting over Second Avenue racete. De reeks MRSA-gevallen had haar helemaal in zijn ban. Wat begonnen was als een mogelijke manier om Jack ervan te overtuigen dat hij zijn knieoperatie moest uitstellen, was op iets heel anders uitgedraaid.'

ISBN 978 90 229 9331 6

Robin Cook
Kritiek

De kerngezonde, atletische computerprogrammeur David Jeffries, had niet kunnen vermoeden dat een simpele enkelblessure tot zijn dood zou leiden...

Angela Dawson, oprichtster van Angels Healthcare, dat uit een aantal gespecialiseerde ziekenhuizen bestaat, zal net als haar investeerders een vermogen verdienen wanneer haar bedrijf tot de beurs wordt toegelaten. Alleen al de voorinschrijvingen zijn vijfhonderd miljoen dollar waard. Er is echter één probleem: binnen twee weken moet ze een aanzienlijk kastekort zien aan te vullen...

Forensisch patholoog Jack Stapleton wil zich na een knieblessure zo snel mogelijk laten behandelen. Het orthopedisch ziekenhuis van Angels Healthcare is de enige kliniek waar hij binnen drie dagen geopereerd kan worden. Laurie, zijn vrouw en collega, heeft zo haar twijfels. Haar achterdocht verandert in regelrechte angst wanneer ze ontdekt dat een dodelijke bacterie al meerdere slachtoffers heeft geëist in de klinieken van Angels Healthcare...

'Wie een boek van Cook heeft gelezen, zal voor altijd met andere ogen naar de medische wereld kijken.' – De Telegraaf

Als Patience Stanhope nu eens helemaal geen hartinfarct had gehad? Dat was een volkomen nieuwe invalshoek, vooral nu ze over de medewerking van een toxicoloog konden beschikken. Er waren veel meer geneesmiddelen die een schadelijke uitwerking op het hart hadden dan middelen die een hartaanval konden stimuleren. Jack sprong in de auto...

ISBN 978 90 229 9259 3

Robin Cook

Crisis

Drie vrouwen, allen gestorven onder mysterieuze omstandigheden. Patholoog-anatoom Jack Stapleton staat voor een raadsel.
De eerste vrouw overlijdt na een plotseling, ernstig zuurstoftekort. Het tweede slachtoffer is de partner van een Iraanse diplomaat bij de VN. Het lijkt in eerste instantie zelfmoord, maar Jack ontdekt dat het een moord betreft. De derde dode was een kerngezonde vrouw. Tijdens het winkelen is zij plotseling overleden aan een acute vernauwing van de kransslagader. Jack moet in de zaak van het eerste slachtoffer erachter komen of zijn zwager terecht beschuldigd wordt van medische fouten. Hij wordt hierbij van alle kanten tegengewerkt en bedreigd.

'Crisis *leest snel en je gaat er helemaal in op. Vakkundig geschreven met geloofwaardige personages en een gedegen plot met voldoende spanning om onze interesse vast te houden, en Cook heeft een paar grote verrassingen in petto.'* – BOOKREPORTER